L'état du monde
Annuaire économique
géopolitique mondial
2007

Les Éditions du Boréal reconnaissent l'aide financière du gouvernement
du Canada par l'entremise du Programme d'aide au développement
de l'industrie de l'édition (PADIÉ) pour ses activités d'édition
et remercient le Conseil des Arts du Canada pour son soutien financier.

Les Éditions du Boréal sont inscrites au Programme d'aide
aux entreprises du livre et de l'édition spécialisée de la SODEC
et bénéficient du Programme de crédit d'impôt pour l'édition
de livres du gouvernement du Québec.

ISBN-13 : 978-2-7646-0485-4
ISBN-10 : 2-7646-0485-8

Dépôt légal : 4ᵉ trimestre 2006
Bibliothèque nationale du Québec

Diffusion au Canada : Dimedia
Imprimé au Canada

L'état du monde

Annuaire économique
géopolitique mondial

2007

Éditions La Découverte
Éditions du Boréal

4447, rue Saint-Denis
Montréal (Québec) H2J 2L2
www.editionsboreal.qc.ca

Rédaction

Conception de la nouvelle formule
Bertrand Badie, Béatrice Didiot,
François Gèze, Hugues Jallon.

BERTRAND BADIE, en partenariat avec
l'équipe éditoriale, est intervenu dans la
conception d'ensemble, la définition des
grandes orientations scientifiques et de
la structure finale, ainsi que dans le
choix des auteurs.

Conseillers de la rédaction : **Bertrand
Badie, Richard Banégas, Jean-
François Bayart, François Constantin,
Olivier Dabène, Christophe Jaffrelot,
Gilles Lepesant, Alain Noël,
Dominique Plihon, Régine Serra,
Francisco Vergara.**

Coordination et réalisation
Béatrice Didiot

Rédaction
Mariam Abou Zahab, sociologie
politique, CERI-Sciences Po, Inalco.
Fariba Adelkhah, anthropologie
politique, CERI-Sciences Po.
Agnès Alexandre-Collier, civilisation
britannique, Université de Bourgogne
(Dijon).
Bertrand Badie, science politique, IEP-
Paris.
Richard Banégas, science politique,
Université Paris-I-Panthéon-Sorbonne,
Cemaf.
Marie-Thérèse Banzo, géographe,
Université Bordeaux-III.
Jean-François Bayart, CNRS/CERI-
Sciences Po, président du FASOPO.
Céline Bayou, La Documentation française.
Anne Bazin, sciences politiques,
Fondation Robert-Schuman.
Gilles Bibeau, anthropologue,
Université de Montréal.
Marc Bied-Charreton, géographe,
professeur émérite de l'Université de
Versailles-Saint-Quentin-en-Yvelines,
président du CSFD.

Alain Bissonnette, avocat et
anthropologue, consultant auprès de
l'Agence canadienne de développement
international (ACDI).
Pierre-Yves Boissy, science politique,
IEP-Paris.
Bernard Botiveau, politologue, CNRS
(IREMAM, Aix-en-Provence).
Dorval Brunelle, directeur de
l'Observatoire des Amériques, Centre
Études internationales et mondialisation
(UQAM).
Jean-Christophe Bureau, économiste,
Institut national agronomique, Paris-
Grignon.
Véronique Chaumet, La Documentation
française.
Dora Chesne.
André-Pierre Contandriopoulos,
GETOS (FCRSS/IRSC), Département
d'administration de la santé et GRIS,
Université de Montréal.
Georges Corm, économiste et historien.
Gérard Courtois, journaliste, *Le Monde.*
Stéphane Couture, Laboratoire de
communication médiatisée par
ordinateur (LabCMO), UQAM.
Ivan Crouzel, science politique, CEAN.
Olivier Dabène, science politique,
CERI-Sciences Po.
Hosham Dawod, anthropologue,
CNRS.
Christian Deblock, Centre Études
internationales et mondialisation
(UQAM).
Patrick Antoine Decloitre, journaliste,
Agence Flash d'Océanie.
Jean-Louis Denis, GETOS
(FCRSS/IRSC), Département
d'administration de la santé et GRIS,
Université de Montréal.
Myriam Désert, civilisation russe,
Université Paris-IV-Sorbonne.
Guillaume Devin, science politique,
IEP-Paris.
Alain Dieckhoff, science politique,
CERI-Sciences Po.
Bernard El Ghoul, relations
internationales, IEP-Paris.
Laurent Fourchard, historien, Science
Po, CEAN.
Gilbert Gagné, politologue, Université
Bishop's (Sherbrooke), directeur du

Groupe de recherche sur l'intégration continentale (UQAM).
David Garibay, science politique, Université Lyon-II.
Pierre Gentelle, géographe, CNRS.
François Godement, orientaliste, IEP-Paris, directeur d'Asia Centre.
Jean-Pierre Guengant, démographe, IRD, UR 013 (Migration et mobilités), Migrinter (CNRS/Université de Poitiers).
Guy Hermet, science politique, IEP-Paris.
Gérard Hervouet, science politique, Université Laval (Québec).
Bernard Hourcade, géographe, CNRS.
Élise Huffer, Université du Pacifique sud.
Philippe Hugon, économiste, Paris-X-Nanterre, IRIS.
Robert Jules, journaliste, *La Tribune*.
Marie-Hélène Labbé, questions nucléaires, IEP-Paris
Frédérique Langue, historienne, CNRS.
Anne-Marie Lavoie, Droits et démocratie.
Jacques Le Cacheux, économiste, directeur du département des Études de l'OFCE, Université de Pau et des Pays de l'Adour.
Jean-François Legrain, historien, CNRS-GREMMO, Maison de l'Orient (Lyon).
Laurent Lepage, études sur les écosystèmes urbains, UQAM.
Gilles Lepesant, géographe, CNRS (TIDE-Bordeaux).
Lloyd Lipsett, Droits et démocratie.
Catherine Locatelli, EPE-LEPII, CNRS/Université Grenoble-II
José Luis López, histoire et géographie, Éducation nationale, Espagne.
Paul Magnette, sciences politiques, Institut d'études européennes (Université libre de Bruxelles).
Jean-Marie Martin-Amouroux, économiste de l'énergie, Enerdata-Grenoble.
Giampiero Martinotti, journaliste, *La Repubblica*.
Armand Mattelart, sciences de l'information et de la communication, Université Paris-VIII.
Patricio Mendez del Villar, économiste, CIRAD-CA.
Charles-Albert Michalet, économiste, Université Paris-Dauphine.

Georges Mink, sociologue, sciences politiques, CNRS.
Alain Musset, géographe, EHESS.
Alain Noël, science politique, Université de Montréal.
Christophe-Alexandre Paillard, questions internationales et économie de la sécurité, IEP-Paris.
Serge Perrin, économiste.

CEAN : Centre d'étude de l'Afrique noire ; **CEMAf :** Centre d'études des mondes africains ; **CERI :** Centre d'études et de recherches internationales ; **CINBIOSE :** Centre de recherche interdisciplinaire sur la biologie, la santé, la société et l'environnement ; **CIRAD-CA :** Centre de coopération internationale en recherche agronomique pour le développement - Cultures alimentaires ; **CNRS :** Centre national de la recherche scientifique ; **CSFD :** Comité scientifique français de la désertification ; **EHESS :** École des hautes études en sciences sociales ; **EPE :** Énergie et politiques de l'environnement ; **FASOPO :** Fonds d'analyse des sociétés politiques ; **FCRSS :** Fondation canadienne pour la recherche sur les services de santé ; **GETOS :** Gouverne et transformation des organisations de santé ; **GREMMO :** Groupe de recherches et d'études sur la Méditerranée et le Moyen-Orient ; **GRIS :** Groupe de recherche interdisciplinaire en santé ; **IEP :** Institut d'études politiques ; **IFAS :** Institut français d'Afrique du Sud ; **Inalco :** Institut national des langues et civilisations orientales ; **INED :** Institut national d'études démographiques ; **IRD :** Institut de recherche pour le développement ; **IREMAM :** Institut de recherches et d'études sur le monde arabe et musulman ; **IRIS :** Institut de relations internationales et stratégiques ; **IRSC :** Instituts pour la recherche en santé du Canada ; **LEPII :** Laboratoire d'économie de la production et de l'intégration internationale ; **Migrinter :** Migrations internationales, territorialités, identités ; **OCDE :** Organisation de coopération et de développement économiques ; **OFCE :** Observatoire français des conjonctures économiques ; **TIDE :** Territorialité et identité dans le domaine européen ; **UQAM :** Université du Québec à Montréal.

Dirk Pilat, Direction de la science, de la technologie et de l'industrie de l'OCDE.
Roland Pourtier, géographe, Université Paris-I-Panthéon-Sorbonne.
Serge Proulx, Laboratoire de communication médiatisée par ordinateur (LabCMO), UQAM.
Michel Rainelli, économiste, DEMOS-GREDEG (CNRS/Université de Nice-Sophia-Antipolis).
David Recondo, science politique, CERI-Sciences Po/CNRS.
Régine Serra, relations internationales Asie orientale-Japon, Inalco.
Jacques Trémière.
Christophe Tricaud, rédacteur en chef adjoint, *La Tribune*.
Charles Urjewicz, historien, Inalco.
Justin Vaïsse, historien des États-Unis, IEP-Paris.
Jacques Vallin, démographe, INED.
Louise Vandelac, sociologue, Institut des sciences de l'environnement, CINBIOSE, UQAM.
Francisco Vergara, économiste et statisticien.
Dominique Vidal, sociologue, Université Lille-III.
Aurelia Wa Kabwe-Segatti, science politique, IFAS.
Ibrahim A. Warde, politologue, Fletcher School of Law and Diplomacy (Medford, Massachusetts).
Jean-Daniel Weisz, consultant, BearingPoint.
Jean-Claude Willame, sciences politiques, Université catholique de Louvain.
Hervé Yannou, journaliste, *Le Figaro*, I.Média.

La réalisation de *L'état du monde* bénéficie de la collaboration scientifique du Centre d'études et de recherches internationales (CERI) de Sciences Po.
http://www.ceri-sciences-po.org

Statistiques

Francisco Vergara, avec la collaboration de Liliane Petrovic.

Cartographie

Anne Le Fur, Martine Frouin-Marmouget.
AFDEC, 25, rue Jules-Guesde
75014 Paris - tél. : 01 43 27 94 39
fax : 01 43 21 67 61.
e-mail : afdec@wanadoo.fr

Traductions

Christophe Jaquet (anglais).

Graphisme

Conception de la couverture, maquette intérieure et création typographique :
Jean-Marie Achard.
tél. : 01 43 87 50 59.
e-mail : achard.jm@wanadoo.fr

Les titres et les intertitres sont de la responsabilité de l'éditeur. Rédaction achevée le 22 juillet 2006.

Les enjeux de la période

Table des matières

Sociétés et développement humain

Enjeux régionaux

Les grands ensembles continentaux

Chroniques de l'année

Annexes

Mode d'emploi

Se repérer dans L'état du monde

Depuis son lancement en 1980, *L'état du monde* scrute et accompagne les mutations de la planète. Son réseau d'auteurs prend appui sur des centaines d'équipes de recherche et couvre tous les champs disciplinaires liés à l'international.

Depuis la fin de la Guerre froide, le monde a changé : la fin de la bipolarité, mais aussi l'amplification du phénomène de la mondialisation, et les révolutions technologiques définissent de nouveaux acteurs, de nouveaux modes d'échanges et de nouvelles polarisations de puissance. Cette vingt-sixième édition de *L'état du monde* inaugure une nouvelle formule éditoriale : elle accorde davantage de place à l'analyse des problématiques transnationales et propose un bilan de l'année pour une sélection de 27 États. Les bilans 2005-2006 pour les 200 autres pays de la planète sont disponibles sur le cédérom *L'Encyclopédie de L'état du monde* [*voir sa présentation en fin d'ouvrage*].

Les enjeux de la période

Cette première partie accueille quatre rubriques (« Les nouvelles relations internationales », « Questions économiques et sociales », « Sociétés et développement humain », « Enjeux régionaux »), qui abordent toutes les dimensions des défis à plus d'un titre transversaux caractérisant la période. Ainsi, au nombre des thèmes qui auront marqué l'année 2005-2006 sont traités l'évolution de la doctrine diplomatique américaine, la question de la réforme de l'ONU, les défauts de la gouvernance économique européenne, la flambée des cours des hydrocarbures, le « patriotisme économique », les mutations du Moyen-Orient depuis 2003, mais aussi le vieillissement de la planète, les réformes amorcées des systèmes de santé, ainsi que la nouvelle donne des migrations internationales.

Les grands ensembles continentaux

Cette deuxième partie brosse le portrait de chaque grande région de la planète, caractérisant les enjeux démographiques, stratégiques, économiques, sanitaires à laquelle chacune est confrontée. Le bilan de l'année – politique, économique et diplomatique – pour une sélection de 27 États complète la perspective en évoquant les plus récentes évolutions intervenues dans ces pays particulièrement significatifs d'un point de vue géopolitique.

Les chroniques de l'année

Cette troisième et nouvelle partie donne la température annuelle aussi bien de l'état de l'économie mondiale, de l'activité des grandes entreprises transnationales, des dépenses en Recherche & Développement, que des « avancées » en termes de défense de l'environnement, d'évolutions technologiques ou scientifiques (NTIC, biotechnologies), ou encore du bon fonctionnement d'institutions d'intégration régionale (UE, ALENA, organisations sud-américaines et asiatiques).

La centaine d'articles de l'ouvrage sont émaillés de chronologies, tableaux, graphiques, références bibliographiques, fiches pays.

Et comme tous les ans, on retrouve, désormais présentées par continent et réunies en annexes, les principales **statistiques** démographiques, économiques et socio-culturelles pour tous les États de la planète.

Dans l'incertitude qui entoure le passage au nouveau millénaire, le monde est plus que jamais écartelé entre tradition et modernité, changement et résistance au changement. La bipolarité offrait l'illusion de la compétition, jusqu'à l'ivresse du débat idéologique : son démantèlement n'offre plus d'autres alternative que de gérer, au plus près des intérêts de chacun, une modernisation souvent reconstruite ou imaginée, mais toujours dramatisée par l'ambiance millénariste, l'obsession technologique, les contre-performances sociales et économiques et surtout l'impossibilité de comprendre un monde qui a perdu sa grammaire diplomatique, qui s'enflamme de conflits incontrôlables, que tracassent des hégémonies poussées à la caricature et qui refuse de plus en plus les classements pré-imposés.

L'obsession technologique avait été repérée par plus d'un dès les années 1960. Mais les progrès fulgurants de la communication tout comme la mobilité croissante des techniques, y compris nucléaires, ébranlent aujourd'hui plus que jamais les forteresses d'antan. Dans un monde où tout le monde voit tout le monde, où l'intimité souveraine est abolie, où tous les messages circulent sans pouvoir être réellement contrôlés, la communication devient un enjeu majeur. Dans sa sophistication présente, elle érode les pouvoirs et les immunités, mais reconstruit en même temps des hégémonies dont bénéficieront pêle-mêle les serveurs d'Internet, les nouveaux monopoles du marché de la communication ainsi que les États qui sauront en profiter. Bel ordre du jour pour la conférence qui s'est tenue à Tunis sur la communication (novembre 2005), mais qui s'ouvre aussi sur des réalités bien plus larges : un monde qui communique est tout aussi inévitablement un monde de circulation, d'incitations naturelles à immigrer. Plus les contrastes mondiaux sont connus et affichés, plus ils incitent les malheureux à se déplacer. Constat banal qui aide à comprendre l'ampleur des innovations politiques, économiques, sociales et culturelles, que commande une mutation que nul n'aime regarder en face.

Entre une politique continuellement répressive et des utopies qui, faute de réflexions, ne se transforment pas en propositions concrètes, l'immigration s'installe dans la posture dangereuse de la hantise, voire de la phobie. Au centre du débat politique européen et nord-américain, elle nourrit les journaux télévisés, regorgeant de reportages sur les flux clandestins, et alimente les discours politiques, qu'elle pousse un peu plus tous les jours vers la radicalité populiste. De façon intéressante, elle tend à s'élargir à l'Asie, qui

DANS L'INCERTITUDE
ENTOURANT
LE PASSAGE
AU NOUVEAU
MILLÉNAIRE,
LE MONDE EST PLUS
QUE JAMAIS ÉCARTELÉ
ENTRE TRADITION
ET MODERNITÉ,
CHANGEMENT ET
RÉSISTANCE AU
CHANGEMENT.

14 | *Par* **Bertrand Badie**
Science politique, IEP-Paris

devient de plus en plus terre d'immigration potentielle : le vieillissement de la population japonaise est tel qu'à terme l'appel à une main-d'œuvre étrangère deviendra incontournable, tandis que la Chine entre dans une transition qui pourrait bientôt se traduire par un besoin de travailleurs venus d'ailleurs... Le vieillissement se construit dès lors comme un enjeu majeur des débats publics, touchant tant à l'avenir délaissé de l'État de bien-être qu'à la mobilité future des personnes.

Autant de questions de société sur lesquelles les classes politiques restent silencieuses : le populisme ambiant et l'affaiblissement de la démocratie aident à ne rien résoudre et à préférer l'illusion. Dénoncer l'immigration est plus confortable que chercher à l'intégrer dans une modernité ; tenir le *welfare state* pour agonisant jusqu'à ramasser ses dépouilles et célébrer l'inéluctabilité de la conversion néolibérale est moins coûteux que penser sa modernisation. Mais il convient alors d'en payer le prix : dans un cas, tensions sociales croissantes dans les banlieues, montée en force des fondamentalismes, dans l'autre, défaut vertigineux de gouvernance économique en Europe, où la fièvre libérale atteint au premier chef tout un courant de la social-démocratie incarné par Tony Blair. Face à cette tétanie politique, les acteurs non étatiques prennent le relais pour tenter d'articuler un autre discours : l'Église catholique de France et la fédération protestante ont été pratiquement les seules à réagir à la « loi Sarkozy » sur l'immigration en France, tandis que les tensions en banlieue suscitaient davantage la réaction du monde associatif que celle du monde politique...

La passivité politico-diplomatique a été, pour des raisons voisines, le maître-mot des chancelleries depuis le 20 mars 2003 et l'invasion américaine de l'Irak. L'écroulement du Mur de Berlin, d'abord, l'avènement des néoconservateurs ensuite ont reconstruit la politique internationale autour de l'obsession hégémonique : fonctionnelle pour les uns, détestable pour les autres, la domination américaine semble rythmer l'arène mondiale, tout le débat tournant autour de sa protection ou de sa mise à mal. Formidable illusion qui détourne les efforts d'innovation et d'imagination vers un double travail de Sisyphe.

D'une part, l'énergie se trouve confisquée aux États-Unis par des efforts désespérés d'universalisation du modèle occidental voire de « lissage » mondial. Tout déviant à l'ordre international consacré devient « voyou » (*rogue*) et le seul salut se trouve dans la mise aux normes occidentales du régime coupable. Formidable naïveté ou excessif cynisme, le processus est mis en échec en Irak, en Afghanistan, dans le «*Greater Middle East*», mais aussi en Haïti, voire à Timor oriental. Au nom du même droit acquis de puissance, tous les clubs tendent à se fermer, voire à s'embastiller : le G-8, malgré des apparentements qui ne concernent souvent que la photographie finale des « sommets », mais aussi le P-5 (5 membres permanents du Conseil de sécurité de l'ONU) et le club très fermé des puissances nucléaires. La réforme prévue de l'ONU, à l'occasion du soixantième anniversaire de l'organisation, a chaviré devant l'incapacité de penser l'élargissement du Conseil de sécurité et surtout l'arrivée de nouveaux membres permanents venant de l'ancienne périphérie. Le multilatéralisme perd ainsi la chance d'acquérir un nouveau souffle sous les coups du conservatisme de puissance. De la même manière, la peur de

Par **Bertrand Badie**
Science politique, IEP-Paris

voir accéder au « club nucléaire » de nouveaux États venant du Sud – qui plus est musulmans – est plus politique que stratégique, davantage marquée par la crainte d'une dilution de l'aristocratie mondiale que de l'angoisse de voir un jour ces armes utilisées.

D'autre part, cette crispation conservatrice ne cesse de susciter des attitudes réactives hors de la sphère dominante : chez certains alliés européens de manière passagère, chez les anciens alliés latino-américains, de façon plus spectaculaire, et un peu partout dans le « Grand Sud ». Antiaméricanisme, populisme diplomatique qui s'enflamme de Caracas à Téhéran, retour aux thématiques dépendancialistes d'autrefois : tout est bon pour mettre en échec une unipolarité qui en a d'autant moins besoin qu'elle a été abolie de fait dès la fin des années 1990. Cette réactivité n'est pas seulement symbolique : elle s'empare de plus en plus de leviers matériels dont la manipulation crée du désordre. Le pétrole, le gaz, mais aussi les grandes négociations commerciales, où se banalisent des coalitions politiques, font les frais de ce jeu d'échec à la puissance.

Ces assauts de crispation de part et d'autre laissent les vrais problèmes sans solution. Les espoirs d'innovation nés de la fin de la bipolarité sont éteints : notre monde est encore plus figé que du temps du face-à-face Brejnev-Nixon. Les conflits de la planète stagnent dans la violence ou se réveillent : Irak, Afghanistan, Congo, Côte-d'Ivoire, Érythrée, Somalie, Soudan, Tchad, Timor oriental, Sri Lanka… Et que dire de la Palestine où la méthode unilatérale conduit la communauté internationale à accepter la rétraction territoriale, voire la « bantoustanisation» de la population palestinienne, aggravée de sanctions à l'encontre du gouvernement sorti des élections tenues en janvier 2006 ?

Une dialectique étrange et dangereuse semble ainsi se dessiner, par laquelle tout le monde réagit à tout le monde dans une inefficacité croissante. L'unilatéralisme est d'autant moins efficace que sa légitimité s'étiole, que son aptitude à contenir les nouvelles violences diminue, que sa capacité proactive apparaît de plus en plus faible. En même temps, l'affichage unilatéral recentre constamment les choix politico-diplomatiques sur sa dénonciation, voire, dans certains cas, sur des stratégies de contournement ou de déviance. La scène internationale devient ainsi fortement marquée par le jeu contestataire, abandonnant la faculté d'initiative et d'innovation aux acteurs non étatiques.

Ceux-ci apparaissent dès lors au centre d'une nouvelle donne. Les paramètres démographiques, migratoires ou écologiques ne cessent de façonner l'espace mondial, de peser sur les choix et d'hypothéquer les débats politiques. En même temps, les dynamiques sociales, faites, pêle-mêle, de protestations, de dénonciations des échecs ou des humiliations, de réveils identitaires ou de formes nouvelles de solidarité, prennent de plus en plus le relais de débats politiques asséchés. C'est probablement à ce niveau microsocial que se situent les perspectives d'innovation et l'essentiel des capacités proactives de notre système international. Celles-ci sont d'autant plus difficiles à mobiliser qu'elles sont ignorées des princes et des diplomates, qu'elles se construisent sans entreprise politique crédible et bien souvent hors de tout projet de gouvernement. Aussi laissent-elles, hélas, l'essentiel de l'initiative aux entrepreneurs de violence. ∎

Abréviations utilisées dans les tableaux statistiques

A&NZ . . . . Australie, Nouvelle-Zélande	**Jord** . . . . Jordanie
Afr . . . . Afrique	**Kén** . . . . Kénya
AfS . . . . Afrique du Sud	**kgec** kilogramme équivalent charbon
Alena . . . États-Unis, Canada, Mexique	**Kow** . . . . Koweït
AmL . . . . Amérique latine	**Mal.** . . . . Fédération de Malaisie
ArS . . . . Arabie saoudite	**Mart** . . . . Martinique
Aus . . . . Australie	**Mex** . . . . Mexique
Belar . . . . Biélorussie	**M-O** . . . . Moyen-Orient
Belg . . . . Belgique	**Moz.** . . . . Mozambique
Bosn. . . . . Bosnie	**Niga** . . . . Nigéria
Bré . . . . Brésil	**Nor.** . . . . Norvège
Bulg . . . . Bulgarie	**N-Z.** . . . . Nouvelle-Zélande
Cam . . . . Cameroun	**Pak** . . . . Pakistan
Can. . . . . Canada	**P-B.** . . . . Pays-Bas
CdI . . . . Côte-d'Ivoire	**Pbal.** . . . . Pays baltes
CEI Communauté d'États indépendants	**PED** . . . . Pays en développement
Chin . . . . Chine populaire	**PIB**[a] . . . . Produit intérieur brut
C+H+T . . . . Corée du Sud,	**PNB**[a] . . . . Produit national brut
Hong Kong et Taïwan	**PNS** . . . . Pays non spécifiés
C+HK . . . . Chine et Hong Kong	**Pol** . . . . Pologne
Cor . . . . Corée du Sud	**Por** . . . . Portugal
CorN . . . . Corée du Nord	**PPA** . . . . . . À parité de pouvoir d'achat
Croa . . . . Croatie	**RD** . . . . République dominicaine
Dnk. . . . . Danemark	**RFA** . République fédérale d'Allemagne
EAU . . . . Émirats arabes unis	**Rou** . . . . Roumanie
Egy. . . . . Égypte	**RTc** . . . . République tchèque
Esp . . . . Espagne	**R-U.** . . . . Royaume-Uni
Éth . . . . Éthiopie	**Rus.** . . . . Russie
E-U . . . . États-Unis	**Sing** . . . . Singapour
EU&Can . . . . États-Unis, Canada	**Slov** . . . . Slovénie
Eur . . . . Europe occidentale	**S&M** . . . . Serbie et Monténégro
FBCF . . . Formation brute de capital fixe	**Som** . . . . Somalie
Fidji. . . . . Fidji	**Sou** . . . . Soudan
Fin . . . . Finlande	**Srl** . . . . Sri Lanka
Fra . . . . France	**Suè.** . . . . Suède
Gre . . . . Grèce	**Sui** . . . . Suisse
Guad . . . . Guadeloupe	**Taïw** . . . . Taïwan
h . . . . hommes	**TEP** . . . . tonne équivalent pétrole
HK. . . . . Hong Kong	**Thaï** . . . . Thaïlande
IDH . . . . Indicateur de développement	**T&T** . . . . Trinidad et Tobago
humain	**Turq** . . . . Turquie
Indo . . . . Indonésie	**UE** . . . . Union européenne (25)
Irl . . . . Irlande	**Ukr** . . . . Ukraine
ISF . . . . Indice synthétique de	**Urug.** . . . . Uruguay
fécondité	**Vén** . . . . Vénézuela
Isr . . . . Israël	**Viet.** . . . . Vietnam
Ita. . . . . Italie	**Yém** . . . . Yémen
Jap . . . . Japon	**Zbw** . . . . Zimbabwé

a. Définition p. 17 et suiv.
Notations statistiques : •• non disponible ; – négligeable ou catégorie non applicable.

Les indicateurs statistiques

Francisco Vergara
Économiste et statisticien

Les définitions et commentaires ci-après sont destinés à faciliter la compréhension des données statistiques présentées dans la partie « Annexes ». *On trouvera p. 16 la liste des abréviations et symboles utilisés dans les tableaux.*

Démographie

• Le chiffre fourni dans la rubrique *population* donne le nombre d'habitants en milieu d'année. Les réfugiés qui ne sont pas installés de manière permanente dans le pays d'accueil sont considérés comme faisant partie de la population du pays d'origine. [*Source principale* : 3.]

• La *densité* est obtenue en divisant le nombre d'habitants par la superficie « totale » (estimation FAO) qui se distingue de la superficie « terrestre », car elle inclut différemment certaines étendues d'eau (lacs, etc.) [*Sources principales* : 3 et 42.]

• L'*indice synthétique de fécondité* (ISF) indique le nombre d'enfants qu'une femme mettrait au monde, du début à la fin de sa vie, en supposant que prévalent, pendant chaque tranche d'âge de cette vie, les taux de fécondité observés pendant la période indiquée. [*Sources principales* : 3, 5 et 8.]

• Le *taux de mortalité infantile* correspond au nombre de décès d'enfants âgés de moins d'un an rapporté au nombre d'enfants nés vivants pendant l'année indiquée. [*Sources principales* : 3, 5 et 8.]

• L'*espérance de vie* est le nombre d'années qu'un nouveau-né peut espérer vivre (en moyenne) dans l'hypothèse où les taux de mortalité, par tranche d'âge, restent, pendant toute sa vie, les mêmes que ceux de l'année de sa naissance. [*Sources principales* : 3, 5 et 8.]

• La *population urbaine*, exprimée en pourcentage de la population totale, en dépit des efforts d'harmonisation de l'ONU, est une donnée très approximative, tant la définition urbain-rural diffère d'un pays à l'autre. Les chiffres sont donnés à titre purement indicatif. [*Source principale* : 32.]

Indicateurs socioculturels

• L'*indicateur du développement humain* (IDH), exprimé sur une échelle allant de 0 à 1, est un indicateur composite. [*Source principale* : 39.]

• Le *taux d'analphabétisme* est la part des personnes ne sachant ni lire ni écrire dans la catégorie d'âge « 15 ans et plus ». [*Sources principales* : 7, 8, 22 et 39.]

• Le *niveau de scolarisation* est mesuré par plusieurs indicateurs. L'*espérance de scolarisation* (inspirée de l'*espérance de vie*) mesure le nombre d'années d'enseignement auquel peut aspirer, pendant sa vie, une personne née pendant l'année si, pendant toute sa vie, prévaut le taux d'inscription par âge de cette année.

Pour l'ensemble des pays, le taux d'inscription au « 3e degré » (enseignement supérieur) correspond au nombre d'étudiants divisé par la population ayant 20 à 24 ans. Dans les très petits pays, ce taux n'est pas toujours significatif dans la mesure où une part importante des inscrits dans le supérieur étudie à l'étranger. Dans les pays développés, le taux en question peut refléter le caractère plus ou moins élitiste du système, voire une forme différente d'organisation de l'enseignement supérieur. [*Sources principales* : 5 et 7.]

• *Livres publiés.* Selon les recommandations de l'UNESCO sur « la standardisation des statistiques internatio-

Attention, statistiques

Comme pour les éditions précédentes, un important travail de compilation de données recueillies auprès des services statistiques des différents pays et d'organismes internationaux a été réalisé afin de présenter aux lecteurs le plus grand nombre possible de résultats concernant l'année 2005.

Les informations – plus de 50 indicateurs – portent sur la démographie, la culture, la santé, les forces armées, le commerce extérieur et les grands indicateurs économiques et financiers.

Les résultats de 2005 sont présentés pour tous les États souverains de la planète et pour onze territoires non indépendants.

Les décalages que l'on peut observer, pour certains pays, entre les chiffres présentés dans les articles et ceux qui figurent dans les tableaux peuvent avoir plusieurs origines : les tableaux, qui font l'objet d'une élaboration séparée, privilégient les chiffres officiels plutôt que ceux émanant de sources indépendantes (observatoires, syndicats…), et les données « harmonisées » par les organisations internationales ont priorité sur celles publiées par les autorités nationales.

Il convient de rappeler que les statistiques, si elles sont le seul moyen de dépasser les impressions intuitives, ne reflètent la réalité économique et sociale que de manière très approximative, et cela pour plusieurs raisons. D'abord parce qu'il est rare que l'on puisse mesurer directement un phénomène économique ou social : le « taux de chômage officiel », au sens du BIT (Bureau international du travail), par exemple, même lorsqu'il a été « harmonisé » par les organisations internationales, n'est pas un bon outil pour comparer le chômage entre pays différents. Et même lorsqu'on compare la situation d'un même pays dans le temps, il se révèle être un indicateur trompeur, tant il existe de moyens de l'influencer, surtout en période électorale.

Il faut aussi savoir que la définition des concepts et les méthodes pour mesurer la réalité qu'ils recouvrent sont différentes d'un pays à l'autre malgré les efforts d'harmonisation accomplis depuis les années 1960. Cela est particulièrement vrai pour ce qu'on appelle « impôts », « prélèvements », « dette publique », « subventions », etc. De minimes différences de statut légal peuvent ainsi faire que des dépenses tout aussi « obligatoires » partout apparaissent comme des « impôts » dans les comptes d'un pays et comme des « consommations des ménages » dans l'autre. - **Francisco Vergara** ◼

nales concernant la publication de livres (1964) », est considérée comme livre toute publication non périodique, de 49 pages au moins et disponible au public. [*Pour le détail, voir sources* : 7, 11 et 36.]

• L'indicateur « *Accès à Internet* » désigne le nombre d'usagers d'Internet ayant accès au réseau mondial pour 1 000 habitants. Les chiffres ont été calculées par l'Union internationale des télécommunications (UIT). [*Source* : 43.]

Armées

Les effectifs des différentes armées sont issus du rapport annuel *Military Balance*. Pour la plupart des pays, les « dépenses militaires » sont estimées d'après les budgets officiels de défense nationale. Les dépenses réelles peuvent être très différentes. Les définitions « armée de terre », « marine » et « aviation » varient d'un pays à l'autre en raison de la manière dont sont classés les services généraux communs (administration, santé, etc.) et les unités spéciales comme

« garde nationale », « gendarmerie », « forces nucléaires », etc. [*Sources* : 5, 8 et 45.].

Économie

La mesure de la production annuelle d'un pays ainsi que l'évaluation de son taux de croissance posent des problèmes philosophiques et statistiques complexes [*voir, à ce propos V. Parel, F. Vergara*, « Revenu national », *Encyclopaedia Universalis, 1996*].

Depuis la fin de la Seconde Guerre mondiale, les différents États tentent d'harmoniser les définitions et les méthodes utilisées dans leurs comptabilités nationales. Les comparaisons des données présentées ici n'en doivent pas moins être considérées avec précautions.

Les innovations introduites, depuis une dizaine d'années, dans la manière de calculer le PIB ont probablement rendu certaines données (notamment les taux de croissance) moins comparables que par le passé. En matière de production d'ordinateurs et matériel assimilé, par exemple, la nouvelle manière américaine de calculer les indices des prix compte comme *augmentation de volume* non seulement le nombre d'unités supplémentaires produites, mais aussi l'accroissement de la vitesse de leurs processeurs et de la capacité des mémoires (ce sont les indices des prix dits « hédonistes.») Ainsi, une progression identique de la production de portables de la dernière génération peut apparaître comme un accroissement de 12 % dans les chiffres américains mais de seulement 1 % dans les séries de la production industrielle suédoise.

• *Le produit intérieur brut* (PIB) mesure la richesse créée dans le pays pendant l'année, en additionnant la valeur ajoutée dans les différentes branches. Cela exige quelques compromis. La valeur ajoutée de la production paysanne pour l'auto-consommation ainsi que celle des « services non marchands » (éducation publique, défense nationale, etc.) sont incluses. En revanche, le travail au noir, les activités illégales (comme le trafic de drogue), le travail domestique des femmes mariées ne sont pas comptabilisés (un homme qui se marie avec sa domestique diminue ainsi le PIB).

• *Le produit national brut* (PNB) est égal au PIB, additionné des revenus rapatriés par les travailleurs et les capitaux nationaux à l'étranger, diminué des revenus exportés par les travailleurs et les capitaux étrangers présents dans le pays.

Lorsqu'on cherche à comparer le niveau de richesse des différents pays, le chiffre le plus souvent cité dans les médias correspond au PIB, exprimé en dollars courants. Il est obtenu en multipliant la production nationale (évaluée aux prix intérieurs) par le taux de change du dollar au cours de l'année considérée. Cette méthode présente néanmoins plusieurs inconvénients, notamment le fait que les taux de change fluctuent énormément.

Dès lors, certaines institutions préfèrent multiplier la valeur de la production nationale par une moyenne pondérée du taux de change du dollar des trois dernières années (méthode dite « de la Banque mondiale »). Cette méthode élimine les fluctuations à court terme, mais elle donne, elle aussi, une image déformée, car les taux de change (même « lissés ») ne reflètent pas nécessairement le niveau des prix relatifs d'un pays à l'autre.

Les institutions internationales calculent désormais un Produit intérieur brut *à parité de pouvoir d'achat* (PIB-PPA). Cet indicateur est obtenu en multipliant le PIB calculé aux prix nationaux par un taux de change *fictif* qui rend équivalent le prix d'un panier de marchandises dans chaque pays. La méthode des PIB-PPA permet une comparaison plus réaliste du niveau de la production et du pouvoir d'achat. Elle montre que certains pays ne sont pas aussi pauvres que ne le laisse croire le taux de change courant de leur monnaie, et d'autres pas aussi riches. Les Russes, par exemple, n'ont pas un revenu moyen dix fois plus faible que celui des Français mais seulement trois fois. [*Sources* : 2, 4, 6, 8 et 42.]

• Le *taux d'inflation* indique le pourcentage d'augmentation des prix des produits de consommation, pour le panier d'un ménage représentatif, défini différemment selon les pays. [*Sources principales* : 2, 10, 14, 19 et 30.]

• *Population active, emploi et chômage.* Lorsqu'on compare la situation de l'emploi dans différents pays, le rapprochement peut être faussé si on ne connaît pas le sens exact de mots comme « emploi », « chômage », « activité » et « inactivité ». Par « actifs » (ou « population active »), on entend « les personnes ayant un *emploi* + les *chômeurs* ». Sont considérés comme ayant un « *emploi* » tous ceux qui ont travaillé au

Principales sources utilisées

1. *Perspectives de l'emploi (mai 2006)*, OCDE, Paris, 2006.
2. *Principaux indicateurs économiques (juin 2006)*, OCDE, Paris, 2006.
3. *World Population Prospects. The 2004 Revision*, ONU, mars 2005.
4. *Comptes nationaux des pays de l'OCDE. Principaux agrégats 1993-2004*, éd. 2006, vol. 1, OCDE.
5. *World Development Indicators*, Banque mondiale, 2006.
6. Angus Maddison, *The World Economy*, OCDE, 2002.
7. UIS Database, UNESCO Institute for Statistics.
8. *The World Factbook 2006*, US Central Intelligence Agency (CIA).
9. *Statistiques financières internationales. Annuaire 2006*, FMI.
10. *Statistiques financières internationales (juin 2006)*, FMI.
11. « An International Survey of Book Production During the Last Decades », *Statistical Reports and Studies*, n° 26, UNESCO, 1982.
12. *Atlas de la Banque mondiale*, Banque mondiale, 2006.
13. *Perspectives économiques de l'OCDE*, OCDE, juin 2006.
14. Séries « Country Profile » et « Country Report » (The Economist Intelligence Unit).
15. AMECO Database (base des données macroéconomiques de l'Union européenne), Union européenne (UE).
16. *Commerce extérieur (mai 2006)*, Eurostat, 2006.
17. *Statistiques de la population active 1984-2004*, OCDE, 2006.
18. *Transition Report Update. Country Assessments* (mai 2006), BERD.
19. Bulletins périodiques des postes d'expansion économique (PEE) auprès des ambassades de France dans le monde.
20. *Global Development Finance, 2006*, Banque mondiale.
21. Base des données COMTRADE, ONU (en ligne).
22. *Statistiques sur l'analphabétisme*, UNESCO, 2005.
23. *Annuaire statistique du commerce et du développement*, CNUCED (en ligne).
24. Direction of Trade Statistics, *Yearbook 2005*, FMI, 2006.
25. Direction of Trade Statistics, *Données mensuelles* mai 2006, CD-rom, FMI.
26. *Statistiques mensuelles du commerce extérieur*, OCDE, mai 2006.
27. *Croissance et emploi dans l'Union européenne*, UE, 25.2.1998.
28. *Annuaire des statistiques du travail 2005*, BIT, 2005.
29. *Key Indicators of the Labour Market*, BIT, 2005 (4e éd.).
30. Perspectives économiques mondiales, database, FMI, mai 2006.
31. *Main Science and Technology Indicators* (mai 2006), OCDE.
32. World Urbanisation Prospects. *The 2005 Revision*, ONU, 2004.
33. *Le Travail dans le monde*, vol. IV, 1989, BIT.
35. *OCDE en chiffres*, 2006.
36. *Annuaire statistique de l'Unesco 1999*, UNESCO, 1999.
37. *Energy Yearbook 2003*, ONU, 2006.
38. *État de la population mondiale 2006*, FNUAP, 2006.
39. *Rapport sur le développement humain 2005*, PNUD, sept 2005.
40. *Trends in Developing Economies 1997*, Banque mondiale.
41. *World Metal Statistics Yearbook*, World Bureau of Metal Statistics (R-U), 2006.
42. FAOSTAT, FAO Statistical Databases (en ligne).
43. ITU Statistics, International Telecommunication Union.
44. World Economic Outlook Database, FMI, mai 2006.
45. *The Military Balance 2005-2006*, The International Institute for Strategic Studies (IISS), Londres, sept. 2005.
46. *Preliminary Report*, CEPAL, déc. 2005.

moins une heure pendant la semaine de référence. Sont « chômeurs » tous ceux qui n'ont pas travaillé (même une heure) et qui, en plus, ont « activement cherché » un emploi et sont « immédiatement disponibles » pour travailler. Tous les autres sont considérés comme inactifs. Les chiffres officiels du « taux de chômage » et du « taux d'activité » dépendent aussi fortement de *facteurs culturels* (comme l'habitude qu'ont les lycéens et les étudiants de travailler un peu dans certains pays) ainsi que des *politiques nationales* (stages, préretraites, statut de maladie à longue durée, etc.), qui varient beaucoup d'un pays à l'autre. [*Sources principales* : 1, 2, 13, 17, 18, 28, 29 et 30.]

• Le *taux de chômage* est le rapport entre le nombre de chômeurs et la population active, qui, bien que la définition de base soit la même, mesure des phénomènes assez différents dans chaque pays. Pour la plupart des pays développés, les chiffres indiqués sont ceux qui résultent de l'harmonisation partielle effectuée par l'UE et l'OCDE. Cette harmonisation ne permet néanmoins pas de comparer vraiment le niveau de chômage d'un pays à l'autre. Elle ne supprime pas non plus l'effet du « traitement social » du chômage. Pour les pays en développement, il a semblé préférable de ne pas mentionner les chiffres du chômage tellement leur interprétation est délicate. [*Sources* : 1, 2, 17, 18 et 27.]

• *Dette extérieure.* Pour les pays en voie de développement, c'est la dette brute, publique et privée qui est indiquée. Pour certains pays, la dette est essentiellement libellée en dollars, pour d'autres, elle est libellée en euros, yens, francs suisses, livres britanniques, etc. L'évolution des chiffres reflète donc autant les fluctuations des taux de change que le véritable recours à l'emprunt net. [*Sources principales* : 5, 14, 15, 20 et 46.]

• Par *administrations publiques* on entend : 1. les administrations centrales tels l'État et, dans les pays où elle est nationale,

la Sécurité sociale ; 2. les administrations locales : les communes, départements et régions, provinces, États fédérés, communautés autonomes… ; 3. les administrations supranationales, comme le Parlement européen, Eurostat, etc. Les statistiques de *dépenses, recettes, solde* ainsi que de *dette* des administrations publiques ne peuvent en aucun cas servir pour évaluer le poids de l'État. Ces chiffres ne prennent pas en compte de la même manière l'éducation des enfants et la protection sociale. Ces services, bien qu'obligatoires et réglementés dans tous les pays développés, sont dispensés (ou gérés) plutôt par les administrations publiques dans certains pays, plutôt par le secteur privé dans d'autres. Ce qui est compté est donc très variable d'un pays à l'autre. La « dette brute » des administrations publiques n'a aucun rapport avec la « dette extérieure » mentionnée dans les tableaux statistiques relatifs aux pays en développement. Un « solde » négatif ne signifie pas nécessairement que la nation ou le pays est en train de s'endetter. Le solde des administrations publiques indiqué est le solde dit « structurel », corrigé des variations conjoncturelles. [*Sources principales* : 13, 15 et 42.]

• Par *production d'énergie*, on entend la production d'« énergie primaire », non transformée, à partir de ressources nationales. Cependant, l'électricité d'origine nucléaire est comptée dans la production d'énergie primaire. La « *consommation* » d'énergie indiquée est celle dite « apparente », c'est-à-dire que le pétrole brut transformé sur place et exporté comme essence est considéré comme faisant partie de la consommation nationale. La consommation d'énergie par habitant est exprimée ici en tonnes d'équivalent-pétrole (TEP). Le taux de couverture désigne le rapport entre la production nationale et la consommation totale d'énergie, et peut être considéré comme un indicateur approximatif du dégré d'indépendance énergétique. [*Sources principales* : 5 et 37.]

Échanges extérieurs

Pour tous les pays sont présentées les importations et les exportations de biens telles que les communiquent les *Douanes*. Les statistiques des Douanes ont l'avantage d'être très détaillées et rapidement disponibles. Elles ont le désavantage d'être moins significatives pour les comparaisons entre pays, les Douanes d'une nation reflétant son histoire particulière.

• *Commerce extérieur par origine et destination*. L'évaluation de la part des différents partenaires commerciaux des pays de l'Afrique au sud du Sahara, des petits pays des Caraïbes, et de quelques pays asiatiques (Myanmar, par exemple) pose des problèmes complexes. Certains de ces pays n'ont pas communiqué leurs chiffres depuis très longtemps ; pour d'autres, les chiffres fournis sont douteux. Leur commerce est donc estimé d'après les statistiques de leurs partenaires.

Le découpage des régions et les noms qui leur sont donnés dans ces tableaux sont ceux utilisés par le Fonds monétaire international (FMI), dans son annuaire *Direction of Trade 2003*. Les découpages et les appellations sont donc différents de ceux retenus par *L'état du monde* dans son classement par continent, et ils diffèrent des regroupements utilisés par les Nations unies, la Banque mondiale (et le FMI lui-même dans d'autres analyses). Ainsi, les *pays en développement* (PED) comprennent certains pays riches et industrialisés mais pas d'autres. L'*Asie*, par exemple, comprend Singapour et la Corée du Sud mais pas le Japon. Le *Moyen-Orient* comprend l'Égypte et la Libye (qui ne sont donc pas classées en Afrique) ; il ne comprend ni le Pakistan ni l'Afghanistan. L'*Amérique latine* comprend le Mexique et les territoires européens de l'hémisphère occidental. L'*Asie* comprend la Turquie, mais non les ex-républiques soviétiques de ce continent [*Sources* : 23, 24, 25 et 26.]

Est aussi présenté un autre indicateur concernant les relations avec l'étranger : le *solde des transactions courantes* (total des montants inscrits au crédit moins le total des montants portés au débit des postes des biens, services, revenus et transferts courants), qui indique si un pays est en train de dépenser plus qu'il ne gagne. ■

Les enjeux de la période

Nouvelles relations internationales

Théories et
doctrines
des relations
internationales ;
Réformes
de l'ONU ;
Prolifération
nucléaire ;
« Ordre
mondial de
l'information » ;
Mutations
du populisme.

Le « prêt à penser » des relations internationales

Bertrand Badie
Science politique, IEP-Paris

On n'a pas su prévoir la fin de la bipolarité ; on n'a pas su non plus tirer les conséquences de la chute du Mur de Berlin, changer nos grammaires des relations internationales, regarder le monde avec les nouvelles lunettes qu'il eût été utile de tailler. Étrangement, la grande époque de l'innovation théorique et conceptuelle dans le domaine des relations internationales couvre les années 1960 et 1970, temps des certitudes, à peine ébranlées par la défaite américaine au Vietnam. C'est alors que le réalisme est consolidé, donnant naissance au néoréalisme du politologue Kenneth Waltz, enrichissant l'étude des rapports de force entre États par la prise en compte du système international. L'approche institutionnelle prend corps, saluant le progrès des régimes internationaux (c'est-à-dire l'organisation de la vie internationale autour de normes et de conventions) ; le transnationalisme pointe à l'horizon avec les travaux pionniers de Joseph Nye, qui introduisent l'idée d'acteurs internationaux non étatiques ; le «*rational choice*» atteint sa vitesse de croisière de paradigme dominant, assimilant l'action internationale à une stratégie rationnelle…

L'onde de choc de 1990 a à peine effleuré la réflexion et les analyses internationalistes. Nous nous penchons sur le monde actuel comme s'il n'avait pas changé : le prêt-à-penser continue à fonctionner à plein rendement, aggravant l'incompréhension, banalisant l'erreur d'interprétation, conduisant à l'échec. Trois lignes de faille viennent pourtant fissurer la routinisation de la pensée : l'Europe n'est plus le cratère du monde ; la polarisation a fait son temps ; la puissance est en grande partie démonétisée.

L'Europe n'est plus le « cratère » du monde

On s'était fait à l'idée, depuis le traité de Westphalie, que toute la conflictualité du monde avait son siège en Europe. Les guerres d'Ancien Régime ont dessiné le premier cadre des relations internationales contemporaines ; les guerres napoléoniennes ont fabriqué le congrès de Vienne et la première grande négociation internationale ; les systèmes metternichien et bismarckien, puis les deux grandes guerres mondiales ont dominé l'arène internationale, défini une périphérie pour déboucher sur le premier ordre mondial. La Guerre froide était bien celle de l'Europe, qu'elle menaçait et qu'elle organisait. Aujourd'hui, le Vieux Continent est en paix et les diplomaties européennes ont du mal à découvrir, pour la première fois, que leur compétition n'a plus grand sens : incapables de se penser autrement que de manière concurrentielle, comme on le vit encore lors de la crise irakienne, elles se décalent par rapport à une géographie nouvelle.

Mais il y a plus : l'Europe ne parvient pas à se penser dans un contexte qui n'est plus celui de la menace directe et imminente ni celui de l'hostilité structurante, tel qu'il fut imaginé en son temps par Carl Schmitt. Le prêt-à-penser la rend aveugle devant le principal défi auquel elle est exposée et qui prend la forme d'un paradoxe qu'elle a du mal à intérioriser : le Vieux Continent est de moins en moins sujet à la menace, mais de plus en plus fragilisé par le risque. La contradiction est apparente : l'effacement de la menace produite par un ennemi, actif ou vigilant sur les frontières, rend les dangers moins visibles, plus diffus, moins prévisibles, comme émancipés de toute organisation et donc de tout contrôle. Ce qui est à gagner d'un côté est perdu de l'autre : l'incertitude se renforce, l'absence de l'horlogerie hostile laisse la place à la fluidité et à la prolifération d'acteurs aux initiatives intempestives et inopinées.

Mais surtout, en se déplaçant vers le Sud et le Sud-Est, le feu de la conflictualité modifie inexorablement la maîtrise des agendas. L'Europe et les États-Unis ont du mal à admettre que, dans la nouvelle géopolitique, les conflits extra-européens ne sont plus des conflits périphériques. La maîtrise de l'agenda tend inévitablement à s'inverser : même s'ils sont moins puissants, les belligérants du Moyen-Orient, voire d'Afrique, gagnent en capacité proactive, tandis que les puissances du Nord s'installent inévitablement dans la réactivité. Hors de toute équation de puissance, la distribution des rôles s'impose de plus en plus difficilement quand elle est ordonnée par le monde développé. La logique de club dont le TNP (Traité de non-prolifération des armes nucléaires) était, avant 1990, l'expression la plus cynique a de plus en plus de mal à se faire admettre. Interdire de proliférer lorsque les maîtres exclusifs de la conflictualité étaient tous dotés d'armes nucléaires pouvait faire sens : en maintenir la logique pour empêcher aujourd'hui les États du cratère d'y accéder devient totalement utopique. D'autres régulations doivent dès lors être imaginées…

La même remarque vaut pour les régimes : au moment où tous, petits et grands, riches et pauvres, prennent place sur l'arène internationale, il n'est plus raisonnable de penser que le prêt-à-penser incarné par les régimes stato-nationaux et démocratiques occidentaux puisse durablement s'imposer comme unique étalon. D'abord, parce qu'il a failli un peu partout, en Afrique ou en Asie.

Mais aussi parce que la fin de la bipolarité a libéré, pour le meilleur et pour le pire, des énergies identitaires qui devront d'une manière ou d'une autre s'exprimer, au risque, si elles ne le font pas, de donner un argument et une prime énormes aux entrepreneurs fondamentalistes de contestation. L'imitation a longtemps été la passivité du faible : elle devient aujourd'hui un manque d'imagination et de réalisme de la part d'un hegemon dont les capacités deviennent incertaines.

La polarisation a fait son temps

Dans une parfaite illusion de la continuité, on a cru de même que l'effondrement de l'un des deux super-grands respecterait les lois de l'arithmétique : deux moins un devait conduire à un ; l'unipolarité devait remplacer la bipolarité ; l'unilatéralisme pouvait se substituer au condominium. C'était oublier que la bipolarité était fondamentalement centripète : la menace que faisait peser le camp d'en face conduisait à la discipline, à l'alliance stable, à l'acceptation de l'hegemon auquel on abandonnait une part de sa liberté à des fins de protection. L'unipolarité est, elle, centrifuge et donc fortement instable : là aussi, le prêt-à-penser le fait oublier. Dans un contexte dénué de menace, l'hegemon est moins utile ; au contraire : il menace à son tour, il prive d'une liberté devenue sans danger. À mesure que se construisait une unipolarité apparente se développaient partout, en Europe, en Amérique latine, voire en Asie, des stratégies d'autonomisation dont on ne mesurait pas l'importance, d'autant que leur maladresse ou leur précarité tendaient à les dédramatiser.

La prolifération de ces manifestations d'autonomie ébranle et fragilise les alliances, les coalitions comme les liens de clientélisation. Elle encourage les logiques de « cavalier seul », elle incite à des stratégies d'intégration régionale qui, à mesure qu'elles se banalisent, refont l'espace mondial. Elle s'empare aussi des sociétés, soulève des vents d'antiaméricanisme qu'on ne sait pas

« Prêt à penser »

interpréter. Elle transforme les crises en foyers de désordre, alors qu'autrefois celles-ci, à l'instar de la crise de Cuba, en 1962, réintégraient impeccablement l'ordre international.

Surtout, en persistant dans une vision polarisée des relations internationales, on conforte l'illusion d'un ordre géométriquement clivé comme autrefois, soumettant des conflits prétendument périphériques à une structure globale qui n'existe plus. On sous-évalue donc la dynamique propre à ces conflits, les paramètres sociaux, culturels ou anthropologiques qui les sous-tendent, on concède une capacité excessive de solution aux « grands », voire au « super-grand » qui se révèlent en réalité de moins en moins capables de les maîtriser. Par la même occasion, certaines puissances moyennes, la France en particulier, se bercent de l'idée chimérique d'une « multipolarité » dont dériverait un ordre international plus équilibré, donc en même temps plus juste et plus pacifique. Le G-4 liant quatre pays candidats à un siège de membre permanent au Conseil de sécurité (Japon, Inde, Allemagne, Brésil), l'IBAS (ou IBSA, coordonnant l'Inde, le Brésil et l'Afrique du Sud) relaient à leur manière une telle conviction, marquant de façon certes pertinente leur capacité croissante d'autonomisation, sans pouvoir démontrer pour autant, dans leur propre espace régional, la réalité de leur capacité attractive, encore moins la nature durable de leurs performances. L'Inde est en tension permanente avec tous ses voisins, le Brésil essuie la méfiance montante de l'Argentine, de l'Uruguay ou du Vénézuela, le couple franco-allemand fait le vide autour de lui, la France a de plus en plus de mal en Afrique, le Japon suscite la défiance persistante de ses voisins asiatiques, la Russie est plus isolée que jamais. Les pôles sont bien morts…

Dans la même veine, le réflexe de polarisation s'exerce activement dans l'idée courante de « choc des civilisations » que le politiste américain Samuel Huntington a contribué à populariser. Faute de blocs opposant des idéologies contrastées, le monde cristalliserait des ensembles culturels condamnés à l'antagonisme et l'affrontement. L'idée pèse sur les actions et les interprétations, conférant notamment à l'islam le statut de nouvel ennemi de l'Occident. Prêt-à-penser redoutable, la thèse est pourtant solidement démentie : les conflits les plus violents (Afrique des Grands Lacs, Sierra Léone, Libéria, Cambodge du génocide khmer) n'ont rien à voir avec un choc des cultures, tandis que ceux qui en ont l'apparence en sont en réalité éloignés : le conflit de Palestine est d'abord national, comme toutes les guerres de décolonisation ; la guerre Iran-Irak n'a pas même mobilisé les solidarités sunnites et chiites de part et d'autre de la frontière. On oublie tout simplement de donner un statut au politique qui manipule les symboles culturels et religieux plutôt que d'en dépendre passivement. On postule abusivement que les cultures sont homogènes et personnalisées. Là où, en réalité, il y a autant d'islams que de musulmans et de christianismes que de chrétiens…

La puissance en difficulté

Entre autres pour ces raisons, la puissance perd une partie du statut que la pensée classique, tout comme le sens commun, lui avait confié. Dans l'ordre bipolaire, la puissance alimentait la puissance, celle de l'aigle confortait celle de l'ours et réciproquement. Aussi était-on proche de la formule de Hobbes, assimilant le jeu international à un combat de gladiateurs qui savaient user de la force, tant pour se protéger des prétentions de leurs semblables que pour éventuellement marquer leur avantage. L'idée de la puissance infaillible reste bien au cœur du prêt-à-penser, mais conduit aujourd'hui à l'erreur.

La rupture est d'autant plus déstabilisante. Jamais la puissance n'a été autant vantée, jamais ses performances n'ont été ainsi incertaines. La fin de la bipolarité a consacré la réputation d'une Amérique plus puissante que jamais, gendarme obligé du monde, « hyperpuissance » que nul ne peut défier, « empire sans rival ». Les palmarès parlaient d'eux-mêmes : le budget militaire américain dépassait – et dépasse encore – la somme des dix suivants réunis. En termes de ressources, le diagnostic était incontestable : il convient de se demander maintenant s'il est aussi probant en termes de *capacité* et de *résultat*.

La question fait sens aujourd'hui, défiant les certitudes d'hier, pour un certain nombre de raisons auxquelles on n'a pas été suffisamment attentif. Tout d'abord, le marché de la puissance est diversifié et s'est déréglementé. La ressource militaire n'est plus seule, comme sous la Guerre froide : les ressources économique, financière et surtout commerciale contribuent à rééquilibrer le jeu. Le commerce extra-communautaire l'emporte aujourd'hui sur le volume des exportations américaines. Surtout, d'autres ressources rendent le tableau plus tourmenté : la technologie, les matières premières, mais aussi la démographie. Plus grave encore, avec la fin de la bipolarité, les ressources symboliques, culturelles, religieuses, identitaires prennent de l'importance et contrôlent une part de plus en plus décisive du marché de la puissance. Ces ressources ne sont pas onéreuses, mais disposent pourtant d'une vraie capacité de mobilisation : aussi sont-elles mises sur le marché international par des États jusque-là réputés moyens ou faibles (Libye, Iran voire Bolivie…), sans qu'il leur en coûte réellement.

Comme en écho, la puissance n'a plus l'efficacité automatique qu'on lui prêtait autrefois. On a trop l'habitude de mesurer ses performances au regard des *États* sur lesquels elle s'exerce, oubliant que l'essentiel des compétitions et des confrontations mettent aujourd'hui en scène des *sociétés*, des acteurs sociaux plutôt que des armées, des crises sociales plus que des guerres. Face à une nouvelle violence internationale, plus sociale que politique, la puissance classique ne peut plus grand-chose. L'incapacité des puissants de maîtriser les guerres civiles, les réseaux protestataires voire terroristes tout comme les décompositions d'État le montrent bien.

Les néoconservateurs américains se sont montrés critiques à l'égard du réalisme, suspicieux à l'encontre des vieux théorèmes de l'équilibre de la puissance. Ils ont pourtant consolidé, d'un même mouvement, l'idée que l'usage volontaire de la force était la solution la plus fonctionnelle des problèmes auxquels les États-Unis étaient confrontés : ce « wilsonisme botté », pour reprendre la formule de Pierre Hassner, a porté l'unilatéralisme et l'interventionnisme à leur paroxysme, comme l'a illustré la crise irakienne. L'évolution de celle-ci a pourtant démontré que l'anachronisme commis était considérable, que la puissance tenait ses promesses quand il fallait faire face au régime de Saddam Hussein, mais perdait son sens face aux acteurs sociaux irakiens.

Dans un monde qui s'éloigne des certitudes de la souveraineté et de la puissance, l'interdépendance devient le principe, caché mais déterminant, du nouveau jeu international. Règle clandestine, parce que souvent inacceptable, elle constitue la seule voie capable de dépasser les illusions d'un prêt-à-penser qui a fait faillite. Pour être présentable, cette interdépendance se conceptualise sous les traits rassurants du multilatéralisme. Principe sans théorie, nouveau paradigme sans littérature, celui-ci est déjà mis en danger par l'instrumentalisation que chaque État en fait, comme pour assurer la survie de ses anciens démons. Les diplomaties sortiront peut-être de leur médiocrité quand elles abandonneront ces torsions d'un autre siècle. ∎

Changement de régime

La diplomatie du « changement de régime » selon les États-Unis

Justin Vaïsse
Historien des États-Unis, IEP-Paris

Quoi de plus attirant, lorsqu'un interlocuteur se révèle contrariant, que de couper court au débat et de le remplacer par quelqu'un de plus accommodant ? C'est la tentation à laquelle, dans le champ international, un grand nombre de puissances ont succombé depuis les temps anciens, intervenant de diverses façons, de la subversion à l'invasion pure et simple, dans les affaires intérieures d'autres pays, et facilitant la mise en place de régimes favorables à leurs intérêts – qu'ils soient ou non semblables au leur. La pratique du changement de régime repose en effet sur le postulat d'une concordance entre un régime donné et une politique (intérieure et surtout étrangère) que le pays manipulateur entend voir devenir plus conforme à ses propres intérêts ou à ses propres idéaux. Au sens étroit, le *«regime change»* devrait d'ailleurs être distingué du simple *«government change»*, le remplacement d'un leader par un autre à type de régime inchangé – comme lorsque la France contribue à renverser le dictateur centrafricain Jean Bedel Bokassa en 1979 : le régime de son successeur, David Dacko, a été moins sanglant, mais pas plus démocratique.

Prenons deux exemples historiques. Au début du XIXe siècle, les pays de la Sainte-Alliance, après leur victoire sur Napoléon, opèrent un changement de régime en France – en fait, un retour à l'Ancien Régime – puis s'assurent de l'échec des aspirations nationales et libérales à travers l'Europe, en s'arrogeant un droit de regard et d'intervention militaire dans les affaires politiques des autres pays, par exemple l'Espagne, afin d'éviter la contagion des idées nouvelles qui pourraient les menacer. Autre exemple, l'URSS, au cours du XXe siècle, aura mené maintes opérations de changement ou de maintien de régime : « coup de Prague » de 1948, interventions militaires directes en Hongrie (1956) et en Tchécoslovaquie (1968), invasion de l'Afghanistan en 1979, fortes pressions sur la Pologne en 1980-1983, etc.

Le changement de régime est donc une pratique largement répandue dans l'histoire des relations internationales, et l'administration Bush n'est pas le premier gouvernement à y recourir. Mais dans son cas, cet outil du changement de régime – qui ne possède d'ailleurs aucune valeur juridique propre ni même le véritable statut de doctrine – s'inscrit dans une perspective spécifique qui dépasse la quête de gains immédiats. Pour comprendre cette perspective, il faut revenir, à la fois, sur l'histoire des interventions extérieures des États-Unis et sur les principes qui ont sous-tendu la politique étrangère américaine depuis le 11 septembre 2001, autrement dit sur ce qu'on a appelé la « doctrine Bush ».

Une pratique constante au-delà des évolutions théoriques

Pas plus que les autres puissances l'Amérique ne s'est interdit de recourir à des stratégies de changement de régime au cours de son histoire, en particulier en Amérique latine. S'il s'agissait le plus souvent de défendre les intérêts des multinationales américaines, sa préférence allait généralement à la tentative d'installer des démocraties, même si cela impliquait de mener une guérilla contre-révolutionnaire et anti-indépendantiste, comme ce fut le cas aux Philippines de 1899 à 1902. En 1913, irrité par les troubles et les coups d'État au Mexique, Woodrow Wilson prévient qu'il va envoyer les « boys » et résume tout le paradoxe de l'impérialisme démocratique en s'exclamant : « Je vais apprendre à ces républiques d'Amérique du Sud à élire des hommes responsables ! » Mais le bilan des interventions américaines dans la région n'est pas brillant, tant parce que la démocratisation ne fait pas l'objet d'une priorité politique qu'en raison de la difficulté inhérente à la faire advenir, compte tenu du contexte local, difficulté à laquelle s'ajoute la maladresse des Américains.

La Seconde Guerre mondiale change la donne : elle se conclut par deux opérations de changement de régime gigantesques, en Allemagne et au Japon. Ces opérations deviennent l'archétype de la « séquence heureuse » guerre totale/capitulation/installation d'un régime démocratique, bref le modèle à suivre. Pourtant, dans le contexte de la Guerre froide qui commence alors, les conditions politiques interdisent de rééditer l'exploit ailleurs. Pire encore, la rivalité avec l'URSS conduit Washington non seulement à soutenir des dictatures anticommunistes (« C'est peut-être un fils de pute, explique Roosevelt à propos du tyran nicaraguayen Somoza, mais c'est notre fils de pute »), mais également à mener des opérations de changement de régime antidémocratiques. De peur qu'ils ne basculent dans le camp socialiste, Washington va jusqu'à favoriser le renversement, par des opérations de subversion soutenues par la CIA, de gouvernements légitimement élus comme en Iran (1953), au Guatémala (1954), au Congo-Kinshasa (1960) ou au Chili (1973). Le Congrès réagit à ces « coups tordus » de la CIA, au milieu des années 1970 (commission Church), ce qui aboutit à une interdiction générale de l'assassinat de personnalités étrangères par la CIA, interdiction qui sera plus tard assouplie par George W. Bush dans le cadre de la « guerre contre le terrorisme ». La Guerre froide marque ainsi un moment de triomphe du réalisme stratégique sur l'idéalisme démocratique, même si, ou parce que, beaucoup considèrent que la véritable menace qui pèse sur la démocratie dans le monde est l'URSS, et que tout doit être subordonné à une stratégie de victoire contre Moscou.

Or, pour cette raison, la question du changement de régime la plus fondamentale concerne bel et bien l'URSS : en raison de l'antagonisme idéologique entre régimes communistes et démocraties libérales, seule la chute de l'URSS pourrait ramener la paix. Mais comment y parvenir ? Pour simplifier, quatre écoles de pensée s'affrontent sur la meilleure manière de s'y prendre. Du côté des deux extrêmes, les tenants du « refoulement » (roll-back) préconisent une solution militaire, qui est rejetée tant elle paraît dangereuse en ces temps nucléaires, tandis que les tenants de l'« accommodement » (accommodation) avec Moscou sont vite considérés comme des naïfs irresponsables et mis en minorité au sein de la gauche. Restent les deux écoles de l'« endiguement » (containment), dont les contours se précisent dans les années 1970.

La première, composée de réalistes comme Henry Kissinger et de libéraux, soutenus par les Européens, défend l'idée d'engagement : en faisant baisser la tension avec l'URSS par une politique de Détente, en dialoguant avec Moscou sur tous les sujets possibles, y compris les droits de l'homme, et en développant le commerce avec l'Est, on ouvre peu à peu le régime totalitaire et on expose ses citoyens à des idées nouvelles ainsi qu'à des biens de consommation dont ils restent privés. Bref, on fissure peu à peu, insidieusement, le soutien populaire au régime ou du moins la résignation de la population du bloc de l'Est, et on encourage les dissidents. À terme, cela favorise la transformation et l'ouverture du régime, avec le risque qu'il faille beaucoup de temps.

À l'inverse, la seconde école, celle des néoconservateurs, préconise d'augmenter

Changement de régime

Références

R. Haass, « Regime Change and Its Limits », *Foreign Affairs*, juil.-août 2005.

P. Hassner, J. Vaïsse, *Washington et le monde : dilemmes d'une superpuissance*, CERI/Autrement, Paris, 2003.

L. Kaplan, W. Kristol, *Notre route commence à Bagdad*, Éditions Saint-Simon, Paris, 2003.

M. Reisman, « The Manley O. Hudson Lecture : Why Regime Change Is (Almost Always) a Bad Idea », *The American Journal of International Law*, vol. 98, n° 3 (juill. 2004).

G. Salamé, *Quand l'Amérique refait le monde*, Fayard, Paris, 2005.

la pression et de tout faire pour accentuer les contradictions internes de l'URSS afin de précipiter le changement de régime. Elle refuse tout accord commercial qui risquerait de soulager les maux économiques qui frappent le bloc de l'Est, et prône une augmentation des dépenses militaires occidentales pour épuiser Moscou (c'est l'un des objectifs du projet « guerre des étoiles » de Ronald Reagan). Sans prêcher le « refoulement », elle recommande une sorte d'« endiguement plus » consistant à harceler et épuiser l'empire soviétique par le soutien aux « combattants de la liberté » comme les résistants afghans *modjahedin* dans les années 1980. Bref, c'est une politique qui vise plus directement le changement de régime, et se présente comme plus morale (puisqu'on ne légitime pas l'ennemi en discutant avec lui), au risque de fortes tensions internationales.

Or, on retrouve ces deux mêmes écoles de pensée dans les années 1990 et 2000 sur d'autres enjeux internationaux, notamment l'Irak, l'Iran et la Corée du Nord. La première école, alliée aux Européens, défend une politique d'« engagement », de négociation (incitations et sanctions) et de patience, tandis que la seconde école, celle des néoconservateurs et de la doctrine Bush, préconise le refus, présenté comme plus moral, de transiger avec des tyrans, le harcèlement des dictateurs (soutien à l'opposition armée) et, lorsque c'est possible, comme en Irak en 2003, l'intervention

militaire directe afin de changer un régime autoritaire en démocratie. Si une politique intransigeante a fonctionné avec l'URSS, pourquoi ne fonctionnerait-elle pas avec l'Irak ou l'Iran ?

Mais dans la perception des néoconservateurs et dans la doctrine Bush, la politique de changement de régime possède une ambition qui dépasse de loin le gain immédiat pour les intérêts américains. En ce sens, le « *regime change* » de Bush se distingue clairement, de par ses ambitions, du simple « *government change* » pratiqué pendant la Guerre froide.

Spécificité de la « doctrine Bush »

Au fondement de la doctrine Bush se trouve la théorie de la paix démocratique, selon laquelle deux démocraties ne se font jamais la guerre. Par extension, c'est l'idée selon laquelle le manque de liberté et de démocratie, notamment au Moyen-Orient, est à l'origine de tous les maux de la région, à commencer par les guerres, le terrorisme et la prolifération. Si l'on bouleverse le *statu quo* et que l'on démocratise les régimes de la région, ces maux disparaîtront. Cela prendra peut-être du temps, admet Bush, mais c'est la seule façon d'assurer les intérêts de l'Amérique et du monde : la stratégie suivie jusque-là de soutien aux dictatures arabes ayant fait la preuve de son échec avec le « 11 septembre », la prolifération d'armes de destruction massive et l'impossibilité de

Changement de régime

régler le conflit israélo-palestinien. Il faut à présent soutenir la démocratie : seul cet idéalisme est vraiment réaliste, car seule la démocratie assure la paix, la sécurité et le développement sur le long terme.

Seulement, si le discours de l'administration Bush sur la nécessité de faire advenir la démocratie a été constant depuis le « 11 septembre », de la stigmatisation de l'« axe du mal » (Iran, Irak, Corée du Nord) et des « avant-postes de la tyrannie » (rajouter Cuba, la Biélorussie, la Birmanie, le Zimbabwé et parfois la Syrie), sa mise en œuvre s'est révélée beaucoup plus problématique. Incontestablement, il a enregistré des résultats, rappelant que le changement de régime ne passe pas nécessairement par l'emploi de la force : suivant l'exemple de la Serbie sous Clinton (2000) – lorsque le mouvement étudiant Otpor, soutenu financièrement par les États-Unis, a renversé le régime Milosevic –, l'action des fondations américaines et l'appui indirect de l'administration Bush ont joué un rôle certain dans le succès de la « révolution des Roses » en Géorgie (2003), de la « révolution orange » en Ukraine (fin 2004), de même que de la « révolution du Cèdre » au Liban (début 2005), laquelle a abouti au départ des troupes syriennes. Même dans l'un des deux cas de changement de régime par la force, celui de l'Afghanistan, on peut considérer qu'en dépit des problèmes persistants, le remplacement des talibans par le gouvernement élu de Hamid Karzai, dans un pays aux structures sociopolitiques pourtant très peu propices à la démocratie, a plutôt été un succès.

Mais pour le reste, le bilan de la doctrine Bush, et plus particulièrement de la stratégie de changement de régime appliquée à l'Irak, n'est pas bon. Ce constat commence avec la situation en Irak même, où un mécanisme démocratique formel cache mal le bain de sang quotidien, causé, de plus en plus, par la quasi-guerre civile opposant sunnites, chiites et Kurdes, à tel point que c'est la viabilité de l'Irak comme État qui paraissait mise en cause. Loin de succomber à une vague démocratique, les régimes de la région, après avoir feint l'ouverture, se sont crispés et refermés, et l'ambition de démocratisation souffre à présent de son association avec la guerre d'Irak.

La promotion de la démocratie a, en outre, souffert d'un fort recul de la crédibilité américaine. D'une part, la rhétorique présidentielle s'est considérablement emballée (le premier objectif cité dans la *Stratégie de sécurité nationale* de 2006 est rien moins que de « mettre fin à la tyrannie en ce monde »), mais les actes n'ont pas suivi, ouvrant un déficit de crédibilité de plus en plus grand. Pour quelques sacrifices consentis par l'administration Bush, comme en Ouzbékistan (forte protestation contre les massacres d'Andijan en mai 2005, qui a valu à Washington la fermeture de sa base militaire pourtant très utile, ne serait-ce que dans le contexte afghan), les nécessités stratégiques, en particulier celles liées à la lutte contre le terrorisme ou à la tension sur le marché pétrolier mondial, ont forcé à revoir à la baisse les pressions en faveur de la démocratisation. Autre recul : dans sa lutte contre le terrorisme, l'Amérique a employé des méthodes contraires aux procédures démocratiques et au respect des droits de l'homme, en particulier par l'enfermement de prisonniers dans la prison de Guantanamo, ou encore par une restriction parfois abusive des libertés aux États-Unis mêmes… Plus préoccupant encore, du point de vue des implications théoriques et pratiques de la doctrine Bush, les maux que la démocratisation de l'Irak était censé, à terme, guérir – terrorisme international et prolifération – ont plutôt été accentués par l'intervention en Irak. Celle-ci a fourni un motif supplémentaire de recrutement aux séides d'Oussama Ben Laden, et a, par ailleurs, renforcé la main de l'Iran vis-à-vis des États-Unis et de la communauté internationale, en Mésopotamie, du fait de l'enlisement des GI's de l'autre côté de la frontière. Elle a aussi accentué la tentation nord-coréenne

Réformes de l'ONU

de dissuader Washington plutôt que de coopérer avec lui.

Les contradictions du recours à la force

Alors, faut-il jeter aux orties la stratégie de changement de régime au sens de la doctrine Bush ? Il paraît tentant d'incriminer sa mise en œuvre plutôt que l'idée originelle : il est incontestable que la performance de l'administration Bush en Irak pour la phase d'occupation, de stabilisation et de démocratisation a été exécrable. Pourtant, on peut se demander si cet échec n'était pas inscrit dans le projet même de changement de régime par la force, qui comporte au moins trois contradictions internes.

Première contradiction : quelle que soit la valeur de ses arguments pour intervenir, la puissance qui opère un changement de régime dans un autre pays est forcément soupçonnée de satisfaire ses ambitions hégémoniques ou ses intérêts économiques (c'est bien en raison de cette ambiguïté que la souveraineté des États avait été réaffirmée en 1945), et son action entraîne nécessairement toutes sortes de réactions adverses néfastes. Deuxième contradic-

tion, liée à la première : imposer la démocratie de l'extérieur, par la force, est un oxymore, ce que trahissait déjà la phrase de Woodrow Wilson en 1913, citée plus haut, et l'on a vu, en Irak, de quelle façon la présence des troupes américaines était tout à la fois le bouclier contre un chaos civil et l'une de ses causes. Enfin, la vision théorique « heureuse » d'un monde composé seulement de démocraties pacifiques ne vaut pas pour les jeunes démocraties instables où les passions identitaires peuvent prévaloir, à l'intérieur comme à l'extérieur. À cet égard, c'est la victoire du Hamas en janvier 2006 qui a infligé le démenti le plus fort à l'optimisme de la doctrine Bush. Le préalable du changement de régime (départ de Yasser Arafat, création d'un poste de Premier ministre issu des législatives et élections libres dans les Territoires palestiniens), qui devait ouvrir la voie de la paix et du développement, a amené au pouvoir un gouvernement islamiste dont l'idéologie, au moment de son arrivée aux responsabilités, le vouait à la destruction de l'État d'Israël.

Décidément, le changement de régime est à manier avec précaution. ■

ONU : des réformes qui ne font pas une révision

Guillaume Devin
Science politique, IEP-Paris

Chaque anniversaire de l'Organisation des Nations unies est une occasion de s'interroger sur le bilan et l'avenir d'une organisation qui demeure, pour l'instant, irremplaçable. Créée en 1945 dans le contexte de la victoire alliée et sous l'impulsion des États-Unis, l'ONU, qui a fêté ses soixante ans en 2005, a beaucoup changé. Son universalisation s'est imposée (191 États membres), ses organes subsidiaires se sont développés, ses missions se sont étendues ; surtout, sa position centrale dans tous les grands débats internationaux s'est consolidée à mesure que le

Réformes de l'ONU

Conseil de sécurité, instance de décision chargée, à titre principal, du maintien de la paix et de la sécurité internationales, s'émancipait des blocages de la Guerre froide et retrouvait une plus grande capacité d'action.

Pour autant, la Charte des Nations unies, texte fondateur de l'organisation mondiale, n'avait pas connu à ce jour de révisions majeures. La première (1963), prenant acte de l'arrivée des nouveaux pays décolonisés, a porté de 6 à 10 le nombre des membres non permanents du Conseil de sécurité (soit, au total, 15 membres dont les 5 membres permanents dotés du fameux droit de veto : Chine, États-Unis, France, Royaume-Uni, Russie) ; elle a également fait passer de 18 à 27 le nombre des sièges au Conseil économique et social. La deuxième (1965) a modifié le nombre de voix requis au Conseil de sécurité pour la convocation d'une conférence de révision. Enfin, la troisième (1971) a doublé le nombre de sièges au Conseil économique et social.

En bref, des ajustements plutôt modestes liés à l'extension de l'Organisation et qui ne touchent ni à ses compétences ni au statut privilégié des cinq membres permanents du Conseil de sécurité. Il faut dire que toute révision doit être ratifiée par les deux tiers des membres de l'ONU, « y compris tous les membres permanents du Conseil de sécurité » (articles 108 et 109). Fruit d'un « consensualisme inégalitaire », ce verrou a dressé un obstacle sérieux aux tentatives de révision plus audacieuses. Dès 1955, certains membres, hostiles au droit de veto, avaient réclamé, au nom de l'« égalité souveraine des États », une révision de la Charte. Néanmoins, le Comité créé à cet effet s'est enlisé tout comme les différentes instances qui lui ont succédé.

La révision des équilibres institués il y a soixante ans demeure donc une tâche extrêmement sensible politiquement. Plus généralement, tout semble s'être passé comme si l'Organisation n'avait jamais ressemblé exactement à la Charte : en retrait d'un texte ambitieux jusque dans les années 1980, puis en recherche d'innovations d'un texte imparfait dans la période post-bipolaire.

Dans ces conditions, les développements et les initiatives de ces dernières années étaient à prendre avec précaution. Un processus apparaissait toutefois engagé, assez laborieux mais pouvant déboucher sur des mises à jour significatives.

Fin de la bipolarité : l'ONU enfin en action

Paradoxalement, c'est la revitalisation de l'ONU qui a nourri les critiques et relancé les débats sur la révision. Lorsqu'en 1982 le secrétaire général, Javier Perez de Cuellar, déplorait la paralysie du Conseil de sécurité et s'alarmait des risques d'une « nouvelle anarchie internationale », l'urgence résidait dans un rapprochement des points de vue entre les États-Unis et l'Union soviétique et non dans une quelconque réforme, toujours suspecte de manipulation et, de ce fait, totalement bloquée. À l'automne 1991, au terme de son double mandat, le même secrétaire général célébrait la « renaissance » des Nations unies et ne doutait plus de son « effectivité ».

En dix ans, la rivalité bipolaire avait cédé la place à un nouvel esprit de concertation. Grâce notamment au nouveau cours de la politique soviétique, de véritables négociations diplomatiques pouvaient s'engager dans les instances onusiennes, à commencer par le Conseil de sécurité. Après des années d'inaction, le Conseil de sécurité adopta une résolution vigoureuse (juillet 1987) appelant l'Irak et l'Iran à mettre fin à leur guerre et appuya clairement, à partir de 1989, la recherche de solutions négociées en Namibie, en Angola, au Mozambique, au Cambodge, au Nicaragua ou au Salvador, dans le cadre de conflits enfin en voie de règlement. Ce nouvel élan en faveur d'une « sécurité collective » culmina avec l'opération de refoulement des troupes irakiennes après leur invasion du Koweït (janvier-février 1991) : opération multinationale sous commandement des États-Unis, mais approuvée à la quasi-unanimité par le Conseil de sécurité.

Les années 1990 débutaient donc sous les meilleurs auspices. Substitut *ad hoc* aux dispositions de la Charte sur la sécurité collective, les opérations de maintien de la paix (OMP), décidées par le Conseil de sécurité, se développaient à une cadence inconnue jusque-là (plus nombreuses de 1990 à 2000 que pendant les quatre décennies précédentes ; 18 opérations en cours, en 2006, impliquant 85 000 personnes dont 61 000 militaires) ; le développement de la justice pénale internationale connaissait des avancées inédites avec la création de tribunaux pénaux internationaux (pour les conflits d'ex-Yougoslavie et du Rwanda) et le coup d'envoi d'une Cour pénale internationale (convention de Rome en 1998, entrée en vigueur en 2002) ; l'Assemblée générale et le Conseil de sécurité manifestaient une activité débordante (900 résolutions adoptées par le Conseil de sécurité de 1990 à 2003, contre 600 de 1945 à 1990). Parallèlement, les organes subsidiaires (dans le domaine des droits de l'homme, par exemple, avec la création d'un Haut Commissariat aux droits de l'homme en 1993) et les institutions spécialisées (agriculture, santé, éducation, etc.) étaient dopés par le dynamisme ambiant.

En résumé, l'ONU, qui s'était contentée de gérer le *statu quo* du monde bipolaire, semblait en passe de contribuer activement à la construction d'un nouvel ordre mondial.

Cette situation créait nécessairement de nouvelles attentes et, par hypothèse, des déceptions. Les désillusions vinrent principalement des OMP, qui n'étaient nullement capables de faire office de « police internationale » (mandats souvent peu clairs, capacités opérationnelles insuffisantes, financement limité) : certains échecs furent retentissants (Somalie, 1992) et certaines passivités tragiques (Rwanda, 1994 ; Sre-

brenica, 1995). En d'autres temps, ces carences n'auraient guère soulevé d'émotion (le génocide hutu au Burundi en 1972 ne fut même pas discuté à l'Assemblée générale), mais désormais elles pointaient toutes les faiblesses, les insuffisances et les dysfonctionnements de l'ONU. Plus les Nations unies devenaient centrales, plus leur impuissance était dénoncée. Les partisans de l'ONU, déçus, attendaient un renforcement de l'Organisation ; ses détracteurs, irrités par ses prétentions, souhaitaient freiner son émancipation et la tenir étroitement sous la coupe des États.

Majoritaires au Congrès des États-Unis à partir de 1994, les républicains alimentèrent ce second courant, poussant les responsables démocrates à réaffirmer la primauté des États-Unis dans l'encadrement de l'ONU. L'action de force au Kosovo (1999), non autorisée par le Conseil de sécurité, fut une première rupture avec le cadre onusien (partagée, il est vrai, par les Européens qui n'y voyaient qu'une conduite exceptionnelle). La présidence de G. W. Bush et les attentats du 11 septembre 2001 renforcèrent ces tendances à l'unilatéralisme, clairement assumées avec le déclenchement de la guerre en Irak (2003).

L'ONU, à la fois trop sollicitée et débordée, concentrait ainsi des critiques assez contradictoires dont le seul point commun tenait à la nécessité de réformes. Nul n'avait anticipé que la fin de la Guerre froide s'accompagnerait aussi rapidement de la réouverture de ce vaste chantier.

Mandats Annan : les limites d'une « révolution silencieuse »

Dès son premier mandat (1997-2001), le secrétaire général, Kofi Annan, fait clairement de la rénovation des Nations unies son objectif principal. Il s'agit d'un programme de réformes qui ne nécessite pas la révision de la Charte, mais vise à renforcer l'efficacité et la responsabilité des organes onusiens et, notamment, du secrétariat. Par touches successives, les initiatives du secrétaire général, globalement appuyées par l'Assemblée générale et le Conseil de sécurité, vont contribuer à améliorer la modernisation et l'effectivité de l'ONU. L'effort sera poursuivi au cours de son second mandat (2002-2006). Deux orientations se détachent. D'une part, la rationalisation des engagements : en cela, la création d'un poste de vice-secrétaire général, chargé de superviser la gestion de l'Organisation et les activités relevant de plusieurs départements, constitua un premier geste fort. D'autres décisions suivront, parmi lesquelles la réduction des dépenses administratives, la responsabilisation et la professionnalisation du personnel, le renforcement du rôle des « coordonnateurs résidents » sur le terrain ou l'allocation des ressources aux actions prioritaires. En 2004, une évaluation de l'Agence comptable des États-Unis indiquera que 85 % des mesures présentées entre 1997 et 2002 ont été totalement ou partiellement appliquées. L'attribution du prix Nobel 2001 au secrétaire général viendra largement récompenser cette volonté de « rénover les Nations unies ».

De manière également réussie mais peut-être plus originale, K. Annan encouragera une forme de réflexion stratégique afin d'aider les États à définir les moyens d'adapter et de transformer les capacités de l'Organisation et à prendre les décisions conséquentes. Trois rapports, confiés à des groupes de personnalités, ont marqué cet effort de planification stratégique.

En premier lieu, le rapport du Groupe d'étude sur les opérations de paix de l'ONU (ou « rapport Brahimi », août 2000) atteste que, au-delà des échecs mais aussi des succès (comme pour accompagner l'indépendance de Timor oriental entre 1999 et 2001 ou pour superviser l'administration civile au Kosovo à partir de 1999), les OMP occupent désormais une fonction essentielle dans la tâche première des Nations unies : le maintien de la paix et de la sécurité internationales. Il évalue l'aptitude des

Nations unies à rendre ces opérations plus efficaces.

En deuxième lieu, prenant acte du fait que la gouvernance mondiale n'est plus du seul ressort des gouvernements, le secrétaire général s'inquiétera des moyens d'améliorer les relations entre l'ONU et la société civile (recommandations du « rapport Cardoso » pour que l'ONU soit plus qu'une instance intergouvernementale, juin 2004).

En troisième lieu, clairement dirigé vers la rénovation des institutions onusiennes, le *Rapport des personnalités de haut niveau sur les menaces, les défis et le changement* s'interroge sur la conception de la sécurité collective qui doit présider aux destinées de l'ONU au XXIe siècle (décembre 2004).

Ces réflexions prospectives illustrent une nouvelle méthode de travail qui consiste autant à anticiper les défis qu'à fixer des objectifs pour l'action. En ce sens, l'adoption des huit Objectifs du Millénaire pour le développement (OMD) par les États membres en septembre 2000 (allant de la réduction de moitié de la population pauvre à la lutte contre le sida et à l'école primaire universelle) reflète assez bien la tournure réformiste impulsée par le secrétariat général : des objectifs réalistes et mesurables, une date butoir (2015) et une opportunité de rationalisation des activités onusiennes en les alignant sur les priorités des OMD.

Toutefois, sur le terrain de la gestion administrative, la critique est inépuisable, notamment de la part des États-Unis. Le scandale dit « pétrole contre nourriture » (lié à la corruption ayant accompagné l'autorisation donnée à l'Irak de Saddam Hussein de vendre du pétrole pour financer l'achat de marchandises humanitaires) éclate en 2004, un peu comme pour punir le secrétaire général d'avoir désapprouvé l'intervention étatsunienne en Irak. En réalité, dès 2000, des signes de corruption avaient été signalés par le secrétariat au Conseil de sécurité sans que celui-ci ne réagisse. Après enquête, K. Annan sera disculpé de toute faute, mais l'affaire laissera des traces. Elle s'ajoute, en

Réformes de l'ONU

Références

M. Bertrand, *L'ONU*, La Découverte, coll. « Repères », Paris, 2004 (5ᵉ éd.).

J.-P. Cot, A. Pellet, M. Forteau (sous la dir. de), *La Charte des Nations unies. Commentaire article par article* (2 t.), Economica, Paris, 2005 (3ᵉ éd.). Voir notamment le commentaire des articles 108 et 109 de la Charte par Jacques Dehaussy, t. 2 , p. 2191-2225.

G. Devin (sous la dir. de), *Faire la paix. La part des institutions internationales*, Pepper, Paris, 2005.

L. Fasulo, *An Insider's Guide to the UN*, Yale University Press, New Haven/Londres, 2004.

« L'ONU », *Pouvoirs*, n° 109, Paris, avril 2004.

D. Malone (sous la dir. de), *The UN Security Council : from the Cold War to the 21ˢᵗ Century*, Lynne Rienner, Boulder (Co)/Londres, 2004.

S. C. Schlesinger, *Act of Creation : the Founding of the United Nations*, Westview Press, Boulder (Co)/Oxford, 2003.

@ **Site Internet**

ONU - Pages sur le processus de réformes et les rapports associés
http://www.un.org/french/reform/

2004, aux faits délictueux reprochés à certains éléments des OMP et à la démission de Ruud Lubbers, haut commissaire des Nations unies pour les réfugiés, compromis dans un scandale de harcèlement sexuel.

Dans l'ensemble, ces dérapages ont eu un effet ambivalent. Pour les plus critiques, ils confortaient la thèse selon laquelle le secrétaire général devait être un « manager » plus qu'un responsable politique ; pour les autres, ils confirmaient la nécessité de renforcer les pouvoirs du secrétaire général dans la transparence et la responsabilité. Dans les deux cas, la réforme était à l'ordre du jour, mais les États devaient s'y engager plus clairement.

La même conclusion s'imposait s'agissant des suites à donner aux recommandations des rapports commandés par le secrétaire général : la réorganisation des équilibres initiaux revenait nécessairement aux seuls États membres.

Les tâtonnements de la révision

Au terme de négociations difficiles ayant abouti *in extremis*, le document final du « sommet » mondial de septembre 2005, adopté par l'Assemblée générale, a marqué un progrès relatif. Les valeurs fondamentales y sont réaffirmées, ainsi que la volonté d'atteindre les OMD, mais les avancées sur la sécurité collective et le renforcement de l'Organisation sont plus modestes.

Du côté des réussites figurent la création d'une Commission de consolidation de la paix attestant le rôle que l'Organisation entend jouer dans les situations de post-conflit ; le remplacement de la Commission des droits de l'homme par un Conseil des droits de l'homme (47 membres représentant des États ayant apporté leur concours à la promotion des droits de l'homme afin de ne pas reproduire certaines dérives de la Commission, comme sa présidence par la Libye en 2003) ; le doublement du budget du Haut Commissariat des Nations unies aux droits de l'homme ; le renforcement des moyens mis à la disposition du secrétaire général pour évaluer les performances de l'ONU, ainsi que le réexamen de tous les mandats spécifiques remontant à plus de

Réformes de l'ONU

cinq ans et la création d'un bureau de déontologie. Il est remarquable qu'avec la paix et le développement les droits de l'homme aient retrouvé leur place centrale au sein des Nations unies. Les États l'ont reconnu en admettant que leur incombait, isolément et ensemble, un « devoir de protéger les populations contre le génocide, les crimes de guerre, le nettoyage ethnique et les crimes contre l'humanité ». Néanmoins, l'application de cette « responsabilité de protéger » reste soumise à une décision du Conseil de sécurité, ce qui laisse entière la question de l'opportunité du recours à la force. Sur ce point, comme sur d'autres, la déclaration finale du « sommet » est très en retrait par rapport au document rédigé par le secrétaire général (nourri des trois rapports cités plus haut).

Certaine questions essentielles n'ont pas été réglées : conditions du recours à la force (les cinq membres permanents du Conseil de sécurité voulant conserver leur contrôle), définition commune du terrorisme (en raison d'une clause d'exemption pour les mouvements de libération nationale – du fait notamment de la « question palestinienne » – que refusent les Occidentaux), désarmement nucléaire (exigé par les pays du Sud alors que ceux du Nord plaident d'abord pour la non-prolifération) ou élargissement du Conseil de sécurité. Sur ce dernier point, les formules suggérées (augmentation des membres permanents sans droit de veto ou de membres semi-permanents pour atteindre un effectif de 24 membres, partagé en quatre groupes géographiques) n'ont pas trouvé d'issue favorable. Entre des compatibilités délicates (accroître la représentativité sans réduire l'efficacité) et des prétentions concurrentes (qui seront les heureux élus : le Japon bloqué par la Chine ? l'Inde ou le Pakistan ? le Brésil plutôt que le Mexique ou l'Argentine ? l'Afrique du Sud ou le Nigéria, etc.?), la négociation a échoué.

La représentativité du Conseil de sécurité touche à un équilibre fondamental de l'ONU qui sera probablement appelé à évoluer compte tenu des nouveaux rapports de force mondiaux. De nouvelles tractations ont été engagées dont la réussite dépendra largement du secrétaire général mandaté à partir de 2007. Néanmoins, concernant la question de l'élargissement, la portée d'une tel mouvement dépendra d'un nouveau consensus sur les menaces et les moyens d'y répondre. La rénovation de l'ONU est à ce prix : construire et faire respecter les nouveaux critères du maintien de la paix et de la sécurité internationales au XXIe siècle. À ce compte, des réformes sont engagées, mais les révisions politiques ne sont pas acquises. ■

Prolifération nucléaire

Vers une accélération de la prolifération nucléaire ?

Marie-Hélène Labbé
Questions nucléaires, IEP-Paris

De 1945 à 1995, six pays ont proliféré. Après les États-Unis et l'URSS, ce furent le Royaume-Uni, la France, la Chine de manière officielle et Israël (officieusement) qui se dotèrent de l'arme nucléaire. En 1998, le « club nucléaire » s'élargit à l'Inde et au Pakistan, ce qui portait à huit le nombre de pays dotés de l'arme nucléaire, l'incertitude prévalant à propos de la Corée du Nord. Cette progression lente est à mettre au crédit d'un régime de non-prolifération cohérent, adossé à des tuteurs vigilants – URSS et États-Unis – ainsi qu'à une certaine autodiscipline des États qui pouvaient être tentés par l'option nucléaire. Cette époque est révolue ; on peut s'attendre à une accélération de la prolifération nucléaire rendant moins improbable l'hypothèse d'une guerre nucléaire.

L'éclatement de la « gouvernance nucléaire »

Par « gouvernance nucléaire », on entend l'ensemble formé par le régime de lutte contre la prolifération, la vigilance des États nucléaires et la cohérence de leurs agissements avec leurs responsabilités. Or, les mécanismes de contrôle sont devenus obsolètes face aux réseaux de prolifération.

L'*AIEA* (Agence internationale de l'énergie atomique), créée en 1957, n'a jamais pu s'affranchir de sa double mission contradictoire : promotion de l'énergie nucléaire et contrôle de l'usage pacifique qui en est fait. Sa culture onusienne et son manque de moyens (financiers et humains) l'ont empêchée d'être un acteur efficace dans la lutte contre la prolifération nucléaire. Le *TNP*

(Traité de non-prolifération des armes nucléaires), conclu en 1968, organisait un partage de la planète entre les États qui avaient procédé à une explosion nucléaire avant le 1er janvier 1967 et ceux qui ne l'avaient pas fait et ne devaient pas chercher à acquérir une arme nucléaire. Les « États nucléaires » s'engageaient à ne pas transférer d'arme nucléaire, mais à favoriser le transfert des technologies susceptibles de favoriser le développement de l'énergie nucléaire. En 1995, 180 États avaient reconduit le TNP pour une durée illimitée faisant de la non-prolifération une norme quasi universelle. Désormais, pour la plupart des États, l'adhésion massive à la non-prolifération a fait place à une revendication plus ou moins affirmée de la mise en œuvre des contreparties promises par les États nucléaires en 1995 (Traité d'interdiction complète des essais nucléaires, lancement des négociations sur la cessation de la production de matières fissiles). D'autres sont allés plus loin, affirmant leur « droit à la bombe ». La Corée du Nord est le premier État à s'être retiré du TNP en 2003. L'Iran menaçait d'être le deuxième.

Quant au « club de Londres », cartel d'exportateurs de technologies civiles fondé en 1975 comprenant désormais 44 membres, il ne regroupe, à l'exception de l'Argentine, du Brésil, de la Turquie et de l'Afrique du Sud, que des pays « du Nord ».

Que peuvent ces mécanismes de contrôle face aux réseaux de prolifération qui maîtrisent les techniques de délocalisation et multiplient les fournisseurs ? Les acteurs de ces réseaux – à l'instar du « père de la bombe pakistanaise », le Dr Khan, qui s'est publiquement excusé à la télévision pakistanaise le 4 février 2004 – mêlent fierté nationale, compétence technique, ressentiment contre les États dotés de l'arme nucléaire et cupidité personnelle.

La non-prolifération, moins défendue par les États-Unis

Après les attentats du 11 septembre 2001, la politique étrangère américaine tout entière fut assujettie à la « guerre contre le terrorisme », affaiblissant d'autant les engagements en matière de non-prolifération. À l'exception de la guerre contre l'Irak menée sous le prétexte, qui se révélera fallacieux, de l'existence d'armes de destruction massive, prédominait la volonté de fermer les yeux sur la prolifération, là où une trop grande rigueur affaiblirait les alliés des États-Unis. Ainsi, alors que le réseau Khan ne pouvait avoir été monté sans la bienveillance des autorités, aucune sanction ne fut prise contre le Pakistan, allié clé dans la « guerre contre le terrorisme ». La politique américaine fut relayée par les autres puissances nucléaires. La Russie n'entend pas mettre un terme à son fructueux commerce nucléaire avec l'Iran, et la Chine entretient les meilleures relations avec les pays les plus proliférants (Corée du Nord, Pakistan, Iran).

Depuis l'adoption de la NPR (*Nuclear Posture Review*) en 2002, les États-Unis ont relancé la recherche sur les armes à pénétration renforcée, sans renoncer explicitement à la doctrine de dissuasion. Le discours du président français Jacques Chirac à la base de l'île Longue (Brest) en janvier 2006, présentant la bombe française comme une possible réplique à des États terroristes, rompait avec des années de dissuasion affirmée et envoyait un signal ambigu aux pays proliférants, et au premier chef à l'Iran.

L'affirmation d'un « droit à la bombe » ?

Le « droit à la bombe » a trouvé à s'affirmer de manière très différente selon les États.

La rationalité du choix de la bombe s'illustre dans l'exemple irakien : l'*Irak*, si proche de disposer de la bombe, a été attaqué notamment pour cela en 1990 ; si loin de la bombe, il a été envahi par crainte de l'existence d'armes de destruction massive en 2003. Ces deux invasions n'auraient pas eu lieu si l'Irak avait sanctuarisé son territoire en détenant une arme nucléaire. La leçon fut, à n'en point douter, méditée dans tout le Moyen-Orient, et au-delà.

Depuis son essai de 1974, il était clair que l'*Inde* se dotait en secret de la bombe nucléaire. Le *Pakistan* lui emboîta le pas au début des années 1980. Tous deux étaient d'ailleurs qualifiés (ainsi qu'Israël) de « puissances nucléaires officieuses ». C'est pourquoi leurs essais respectifs de 1998 ressemblèrent davantage à une volonté politique de sortir de l'ambiguïté qu'à une surprise. Rappelons que l'Inde et le Pakistan, qui ont refusé d'adhérer au TNP, n'ont, de ce fait, violé aucun engagement. Tel n'est pas le cas de la Corée du Nord et de l'Iran qui ont en commun de contester radicalement, et de l'intérieur, l'ordre nucléaire existant.

Les objectifs poursuivis par la *Corée du Nord* aussi bien que l'état de son programme restaient une énigme. Son non-respect des engagements pris lors de l'accord de 1994 (suspension de ses travaux) conduisait à une deuxième crise avec l'AIEA, qui déboucha sur deux décisions brutales de la part de la Corée du Nord : l'expulsion des inspecteurs de l'AIEA et la sortie du TNP (2003). Elle annonça également qu'elle avait fabriqué deux bombes, mais aucun essai ne vint corroborer cette assertion. Le cas nord-coréen a été transféré au Conseil de sécurité des Nations unies où la menace de veto chinois empêchait toute prise de sanction.

Les pourparlers à Six, tenus sans enthousiasme sous l'égide de la Chine, n'ont pas permis de débloquer la situation.

L'*Iran* a inquiété la communauté internationale à partir de 2003, date à laquelle,

Prolifération nucléaire

Références

K. M. Campbell, R. J. Einhorn, M. B. Reiss, *The Nuclear Tipping Point*, Brookings Institution, Washington, 2004.

J. Cirincione, J. B. Wolfsthal, M. Rajkumar, *Deadly Arsenals*, The Carnegie Endowment for International Peace, Washington, 2005.

T. Delpech, *L'Iran, la bombe et la démission des nations*, CERI-Autrement, Paris, 2006.

M.-H. Labbé, *Nucléaire, l'attraction fatale*, Éd. des Équateurs, Paris, 2006.

M.-H. Labbé, *Le Risque nucléaire*, Presses de Sciences Po, Paris, 2003.

M. Quinlan, « India-Pakistan Deterrence Revisited », *Survival*, vol. 47, n° 3, 2005.

B. Tertrais, « L'arme nucléaire a soixante ans », *Annuaire stratégique et militaire 2005*, Fondation pour la recherche stratégique, Odile Jacob, Paris, 2005.

@ **Site Internet**

Carnegie Endowment for International Peace (Profileration News and Resources)
http://www.carnegieendowment.org/npp

sur la foi de renseignements fournis par des opposants au régime, furent découverts par l'AIEA des sites clandestins d'enrichissement de l'uranium. L'Iran s'en expliqua sans convaincre avant d'adopter une attitude plus revendicative après l'élection à la présidence de la République, en juin 2005, de Mahmoud Ahmadinedjad. Du « droit à l'énergie civile » – inscrit dans le TNP – au « droit à l'enrichissement » – qui ne l'est pas explicitement –, revendiqué par le président iranien lors de la conférence de révision du TNP de 2005, il n'y a qu'un pas vers le « droit à l'atome », scandé dans les rues. Que faire ? La médiation européenne initiée le 21 octobre 2003 a fait long feu. L'AIEA a transféré le dossier au Conseil de sécurité, lequel a demandé à l'Iran, le 30 mars 2006, de revenir sous trente jours à « la suspension complète et durable de toutes les activités liées à l'enrichissement ». Devant le refus ou les atermoiements de l'Iran, les options du Conseil de sécurité apparaissaient limitées, l'adoption de sanctions économiques par la Russie et la Chine étant peu probable. Les attaques militaires « préemptives » n'ont pas été exclues par le secrétaire américain à la Défense, Donald Rumsfeld, ni par les responsables israéliens, mais il n'était pas certain qu'elles puissent être efficaces et elles seraient à coup sûr périlleuses. Le principal obstacle à la fabrication par l'Iran de l'arme nucléaire était sans doute technique, à savoir les difficultés à maîtriser le processus de centrifugation. Mais la plupart des experts considéraient comme acquis le fait que l'Iran disposerait de la bombe, même si des divergences importantes persistaient sur le délai (de quelques mois pour certains Israéliens à cinq voire dix ans pour des experts américains).

Si la Corée du Nord et l'Iran devenaient des puissances nucléaires, ils risqueraient d'entraîner dans leur sillage huit pays qui ont déjà été tentés, dans le passé, par l'option nucléaire : le Japon, la Corée du Sud, Taïwan, la Syrie, l'Égypte, l'Arabie saoudite, la Turquie et le Brésil. Les paramètres de la décision sont les suivants : l'état des relations avec les États-Unis, notamment la crédibilité de la garantie américaine, l'état du régime de non-prolifération (protège-t-il l'État en question ?), les conditions de sécurité dans la région, l'état de l'opinion publique. Ensuite viennent les considérations économiques, technologiques et politiques : le pays a-t-il déjà une infrastruc-

Proliferation nucléaire

ture nucléaire civile suffisante pour servir de passerelle vers le nucléaire militaire ? Son économie peut-elle consentir les investissements nécessaires ? Enfin, le pays est-il libre de devenir une puissance nucléaire militaire ?

Les États-Unis voudront-ils et pourront-ils exercer des pressions sur les États candidats à la prolifération pour les faire renoncer ? Ils l'ont fait avec succès dans les années 1970 (Corée du Sud, Taïwan, Indonésie, Égypte...), dans les années 1990 vis-à-vis des ex-républiques soviétiques, et en 2003 vis-à-vis de la Libye. Le voyage du président américain George Bush en Inde et au Pakistan (mars 2006) irait en ce sens, puisqu'il a ostensiblement conclu un accord de coopération avec l'Inde, le refusant au Pakistan au motif du rôle joué par ce dernier en matière de prolifération.

Washington a déjà pris des initiatives en matière de non-prolifération en marge du régime existant. La PSI (*Proliferation Security Initiative*), adoptée en 2003, permet de mener des opérations de contrôle en haute mer et a partiellement été reprise par la résolution 1540 du Conseil de sécurité (28 avril 2004). Le Partenariat global sur l'énergie, décidé en mars 2006, permettra aux PED (pays en développement) un accès sécurisé au combustible sous l'égide de l'AIEA en échange d'un engagement à renoncer à développer la technologie de l'enrichissement et du recyclage. Enfin, dans sa nouvelle doctrine stratégique énoncée

en mars 2006, Washington a réitéré sa foi en l'action préventive et stigmatisé l'Iran. Il n'est pas dit que ces mesures freineraient un État considérant la bombe comme un droit et dont les relations avec les États-Unis seraient exécrables.

Le risque de guerre nucléaire

Ces « nouvelles puissances nucléaires » se sont-elles dotées de l'arme nucléaire dans une perspective de dissuasion ou d'emploi ? Pour s'en servir ou pour exercer un chantage sur leurs voisins ? Surtout quand ceux-ci leur sont hostiles ? Le président iranien a menacé de rayer Israël de la carte sans disposer encore de la bombe, ce qui ne veut pas dire qu'il ne le ferait pas s'il l'avait. Ou bien ces États se doteront-ils de doctrines de dissuasion, à l'instar de l'Inde et du Pakistan qui s'en sont ostensiblement munis et ont réduit les tensions existant entre leurs deux pays ? Quel contrôle exerceront-ils sur leurs armes pour éviter leur déclenchement accidentel ou le fait qu'elles ne tombent entre des « mains non autorisées » ? Le contrôle qui existait sur les armes pakistanaises était apparemment si médiocre que les États-Unis durent envoyer des experts afin de les sécuriser.

De la réponse à ces questions dépendait l'éventualité d'une guerre nucléaire, accidentelle ou non, qui sonnerait le glas de soixante ans de dissuasion. [*Voir aussi l'article « L'enjeu iranien, au-delà de la "question nucléaire" ».*] ∎

« Ordre mondial de l'information »

Sommets de Genève et de Tunis : vers quel « ordre mondial de l'information » ?

Armand Mattelart
Sciences de l'information et de la communication,
Université Paris-VIII

En novembre 2005, un Sommet mondial de la société de l'information s'est déroulé à Tunis, sous les auspices de l'Union internationale des télécommunications (UIT). En décembre 2003, un premier « sommet », organisé à Genève, s'était fixé comme objectif de résoudre à l'horizon 2015 la question de l'intégration des « laissés-pour-compte du numérique » aux réseaux de l'e-éducation, l'e-santé et l'e-gouvernement.

Qu'il y ait accord sur la notion de « société de l'information », rien n'est moins sûr. Certes, nul ne peut nier qu'elle recouvre une série de réalités techniques appelées à changer en profondeur non seulement le statut de la communication, de la culture et du savoir, mais aussi les modes de gouvernement et les formes d'organisation économique. Mais celle-ci ne prend sens que dans une configuration géopolitique. Son histoire est sinueuse et chargée d'ambiguïtés.

Naissance d'une idéologie à vocation planétaire

Jusqu'à l'aube du troisième millénaire, la représentation de l'avenir du monde sous-jacente à la catégorie toute faite de « société de l'information » a cheminé sans que les citoyens aient pu exercer leur droit à un vrai débat sur le projet de société à laquelle elle renvoie. Au sein de l'*establishment* sociologique des États-Unis s'ébauchent dès les années 1950 les prémisses théoriques de la « société post-industrielle », qui sera tour à tour dénommée « société post-histo-rique », « post-capitaliste », « technétronique », et enfin « société de l'information » (années 1970). Se met en place un discours de combat concernant la société, orienté sur le primat de la science et de l'intelligence artificielle et reposant sur l'annonce de « fins » : de l'idéologie, du politique, de la lutte des classes, de l'intellectualité contestataire et donc de l'engagement, au profit de la légitimation de la figure de l'intellectuel positif, orienté vers la prise de décisions. Cette thèse fait alors jeu avec celle de la « société managériale ».

Le lancement du premier système de satellites à portée mondiale et les balbutiements de la Détente changent la donne des relations internationales vers la fin des années 1960. Les géopoliticiens des États-Unis en anticipent les conséquences. La « société technétronique », fruit de la convergence du téléphone, de la télévision et de l'ordinateur, est en voie de transformer la planète en une « société globale ». Mais la seule puissance qui a atteint ce stade de l'histoire, ce sont les États-Unis. Leurs industries culturelles et leurs réseaux d'information et de communication véhiculent les valeurs d'un nouvel universalisme. La société globale sera donc l'extrapolation de l'archétype né aux États-Unis. De même que l'âge de l'idéologie s'estompe, le temps des rapports de force impériaux est révolu. La « diplomatie des réseaux » va remplacer la « diplomatie de la canonnière » et l'attraction naturelle exercée par un modèle de vie prendre le pas sur les stratégies coercitives.

Dans les années 1970, le discours sur la société de l'information devient performatif ; il légitime la formalisation de politiques publiques. La crise révélée par le premier choc pétrolier (1973) installe les nouvelles technologies de l'information au principe des stratégies imaginées par les grands pays industriels pour en sortir. « Crise du modèle de croissance et de gouvernabilité des démocraties occidentales », diagnostique le rapport de la Trilatérale, état-major informel des pays de la Triade Europe occidentale-Japon-États-Unis. « Crise de civilisation », souligne le rapport emblématique L'Informatisation de la société de Simon Nora et Alain Minc (1978). L'« âge de l'information » se transforme en enseigne du monopole multinational IBM, que ce rapport identifie comme cible. La « société de l'information » prend langue à l'OCDE (Organisation de coopération et de développement économiques) et à la Communauté européenne, qui inaugurent des programmes d'action et de recherche pour la construire.

Dans les années 1980, les processus de déréglementation et de privatisation déstabilisent le concept de politique publique en même temps que la base juridique des services publics en matière de télécommunications. Les années 1984-1985 marquent la bifurcation de l'économie mondiale vers les principes de l'économie néolibérale. L'onde de choc de la déréglementation des télécoms se propage des États-Unis au reste du monde.

Lors de la décennie suivante, la fin de la Guerre froide et l'irruption d'Internet propulsent l'information et ses réseaux au cœur des doctrines sur la construction de l'hégémonie mondiale. La nouvelle « ressource immatérielle » se mue, dans le langage géostratégique, en pivot de trois « révolutions » : dans les affaires militaires, les affaires diplomatiques et les affaires commerciales. Le contrôle des réseaux, la «global information dominance», commande de nouvelles façons de faire la paix et la guerre, de nouvelles stratégies pour l'intégration de l'ensemble des nations autour du marché mondial.

En 1995, les sept pays les plus industrialisés (G-7) entérinent, au « sommet » de Bruxelles, la notion de « société globale de l'information » devant des invités issus des milieux d'affaires et en l'absence de représentants de la société civile organisée. Il n'y est guère question de « fracture numérique ». En ouverture, le vice-président des États-Unis d'alors, Albert Gore, adoube la notion de « nouvel ordre mondial de l'information ». L'année précédente, la Maison-Blanche avait lancé un projet d'autoroutes globales de l'information (Global Information Infrastructure), extrapolation au niveau planétaire de son projet à usage domestique (National Information Infrastructure). En 1998, l'Assemblée des Nations unies approuve l'idée d'organiser un « sommet » mondial de la société de l'information. L'année suivante, le rapport annuel du PNUD (Programme des Nations unies pour le développement) met l'accent sur la ligne de partage entre les « inforiches » et les « info-pauvres ». Pour la réduire, il propose d'instaurer une taxe sur les flux internationaux de télécommunication et les brevets déposés devant l'Organisation mondiale de la propriété intellectuelle (OMPI), au motif que ces opérations font usage de ressources mondiales communes.

Des consultations de surface

Or il n'est pas du tout certain qu'il y ait consensus sur les stratégies susceptibles de contrer les inégalités face aux nouvelles technologies. Les « sommets » de Genève et de Tunis ont vu s'affronter des projets de société qui renvoient à des architectures et des usages fort différents des réseaux d'information et de communication. Cela apparaît d'autant plus évident que, pour la première fois, les Nations unies avaient invité le secteur privé et la société civile organisée à s'exprimer dans les conférences préparatoires à l'assemblée intergouvernementale. Pour la société civile, la priorité devait

Références

D. Bell, *The Coming of Post-Industrial Society*, Basic Books, New York, 1999 (3ᵉ éd.).

Z. Brzezinski, *La Révolution technétronique*, Calmann-Lévy, Paris, 1971.

C. Dartiguepeyrou, M. Saloff-Coste (coord. du dossier), « La société de l'information, enjeu stratégique », *Agir. Revue générale de stratégie*, n° 20-21, Paris, 2005.

A. Mattelart, *Diversité culturelle et mondialisation*, La Découverte, Paris, 2005.

A. Mattelart, *Histoire de la société de l'information*, La Découverte, Paris, 2006 (3ᵉ éd.).

B. Miège (coord. du dossier), « Questionner la société de l'information », *Réseaux*, n° 101, Hermes/Sciences, Paris, 2000.

S. Nora, A. Minc, *L'Informatisation de la société*, La Documentation française, Paris, 1978.

@ **Sites Internet**

Sommet mondial de la société de l'information (SMSI)
http://www.itu.int/wsis

Sommet mondial des villes et des pouvoirs locaux sur la société de l'information
http://www.cities-lyon.org

être donnée à l'articulation entre nouvelles et anciennes technologies, à l'alphabétisation, l'éducation et la recherche, au savoir comme patrimoine commun de l'humanité, à la reconnaissance des logiciels libres, à la lutte contre la discrimination à l'égard des populations autochtones, des immigrés et des femmes, à l'abaissement des coûts de connexion au Réseau, à la sécurité du droit des citoyens à communiquer – mise en tension par l'obsession sécuritaire depuis l'entrée dans la « guerre contre le terrorisme ». Insatisfaite de l'audience recueillie, la société civile a émis sa propre déclaration, parvenant à s'exprimer d'une seule voix pour affirmer la primauté des « droits à la communication » comme nouveaux droits sociaux.

Mais pour que puisse se discuter sérieusement ce projet, il faudrait que les agences des Nations unies cessent de faire l'impasse sur le phénomène général de concentration, qui entrave l'appropriation de l'espace communicationnel par les citoyens et creuse le fossé entre ceux qui émettent et ceux qui reçoivent, ceux qui savent et ceux qui sont censés ne pas savoir. Les « sommets » de Genève et de Tunis

n'ont pas échappé à ce tropisme. Pas de prise de position sur la concentration capitalistique et les logiques financières des méga-groupes de communication. Maldonne hautement symbolique dans le choix du pays d'accueil, la Tunisie, qui bafoue la liberté d'expression.

Le risque est de proclamer de grands principes, tandis que continue de sévir l'idéologie déterministe de la connectivité qui fait le lit de la raison marchande. D'autant que les grands pays industriels résistent à mobiliser des ressources publiques pour financer le « fonds de solidarité numérique » soutenu par les pays du Sud. En l'absence d'une volonté politique des États, les fondations philanthropiques des transnationales de l'industrie de l'information comblent le vide. L'une des rares expériences innovantes est la coopération décentralisée mise en place par le Réseau mondial des villes et des autorités locales.

Esquivée à Genève, la question de la réforme du « gouvernement de l'Internet » a été mise au programme à Tunis. Le Réseau est en effet géré par l'Internet Corporation for Assigned Names and Numbers (ICANN). Doté d'un statut singulier (société de droit californien à but non lucratif), cet organisme contrôle l'accès à tout domaine virtuel, qu'il soit générique (.com, .org., .gov., .edu., etc.) ou national. En fait, il relève en dernière instance du département américain du Commerce. Le levier qui permet à l'administration américaine d'exercer son emprise géopolitique sur Internet et qui lui confère, en théorie, la prérogative d'exclure un pays du Réseau mondial est avant tout technique : il réside dans les « serveurs-racines », tête de pont du système d'adressage.

En dépit d'une ample alliance entre les gouvernements du Sud et l'Union européenne, mus chacun par des intérêts différents, le « sommet » n'a pas réussi à ébranler l'axiome du contrôle du Réseau par les États-Unis, accrochés à leur doctrine de la «*global information dominance*». La solution de compromis a été la création d'un Forum d'Internet, instance intergouvernementale de dialogue mais non de décision, à laquelle seraient conviés des porte-parole du secteur privé et de la société civile organisée.

Des questions à l'ordre du jour d'institutions clés

En fait, sans être nécessairement habilité à résoudre l'ensemble des questions soulevées par les ONG et certains gouvernements issus du Sud, le « sommet » de Tunis a entrouvert la « boîte noire » des institutions qui jouent un rôle central dans la structuration dudit ordre mondial de l'information. Non seulement l'ICANN, mais aussi l'OMC (Organisation mondiale du commerce) et l'Organisation mondiale de la propriété intellectuelle (OMPI). L'OMC est compétente en matière de déréglementation des réseaux de télécommunications et de libéralisation des services audiovisuels et culturels, à travers l'AGCS (Accord général sur le commerce des services). Quant à l'OMPI, elle est directement concernée par la brevetabilité croissante des biens publics communs, dont témoigne l'appropriation privée des savoirs et connaissances par les monopoles cognitifs.

Preuve du poids qu'ont acquis les nouvelles ressources premières, « information et savoir », dans la formation de la valeur économique. Ce n'est point un hasard si la question du statut futur de l'information, de la communication et de ses réseaux a été abordée, directement ou indirectement, au cours du même trimestre à Tunis, mais aussi au sein de la Conférence générale de l'Unesco (Paris, octobre 2005), qui a adopté la Convention sur la promotion et la protection de la diversité des expressions culturelles, et à Hong Kong (décembre), lors de la Conférence ministérielle de l'OMC sur la libéralisation du commerce des services (dont les produits culturels).

Au bout du compte, les controverses au sein du « sommet » mondial ont contribué à écorner l'image lisse d'une société globale atteinte par la seule vertu des technologies informationnelles. Quant à la notion de fracture numérique, elle était aussi susceptible de servir d'alibi à ceux qui cherchent à esquiver l'interrogation sur les causes des fractures socioéconomiques pour mieux légitimer leurs stratégies de « modernisation ». À trop se focaliser sur la société globale de l'information, on en oublie que l'enjeu majeur de l'appropriation sociale de l'univers technique est de construire des « sociétés du savoir » pour tous et que, à ce titre, ce dont les citoyens ont besoin, ce n'est pas tant de « sommets » sur la société de l'information que d'états généraux du savoir. Un savoir miné de toutes parts par les logiques de la rentabilité managériale. ∎

« Ordre mondial de l'information »

Les mutations du populisme

Guy Hermet
Science politique, IEP-Paris

Le populisme est un phénomène dont les formes se sont multipliées aussi bien dans l'espace qu'en fonction du temps. C'est également une réalité dont l'appellation est assez récente. Le populisme n'apparaît pour la première fois sous ce nom qu'au cours du deuxième tiers du XIXe siècle en Russie avec les *narodniki* («populistes»), avant de se répandre rapidement en Europe et en Amérique. Toutefois, bien que la protestation populaire contre la domination des puissants que le populisme exprime soit demeurée très longtemps innommée, elle est en réalité fort ancienne. Dans *Hamlet* déjà, Shakespeare parlait d'«insolence de la charge», pour évoquer la colère du petit peuple face à l'attitude impudente des autorités.

Des incarnations très diverses

Le populisme emprunte toujours des modes d'organisation parmi les plus variés : réseaux clandestins ou même terroristes d'activistes révolutionnaires ou bien cercles intellectuels comme en Russie de 1850 à 1890 ; mouvements politiques peu structurés comme le boulangisme », hostile au régime parlementaire naissant de la France de la fin des années 1880 ; partis agrariens à la manière du People's Party des *grangers* (fermiers) américains au cours de l'ultime décennie du XIXe siècle, qui se répandent également dans les Balkans et en particulier en Bulgarie après la Première Guerre mondiale ; régimes autoritaires, pourvus d'institutions très spécifiques, de l'Amérique latine du deuxième tiers du XXe siècle ; et, plus tard, régimes de parti unique de la décolonisation comme dans l'Indonésie de Ahmed Sukarno (1957-1966) ou la Tanzanie de Julius Nyerere (1961-1979), courants hindouistes comme dans l'Inde actuelle, sans oublier, bien entendu, les récents partis populistes européens à la façon du Front national français, du Parti du peuple danois ou des libéraux autrichiens (Parti libéral d'Autriche, FPÖ). En outre, la variété de leurs formes n'épuise pas la diversité des populismes. Car le populisme est aussi, voire surtout, un langage utilisé au besoin par les personnalités politiques classiques, un style politique reposant avec plus ou moins d'intensité sur l'ascendant personnel d'un leader, également un sursaut nationaliste exaltant une vieille patrie ou visant au contraire à la dépecer pour en créer une nouvelle (comme c'est le cas de la Ligue Nord en Italie, ou du Vlaams Belang – anciennement Vlaams Blok – en Belgique).

Y-a-t-il un pourtant un élément unificateur dans ce catalogue hétéroclite des populismes, qu'il conviendrait sinon de ne désigner qu'au pluriel ? Ceux-ci ne sont ni de gauche ni de droite, ou plutôt sont-ils passés de l'extrême gauche à l'origine, en Russie, à une droite plus ou moins radicale (avec des exceptions, comme au Vénézuela). Ils n'ont pas d'idéologie vraiment constituée, ni de règles en matière d'institutions. Ils critiquent avec virulence les partis et leur personnel, sans être pourtant antidémocratiques ou adeptes de la dictature. Et s'ils usent de procédés démagogiques d'appel direct au peuple, ce ne sont pas les seuls.

Rejet du politique et aspiration à une intégrité nationale mythique

Deux traits distinguent pourtant tous les populismes, au point de justifier qu'on en parle cette fois au singulier. Le premier relève de l'ambition que démontre le populisme de représenter une sorte de démocratie incarnée ou vécue, écho fidèle des sentiments des « gens ordinaires » et opposée par là à la démocratie représentative établie, dont les agents se voient accuser de travestir la volonté du peuple. Quant au second trait du populisme, plus décisif, il se rapporte à l'exploitation systématique du rêve partagé d'une masse considérable de personnes : celui de voir disparaître la distance qui sépare les désirs personnels ou collectifs immédiats de leur réalisation nécessairement très différée en raison des complexités de l'action politique. Les populistes prodiguent à leur public l'assurance que ce désir peut se réaliser quasiment d'un coup, sans changements profonds ni révolution douloureuse, en ajoutant que seuls quelques rabat-joie mal intentionnés, tirant profit de la triste réalité qu'ils entretiennent, font obstacle à sa concrétisation.

Telle est l'origine du caractère antipolitique du populisme. Par ignorance ou malhonnêteté, il récuse l'art de la politique, qui se définit par sa relation au temps, inscrite dans la durée et la prudence face à l'impossibilité de satisfaire toutes les demandes à la fois, d'où découle à son tour la nécessité de gérer avec circonspection leur inscription sur l'agenda des actions prioritaires. En opposition absolue avec cette conception, les populistes ignorent le souci joliment formulé par François Mitterrand de « donner du temps au temps ». Ils entretiennent avec celui-ci un rapport étranger aux canons de la politique en ce que, tant en vertu de leur propre démagogie ou de leur inconscience que de l'impatience de leurs clients, ils refusent d'envisager les longs délais de satisfaction des demandes populaires imposés par l'exercice responsable du gouvernement. À leurs yeux, il suffit par exemple de refouler les immigrés pour mettre un terme au chômage et à la délinquance, ou de fermer les frontières aux multinationales pour restaurer l'économie nationale.

Dans cette perspective de repli sur soi, un rapport étroit lie les populismes au nationalisme ou au sentiment national (d'où l'expression de national-populisme). L'idée même de peuple, qui donne son nom au populisme, se circonscrit au cadre territorial et mental d'un pays historique, qui constituerait une communauté solidaire quasiment parfaite si des perturbateurs ou des parasites aux mauvaises intentions ne venaient malheureusement troubler son harmonie. Le plus souvent, les populistes proposent de bannir ces facteurs de corruption hors de la collectivité nationale afin de lui restituer sa cohésion, sa prospérité et son authenticité. Tel est, notamment, le message de la plupart des grandes formations populistes européennes, étant entendu qu'il désigne des adversaires différents selon les cas : à l'ouest du continent, ce message s'élève contre l'immigration, l'élargissement dangereux et précipité de l'Union européenne ou contre la détérioration de l'État-providence par des resquilleurs venus d'ailleurs, tandis qu'à l'Est il procède plutôt d'une réaction ethnique et culturelle allant de pair avec une nostalgie de la dignité et de la grandeur nationales, qui n'est pas toujours étrangère au souvenir enjolivé et partial du passé communiste. Et tel est également, depuis trente ans au moins, le discours des courants ethno-nationalistes de l'Inde, attachés à l'affirmation d'une identité majoritaire à ciment religieux hindouiste face aux identités minoritaires musulmane, jaïniste, sikh, bouddhiste ou chrétienne.

On sait, en outre, que la composante nationaliste peut agir aussi dans le sens inverse, à savoir celui de la sécession d'avec un État existant pour former une nouvelle patrie. Ce populisme séparatiste obéit en Flandre belge à la revendication linguistique du Vlaams Belang ; il se place en Italie du Nord – rebaptisée « Padanie » – sous la devise du séparatisme économique de la Ligue du Nord, et il se retrouve d'une manière plus inquiétante en Espagne, avec ETA.

Populisme

Références

G. **Hermet**, *Les Populismes dans le monde. Une histoire sociologique (XIXᵉ-XXᵉ siècles)*, Fayard, Paris, 2001.

O. **Ihl**, J. **Chêne**, É. **Vial**, G. **Wattrelot** (sous la dir. de), *La Tension populiste au cœur de l'Europe*, La Découverte, Paris, 2003.

P.-A. **Taguieff** (sous la dir. de), *Le Retour du populisme. Un défi pour les démocraties européennes*, Universalis, Paris, 2004.

Une pratique ancienne en Amérique latine

Si l'Europe et l'Amérique du Nord ont été les berceaux du populisme et si l'Europe reste l'un de ses foyers, l'Amérique latine est devenue jusqu'à nos jours la terre d'élection de sa version la plus consolidée. En effet, si la démocratie représentative n'a guère été contestée dans les vieilles sociétés industrielles et si le populisme révolutionnaire des origines a pris en Russie d'autres directions, ethniques et culturelles en particulier, il n'en est pas allé de même dans les pays latino-américains. En Amérique latine, la démocratie intégrée dans la routine des régimes constitutionnels rythmés par les élections, et confondue avec le gouvernement des partis et des professionnels de la politique, n'a jamais cessé de se voir opposer un modèle rival, au moins aussi attractif pour une grande partie de ses habitants. Spécialement après 1920, les masses populaires latino-américaines se sont lassées des subterfuges d'une caste inamovible de dirigeants dont l'objectif semblait consister à respecter les apparences formelles de la souveraineté populaire pour mieux en annuler les conséquences effectives en matière d'égalité. Dès lors, elles se sont ralliées à un modèle alternatif : celui d'une démocratie plébiscitaire et communautaire moins mécanique et plus affective, reposant non plus sur une délégation de pouvoir consentie à des mandataires élus sans conviction, mais sur l'incarnation sans limite de temps de leur volonté par des chefs providentiels posés en redresseurs de torts de la population des humbles. Les exemples les plus aboutis de ce populisme établi furent le Brésil de Getulio Vargas (1932-1955), l'Argentine de Juan Peron (1945-1954) – et de son épouse Evita – ou, très différemment jusqu'en 2000, le Mexique du Parti révolutionnaire institutionnel (PRI), la « dictature parfaite », selon le littérateur péruvien Mario Vargas Llosa.

Cette tradition populiste latino-américaine avait faussement semblé s'éteindre avec les retours à la démocratie des années 1980 et 1990. Mais le cycle du populisme a vite repris. Ce fut d'abord sous les traits de ce que l'on a appelé le « néopopulisme » de personnalités politiques assez classiques, qui se sont fait élire sur des slogans démagogiques pour appliquer ensuite des politiques économiques et monétaires parmi les plus libérales : ce fut le cas du président brésilien Fernando Collor de Mello (1990-1992), de son collègue péruvien Alberto Fujimori (1990-2000) et, surtout, de son homologue argentin Carlos Menem (1989-1999), dans le même temps vainqueur de l'inflation et champion de la corruption. Simultanément, des artistes, journalistes, littérateurs, sportifs sont devenus, partout en Amérique latine, les acteurs d'un populisme médiatique demeuré il est vrai marginal. Il ne s'agissait que de diversions. Le grand retour de la vague populiste s'est produit en 1999, au Vénézuela, avec l'élection triomphale du lieutenant-colonel Hugo Chavez. Avec lui, le populisme de gauche rentrait en scène après une longue interruption. L'année suivante, Alejandro Toledo était élu au Pérou sur la foi peut-être de son origine indienne. Puis ce fut, à la fin 2002, la victoire du syndicaliste Luis Inacio « Lula » Da Silva au Brésil, précédant celle du candidat des indiens boliviens Evo Morales, en 2005.

Lula, le « calamar » brésilien (comme le désigne son surnom), incarne la version rassurante du populisme latino-américain. Porté par son charisme personnel et par son aura de créateur d'un grand parti ouvrier (Parti des travailleurs), acquis à la démocratie participative, il s'est abstenu de toute démagogie une fois au pouvoir. Maintenant l'économie sur une base saine, il a préservé la source matérielle d'une répartition moins inégale de la richesse en même temps qu'il a calmé les appréhensions des classes moyennes et des partenaires internationaux du Brésil. Le cas de H. Chavez apparaissait très différent. Sur le plan interne, celui-ci a créé un véritable régime institutionnel populiste rendant tout retour en arrière difficile, alors que Lula n'a pas modifié la Constitution brésilienne. Par ailleurs, sur le plan extérieur, les ressources pétrolières du Vénézuela ont permis à H. Chavez de mettre en œuvre, face aux États-Unis, une « diplomatie de la contestation » qui a modifié les équilibres internes de l'Amérique latine. Le populisme pro-indien de E. Morales, en Bolivie, s'appuie fortement sur cette nouvelle donne, du fait notamment qu'il a d'emblée tourné le dos à la prudence du président brésilien en nationalisant les ressources de gaz naturel et de pétrole du pays sans disposer des moyens nécessaires pour les exploiter véritablement. [*Voir aussi l'article « La gauche latino-américaine élue, plus gestionnaire que "révolutionnaire" »*.]

Le populisme paraît en revanche enregistrer une régression probablement temporaire en Asie. Sa version maoïste s'est éteinte en Chine avec son grand protagoniste ; les Philippines traversent également une période moins agitée sur ce plan, sans du reste que la situation politique s'y soit stabilisée pour autant, tandis que le Pakistan est comme paralysé par la main de fer d'un régime militaire. Seule l'Inde demeure inchangée, étant entendu que le populisme y constitue, d'un côté, un ingrédient normal d'un jeu démocratique réel, surtout au niveau régional, et, de l'autre, une expression de l'explosion extrémiste hindouiste.

Par ailleurs, les populismes du Sud se manifestent aussi de façon renouvelée dans l'Afrique subsaharienne, où ils représentent moins, désormais, certaines formes d'autoritarisme que l'intervention dans la politique électorale de vedettes inédites et proches des gens, venues par exemple du football (comme George Weah, qui fut candidat au scrutin présidentiel au Libéria en 2005).

Un ingrédient de la vie démocratique

Ces contrastes ne contredisent toutefois en rien la poussée globale des populismes dans le monde. Malmenée par son recul industriel aussi bien que par l'angoisse ressentie par ses habitants face au processus d'intégration européenne et au démembrement inévitable de l'État-providence, l'Europe offre, pour un temps d'incertitude sans doute fort long, un terrain privilégié aux *outsiders* populistes. De ce fait, de phénomène transitoire lié aux moments de crise, le populisme s'y transforme en ingrédient quasi permanent de la vie démocratique, obligeant même les leaders des partis classiques à emprunter ses recettes pour contrer la concurrence. Quant aux multiples et très divers populismes du Sud, peut-être doivent-ils s'interpréter, dans certains cas, comme un passage nécessaire, celui de la démocratie « incarnée », et non pas seulement théorique, vers des régimes de liberté plus orthodoxes aux yeux de l'Occident. ■

Organisations internationales

Par **Véronique Chaumet**
La Documentation française

2005-2006 / Journal de l'année

2005

5 juillet. OCS. 5ᵉ « sommet » de l'Organisation de coopération de Shanghaï à Astana (Kazakhstan). Les chefs d'État de Russie, Chine, Kazakhstan, Kirghizstan, Ouzbékistan et Tadjikistan demandent le retrait des contingents américain et internationaux établis en Asie centrale depuis l'intervention militaire en Afghanistan en 2001.

6-8 juillet. G-8. Le 31ᵉ « sommet » du Groupe des huit principaux pays industrialisés, à Gleneagles (Royaume-Uni), est centré sur le développement de l'Afrique et la lutte contre le changement climatique. Pour répondre aux Objectifs du Millénaire pour le développement (qui ont fait l'objet d'un consensus à l'ONU en 2000), les Huit prévoient une augmentation de l'aide globale au développement de 50 milliards de dollars par an en 2010 par rapport à 2004, dont au moins 25 milliards iront à l'Afrique. Ils décident l'annulation de la dette multilatérale de dix-huit pays pauvres très endettés (PPTE), dont quatorze États africains pour un montant de 40 milliards de dollars.

26 août. CEI. Lors du « sommet » de la Communauté d'États indépendants réuni à Kazan, les pays membres tentent de réformer l'organisation. Le Turkménistan annonce qu'il ne sera plus que membre associé, la Géorgie et l'Ukraine décidant de rester, pour l'instant, au sein de l'organisation.

1ᵉʳ septembre. UE-Algérie. Entrée en vigueur de l'accord d'association signé le 22 avril 2002 entre l'Algérie et l'Union européenne, qui supprime les droits de douane sur l'importation d'environ 2 300 produits.

14-16 septembre. ONU. Le « sommet » mondial, marquant le soixantième anniversaire de l'Organisation, ne marque pas d'avancée sur la réforme du Conseil de sécurité. Compromis sur la création d'un nouvel organe consultatif permanent, la Commission de consolidation de la paix, pour aider les pays sortant d'un conflit à se stabiliser, et transformation de la Commission des droits de l'homme, très discréditée, en Conseil des droits de l'homme.

24-25 septembre. FMI-Banque mondiale. Lors de la 60ᵉ Assemblée annuelle à Washington, approbation de la proposition du G-8 d'annuler 40 milliards de dollars de dettes multilatérales contractées par dix-huit pays pauvres très endettés.

4 octobre. UE. Ouverture de négociations d'adhésion à l'Union européenne avec la Turquie et la Croatie.

7 octobre. AIEA. Le prix Nobel de la paix est attribué à l'Agence internationale de l'énergie atomique et à son directeur Mohamed el-Baradei, qui vient d'être reconduit pour un troisième mandat à la tête de l'organisation.

21 octobre. UNESCO. Adoption de la Convention sur la promotion et la protection de la diversité des expressions culturelles, qui intègre pour la première fois le domaine culturel dans le droit international.

24 octobre. ONU-Kosovo. L'ONU approuve le lancement des négociations sur le statut final du Kosovo, « province autonome » de l'État de Serbie-Monténégro administrée depuis juin 1999 par les Nations unies. Celles-ci débutent le 7 novembre.

27 octobre. ONU-Irak. Fin de la publication du rapport de la Commission d'enquête Volcker sur le programme de l'ONU « Pétrole contre nourriture » en Irak, qui dénonce les pots-de-vin versés par plus de 2 000 entreprises originaires de 66 pays (1,8 milliard de dollars), et critique sévèrement la gestion du secrétaire général de l'ONU, Kofi Annan.

4-5 novembre. Sommet des Amériques. Lors du 4ᵉ « sommet » réunissant à Mar del Plata (Argentine), les 34 chefs d'État du continent américain, à l'exception de Cuba qui n'est pas invité, le projet de Zone de libre-échange des Amériques (ZLEA), lancée par le président Bill Clinton en 1994, est fortement critiquée par le Brésil, l'Argentine, l'Uruguay et le Paraguay, pays fondateurs du Mercosur, ainsi que par le Vénézuela.

7-9 novembre. « Grippe aviaire ». La première conférence internationale pour le financement de la lutte contre la « grippe aviaire », réunie à Genève à l'initiative de l'OMS (Organisation mondiale de la santé), de l'OIE (Office international des épizooties), de la FAO (Organisation des Nations unies pour l'alimentation et l'agriculture) et de la Banque mondiale, adopte un plan d'action sur trois ans d'un montant d'un milliard de dollars.

8 novembre. ONU-Irak. L'ONU reconduit le mandat de la force multinationale en Irak pour un an.

16-18 novembre. Information. La deuxième étape du Sommet mondial de la société de l'information, organisée à Tunis, réunit les délégués de 175 pays sur les moyens de réduire la fracture numérique entre les pays industrialisés et les pays du Sud et sur la gestion internationale d'Internet, actuellement assurée par l'ICANN, organisme lié au département américain du Commerce et contrôlant l'accès à tout domaine virtuel. La tenue du « sommet » en Tunisie est vivement contestée par les associations de défense des droits de l'homme.

18-19 novembre. APEC. Le 13e « sommet » de la Coopération économique en Asie-Pacifique, réuni à Pusan (Corée du Sud), appelle à sortir de l'impasse sur l'agriculture dans les négociations commerciales multilatérales poursuivies au sein de l'OMC.

27-29 novembre. UE-Méditerranée. Le « sommet » réunissant à Barcelone les Vingt-Cinq de l'UE et dix pays méditerranéens dresse un bilan mitigé des dix années du partenariat euro-méditerranéen et se termine sans déclaration finale, en raison de tensions entre les participants sur le Proche-Orient. Adoption d'un Code de conduite contre le terrorisme et d'un texte commun sur l'immigration.

28 novembre-10 décembre. Climat. La première conférence de suivi du Protocole de Kyoto – après son entrée en vigueur en février 2005 –, organisée à Montréal, entérine une série d'accords permettant sa mise en œuvre totale. Un accord est trouvé pour l'ouverture de négociations sur le prolongement du protocole au-delà de 2012. Cet accord prévoyant que les négociations seront menées dans le cadre plus large de la convention-cadre des Nations unies sur les changements climatiques, les États-Unis, qui n'ont pas ratifié le protocole, acceptent finalement de s'y associer.

7 décembre. OCI. Dans la Déclaration de La Mecque, les 57 dirigeants de l'Organisation de la conférence islamique s'engagent à combattre fermement l'extrémisme islamiste et à réviser leurs législations pour les adapter à la lutte antiterroriste. Le « sommet » se termine par l'adoption d'un plan d'action de dix ans pour relever les défis du XXIe siècle.

9-10 décembre. Mercosur. Lors du sommet de Montevideo, le Vénézuela adhère au Marché commun du sud de l'Amérique, ce qui porte à cinq le nombre des États membres. Le processus d'adhésion doit durer au moins un an.

12-14 décembre. Asie orientale. Le premier Sommet de l'Asie orientale rassemble à Kuala Lumpur seize pays asiatiques, dont la Chine, l'Inde et le Japon, ainsi que les dix pays de l'ANSEA (Association des nations du Sud-Est asiatique), en présence de la Russie invitée en tant qu'observateur.

13-18 décembre. OMC. La 6e Conférence ministérielle de l'Organisation mondiale du commerce, à Hong Kong, relance les négociations sur le Programme de Doha pour le développement, lancées en 2001 et bloquées par la question des subventions agricoles des pays du Nord. Sont entérinées la suppression des subventions aux exportations agricoles des pays industrialisés en 2013, la fin des subventions aux exportations de coton en 2006, l'ouverture progressive des marchés des pays riches aux exportations des pays les moins avancés, à l'horizon 2008. L'exception sur les médicaments génériques est désormais inscrite dans l'accord sur la propriété intellectuelle (ADPIC) de 1995.

14 décembre. ONU. Entrée en vigueur de la Convention des Nations unies contre la corruption, adoptée le 9 décembre 2003 à Merida (Mexique).

15 décembre. ONU/Liban-Syrie. Le rapport de l'ONU sur l'assassinat de l'ex-Premier ministre libanais Rafic Hariri, le 14 février 2005 à Beyrouth, conclut à l'implication de la Syrie dans l'attentat.

15-16 décembre. UE. Le Conseil européen de Bruxelles trouve un accord sur le budget de l'Union européenne pour 2007-2013, avec un montant global de 862,4 milliards d'euros, soit 1,045 % du PIB communautaire, dont 157 milliards d'euros pour les nouveaux membres. Les Britanniques acceptent une diminution du « rabais » sur leur contribution budgétaire étalée sur la période 2007-2013. Cet accord est assorti d'une clause de révision globale du budget de l'Europe.

31 décembre. ONU-Sierra Léone. Fin de la Mission des Nations unies pour la Sierra Léone (Minusil), créée en octobre 1999 pour garantir les accords de paix signés en juillet 1999. Elle aura compté jusqu'à 17 500 « casques bleus ».

2006

1er janvier. G-8. Pour la première fois, la Russie prend la direction annuelle du G-8.

1er janvier. SAARC. Entrée en vigueur de l'Accord de libre-échange en Asie du Sud (SAFTA), signé le 4 janvier 2004 entre les sept pays de l'Association d'Asie du Sud pour la coopération régionale.

23-26 janvier. UA. Lors du 6e « sommet » de l'Union africaine à Khartoum, le Soudan n'obtient pas la présidence de l'organisation du fait de la persistance du conflit du Darfour. L'UA, qui a déployé au Darfour une mission de la paix de 7 000 hommes, annonce, le 10 mars, son transfert à l'ONU.

25 janvier. Communauté économique eurasienne. L'Ouzbékistan adhère à la CEE, marquant ainsi son rapprochement avec la Russie, après son retrait du GUAM (Géorgie, Ukraine, Azerbaïdjan, Moldavie) en mai 2005.

8 mars. ONU-Iran. L'AIEA décide de transférer à l'ONU le dossier nucléaire de l'Iran. Le 29 mars, le Conseil de sécurité lance un ultimatum à l'Iran lui intimant la suspension complète de toutes ses activités liées à l'enrichissement d'uranium.

8 mars. OPEP. L'Organisation des pays exportateurs de pétrole décide de maintenir les quotas de production fixés depuis juillet 2005 à 28 millions de barils par jour, en considérant que la hausse des cours est due aux tensions géopolitiques. Elle réitère, le 24 avril, son refus d'augmenter sa production, malgré la demande des pays industrialisés, le prix du baril bondissant à 75 dollars.

20-31 mars. Biodiversité. Lors de la 8e Conférence sur la biodiversité à Curitiba (Brésil), les 103 ministres de l'environnement décident d'élaborer, d'ici 2010, un code international réglementant l'accès aux ressources naturelles, pour combattre leur piratage.

19 avril. CAN. Le Vénézuela annonce son retrait de la Communauté andine, considérant que les traités de libre-échange signés bilatéralement avec les États-Unis par le Pérou et la Colombie (deux des cinq membres de la CAN) sont incompatibles avec l'organisation.

21-23 avril. FMI-Banque mondiale. Réunions de printemps à Washington. Le FMI devra présenter à l'assemblée annuelle de septembre une modification du calcul des quotes-parts des États membres, notamment celles de la Chine, du Mexique, de la Corée du Sud et de la Turquie. La Banque mondiale, pour sa part, voit sa mission renforcée dans les domaines de la lutte contre la corruption et du développement des énergies renouvelables.

11-13 mai. UE-ALC. Le 3e « sommet » réunissant 60 pays de l'Union européenne, d'Amérique latine et des Caraïbes est dominé par la nationalisation des hydrocarbures boliviens. La décision est prise d'ouvrir des négociations de libre-échange avec l'Amérique centrale ainsi qu'avec la Communauté andine. Pas d'avancée sur les négociations douanières avec le Mercosur.

13 mai. D-8. Le « sommet » des huit principaux pays musulmans (Developing-8) réunit à Bali le Bangladesh, l'Égypte, l'Indonésie, l'Iran, la Fédération de Malaisie, le Nigéria, le Pakistan et la Turquie, avec l'objectif d'activer les échanges commerciaux entre eux et de développer les activités de la Banque islamique de développement.

16 mai. UE. La Commission européenne donne un avis favorable à l'entrée de la Slovénie dans la Zone euro au 1er janvier 2007, mais rejette celle de la Lituanie, les critères de convergence n'étant pas remplis. Elle reporte à octobre 2006 sa proposition sur la date d'adhésion (1er janvier 2007 ou ultérieurement) de la Roumanie et de la Bulgarie.

18 mai. OTCS. L'Organisation du traité de sécurité collective de la CEI, qui regroupe la Russie et cinq ex-républiques soviétiques, prévoit de mettre en place d'ici 2010 une force collective de déploiement rapide.

21-22 mai. BERD. Lors de sa réunion annuelle à Londres, la Banque européenne pour la reconstruction et le développement annonce son désengagement d'ici à 2010 des huit pays qui ont adhéré à l'UE en 2004, et le recentrage de son action vers les Balkans et la CEI.

23 mai. GUAM. Au « sommet » de Kiev, le GUAM (Géorgie, Ukraine, Azerbaïdjan, Moldavie) s'institutionnalise, fixe son siège à Kiev et prend le nom d'Organisation pour la démocratie et le développement économique-GUAM. La coopération portera principalement sur l'énergie, le règlement des conflits « gelés » (en Géorgie et en Moldavie) et la réalisation du programme-cadre GUAM-États-Unis. Une zone de libre-échange devrait être créée. ■

Les enjeux de la période

Questions économiques et sociales

Négociations
commerciales
internationales ;
Libéralisation
des marchés
agricoles ;
« Patriotisme
économique » ;
Gouvernance
économique
européenne ;
Boom des
hydrocarbures ;
L'Asie en Afrique.

Alliances commerciales

De l'instabilité des alliances commerciales internationales

Michel Rainelli
Économiste, DEMOS-GREDEG
(CNRS/Université de Nice-Sophia-Antipolis)

Parmi les grands traits caractérisant l'évolution du GATT (Accord général sur les tarifs douaniers et le commerce) puis celle de l'OMC (Organisation mondiale du commerce, qui a succédé au GATT comme cadre de négociation) entre 1947 et aujourd'hui, on peut relever une tendance lourde à l'élargissement. C'est vrai du nombre des nations participant aux négociations commerciales mondiales, passé de 23 en 1947 à 149 en 2006, mais aussi des sujets négociés, puisque, des seuls tarifs douaniers, le champ s'est étendu aux questions réglementaires, c'est-à-dire à l'ensemble des dispositions autres que les droits de douane pouvant influencer les échanges, et enfin des secteurs économiques pris en compte (initialement l'industrie et les produits agricoles et, à partir de 1987, les services).

Ces négociations sont organisées dans le cadre de cycles (*rounds*) et selon des règles contraignantes : un accord ne peut être que global, alors que de nombreux thèmes spécifiques sont abordés, et il ne peut être obtenu que si l'unanimité est atteinte. Ces particularités ont conduit, au fil du temps, à l'émergence d'alliances entre des pays défendant des intérêts communs, en raison de la relative identité de leurs structures économiques et de la nature de leur commerce international. Les alliances peuvent être soit offensives, les nations concernées cherchant à obtenir une libéralisation des échanges dans un secteur donné, soit défensives, les alliés développant une position commune de résistance à un abaissement des barrières à certains échanges.

Cette diversité des alliances, jointe à la pluralité des négociations en cours et à la dynamique même des discussions, conduit à une instabilité des ententes : un même membre de l'OMC peut ainsi être inséré dans des réseaux complexes qui ne sont pas nécessairement stables dans le temps.

La structuration des alliances est encore plus difficile à interpréter en raison de l'existence d'unions régionales, manifestations de la régionalisation de l'économie mondiale. En effet, l'Union européenne (UE) est la seule organisation régionale à négocier de manière collective (bénéficiant de 25 voix), alors que d'autres pays appartenant aux mêmes unions régionales peuvent être impliqués dans des alliances défendant des positions différentes. L'exemple le plus évident est celui de l'ALENA (Accord de libre-échange nord-américain), composé des États-Unis, du Canada et du Mexique. Le Canada appartient au groupe de Cairns, qui s'oppose aux États-Unis dans le domaine du commerce des produits agricoles, alors que le Mexique est un membre actif du G-20, réunissant des pays en développement (PED) principalement préoccupés de la défense de leur intérêts dans le cadre de ce même dossier agricole (voir *infra*).

Comment expliquer cette prolifération d'alliances ? La raison principale en est l'extension du nombre de pays impliqués dans les négociations et, corrélativement, les divergences de plus en plus marquées dans leurs intérêts, un élément clé étant la prise de conscience par les pays non industrialisés de leur poids au sein de l'OMC. Cependant, le bilan que l'on peut établir de ces tentatives de regroupement est globalement décevant.

Alliances et contre-alliances

Lors des cycles de négociations lancés dans le cadre du GATT (en vigueur jusqu'à la fin 1994), les discussions conduisaient souvent à une confrontation entre les deux principaux pôles du commerce mondial, les États-Unis et l'UE, auxquels, selon les questions discutées, pouvaient s'agréger d'autres nations. Les pays moins développés entretenaient en général une attitude assez peu active, même si deux nations, l'Inde et le Brésil, tentaient de défendre des positions susceptibles de fédérer les autres nations sur certains thèmes.

Un premier changement s'est toutefois manifesté avec la constitution du groupe de Cairns, en 1986, juste avant le début des négociations du cycle de l'Uruguay (1987-1994). Composée à l'origine de 14 membres (18 en 2006), cette coalition de pays exportateurs de produits agricoles se fixa un objectif unique : obtenir la libéralisation du commerce mondial de ces produits (diminution drastique des droits de douane, suppression des subventions internes et à l'exportation). Cette alliance apparaissait donc comme offensive, s'opposant aux politiques agricoles des États-Unis, de nombreux pays européens, mais aussi du Japon, de la Corée du Sud, etc. Le groupe de Cairns comprend des pays développés (Australie, Canada, Nouvelle-Zélande) et des nations en développement (Pakistan, Malaisie, Argentine ...) ; un seul pays africain, l'Afrique du Sud, mais aucun État européen.

C'est également dans le domaine agricole que de nouvelles alliances ont vu le jour lors des négociations du cycle de Doha (commencé en 2001), dont le G-20 en août 2003, lors de la préparation de la Conférence ministérielle de Cancun (septembre 2003). Les États-Unis et l'Union européenne, venaient de conclure un accord, annonçant leur volonté de diminuer leurs aides à l'agriculture mais sans prévoir aucune mesure

concrète. En réaction à cette absence d'engagement, le Brésil et l'Argentine ont ainsi constitué une coalition de 21 pays (5 africains, 6 asiatiques, 10 d'Amérique latine) pour défendre les intérêts des pays en développement. Selon Pascal Lamy, alors commissaire européen au Commerce, le G-20 « est né de deux parents : un père politique et une mère agricole ». D'autres alliances ont vu le jour dans le sillage du G-20, moins bien structurées : le G-90, le G-33, le G-10.

Le G-90 (réunissant des membres de l'Union africaine, de l'ACP – Afrique, Caraïbes, Pacifique –, ainsi que certains pays parmi les moins développés) était le plus reconnu. Le G-10 regroupait, quant à lui, la Bulgarie, Taïwan, la Corée du Sud, l'Islande, Israël, le Japon, le Lichtenstein, Maurice, la Norvège et la Suisse, favorisant une position défensive et souhaitant continuer de préserver leur agriculture, fortement subventionnée et protégée par des tarifs douaniers élevés. Le G-33, enfin, regroupe pour l'essentiel des PED défendant la particularité de certains produits ainsi que le mécanisme spécial de sauvegarde permettant de protéger certains secteurs. Un nombre non négligeable de pays pouvaient appartenir à plusieurs de ces groupements : groupe de Cairns et G-20 ou G-20 et G-10, etc. [Sur la question agricole, voir aussi l'article « Perspectives au Nord et au Sud après la libéralisation des marchés agricoles ».]

Fractures internes

Pour qu'une coalition soit stable et efficace, il faut que les nations la composant aient des intérêts strictement convergents. Au sein du G-20, les intérêts agricoles du Brésil, pays fortement exportateur de produits comme le soja ou la viande bovine, ne sont en rien comparables à ceux de l'Égypte ou du Pakistan, dont beaucoup de productions sont menacées par les importations. Les négociations lors de la Conférence ministérielle de Hong Kong ont révélé cet éclatement : l'Inde et le Brésil se sont, de fait, dissociés des autres membres du

Références

M. Rainelli, *L'Organisation mondiale du commerce,* coll. « Repères », La Découverte, Paris, 2004.

R. Sally, « The end of the road for the WTO ? », *World Economics,* vol. 5, n° 1, janv.-mars 2004.

J.-M. Siroën, *La Régionalisation de l'économie mondiale,* coll. « Repères », La Découverte, Paris, 2000.

G-20. Lors de ces négociations s'est formé un nouveau groupe informel, la New Quad (Nouvelle Quadripartite), composé des États-Unis, de l'UE, du Brésil et de l'Inde, qui a contribué de manière décisive à déterminer l'ordre du jour et à organiser les négociations. Dans une certaine mesure, l'Inde et le Brésil ont, à cette occasion, acquis une reconnaissance de la part des nations dominantes, mais au détriment des intérêts des pays les moins développés.

Cette fragilité des alliances est encore plus évidente si l'on considère l'ensemble des dossiers négociés dans le cycle de Doha. Pour marquer la prise en compte des conséquences dénoncées de la libéralisation du commerce pour les pays les moins développés, ce cycle a pris le nom d'« agenda de Doha pour le développement ». Mais la diversité des situations parmi les pays non industrialisés conduit nécessairement à des affrontements dépassant le clivage traditionnel Nord-Sud. Lors des négociations commerciales, l'Inde et le Brésil étaient de longue date les défenseurs des pays du Sud ; en 2001, ils ont été rejoints par la Chine. Les intérêts commerciaux de ces trois nations ne sont pas les mêmes que ceux des pays les moins développés, comme on l'a vu pour le Brésil concernant le dossier agricole.

Cela se vérifie dans tous les domaines de négociations décisifs. La libéralisation du commerce international du textile-habillement, entrée en vigueur le 1er janvier 2005, a montré que la croissance considé-

rable des exportations chinoises se faisait au détriment d'autres PED (Bangladesh, par exemple) mais aussi d'États semi-industrialisés, comme la Turquie. Par ailleurs, le problème essentiel de la Chine est, à l'heure actuelle, son commerce bilatéral avec les États-Unis, très fortement excédentaire et suscitant de fortes pressions protectionnistes de la part des États-Unis. La croissance soutenue de l'Inde s'appuie notamment sur l'exportation de services, dont le succès réside dans le recours à une main-d'œuvre fortement qualifiée mais aussi dans la délocalisation par des firmes américaines ou européennes de leurs activités informatiques, financières, etc.

En fait, la position de l'Inde, du Brésil et plus récemment de la Chine comme leaders de coalitions réunissant des PED apparaissait plus comme un héritage des négociations commerciales des années 1960 – entretenant le mythe d'une homogénéité des pays du Sud s'opposant à ceux du Nord – que comme la traduction d'intérêts économiques convergents.

Si l'émergence de coalitions défendant les intérêts des pays les moins développés a pu apparaître comme un pas intéressant dans l'évolution des négociations commerciales à l'échelle mondiale, elle n'a pas, pour l'instant, permis de modifier réellement la nature du commerce international et la marginalisation de ces pays. Paradoxalement, l'irruption de ces nouveaux acteurs, qui rendent plus complexe le déroulement des négociations, pourrait aboutir à un résultat inverse de celui recherché. En effet, face à l'enlisement des négociations se sont fait jour des propositions radicales d'exclusion de ces pays. L'une des formulations les plus nettes en ce sens a été exprimée par l'économiste britannique Razeen Sally : « Pour dire les choses brutalement, seule une minorité des membres de l'OMC possède le pouvoir de négociation et la capacité de faire avancer des négociations : les pays de l'OCDE et une partie des pays au développement avancé (la plupart appartenant au G-20). Les discussions décisives pour libéraliser et établir des règles à l'OMC doivent donc être menées par les 30 pays qui réalisent plus de 80 % du commerce international (en comptant l'UE pour un pays). » (« The end of the road for the WTO ? », *World Economics*, janv.-mars, 2004). Dans un tel contexte, la question des alliances se poserait certes de manière très différente… ■

Perspectives au Nord et au Sud après la libéralisation des marchés agricoles

Jean-Christophe Bureau
Économiste, Institut national agronomique, Paris-Grignon

Au printemps 2006, le cycle de négociations lancé à Doha sous l'égide de l'Organisation mondiale du commerce (OMC) en 2001 n'avait pas encore abouti à un accord concernant la libéralisation des marchés agricoles. Néanmoins le contenu d'un éventuel compromis était bien balisé depuis les résolutions prises lors de la Conférence ministérielle de l'OMC à Hong Kong en décembre 2005.

Protectionnisme et intervention publique sont monnaie courante dans le secteur agricole. Les droits de douane y sont très élevés au Japon, en Norvège et dans nombre de pays en développement (PED). Sucre, viande bovine, produits laitiers sont très protégés dans l'Union européenne (UE). En Amérique du Nord, certains secteurs concentrent des pics de protection (produits laitiers, sucre, certains tabacs et cotons aux États-Unis ; produits laitiers au Canada).

Les pays développés subventionnent leurs agriculteurs à des niveaux considérables, les PED n'ayant, eux, pas les moyens de le faire et taxant souvent leur secteur agricole. Ce soutien atteint, pour les trente États membres de l'Organisation de coopération et de développement économiques (OCDE), quelque 226 milliards d'euros, pour une production agricole d'une valeur à peine trois fois supérieure (OCDE, 2005). Les aides passent, pour partie, par le soutien à des prix supérieurs aux cours mondiaux. Mais les réformes récentes des politiques agricoles remplacent peu à peu ce procédé par des aides directes. Celles-ci sont distribuées de manière de plus en plus forfaitaire, c'est-à-dire sans obligation de produire, ce qui leur permet d'échapper à la discipline de l'OMC. En effet, les accords de l'OMC laissent toute liberté à un pays membre de subventionner ses agriculteurs, tant que cela ne crée pas de

Libéralisation des marchés agricoles

Références

Banque mondiale, « Global Economic Prospects 2004. Realizing the Development Promise of the Doha Agenda », Banque mondiale, Washington DC, 2003.

A. Bouët, J.-C. Bureau, Y. Decreux, S. Jean, « Multilateral Agricultural Trade Liberalization : The Contrasting Fortunes of Developing Countries in the Doha Round », *The World Economy,* vol. 28, 9, 2005.

J.-C. Bureau, E. Gozlan, S. Jean, « La libéralisation des échanges agricoles : une chance pour les pays en développement ? », *Revue française d'économie,* vol. 1, XX, Paris, 2005.

S. Laird, R. Peter, D. Vanzetti, « Southern Discomfort : Agricultural Policies, Trade and Poverty », CREDIT papier de recherche 04/02, Université de Nottingham, 2004.

distorsion de la concurrence vis-à-vis des autres pays.

Les contours d'un accord possible

Trois volets principaux se trouvaient au centre de la négociation agricole. Le premier porte sur les diverses formes d'aides à l'exportation et a déjà fait l'objet d'un accord prévoyant leur démantèlement avant 2013. Sont principalement concernées les subventions à l'exportation européennes, mais aussi certaines politiques américaines plus indirectes.

Le deuxième volet porte sur le soutien interne (subventions aux agriculteurs). Ne sont concernés que les prix soutenus et les subventions liées à la production. La plupart des aides européennes et américaines ne sont désormais plus fonction des quantités produites et échappent donc à toute obligation de réduction. Dans la mesure où l'on négocie sur des plafonds désormais rarement atteints, les fortes baisses discutées seraient très virtuelles. En pratique, la proposition de l'UE de diminuer ses subventions agricoles de 70 %, par exemple, conduirait à ne modifier que très marginalement les politiques actuelles.

Le troisième volet porte sur l'accès au marché, c'est-à-dire principalement les droits de douane. C'est dans ce domaine que l'impact d'un accord devrait être le plus important. Il est acquis que les droits élevés feront l'objet de plus fortes baisses. Les États-Unis proposent des coupes de plus de 85 % pour les produits les plus protégés. Il s'agirait là d'un choc considérable pour les producteurs européens. L'UE propose des coupes de l'ordre de 60 % sur ces produits, ce qui aurait déjà un impact important. Chaque pays pourrait néanmoins sélectionner une liste limitée de produits « sensibles », soumis à des réductions plus faibles.

Des baisses de droits de douane plus faibles sont prévues pour les PED. Ceux-ci pourront en outre définir des « produits spéciaux » sur la base de critères de sécurité d'approvisionnement ou de développement, qui pourront être exclus, au moins partiellement, des obligations de libéralisation. Un mécanisme de protection en cas de besoin, pour les produits de première nécessité, est également prévu. Les aides aux agriculteurs pauvres seront exemptées de réduction, de même que des subventions aux intrants (engrais et autres produits nécessaires à l'exploitation agricole).

Enfin, il est acquis que les pays les moins avancés (PMA) seront exemptés d'à peu près toute contrainte en ce qui concerne la libéralisation de leur marché. Le directeur de l'OMC, Pascal Lamy, est même parvenu à faire accepter le principe d'une très large exemption de droits de douane pour les exportations des pays les plus pauvres vers les pays développés et en transition, à l'instar de l'exemple donné par l'UE avec l'initiative « Tout sauf les armes », en vigueur depuis 2001.

Gagnants et perdants

Les études récentes ont conclu à des gains relativement limités, et surtout très inégalement répartis entre pays, dans le cas d'un accord agricole à l'OMC. Les travaux menés par le CEPII (Centre d'études prospectives et d'informations internationales) et la CNUCED (Conférence des Nations unies sur le commerce et le développement) laissaient penser que des estimations antérieures, émanant de la Banque mondiale (2003) et postulant que les PED seraient les grands bénéficiaires d'un accord, étaient excessivement optimistes. Ce n'est que récemment que des statistiques ont donné une image fiable des préférences commerciales et des droits de douane réellement appliqués, souvent très inférieurs aux engagements pris à l'OMC. Par exemple, le marché de l'UE est déjà largement ouvert à certains PED en vertu d'accords spécifiques. Une baisse des droits de douane dans un cadre multilatéral ne leur conférerait pas un accès beaucoup plus conséquent au marché européen.

Les simulations ont montré que les modifications des cours mondiaux, qui résulteraient d'un accord dans le cadre du cycle de Doha, seraient faibles. Le coton ferait toutefois exception : son prix augmenterait sensiblement si les aides américaines à la production étaient réduites, avec des effets bénéfiques pour les producteurs sahéliens. Les prix mondiaux du soja et du riz devraient aussi remonter sensiblement en cas d'accord, mais, pour les autres produits, les hausses n'excéderaient pas quelques points de pourcentage.

Les virulentes campagnes des ONG contre les subventions à l'exportation suggèrent que les PED auraient un intérêt primordial à l'élimination de ces dernières. Globalement, pourtant, les cours mondiaux ne s'en trouveraient que très peu modifiés.

Les grands gagnants de la libéralisation se situent dans deux catégories. Il s'agit, d'une part, des pays qui protègent le plus leur agriculture, comme l'UE ou le Japon. Ceux-ci bénéficieraient globalement de leur propre libéralisation en raison de gains importants pour les consommateurs, qui pourraient accéder à des biens alimentaires meilleur marché. L'allocation des ressources serait également plus efficace, certains secteurs ne demeurant attractifs que par l'existence des subventions (sucre, riz, maïs ou coton dans l'UE). Néanmoins, les producteurs agricoles subiraient des pertes de revenu.

Les autres grands gagnants en seraient les pays exportateurs agricoles, comme le Brésil ou l'Australie. Ces pays gagneraient des parts de marché au détriment des producteurs européens et japonais. Mais ils en gagneraient également au détriment des PED bénéficiant de préférences commerciales sur les marchés européens et américains. La Chine et l'Inde devraient également tirer profit d'un accord.

Les principaux perdants à la libéralisation des échanges agricoles seraient, d'une part, les pays importateurs nets de nourriture, que ce soit des pays industrialisés tels Singapour, des économies insulaires, ou des pays très pauvres comme ceux du Sahel. Leur facture alimentaire s'alourdirait du fait de prix mondiaux qui seraient moins déprimés par les subventions américaines et européennes, même si leurs producteurs agricoles en bénéficieraient. Ce serait, d'autre part, les PED qui subiraient les effets du détournement du commerce préférentiel. La baisse de droits de douane négociée dans le cadre multilatéral réduirait, en effet, l'intérêt des préférences commerciales que l'UE accorde, par exemple, à la zone Caraïbe et d'Afrique subsaharienne.

En pratique, les pertes pour les pays les plus pauvres seraient faibles, car ils exportent assez peu malgré les exemptions de droits de douane qui leurs sont accordées. En revanche, des pays, certes de petite taille et pas nécessairement les plus pauvres, comme ceux des Caraïbes ou les îles Maurice et Fidji, verraient leur situation se dégrader dans la mesure où leurs exportations de sucre et bananes seraient concurrencées par des pays aux coûts moindres.

Les effets sur l'agriculture européenne

Un accord agricole ne mettrait pas en cause les aides directes, qui représentent aujourd'hui l'essentiel du revenu des agriculteurs de l'UE. Néanmoins, les producteurs européens de bovins, de fruits et légumes et de volailles seraient affectés par les baisses de prix consécutives à la réduction des droits de douane et la hausse des importations. Des flux d'exportations subventionnées de poudre de lait et de beurre disparaîtraient. En définitive, il est probable que la production agricole baisserait dans l'UE, en particulier dans le secteur des viandes et du maïs.

Mais les conséquences d'un accord agricole à l'OMC dépendent de manière cruciale des prix mondiaux, qui sont soumis à de nombreux facteurs exogènes, comme la demande de produits agricoles à des fins énergétiques, ou d'éventuelles modifications de régimes alimentaires en Chine ou en Inde. Ainsi, les céréales européennes pourront absorber sans difficulté un accord,

sur la base de la proposition européenne, si les prix mondiaux sont suffisamment élevés et/ou si le dollar s'apprécie durablement. À l'inverse, avec des prix mondiaux déprimés, un accord agricole à l'OMC entraînera des ajustements significatifs dans la Politique agricole commune (PAC).

En conclusion, un accord agricole à l'OMC se traduira par une libéralisation partielle des échanges. Pour les pays du Nord, le secteur de la transformation et les consommateurs tireront profit d'une telle libéralisation. Les agriculteurs européens ou japonais connaîtront des pertes qui dépendront du niveau des prix mondiaux.

Si certains PED comme le Brésil gagneront, certainement, très nettement à une libéralisation des échanges, d'autres, comme les États des Caraïbes et les PMA, verront leurs préférences tarifaires sur le marché européen s'éroder. Quant à la baisse des droits de douane attendue, elle intéresse peu les PMA, qui bénéficient déjà de larges exemptions. Les aspects techniques, sanitaires et phytosanitaires restreignent davantage leurs exportations, d'autant plus que les exigences du secteur privé en matière de certification et traçabilité deviennent de plus en plus discriminantes. En somme, les effets de la libéralisation des échanges agricoles sur les PED apparaissent très contrastés. ■

Le « patriotisme économique », fausse réponse à la mondialisation

Christian Deblock
Centre Études internationales et mondialisation (UQAM)

Lancée en 2003 par le député français Bernard Carayon dans son rapport sur l'intelligence économique, reprise par le Premier ministre Dominique de Villepin lorsque les rumeurs d'OPA « hostile » de Pepsico sur Danone allaient bon train, et consacrée par le décret du 31 décembre 2005 établissant une liste de onze secteurs d'activités stratégiques ou sensibles désormais intouchables, le « patriotisme économique » est devenu en très peu de temps, en France mais également dans beaucoup d'autres pays, une formule à succès. Il faut dire que, sans être nouvelle ni très originale (elle a souvent été utilisée aux États-Unis), l'expression est particulièrement habile.

Contrairement au nationalisme économique, le patriotisme économique n'évoque, en effet ni la puissance ni l'ostracisme, mais plutôt un profond sentiment d'attachement à des institutions et à des valeurs qu'il s'agit de défendre contre la menace extérieure, économique et financière en l'occurrence. Sont en jeu la sécurité économique du pays, la protection de ses intérêts stratégiques autant que sa cohésion économique et sociale, la défense de sa compétitivité autant que son rayonnement dans le monde. Vu sous cet angle, le patriotisme économique n'est pas, pour ses plus ardents avocats, une « idéologie » mais une « politique sociale ». Et, dans la mesure où il ne s'agit pas de se replier sur soi, mais au contraire de préparer l'avenir, ce ne serait rien de moins qu'un concept moderne, tout à fait adapté aux réalités et aux défis nouveaux que pose la mondialisation.

La tentation de faire « cavalier seul »

Évidemment, les nombreux détracteurs du patriotisme économiques ne voient pas nécessairement les choses ainsi, certains n'hésitant pas à parler de « virus économique », de « populisme économique », de « folie de notre temps », de « protectionnisme avec un accent français » ou encore de « mondialisation à la carte ». D'une façon générale, on relève, dans les milieux financiers comme dans les organisations internationales, beaucoup d'inquiétude face à un phénomène qui s'étend désormais à de nombreux pays, remet en question l'autonomie des marchés financiers et soulève un problème de double standard en matière d'investissement.

Quelle que soit l'époque, les gouvernements ont cherché à mettre à l'abri de la concurrence certaines industries ou certains secteurs d'activité, au nom de la sécurité ou de la défense des intérêts stratégiques nationaux. Dans un contexte concurrentiel où la compétitivité des nations dépend énormément du dynamisme des entreprises et de leur capacité d'innover et vice versa, on peut difficilement reprocher aux gouvernements de vouloir mobiliser les énergies pour stimuler l'investissement, favoriser les acteurs locaux dans certains domaines comme la recherche, protéger les opérateurs économiques contre les pratiques étrangères déloyales (l'espionnage économique ou le piratage, par exemple), voire, comme on l'a vu au Québec, octroyer des contrats publics sans appel d'offres

« Patriotisme économique »

Références

B. **Carayon,** *Patriotisme économique. De la guerre à la paix économique,* Éditions du Rocher, Paris, 2006.

Commission mondiale sur la dimension sociale de la mondialisation, *Une mondialisation juste. Créer des opportunités pour tous,* OIT, Genève, févr. 2004 (http ://www.ilo.org/public/french/fairglobalization/report/index.htm).

C. **Deblock,** « Du mercantilisme au compétitivisme : le retour du refoulé », *in* M. Van Cromhaut, *L'État-nation à l'ère de la mondialisation,* L'Harmattan, Paris, 2003.

J.-C. **Graz,** *La Gouvernance de la mondialisation,* coll. « Repères », La Découverte, Paris, 2004.

A. **Landier,** D. **Thesmar,** « Quel patriotisme économique au XXIᵉ siècle ? », *Amicus Curiae,* Institut Montaigne, Paris, déc. 2005.

M. **Rioux,** « Quelle culture de la concurrence face aux limites de l'antitrust international et de la concurrence généralisée ? », *in* P. Hugon, C.-A. Michalet, *Les Nouvelles Régulations de l'économie mondiale,* Karthala, Paris, 2005.

pour soutenir tel ou tel « champion » national. Mais jusqu'où pousser la défense des intérêts nationaux ? Et, surtout, comment faire la part des choses entre ce qui relève vraiment de la sécurité économique et ce qui n'est que protectionnisme déguisé ?

Que ce soit en France, aux États-Unis ou ailleurs, on ne peut, en effet, que s'interroger sur la manière cavalière dont certains intérêts étrangers sont traités ou sur l'opacité qui entoure les décisions prises. Comment expliquer la présence des casinos sur la liste des onze secteurs jugés intouchables par Paris ? Quels critères ont prévalu pour choisir les dix entreprises françaises cotées au CAC 40 de la Bourse de Paris, désormais à l'abri de tout raid étranger ? En quoi la prise de contrôle de la pétrolière américaine Unocal par la société d'État CNOOC ou de la firme britannique P&O (Peninsula & Orient), avec ses cinq ports de la côte Est des États-Unis, par les Dubai Ports World, deux compagnies qui ont le défaut l'une d'être chinoise et l'autre arabe, peut-elle constituer une menace sérieuse à la sécurité des États-Unis ? Que dire de la précipitation avec laquelle les montages financiers (Suez-Gaz de France ou Arcelor-Severstal) ont été mis en place pour bloquer des OPA, ou rumeurs d'OPA, rapidement qualifiées d'hostiles (pour qui ?) Comment ne pas s'in-

quiéter aussi de la charge émotionnelle qui entoure certaines opérations de fusion-acquisition engageant pourtant plus le monde de la finance que l'avenir économique du pays ?

Il est bien difficile, dès lors, de ne pas donner raison à ceux pour qui le patriotisme économique n'est qu'un moyen pour les gouvernements de se faire du capital à bon compte, voire un écran de fumée pour calmer les inquiétudes de l'opinion publique. Cependant, dans l'ensemble, les interventions gouvernementales restent limitées et ne remettent pas vraiment en question la libéralisation des échanges ni l'autonomie acquise par les marchés financiers. La montée de fièvre nationaliste actuelle n'a absolument rien de comparable avec ce que l'on a connu dans les années 1960-1970 et parler de néo-mercantilisme est grandement exagéré. Pour arbitraires et discriminatoires qu'elles soient, les actions entreprises jusqu'ici ont surtout été brouillonnes, sinon conservatrices. Elle sont sans commune mesure avec ce que l'on peut observer lorsqu'il y a utilisation systématique de la puissance publique à des fins économiques, ce qui est le cas des stratégies « développementalistes » que pratiquent certains pays d'Asie, par exemple.

Des dérives sont possibles mais peu probables, tant les économies sont ancrées dans la mondialisation et les risques de rétorsion économique sérieux. En revanche, le patriotisme économique soulève une vraie question : comment conjuguer concurrence et sécurité, d'une part, liberté économique et choix collectifs, d'autre part, et relever ainsi le défi du changement et de la mondialisation tout en préservant l'identité des collectivités nationales ? Et un vrai problème : comment, en l'absence de règles, empêcher les États de faire « cavalier seul », surtout lorsque ceux-ci apparaissent aux yeux des populations comme le dernier rempart face à la mondialisation ? Un signal d'alerte vient d'être lancé.

Vers un nouveau compromis entre les droits des marchés et ceux des sociétés humaines

Le système commercial multilatéral repose sur deux grands principes : la réciprocité, c'est-à-dire l'échange mutuel de droits et privilèges d'accès aux marchés (par élimination graduelle de toutes les barrières nationales), et la non-discrimination, entre États mais aussi entre États et opérateurs économiques. Disons-le clairement, ce système porte l'empreinte des États-Unis et de leur vision d'un monde ouvert, régi par la règle du droit et soumis à la concurrence pacifique des marchés. Il n'exclut pas l'intervention de l'État, notamment lorsque l'ordre public, l'intérêt national ou la sécurité sont en jeu, mais il tend à éliminer toute forme d'intervention qui viendrait créer des distorsions sur les marchés ou traiter de manière discriminatoire les États ou les opérateurs économiques entre eux.

Le système est loin d'avoir le degré d'achèvement que les critiques de la mondialisation lui prêtent. Les exceptions et les zones grises sont suffisamment nombreuses pour permettre aux États d'agir. Ceux-ci n'opèrent sans doute pas totalement à leur guise, mais leur marge de manœuvre est encore suffisante pour agir unilatéralement, en toute légitimité, que ce soit

pour subventionner telle ou telle activité ou industrie, imposer des droits compensatoires ou antidumping, ou, comme c'est le cas aujourd'hui, pour bloquer certaines opérations financières. La chose est facile lorsque les raisons invoquées sont aussi floues et que les règles multilatérales sont aussi poreuses, voire inexistantes. Mais, surtout, les États ne sont pas des entités désincarnées mais d'abord des collectivités organisées, possédant leur identité, leurs institutions, leurs valeurs, leurs intérêts.

À cet égard, rappelons que, lorsque a été mis en place après la Seconde Guerre mondiale le système commercial multilatéral, il s'inscrivait dans un projet plus large de reconstruction de l'économie mondiale et que, pour imparfait et inachevé qu'il fût, l'ordre économique international qui en est issu a constitué, pour reprendre les mots du chercheur Jean-Christophe Graz, la première véritable tentative de concilier sur une très large échelle libéralisme et interventionnisme, d'une part, multilatéralisme et autonomie nationale, d'autre part. Ce « compromis historique » a volé en éclats dans les années 1980 avec la libéralisation généralisée des économies et la mondialisation des marchés qui a suivi. Mais sans que rien d'autre n'ait été mis en place ni vraiment proposé pour le remplacer.

Il ne s'agit pas de rejeter la mondialisation, mais de lui donner des règles. Il ne s'agit pas non plus de mythifier le passé, mais de repenser la coopération internationale à l'aune d'un nouveau compromis entre mondialisation des marchés et autonomie nationale, et entre deux types de droits, les droits du marché, d'un côté, et les droits économiques, sociaux et individuels, de l'autre. Les nombreux forums sur la gouvernance internationale inciteraient à l'optimisme. Mais, concrètement, loin de favoriser la coopération, la mondialisation a plutôt tendance à favoriser les comportements de type « cavalier seul ».

Le phénomène est particulièrement visible concernant l'investissement interna-

Gouvernance économique européenne

tional, un domaine où, jusqu'à présent, les États ont surtout rivalisé entre eux, les uns pour attirer chez eux les investissements étrangers, les autres pour ouvrir les marchés étrangers à leurs investissements. Avec le patriotisme économique, un nouveau pas semble avoir été franchi dans la voie de l'unilatéralisme, mais selon une nouvelle donne. On ne cherche plus à attirer n'importe quel investisseur ni à n'importe quelles conditions. De même cherche-t-on toujours à faire respecter les droits de ses investisseurs à l'extérieur et étant beaucoup moins scrupuleux chez soi.

Reste qu'on ne peut invoquer le principe de sécurité économique collective et, en même temps, agir unilatéralement. Pas plus qu'on ne peut réclamer plus de concurrence sur des marchés ouverts et, en même temps, en définir les conditions à sa convenance. Il faut des règles qui n'aient pas seulement pour objet d'encadrer les relations entre les États et de promouvoir une intégration libérale des marchés, mais visent aussi à encadrer la concurrence sur les marchés internationaux, à promouvoir les droits économiques et sociaux et, en bref, à répondre davantage aux préoccupations des populations qu'à celles des entreprises. Or, les gouvernements ont pris le parti d'une nouvelle fuite en avant face à une mondialisation toujours accrue, qui a pour nom « patriotisme économique ». Mais attention au retour du refoulé ! ■

Les défauts de la gouvernance économique européenne

Jacques Le Cacheux
Économiste, OFCE, Université de Pau et des Pays de l'Adour

Au printemps 2006, l'optimisme semblait de mise sur les perspectives économiques de l'Union européenne (UE) : selon les prévisions de la Commission européenne, la croissance devait, en moyenne, dépasser légèrement les 2 % en 2006. Une telle « performance » n'avait plus été observée depuis cinq ans. Encore s'attendait-on, il est vrai, à un ralentissement dès l'année 2007 ! Décidément, l'économie européenne, et singulièrement celle des pays membres de la Zone euro, semblait affectée d'une interminable, incurable et fatale langueur. En fait, depuis près de deux décennies, l'Europe est à la traîne : sans parler des pays asiatiques, dont le retard explique, au moins en partie, des performances économiques fort enviables, la comparaison avec les nations les plus développées, et notamment les États-Unis, tourne clairement au désavantage de l'Europe, car après trois décennies de rattrapage (« trente glorieuses » juste après guerre), les niveaux de vie moyens des Européens perdent à nouveau du terrain par rapport à ceux des Américains, aujourd'hui supérieurs d'un tiers environ.

Pourquoi la croissance ?

S'il ne s'agissait que de niveaux relatifs et de modes de vie, ce constat pourrait n'être pas alarmant, en ce qu'il refléterait des choix, individuels ou collectifs, différents : après tout, chacun sait que la croissance économique, telle que mesurée par les indicateurs quantitatifs habituels, n'est pas en soi gage de bien-être ; et les économistes eux-mêmes considèrent que le loisir, le temps libre entrent dans les objectifs que poursuivent les participants à l'échange marchand. Si l'on ajoute à cela que les ressources naturelles sont en quantités limitées et que l'activité humaine, notamment l'activité productive, exerce une pression d'autant plus forte sur son environnement que l'humanité est désormais fort nombreuse, l'on pourrait être tenté de conclure que la sagesse inspire cette modération, résultante de choix individuels et d'orientations collectives. Dès lors, pourquoi vouloir croître à tout prix ?

Pour des sociétés déjà riches, la non-croissance, voire la décroissance que certains préconisent ne sont-elles pas la solution la plus raisonnable et la plus conforme aux aspirations des citoyens européens ? En vérité, la croissance reste nécessaire à l'Europe pour plusieurs raisons, dont deux impérieuses : d'abord, parce que de nombreux Européens sont sans emploi ou perçoivent des revenus bien inférieurs à leurs aspirations ; ensuite, parce que, du fait notamment du vieillissement démographique, le financement futur de la protection sociale et du secteur public nécessite des ressources croissantes, sauf à accepter une réduction des niveaux de vie.

Conscient de cette nécessité, le Conseil européen réuni à Lisbonne au printemps 2000 avait lancé la fameuse « stratégie de Lisbonne », visant à développer au sein de l'UE l'« économie basée sur la connaissance la plus compétitive du monde », avec de nombreux objectifs chiffrés à l'horizon 2010 ; et la Commission européenne s'attache, depuis lors, à stimuler la volonté de gouvernements nationaux censés poursuivre, chacun de son côté, des stratégies décentralisées. En vain, comme on l'a vu, puisqu'un an après le bilan effectué à mi-parcours, la croissance économique européenne restait bien en deçà de celles des autres zones. La Commission européenne pointe du doigt la trop faible implication des gouvernements nationaux, l'insuffisance des « réformes structurelles », notamment de flexibilisation des marchés du travail, d'« activation » de la protection sociale censée dissuader l'activité productive, etc. Mais cela suffit-il à expliquer la médiocrité des résultats ? N'y a-t-il pas d'autres instruments qu'il conviendrait d'actionner et, si oui, pourquoi ne sont-ils pas mobilisés ? En réalité, il apparaît que l'UE, et singulièrement la Zone euro, souffre d'une profonde défaillance de sa gouvernance économique, dont l'origine réside essentiellement dans les institutions européennes.

L'impossible coordination des politiques macroéconomiques

La référence aux États-Unis, dont l'économie, très dynamique depuis une vingtaine d'années, n'est pas exempte de faiblesses – inégalités interpersonnelles croissantes, déséquilibres financiers gigantesques et « empreinte environnementale » alarmante –, est néanmoins intéressante en ce qu'elle permet de mettre en lumière l'incohérence du choix européen de tout miser sur la « flexibilité » et les « réformes structurelles ». En effet, l'économie américaine se distingue par des marchés des biens, des services, du travail et des capitaux beaucoup moins réglementés et plus flexibles que la plupart de ses homologues européennes. Mais cette flexibilité n'est efficace et socialement tolérable que parce qu'en contrepartie les autorités fédérales, budgétaires et monétaires, offrent la garantie d'un environnement macroéconomique dynamique, avec une croissance en moyenne forte – grâce notamment à une politique active de soutiens publics à la recherche –, et des récessions courtes, suivies de reprises précoces et durables – grâce à un maniement très actif des instruments de la politique macroéconomique (politique monétaire et politique budgétaire).

Rien de tel dans l'économie européenne ! Les politiques publiques de soutien à la recherche, tant nationales qu'européenne,

Gouvernance économique européenne

Références

O. J. **Blanchard** et alii, *L'Europe déclassée ?*, Flammarion, Paris, 2005.

J.-P. Fitoussi, J. Le Cacheux (sous la dir. de), *L'État de l'Union européenne 2005*, Fayard/Presses de Sciences Po, Paris, 2005.

J.-P. Fitoussi, J. Le Cacheux (sous la dir. de), *L'État de l'Union européenne 2007*, Fayard/Presses de Sciences Po, Paris (à paraître).

É. Laurent, J. Le Cacheux,« La reconstruction européenne : les nouvelles frontières de l'Union européenne », *Lettre de l'OFCE*, n° 265, Paris, juill. 2005.

J. Le Cacheux, « Budget européen : le poison du juste retour », *Notes de Notre Europe*, n° 47, Paris, juin 2005 (http ://www.notre-europe.asso.fr).

J. Le Cacheux, H. Sterdyniak, « Comment améliorer les performances économiques de l'Europe ? (commentaire critique du *Rapport Sapir*) », *Revue de l'OFCE*, n° 87, Paris, oct. 2003.

OCDE, *Les Sources de la croissance économique dans les pays de l'OCDE*, OCDE, Paris, 2003.

A. Sapir et alii, *An Agenda for a Growing Europe*, Oxford University Press, Oxford, 2004.

ne sont guère dotées des moyens financiers qui leur permettraient d'avoir, sur le sentier de croissance potentielle, des effets comparables à celles menées aux États-Unis. En outre, pour la Zone euro, la politique monétaire de la Banque centrale européenne (BCE), avec son objectif prioritaire de stabilité monétaire, apparaît, depuis 1999, insuffisamment réactive comparée à la Réserve fédérale américaine (« Fed »). Certes l'inflation est demeurée assez basse dans les pays de la Zone euro – bien qu'avec des écarts significatifs et persistants –, et les taux d'intérêt nominaux également ; mais les taux réels sont, dans la plupart des pays européens, élevés et presque toujours supérieurs aux taux de croissance, ce qui rend difficile la gestion des dettes, publiques et privées, et les modifications de taux d'intérêt apparaissent toujours faibles et lentes, au regard du maniement actif qu'en font les autorités monétaires américaines. De même, la posture de « laisser faire » adoptée à l'égard des évolutions du taux de change extérieur de l'euro a souvent abouti à une appréciation, notamment à l'égard du dollar. Cela présente l'avantage d'alléger la facture des importations, de pétrole en particulier, mais pèse sur la compétitivité externe des producteurs de la Zone euro et renforce l'incitation à choisir des stratégies nationales opportunistes.

Enfin, alors que les politiques budgétaires nationales auraient dû, en théorie, jouer le rôle de stabilisateurs des conjonctures nationales qu'exigeait la disparition des taux de change internes, et, en les coordonnant, influer sur les orientations globales de la Zone, elles se sont révélées, depuis le lancement de l'euro, excessivement contraintes par les règles européennes, autrement dit par le Pacte de stabilité et de croissance. Bien que réformé et, en apparence, assoupli au printemps 2005, après plusieurs années d'infraction des grands pays de la Zone euro – dont l'Allemagne, qui avait imposé et a systématiquement enfreint la règle des « déficits publics excessifs » depuis quatre ans –, le Pacte continue, au nom d'un objectif de « soutenabilité » des finances publiques des pays membres, et en raison des situations initiales d'endettement des secteurs publics, d'exercer une pression forte sur les politiques budgétaires nationales. Ainsi empêche-t-il celles-ci de jouer un rôle actif dans le soutien de l'activité, les contraignant même à des orientations pro-cycliques.

Un budget européen trop contraint

Tout cela ne serait que bénin, s'il existait, au niveau de l'Union, une politique budgétaire poursuivant des objectifs, structurels et conjoncturels, ambitieux pour l'économie européenne dans son ensemble. On aurait ainsi des politiques communes de soutien à la croissance, notamment en matière de recherche, mais aussi d'éducation et de formation, d'infrastructures communes, etc. ; et, dans le meilleur des cas, une politique budgétaire agrégée de l'Union – résultante des politiques nationales et de la politique européenne –, dont l'orientation permettrait une meilleure gestion de la conjoncture et, éventuellement, une plus grande cohérence avec la politique monétaire de la BCE – le fameux «*policy mix*», dosage des politiques monétaires et budgétaires, actuellement plutôt fortuit et passablement déséquilibré.

Mais le budget européen, dont le Conseil européen de décembre 2005 a adopté, *in extremis*, le cadre financier pour 2007-2013, sans en modifier ni la structure – dominée par la Politique agricole commune (près de 45 % des dépenses) et les politiques régionales et structurelles (plus d'un tiers) –, ni le montant total – seulement 1 % du PIB européen, soit actuellement un peu plus de 110 milliards d'euros –, est encore dans l'incapacité de jouer un rôle quelconque dans la régulation macroéconomique de l'UE ou dans ses orientations structurelles. Bien que conscient de ces faiblesses, le Parlement européen l'a finalement entériné presque sans amendement.

Des stratégies nationales opportunistes, faute d'institutions de coordination

Dans ce contexte, les gouvernements nationaux des pays membres semblent enclins à adopter des stratégies nationales opportunistes. La Commission européenne et le Conseil les incitent y d'ailleurs, notamment dans le cadre des « méthodes ouvertes de coordination » qui, au nom de la subsidiarité et du souci de limiter la centralisation, prônent l'adoption d'objectifs généraux communs et leur poursuite décentralisée par des gouvernements nationaux qui sont, périodiquement, évalués et comparés dans un but d'émulation. Et l'élargissement de l'UE, en mai 2004, à dix nouveaux membres, tous moins développés, plus portés vers le libéralisme économique et le non-interventionnisme, n'a fait qu'accentuer cette tendance.

Déjà présente au cours des phases précédentes de l'intégration européenne, notamment au sein du Système monétaire européen, la tentation opportuniste prend désormais des formes différentes. Alors que les gouvernements nationaux pouvaient auparavant dévaluer leur monnaie nationale pour rétablir, en cas de besoin, un avantage compétitif sur leurs partenaires – usant éventuellement de la stratégie de « dévaluation compétitive » –, cet instrument leur est désormais inaccessible au sein de l'Union monétaire. Mais il est possible de recourir à des stratégies aux effets comparables, telles que la concurrence fiscale ou la modération salariale – avatars de la « désinflation compétitive », tout aussi peu coopératives, mais en quelque sorte encouragées par les institutions européennes dans le cadre des « réformes structurelles » et des « méthodes ouvertes de coordination ». Cette tentation est particulièrement forte pour les plus petits pays de l'UE, dont les économies sont très ouvertes et qui, dès lors, bénéficient le plus des effets compétitifs, tandis que les politiques de soutien de la demande interne – telles que les politiques budgétaires nationales – sont, chez eux, moins efficaces. Mais l'envie s'en fait également sentir dans les grands pays qui, comme l'Allemagne, s'engagent, faute de pouvoir recourir à des instruments plus performants et plus coopératifs (du fait des contraintes du Pacte

Géopolitique du pétrole

de stabilité notamment), dans des stratégies de compétitivité, au fort détriment de leurs voisins et partenaires proches.

Pour que les incitations perverses et désintégratrices que font naître les modalités actuelles d'élaboration des politiques économiques et leurs conséquences – notamment le contexte de « croissance molle » – ne s'imposent à l'égard des gouvernements nationaux, il faudrait à l'UE, et en particulier à la Zone euro, des institutions plus efficaces. Cela veut dire des institutions qui permettent de coordonner les politiques économiques, budgétaires nationales et monétaire européenne, en faisant émerger un *policy mix*, plus favorable à la croissance de l'ensemble de la Zone, et facilitent l'adoption de politiques communes financées par un budget commun mis au service des objectifs collectifs. Le Traité constitutionnel européen (TCE), rejeté par la France et les Pays-Bas au printemps 2005, n'en contenait aucune ébauche et ces évolutions impliqueraient de nouveaux renoncements en terme de souveraineté nationale. Elles auraient toutefois l'immense mérite de rendre moins attractives et moins aisées les stratégies nationales non coopératives, tout en obligeant à s'interroger plus ouvertement sur les finalités économiques de la construction européenne. ◼

La dimension géopolitique de la « question pétrolière »

Christophe-Alexandre Paillard
*Questions internationales et économie de la sécurité,
IEP-Paris*

Les énergies fossiles, et parmi elles le pétrole, semblent destinées à se maintenir en position de force dans le paysage énergétique mondial. D'une part, les perspectives d'augmentation de la demande d'énergie au cours des vingt prochaines années laissent à penser que les prix des hydrocarbures devraient demeurer élevés. D'autre part, le phénomène de reconcentration de la ressource pétrolière vers le Moyen-Orient et la Russie introduit de fortes incertitudes géopolitiques pour les dix prochaines années, du fait de l'instabilité politique de ces régions.

La limite symbolique des 75 dollars le baril a été atteinte au premier semestre 2006. À terme, si ces hausses se poursuivent, les États les plus dépendants énergétiquement pourraient être contraints de s'engager dans des politiques de restriction de leur consommation, en attendant de trouver des sources d'énergie alternatives crédibles.

À travers quelques questions clés, il est possible de cerner les principaux enjeux de l'avenir.

L'offre peut-elle suivre la demande ?

Malgré une augmentation annuelle de la production mondiale d'au moins 500 000 barils par jour (b/j) depuis 2001, les capacités excédentaires de production apparaissent désormais limitées (1,5 million b/j [Mb/j] début 2006, soit moins de 2 % des capacités mondiales de production, contre près de 20 % en 1990). Faute de capacités inutilisées, il n'existe donc plus de marge de manœuvre réelle sur les marchés pétroliers mondiaux. Une nouvelle crise économique, sociale ou diplomatique dans l'une des régions productrices aurait donc des conséquences directes et immédiates sur le prix du baril.

L'offre mondiale ne peut plus, non plus, compter sur le rôle de régulateur des marchés pétroliers que jouait traditionnellement la compagnie saoudienne Aramco. En effet, celle-ci ne peut plus exercer son rôle classique de «*swing producer*», l'ultime recours en cas de crise, car elle produit à la limite de ses capacités. Son aptitude à introduire sur le marché des capacités inutilisées pour limiter la hausse des prix continue d'être mise en doute, pesant sur les équilibres des marchés mondiaux.

En fait, plus qu'au développement de l'offre, le « monde pétrolier » (grands acteurs du secteur) est aujourd'hui confronté à l'instabilité interne de nombreux producteurs clés, comme le Nigéria, l'Irak ou le Vénézuela, et à la prégnance d'incertitudes majeures entourant l'Iran voire l'ensemble du golfe Persique. Certains pays ou régions du monde pourraient ainsi devenir l'enjeu d'âpres batailles commerciales ou politiques en cas de crise d'envergure (golfe de Guinée, Algérie ou Libye).

Les énergies de substitution n'existent pas à grande échelle, sauf le nucléaire, solution retenue par différents pays, comme la France, la Finlande, et bientôt par la Chine, l'Inde, le Royaume-Uni et les États-Unis. Dans ce dernier pays, aucune centrale nucléaire n'a été construite depuis 1973 du fait du moratoire imposé après l'accident de Three Mile Island du 28 mars 1979. Le pétrole reste non substituable dans de nombreux secteurs comme le transport aérien.

Les énergies carbonées devraient continuer de prédominer : selon les estimations, à l'horizon 2010, 39 % de la consommation mondiale d'énergie devraient être assurés par le pétrole, 26 % par le gaz et 24 % par le charbon.

La demande va-t-elle continuer de croître ?

La demande a explosé à partir de 2003 émanant de l'Asie (Chine, Inde et pays de l'ANSEA [Association des nations du Sud-Est asiatique]). La Chine pèse aujourd'hui pour 30 % dans la croissance annuelle de la demande mondiale, et les besoins croissants d'autres pays asiatiques (l'Inde, en particulier) remettent en cause les équilibres existants. Ainsi, le rythme de croissance de la seule consommation énergétique chinoise devrait approcher 4,7 % par an pour la période 2006-2020, contre 2,2 % de moyenne mondiale. La dépendance à l'égard du Moyen-Orient s'accroît : en 2003, 46 % du pétrole consommé en Chine en provenait (79 % en 2020).

La hausse de la demande reste également forte au sein de l'OCDE (Organisation de coopération et de développement économiques), en particulier aux États-Unis, premier producteur et premier consommateur mondial de pétrole. Trois des dix premières capitalisations du New York Stock Exchange appartiennent d'ailleurs au secteur pétrolier : ExxonMobil, ChevronTexaco et ConocoPhillips.

Les États-Unis ont connu une hausse continue de leur dépendance extérieure. En 2005, la production pétrolière interne ne couvrait que 41 % de leurs besoins et 15 % du pétrole consommé venait du Moyen-Orient. La consommation énergétique américaine devrait croître de 50 % d'ici vingt ans. Les États-Unis resteront vraisemblablement en 2025 le premier consommateur mondial de pétrole (26 % de la consommation totale). Bien que limitée, la hausse de la demande européenne devrait également se poursuivre, fragilisant les pays de la zone.

Seule une crise économique réduisant l'ampleur de la croissance asiatique pourrait mettre fin à ce cycle haussier, un scénario toutefois peu souhaitable.

Géopolitique du pétrole

Références

Agence internationale de l'énergie, *World Energy Outlook*, OCDE, Paris, annuel.

P.-R. Bauquis, *Pétrole et gaz naturel*, Hirlé, Paris, 2003.

E. Berg, « Choc pétrolier : la fin du pétrole à bon marché ? », *Diplomatie*, n° 17, Ventabren, nov.-déc. 2005.

X. Boy De La Tour, *Le Pétrole*, Technip, Paris, 2004.

J.-M. Chevalier, *Les Batailles de l'énergie*, Gallimard, coll. « Folio actuel », Paris, oct. 2004.

C.-A. Paillard, *Géopolitique de l'énergie en Amérique latine : le temps des incertitudes*, Presses de la Fondation Konrad Adenauer, Rio de Janeiro, 2006.

C.-A. Paillard, « La question du pétrole dans le conflit irakien », *Questions internationales*, n° 16, La Documentation française, Paris, nov.-déc. 2005.

C.-A. Paillard, *Quelles stratégies énergétiques pour l'Europe ?*, Presses de la Fondation Robert-Schuman, Paris, 2006.

C.-A. Paillard, C. de Lestrange, P. Zelenko, *Géopolitique du pétrole*, Technip, Paris, 2005.

« *Pétrole, gaz et géopolitique* », *Sociétal*, n° 42, Paris, 4e trim. 2003.

Les investissements sont-ils suffisants ?

Les investissements restent insuffisants dans le monde pétrolier depuis 1999, et ce pour diverses raisons : fermeture de l'amont pétrolier dans les pays producteurs, concentrations capitalistiques en cours, troubles ou conflits divers dans les zones de production. Les groupes nationaux (le mexicain Pemex, le vénézuelien PDVSA, l'iranien NIOC, le koweïtien KPC...), qui détiennent 80 % des réserves pétrolières mondiales, investissent peu. L'OPEP (Organisation des pays exportateurs de pétrole) ne semble pas pousser ses membres à augmenter leur production.

Or, comme la perspective de l'ouverture de l'amont pétrolier ou gazier de nombreux pays producteurs majeurs s'éloigne, les marchés ne devraient pas retrouver leur fluidité des années 1990 avant 2010-2012, date à laquelle, les investissements consentis par les grandes compagnies internationales (Total, ENI, Chevron, Exxon, Shell, BP, Repsol, Unocal, etc.) au cours des deux dernières années dans différentes régions (golfe de Guinée, mer du Nord, États-Unis) devraient arriver à maturité.

À cela s'ajoute une crise mondiale de l'investissement dans le raffinage, tout particulièrement en Amérique du Nord, sa rentabilité ayant longtemps été jugée insuffisante. Aux États-Unis, la crise est criante : les capacités de raffinage sont inférieures à celles de 1975 et les limites sont constamment atteintes depuis 2000. En août 2005, le passage de l'ouragan *Katrina* dans le sud du pays et la fermeture de 20 % des capacités de raffinage ont contribué à déstabiliser les marchés mondiaux et à propulser le prix du baril à 70 dollars.

Les réserves sont-elles accessibles ?

Les réserves pétrolières sont essentiellement concentrées au Moyen-Orient (63 %), et 75 % se situent sur le territoire des États membres de l'OPEP (entre autres l'Arabie saoudite, le Koweït, le Venezuela, le Nigéria, l'Algérie et l'Indonésie). Ces régions sont souvent fermées aux investissements des compagnies occidentales.

Le débat sur l'ampleur des réserves des compagnies pétrolières occidentales des années 2003-2005 et la réévaluation à la baisse des capacités de compagnies comme Shell en 2004 et Repsol en janvier 2006 ont d'ailleurs montré qu'il existait peu de marges de manœuvre si l'amont pétrolier des grands pays producteurs comme l'Arabie saoudite ou le Mexique restait fermé. Ces compagnies internationales ne peuvent donc jouer que partiellement leur rôle de régulateur sur les marchés mondiaux.

Quels sont les facteurs de risque au Moyen-Orient ?

Il faut bien sûr distinguer un choc de court terme (rupture provisoire des approvisionnements) et un choc de long terme aux fortes implications géopolitiques. En cas de choc de long terme, le Moyen-Orient continuera de jouer un rôle clé dans les questions pétrolières, car le monde devrait rester structurellement largement dépendant des énergies fossiles de cette région.

Le Moyen-Orient est le cœur du monde pétrolier avec 63 % des réserves estimées et près de 40 % de la production mondiale en 2005. L'Arabie saoudite est à la fois le premier producteur mondial et le pays qui détient les réserves les plus importantes (environ un quart du total mondial).

Conséquence de la crise nucléaire, l'Iran est devenu l'objet de toutes les attentions de la part du monde pétrolier. Cet État se trouve au carrefour de deux régions majeures d'exploitation des hydrocarbures, le golfe Persique et la région Asie centrale/mer Caspienne, et, de ce fait, au cœur de la problématique portant sur le transit des hydrocarbures en provenance de ces deux régions (transport maritime dans le golfe, oléoducs et gazoducs d'Asie centrale et de la Caspienne). [À ce sujet, voir l'article « Les hydrocarbures de la Caspienne et de la Russie, un potentiel très convoité ».]

L'Iran détient 15 % des réserves gazières et 12 % des réserves pétrolières mondiales. Si son quota de production OPEP était de 4,11 Mb/j au 1er février 2006, l'Iran n'a produit que 4,1 Mb/j et n'a exporté que 2,7 Mb/j en 2005. Un tiers de son pétrole est consommé sur place. Ce pays reste donc incontournable, malgré les lois américaines dites D'Amato-Kennedy (1996) restreignant les investissements pétroliers en Iran. Sa position devrait même se renforcer du fait de la reconcentration attendue de l'offre mondiale des hydrocarbures sur le Moyen-Orient notamment, face à l'improbabilité de découvertes significatives ailleurs au cours des vingt prochaines années.

Faut-il avoir peur de l'Amérique latine ?

L'Amérique latine fournit 9 % de la production énergétique mondiale. Elle représente 15 % de la production pétrolière mondiale et 8,6 % de la consommation planétaire. Elle possède 8,9 % des réserves pétrolières conventionnelles mondiales, mais 61,8 % de ces réserves sont concentrées au Vénézuela et 19 % au Mexique.

Cette région du monde a fait la « une » de l'actualité pétrolière depuis la grande grève de la compagnie vénézuelienne PDVSA de 2003. Or, les années 1990 avaient reflété l'image d'une Amérique latine apaisée, tant politiquement qu'économiquement. Ce climat d'apaisement avait permis de mettre en place des réseaux transaméricains de l'énergie, en particulier au sein du Mercosur (Marché commun du sud de l'Amérique), concernant notamment le gaz et l'électricité. Or, l'échec des stratégies de redressement économique adoptées a relancé la contestation politique et sociale. Un nouveau populisme a émergé, renforçant la perception selon laquelle l'Amérique latine redevenait instable et son pétrole difficile à exploiter.

Le monde pétrolier devra donc faire face à une augmentation très significative des investissements pour diversifier l'offre. La modification des comportements énergétiques des pays développés et de certains pays émergents, comme la Chine ou l'Inde, ap-

Hydrocarbures Caspienne-Russie

paraît comme une nécessité. Enfin, l'apaisement des tensions au Moyen-Orient devra impérativement être recherchée pour bien des raisons, mais notamment parce qu'il n'est pas possible de se passer de ses ressources.

Les projections à vingt ans sont-elles fiables ?

En l'absence de rupture technologique majeure – par définition imprévue –, le pétrole devrait rester le principal mode de consommation d'énergie du monde avec 40 % du total à l'horizon 2025, si les modalités d'utilisation de cette matière première ne changent pas.

L'estimation des réserves pétrolières est, cependant, devenue l'objet de querelles de chiffres entre « optimistes » et « pessimistes » et beaucoup s'interrogent sur la date du « Peak Oil », le moment à partir duquel 50 % des réserves mondiales auront été consommées.

Ce débat se nourrit des incertitudes entourant les données disponibles : état des réserves, volumes de consommation, niveau de l'intensité énergétique (quantité d'énergie nécessaire pour produire un bien), taux de récupération (niveau de pétrole récupéré pour chaque puit), quantités utilisables de pétroles non conventionnels. Les compagnies nationales de nombreux pays producteurs ont parfois intérêt à minorer ou majorer l'estimation réelle de leurs réserves, sans que leurs chiffres puissent être vérifiés.

Dans ces conditions, il est difficile de considérer les projections présentes comme complètement fiables, ce qui introduit de fortes incertitudes sur l'évolution des marchés pétroliers et explique les effets de « yoyo » sur le prix du baril.

[*Voir aussi les articles « Énergie et combustibles – Conjoncture 2005-2006 » et « Les hydrocarbures de la Russie et de la Caspienne, un potentiel très convoité.* »] ∎

Les hydrocarbures de la Caspienne et de la Russie, un potentiel très convoité

Catherine Locatelli
EPE-LEPII, CNRS/Université de Grenoble-II

Avec 38 % des réserves prouvées de gaz dans le monde et 6 % de celles de pétrole, la Russie, héritière, à la fois, des gisements d'hydrocarbures, des infrastructures et des contrats de l'Union soviétique, est le premier producteur mondial de gaz (640 giga mètres cubes par an [Gm³]) et le deuxième producteur mondial de pétrole (9,4 millions de barils par jour [Mb/j]) derrière l'Arabie saoudite. Fournisseur majeur de l'Europe en matière de gaz et de pétrole, elle satisfait 36 % des approvisionnements gaziers de l'Union européenne (UE) hors pays baltes (soit 123,2 Gm³ par an). À ce titre, l'UE constitue son marché d'exportation privilégié. Quant au pétrole russe, il est exporté essentiellement vers l'Europe, soit près de 5 Mb/j en 2005.

Hydrocarbures Caspienne-Russie

Tab. 1	Quelques grands accords de partage de production en Caspienne (pétrole et gaz)		
Consortium		**Gisement**	**Réserves estimées** (en giga barils [Gb], giga mètres cubes [Gm] et trilliards de m³ [TM³])
Azerbaïdjan			
AIOC (Azerbaijan International Operating Company) : BP Amoco (25,5 %), Lukoil (10 %), TotalFinaElf (10 %), National Iranian Oil Company (10 %), Turkish Petroleum (10 %) et Socar [State Oil Company of Azerbaijan] (9 %)		**Chirag Azeri Gunashli**	Pétrole : 4,3 Gb
BP (25,5 %), Statoil (25,5 %), Socar (10 %), LukAgip (10 %), TotalFinaElf (10 %), TPAO [Turkish Petroleum] (10 %), NIOC [National Iranian Oil Company] (10 %)		**Shah Deniz**	Gaz : 600-700 Gm³
Kazakhstan			
OKIOC (Offshore Kazakhstan International Operating Company) : Shell Kazakhstan Exploration BV (14,29 %), ExxonMobil (14,29 %), BPAmoco (9,5 %), Statoil (4,8 %), Agip (14,29 %), TotalFinaElf (14,29 %), British Gas International (14,29 %), Phillips Petroleum Kazakhstan (7,14 %), Inpex North Caspian Sea (7,14 %)		**Kashagan**	Pétrole : 40 Gb de réserves en place + 10 Gb de réserves récupérables Gaz associé : 425 Gm³
KOS (Karachaganak Operating Structure) : ENI, via sa filiale Agip Karachaganak (32,5 %), BG International (32,5 %), Texaco (20 %), Lukoil (succédant à Gazprom, 15 %)		**Karachaganak**	Pétrole : 2,3 Gb Gaz : 1,37 TM³
TCO (Tengizchevroil) : Chevron (50 %), ExxonMobil (25 %), Kazakoil (20 %), LukArco (5 %)		**Tengiz**	Pétrole : 6 à 9 Gb

Source : S. Boussena, J.-P. Pauwels, C. Locatelli, C. Swartenbroekx, *Le Défi pétrolier. Questions actuelles du pétrole et du gaz*, Vuibert, Paris, 2006.

La nouvelle donne de l'espace post-soviétique

L'effondrement de l'Union soviétique et du CAEM (Conseil d'assistance économique mutuelle ou COMECON) a quelque peu fragilisé le dispositif d'exportation de la Russie, tout particulièrement pour le gaz naturel, dont les exportations dépendent très fortement des réseaux de gazoducs en place.

L'indépendance de l'Ukraine et de la Biélorussie – par lesquelles passent la quasi-totalité des exportations russes vers l'Europe via les gazoducs EuroSibérien (Ukraine) et Yamal (Biélorussie) – a multiplié les pays de transit à destination de l'Europe. De même, des pays comme la République tchèque, la Slovaquie, la Pologne, anciennement dans l'orbite soviétique, sont

Hydrocarbures Caspienne-Russie

Références

Agence internationale de l'énergie, *Russia Energy Survey 2002,* OCDE, Paris, 2002.

S. Boussena, C. Locatelli, « Towards a more coherent oil policy in Russia ? », *Opec Review,* XXIX (2), juin 2005.

S. Boussena, J.-P. Pauwels, C. Locatelli, C. Swartenbroekx, *Le Défi pétrolier. Questions actuelles du pétrole et du gaz,* Vuibert, Paris, 2006.

Energy International Agency – US Department of Energy, *Caspian Sea Region : Survey of Key Oil and Gas Statistics and Forecasts,* déc. 2004.

H. Peimani, *The Caspian Pipeline Dilemma : Political Games and Economic Losses,* Praeger, Westport, 2001.

J. Stern, *The Future of Russian Gas and Gazprom,* Oxford Institute for Energy Studies, Londres, 2005.

I. Wybrew-Bond, J. Stern (sous la dir. de), *Natural Gas in Asia,* Oxford Institute for Energy Studies, Londres, 2002.

devenus membres de l'UE et constituent des voies de passage des gazoducs russes vers l'UE. Ces évolutions ont été perçues par Gazprom comme d'importants facteurs de risques pour sa stratégie d'exportation. L'accroissement des capacités de transport (actuellement 145 Gm³ par an) répond également à une volonté de diversification visant à sécuriser les exportations vers l'UE. Ainsi, la réalisation du North European Gas Pipeline (NEGP), permettant d'acheminer le gaz russe vers l'Europe du Nord par la mer Baltique (Allemagne), ouvrira une voie d'exportation ne transitant par aucun pays tiers, tout en offrant à Gazprom l'accès à de nouveaux marchés.

La dislocation de l'Union soviétique a donné naissance à une nouvelle zone potentiellement fortement productrice d'hydrocarbures, la région de la mer Caspienne. Celle-ci pourrait s'affirmer comme un concurrent majeur de la Russie voire du Moyen-Orient et redessiner la carte des approvisionnements de l'Europe et de l'Asie. Les États bordant la Caspienne – hors l'Iran et la Russie, il s'agit principalement de l'Azerbaïdjan, du Kazakhstan et du Turkménistan – détiendraient des réserves encore incertaines mais variant entre 16 et 39 giga barils (Gb) pour le pétrole et 6 000 et 8 000 Gm³ pour le gaz naturel. De tels niveaux de réserves permettraient en 2010 d'assurer une production oscillant entre 2,4 Mb/j et 5,9 Mb/j pour le pétrole et entre 200 Gm³ et 270 Gm³ pour le gaz. La mise en valeur des hydrocarbures de cette zone nécessitant des investissements considérables, le développement des grands gisements de Chirag, Azeri, Gunashli et Shah Deniz (Azerbaïdjan) et de Karachaganak, Tengiz et Kashagan (Kazakhstan) se fait sous l'égide des principales compagnies pétrolières internationales *via* des accords de partage de la production.

L'affirmation de ce potentiel dépend toutefois de la levée de certaines contraintes, en particulier celles relatives aux voies d'exportation des hydrocarbures vers les marchés consommateurs. La Caspienne est une mer fermée dont le statut juridique (mer *versus* lac) est incertain, objet de nombreux litiges entre les États riverains pour le partage des eaux territoriales. Dans ce contexte, le rythme de développement des gisements pétroliers et gaziers sera tributaire du choix des voies d'exportation, ainsi que de celui des marchés d'exportation prioritaires, Europe ou Asie.

La question stratégique des voies d'exportation

Le choix des voies d'exportation constitue un enjeu économique, mais aussi politique pour une zone qui, de l'Asie centrale (Kazakhstan, Ouzbékistan, Turkménistan) à la Transcaucasie (Azerbaïdjan), a été maintenue, durant de nombreuses années, sous la domination de Moscou. Cette zone, à la recherche d'une nouvelle intégration internationale, est un lieu de confrontation entre les intérêts de puissances comme les États-Unis, la Russie, la Chine, mais aussi ceux d'acteurs privés, compagnies pétrolières internationales et nationales. La question des routes d'exportation vers l'Europe s'est longtemps focalisée autour du dilemme suivant : faut-il « sortir » ces pays de l'orbite russe en créant des voies d'exportation plus coûteuses mais brisant leur dépendance par rapport au système de transport russe ? Ou vaut-il mieux utiliser les réseaux de pipelines russes, que ce soit le réseau de gazoducs de Gazprom ou celui d'oléoducs de Transneft (sachant que la solution par l'Iran, la moins couteuse, a été rejetée compte tenu de l'opposition américaine) ?

En matière d'exportations pétrolières, compte tenu des instabilités politiques, des nombreux conflits locaux et donc des risques encourus en regard d'investissements considérables, un panachage de diverses solutions a été retenu. D'une part, le BTC, l'oléoduc qui achemine le pétrole depuis Bakou (Azerbaïdjan) jusqu'au port turc de Ceyhan *via* Tbilissi (Géorgie), ouvre une brèche dans la domination russe sur les exportations de la Caspienne. Mis en œuvre par un consortium dont le leader est la compagnie internationale BP avec le soutien explicite de Washington, il est la pièce centrale du futur « East-West energy corridor ». D'une capacité de 1 Mb/j, il est approvisionné par le pétrole azéri et pourrait transporter une partie des exportations kazakhes. D'autre part, certaines exportations de la Caspienne et notamment du Kazakhstan continuent de transiter par le territoire russe au travers du Bakou-Novorossiisk, du pipeline Ateraou-Samara, mais surtout du CPC. Le Caspian Pipeline Consortium, qui relie le gisement de Tengiz (Kazakhstan) au port de Novorossiisk (Russie), a une capacité initiale de 0,56 Mb/j pouvant être portée à 1,5 Mb/j dès 2008-2010. Cet oléoduc, propriété de compagnies privées et d'États, est le premier réseau privé en territoire russe.

Les choix sont plus difficiles en matière gazière compte tenu de la spécificité des gazoducs qui, appartenant aux industries de réseaux, lient très étroitement un producteur à son consommateur. Les nouveaux gazoducs envisagés vers l'Europe visent notamment à acheminer le gaz de la Caspienne en Turquie. Ce pays pourrait d'autant plus se positionner comme un *hub* gazier que le « Blue Stream Pipeline », construit sous la mer Noire, lui permet déjà de recevoir du gaz russe. Les gaz kazakh et turkmène pourraient être acheminés jusqu'à Bakou grâce à un gazoduc sous la Caspienne, le « Transcaspien », puis de Bakou jusqu'à Erzurum en passant par Tbilissi. Le « South Caucasus Pipeline » (le pendant, au niveau du gaz, du BTC) pourrait constituer la première étape d'une route « Caspienne-Turquie-Grèce-Europe de l'Ouest », transitant notamment par l'Italie. Une autre route pourrait passer par la Bulgarie, la Roumanie, la Hongrie et atteindre l'Europe occidentale par l'Autriche.

Ces solutions sont toutefois coûteuses alors même que les débouchés en Europe, dans un contexte de marchés libéralisés, ne sont pas garantis. Pour l'heure, l'essentiel des exportations de la Caspienne est destiné au marché russe, ce qui permet à ce pays de retarder les investissements nécessaires à la mise en production de nouveaux gisements (dont Yamal). L'utilisation du réseau de Gazprom pourrait être une voie d'évacuation du gaz caspien vers les marchés européens. Cela suppose toutefois que l'industrie gazière russe évolue vers

Hydrocarbures Caspienne-Russie

un accès libre et non discriminatoire de tous les acteurs au réseau russe, ce qui semblait loin d'être envisagé par le gouvernement de Vladimir Poutine.

L'Asie et l'Europe, deux marchés concurrents ?

La question des marchés d'exportation des hydrocarbures de la Caspienne mais aussi de la Russie apparaît loin d'être tranchée face à la croissance des besoins en hydrocarbures de l'ensemble de l'Asie, et tout particulièrement de la Chine. L'approvisionnement de ce pays à partir de cette zone suppose la mise en place d'une infrastructure de pipelines à grande échelle. Divers projets sont en concurrence, certains ayant plus de chance que d'autres de se réaliser sur le court terme, en raison de coûts différenciés mais aussi des incertitudes sur la demande et donc l'ampleur des investissements nécessaires. Ils pourraient dessiner la carte d'une concurrence entre l'Asie et l'Europe pour les hydrocarbures de la zone Caspienne-Russie.

Deux oléoducs sont en voie de réalisation. L'un en provenance du Kazakhstan, le « West China-West Kazakhstan Oil Pipeline », qui devrait acheminer sur près de 6 000 km jusqu'en Chine 20 millions de m³ de brut par an ; l'autre en provenance de Si-

bérie orientale (Russie), qui devrait se diviser en deux branches : l'une à destination de la Chine, l'autre vers le Japon. Les controverses qui ont opposé la Chine et le Japon à ce propos apparaissent comme les prémices de la concurrence qui pourrait s'exercer entre les grands pays asiatiques (Chine, Japon, Inde) pour l'accès aux hydrocarbures de la zone Caspienne-Russie.

S'agissant du gaz naturel, deux voies d'importation sont envisageables pour la Chine à partir de la Caspienne : l'option turkmène (principalement à partir du gisement de Daulatabad) à destination de Shanshan dans la province du Xinjiang, soit une distance de plus de 6 000 km, pour un volume de 30 milliards de m³ par an, et l'option kazakhe à destination de Shanghaï, soit une distance de 3 370 km, pour un volume de l'ordre de 25 milliards de m³ par an. À moyen terme, les importations chinoises en provenance de la Russie restent pourtant l'option la plus crédible (car la moins coûteuse), que ce soit à partir du gisement de Kovytka, (province d'Irkoustk) ou de l'île de Sakhaline pour des fournitures de GNL (gaz naturel liquéfié). [*Voir aussi les articles « La dimension géopolitique de la "question pétrolière" » et « Énergie et combustibles – Conjoncture 2005-2006 »*.] ■

L'Afrique, vaste marché de ressources et d'investissement pour l'Asie

Philippe Hugon
Économiste, Paris-X-Nanterre, IRIS

Le « sommet » Afrique-Asie d'avril 2005 à Jakarta, renouant avec l'esprit des non-alignés de Bandung, a marqué symboliquement le renouveau de relations très utilitaristes entre l'Asie et l'Afrique. Les trois grandes puissances d'Asie que sont la Chine, l'Inde et le Japon ne jouent toutefois pas dans la même cour que les pays d'Afrique. Les trois géants de l'Asie représentent trois fois le volume de la population de l'Afrique subsaharienne (ASS), leur PIB est quatorze fois supérieur à celui des pays de cette région, leurs forces de défense (en effectifs) trente fois. Enfin, leurs taux de croissance représentent plus de deux fois ceux de l'ASS, dans le contexte de la reprise de l'économie japonaise après plus de quinze ans de stagnation. La présence de ces grands États asiatiques en Afrique s'explique largement par la diversification de leurs échanges, liée notamment à leur insertion au sein de l'OMC (Organisation mondiale du commerce). Elle tient également à leurs besoins considérables en matières premières et en énergie et à leur émergence comme puissances sur la scène internationale.

Japon : des relations purement utilitaristes

Les relations entre le Japon avec l'Afrique se sont longtemps limitées à des échanges commerciaux, d'investissement et d'aide, Tokyo souhaitant être présent sur certains marchés et accéder aux ressources locales de matières premières. Hors l'Afrique du Sud, la part d'échange de ce pays avec l'Afrique représente moins de 2 % de l'ensemble de ses relations commerciales mondiales. Le Japon a toujours entretenu des rapports privilégiés avec Pretoria et avait obtenu, au moment de l'apartheid, que les Japonais soient considérés comme « Blancs d'honneur ». La TICAD (Conférence internationale de Tokyo sur le développement de l'Afrique), lieu d'échanges sur la coopération entre le Japon, l'Asie et l'Afrique, dont la première conférence s'est tenue en 1993, a fortement accentué les échanges. Le Japon est devenu le premier donateur sur le continent africain. L'Aide publique au développement (APD) affectée à l'Afrique (8,8 % du total monde) s'élevait à 530 millions de dollars en 2005 et devait doubler à horizon de trois ans. En dehors des intérêts d'ordre géopolitique comme bénéficier du soutien des pays africains pour l'obtention d'un siège permanent au Conseil de sécurité des Nations unies, les objectifs de cette coopération étaient principalement utilitaristes (accès aux matières premières et stratégies de présence des firmes japonaises). Huit pays africains participaient à la TICAD : Cameroun, Ghana, Kénya, Sénégal, Tanzanie, Tunisie, Ouganda et Zambie. Le Japon souhaitait également se présenter comme un modèle alternatif au « consensus de Washington » (prescriptions économiques d'inspiration libérale pour le redressement des États en difficulté théorisées en 1989), soulignant le rôle de l'État dans le développement. Par ailleurs, Tokyo a développé son soutien à la prévention des conflits. Enfin, sa présence accrue en Afrique est également liée à sa rivalité avec la Chine.

Inde : en quête de pétrole

L'Inde est une puissance émergente à plus d'un titre : population, forte croissance économique, stratégie d'ouverture, performances dans les secteurs à haut niveau technologique, arsenal militaire. Elle est présente par les réseaux de la diaspora indienne en Afrique de l'Est (Kénya, Ouganda), en Afrique du Sud et dans l'océan Indien (Maurice, Madagascar). Les sociétés indiennes ont investi dans le phosphate (Maroc, Sénégal, Tanzanie), dans les télécommunications (Malawi), dans le transport routier (Sénégal) et dans les secteurs de pointe, où elles peuvent se prévaloir de nombreux avantages comparatifs (finance, nouvelles technologies, recherche scientifique...), mais également dans le domaine pétrolier. Démocratie à usage interne, l'Inde a en partie aligné sa politique sur celle de la Chine avec de nombreuses dérogations au droit et aux droits. Ce pays importe 70 % de ses besoins pétroliers alors que les prévisions de croissance de sa demande étaient évalués à près de 10 % par an. Huit pays africains (Burkina Faso, Tchad, Côte-d'Ivoire, Guinée équatoriale, Guinée-Bissau, Mali et Sénégal) bénéficient, depuis mars 2004, de l'Initiative Team 9 lancée par le gouvernement indien. Les pays africains pouvaient ainsi bénéficier de crédits concessionnels octroyés par l'Export-Import Bank of India pour des projets économiques, sociaux et d'infrastructures développés en liaison avec des entreprises indiennes. Les compagnies indiennes obtenaient en contrepartie des permis d'exploration de pétrole. Liée aujourd'hui aux États-Unis sur le plan des relations internationales, l'Inde entretient avec l'Afrique des relations géopolitiques nettement moins stratégiques que la Chine.

Chine : un rapport « gagnant-gagnant » ?

Bien que sa stratégie à l'international soit discrète, la Chine se pose en puissance régionale concurrente du pôle nippo-américain. Elle se mondialise par son intégration à l'OMC et se régionalise par les réseaux de sa diaspora, permettant l'extension de ses aires d'influence. La diaspora chinoise est ainsi présente en Afrique depuis plusieurs siècles. Dès l'époque han (IIᵉ siècle avant notre ère), les flottes chinoises étaient en relations commerciales avec les côtes de l'Afrique orientale.

Les relations entre la Chine et l'Afrique sont essentiellement économiques et fondées sur le principe du «win-win» (gagnant-gagnant). Le commerce sino-africain a doublé entre 2000 et 2004 et devait dépasser en 2006 le volume d'échange avec les États-Unis (37 milliards de dollars en 2005). La Chine a besoin de matières premières et surtout de pétrole ; elle a ainsi noué des liens avec l'Afrique du Sud, l'Angola, le Gabon, le Niger, le Nigéria et le Soudan (ce qui explique ses abstentions lors des votes au Conseil de sécurité concernant la question du Darfour ou l'armement de l'UFC – Union des forces pour le changement –, au Tchad, contre le gouvernement d'Idriss Déby reconnaissant Taïwan). Elle est le deuxième consommateur de pétrole du monde et l'Afrique lui fournit 25 % de ses approvisionnements. Par ailleurs, elle trouve en Afrique des débouchés dans les secteurs des travaux publics, des télécommunications ou du textile. Sa balance commerciale avec l'Afrique est légèrement déficitaire. Elle exporte pour plus de 15 milliards de dollars, pour plus de la moitié des produits à haute valeur ajoutée (machines, électronique, nouvelles technologies). Le 1ᵉʳ janvier 2005, la suppression de l'Accord multifibres, qui limitait par des quotas les exportations vers les États-Unis et l'Europe, a fait exploser le secteur du textile chinois concurrençant fortement les entreprises sud-africaines, mauriciennes, malgaches, marocaines et tunisiennes. La Chine a investi en *joint ventures* pour plus de 1 milliard de dollars, alliant une technologie à l'occidentale aux faibles coûts de main-d'œuvre et aux subventions publiques chinois (dans le secteur des télécommunications, no-

L'Asie en Afrique

tamment). Une des priorités de la Chine est d'assurer la sécurité des routes commerciales et d'approvisionnement en pétrole ; Djibouti, contrôlant l'ancienne route des Indes, est à ce titre un point d'ancrage important.

Les relations politiques de la Chine avec l'Afrique relèvent de la «*realpolitik*». L'aide chinoise est multiple et en forte croissance ; elle n'exige généralement comme contrepartie « que » la non-reconnaissance de Taïwan. Le principe qui régit cette coopération est celui de la non-ingérence et de la souveraineté des États. La Chine forme 10 000 Africains sur son territoire. Les relations se tissent en marge de la réglementation internationale : prêts à taux d'intérêt zéro, rôle des entreprises publiques chinoises liées aux décisions politiques de l'État. La Chine, qui absorbe 60 % des grumes exportées par l'Afrique, ne respecte pas les normes environnementales au nom de la priorité au développement économique. Elle utilise sa position de force au sein des Nations unies pour protéger les États amis, dans un esprit « tiers-mondiste » – les pays pauvres auraient des intérêts communs face aux puissances occidentales – et sans qu'interfère un quelconque passé colonial. Cela permet à de nombreux pays africains de contourner les sanctions internationales (Zimbabwé ou Soudan). On peut considérer que les ventes d'armes et les soutiens à certains « États voyous » par la Chine ont contribué à alimenter les conflits armés en Afrique (Angola, Éthiopie, Soudan, Tchad).

Quant aux profits que tirent les États africains de ces échanges, les trois géants asiatiques leur permettent de diversifier leurs partenaires, de bénéficier d'apports en capitaux et en technologies. La croissance économique de l'Afrique s'en trouve ainsi favorisée. Toutefois, dans l'ensemble, les relations économiques se situent, sauf avec l'Afrique du Sud, dans un registre post-colonial. L'Afrique reste un réservoir de matières premières et un déversoir de produits manufacturés. L'Inde et la Chine sont positionnées sur des produits concurrents des nouvelles spécialisations africaines (textile, agroalimentaire). Enfin, les pratiques indiennes et surtout chinoises permettent de contourner les règles de la communauté internationale et sont peu regardantes vis-à-vis du non-respect des droits de l'homme.

Bien entendu, d'autres pays asiatiques se montraient intéressés par les marchés africains, notamment la Malaisie, pour le pétrole, et l'Indonésie. ■

Par **Véronique Chaumet**
La Documentation française

Économie et sociétés / Journal de l'année

2005

6-8 juillet. G-8/OMD. Le 31ᵉ « sommet » du Groupe des huit principaux pays industrialisés, à Gleneagles (Royaume-Uni), est centré sur le développement de l'Afrique et la lutte contre le changement climatique. Pour répondre aux Objectifs du Millénaire pour le développement, les Huit prévoient une augmentation de l'aide globale au développement de 50 milliards de dollars par an en 2010 par rapport à 2004, dont au moins 25 milliards iront à l'Afrique. Ils décident l'annulation de la dette multilatérale de dix-huit pays pauvres très endettés (PPTE), dont quatorze États africains pour un montant de 40 milliards de dollars.

28 juillet. États-Unis/Amérique centrale. Ratification étatsunienne de l'Accord de libre-échange signé en 2004 par les États-Unis, le Costa Rica, le Guatémala, le Honduras, le Nicaragua, El Salvador et la République dominicaine.

1er septembre. Algérie-UE. Entrée en vigueur de l'accord d'association signé le 22 avril 2002 entre l'Algérie et l'Union européenne, qui supprime les droits de douane sur l'importation d'environ 2 300 produits.

8 septembre. Russie. Signature, à Berlin, du contrat de construction du futur gazoduc russo-allemand sous la mer Baltique, long de 1 200 km. Le 21 novembre, la Russie signe avec le Japon un accord sur la construction d'un oléoduc de 4 000 km devant relier la Sibérie occidentale à la côte Pacifique.

1er octobre. Japon. La fusion entre Mitsubishi Tokyo Financial Group (MTFG) et Union Financial Japan (UFJ) donne naissance à la première banque mondiale, devant la banque américaine Citygroup.

27 octobre. Bananes. L'Organisation mondiale du commerce (OMC), saisie par neuf pays latino-américains, confirme sa condamnation du nouveau régime de l'Union européenne concernant l'importation de bananes, qui doit s'appliquer le 1er janvier 2006.

8 novembre. Textile. Accord limitant l'augmentation d'importations américaines de textiles chinois après la libéralisation mondiale des marchés du textile intervenue le 1er janvier 2005.

16-18 novembre. Sommet de l'information. La deuxième étape du Sommet mondial de la société de l'information, organisée à Tunis, réunit les délégués de 175 pays sur les moyens de réduire la fracture numérique entre les pays industrialisés et les pays du Sud et sur la gestion internationale d'Internet. La tenue du « sommet » en Tunisie est vivement contestée par les associations de défense des droits de l'homme.

27-29 novembre. Euromed. Le « sommet » réunissant à Barcelone les Vingt-Cinq de l'UE et dix pays méditerranéens, dresse un bilan mitigé des dix années du partenariat euro-méditerranéen et se termine sans déclaration finale, en raison de tensions entre les participants sur le Proche-Orient. Adoption d'un Code de conduite contre le terrorisme et d'un texte commun sur l'immigration.

28 novembre-10 décembre. Climat. La première conférence de suivi du Protocole de Kyoto – après son entrée en vigueur en février 2005 –, organisée à Montréal, entérine une série d'accords permettant sa mise en œuvre totale.

13 décembre. Industrie chimique. Le Conseil européen adopte le projet de règlement REACH (Registration, Evaluation and Authorisation of Chemicals), destiné à éliminer progressivement l'utilisation de substances chimiques dangereuses dans l'industrie européenne. Un inventaire de 30 000 produits doit être établi d'ici 2017 ; les substances les plus dangereuses seront répertoriées dans les trois ans à venir.

13-15 décembre. Argentine-Brésil. Le Brésil, puis l'Argentine annoncent le remboursement, par anticipation, de la totalité de leur dette auprès du FMI, soit respectivement 15,5 et 9,53 milliards de dollars.

13-18 décembre. OMC. La 6ᵉ Conférence ministérielle de l'Organisation mondiale du commerce, à Hong Kong, relance les négociations sur le Programme de Doha pour le développement, lancées en 2001 et bloquées par la question des subventions agricoles des pays du Nord. Sont entérinées la suppression des subventions aux exportations agricoles des pays industrialisés en 2013, la fin des subventions aux exportations de coton en 2006, l'ouverture progressive des marchés des pays riches aux exportations des pays les moins avancés, à l'horizon 2008. L'exception sur les médicaments génériques est désormais inscrite dans l'accord sur la propriété intellectuelle (ADPIC) de 1995.

15-16 décembre. Budget européen. Le Conseil européen de Bruxelles trouve un accord sur le budget de l'Union européenne pour 2007-2013, avec un montant global de 862,4 milliards d'euros soit 1,045 % du PIB communautaire, dont 157 milliards d'euros pour les nouveaux membres. Les Britanniques acceptent une diminution du « rabais » sur leur contribution étalée sur la période 2007-2013. Cet accord est assorti d'une clause de révision globale du budget de l'Europe.

20 décembre. Chine. L'annonce de la révision à la hausse du chiffre officiel de son PIB (au taux de change courant) pour 2004 (soit une augmentation de 16,8 %) place la Chine au rang de quatrième puissance économique mondiale.

2006

1ᵉʳ janvier. Asie du Sud. Entrée en vigueur de l'Accord de libre-échange en Asie du Sud (SAFTA), signé le 4 janvier 2004 entre les sept pays de l'Association d'Asie du Sud pour la coopération régionale (SAARC).

1ᵉʳ-4 janvier. Russie-Ukraine. Face au refus ukrainien d'accepter une hausse du prix du gaz de 50 à 230 dollars pour 1000 m³, le consortium gazier russe Gazprom suspend ses livraisons à l'Ukraine, provoquant une vive inquiétude pour les approvisionnements européens. Un accord est trouvé le 4 entre Gazprom et la société ukrainienne Naftogaz.

1ᵉʳ mars. Aide au développement. À l'initiative de la France, treize pays s'engagent à créer une contribution internationale de solidarité sur les billets d'avion, dont une partie des recettes alimentera une Facilité internationale d'achat de médicaments (FIAM).

8 mars. Pétrole. L'Organisation des pays exportateurs de pétrole décide de maintenir les quotas de production fixés depuis juillet 2005 à 28 millions de barils par jour, en considérant que la hausse des cours est due aux tensions géopolitiques. Elle réitère, le 24 avril, son refus d'augmenter sa production, malgré la demande des pays industrialisés, le prix du baril atteignant 75 dollars.

16-22 mars. Eau. Le 4ᵉ Forum mondial de l'eau, à Mexico, aborde le rôle des pouvoirs locaux dans l'accès à l'eau, alors que 20 % de la population mondiale est privée d'eau et 40 % privée d'eau saine.

29 avril. Cuba-Bolivie-Vénézuela. Les présidents vénézuélien Hugo Chavez et bolivien Evo Morales, réunis autour du dirigeant cubain Fidel Castro, signent un Traité commercial des peuples (TCP), conçu comme une alternative au libre-échange promu par les États-Unis.

1ᵉʳ mai. Bolivie. Le président de la République élu en décembre 2005, Evo Morales, annonce la nationalisation de l'exploitation des hydrocarbures. La mesure concerne quelque 26 compagnies étrangères.

16 mai. Zone euro. La Commission européenne donne un avis favorable à l'entrée de la Slovénie dans la Zone euro au 1ᵉʳ janvier 2007, mais rejette celle de la Lituanie, les critères de convergence n'étant pas remplis.

18 mai. Sidérurgie. Lancement d'une OPA hostile du « numéro un » mondial de l'acier, Mittal Steel, sur le sidérurgiste européen Arcelor. Cette acquisition fera l'objet d'un accord en juin 2006.

21-22 mai. BERD. La Banque européenne pour la reconstruction et le développement annonce son désengagement d'ici à 2010 des huit pays qui ont adhéré à l'UE en 2004, et le recentrage de son action vers les Balkans, la Russie et les autres pays de la CEI (Communauté d'États indépendants).

22 mai. NYSE-Euronext. Le New York Stock Exchange (NYSE) présente une offre de rachat, pour 10 milliards de dollars, de la bourse paneuropéenne Euronext, née en 2000 et regroupant les places de Paris, Bruxelles, Amsterdam et Lisbonne. Cette fusion, qui donne naissance à la première bourse mondiale, est entérinée le 2 juin.

30 mai. UE. Le Conseil de l'Union européenne adopte la proposition de directive sur la libéralisation des services, dite « directive Bolkestein », dans une version largement modifiée par le Parlement européen. Le principe du pays d'origine est ainsi abandonné.

30-31 mai. Pays islamiques. Lors de sa réunion annuelle à Koweït, la Banque islamique de développement crée une institution internationale pour financer le commerce entre les pays islamiques, ainsi qu'un fonds de lutte contre la pauvreté destiné aux pays islamiques les plus pauvres. Doublement du capital de la banque, porté à 45 milliards de dollars. ■

Les enjeux de la période

Sociétés et développement humain

MIGRATIONS ET
DÉVELOPPEMENT ;
VIEILLISSEMENT
DE LA POPULATION
MONDIALE ;
RÉFORME DES
SYSTÈMES DE SANTÉ ;
L'EAU, BIEN PUBLIC
MONDIAL ;
LUTTE CONTRE LA
DÉSERTIFICATION ;
L'ÉGLISE
CATHOLIQUE DE
BENOÎT XVI ;
DIVERSITÉ
CULTURELLE.

Migrations et développement : entre vérités occultées et incertitudes ?

Jean-Pierre Guengant
Démographe, IRD

En 2005, le nombre de migrants internationaux dans le monde était estimé à 191 millions, chiffre le plus élevé jamais cité. Ces migrations sont l'une des expressions de la mondialisation. Mais, si tout est mis en œuvre pour accélérer la circulation des biens et des services, il n'en va pas de même pour les migrations. L'augmentation des migrations internationales répond pourtant à des besoins. Dans les pays du Nord en particulier, la montée des économies de connaissances et le vieillissement de leurs populations créent des besoins croissants en main-d'œuvre. Certes, au Sud, l'offre de main-d'œuvre est considérable, mais celle-ci est souvent peu qualifiée. C'est pourquoi, le recours croissant des pays du Nord aux élites des pays du Sud, l'« exode des cerveaux », est considéré comme une perte pour ces pays, perte compensée cependant par les envois de fonds des migrants dans leur pays d'origine.

À l'évidence, la question complexe des relations entre migrations internationales et développement concerne autant le Nord que le Sud.

Des migrations en augmentation

Les Nations unies estimaient le nombre de migrants internationaux – nés hors du pays où ils résident ou ayant une nationalité différente – à 191 millions en 2005, contre 99 millions en 1980. Leurs estimations, fondées essentiellement sur les recensements des pays de résidence, n'incluent qu'une partie des migrants illégaux, estimés entre 10 et 12 millions aux États-Unis, et 7 à 8 millions en Europe. En revanche y figuraient à part entière les réfugiés (13,5 millions en 2005).

Le « stock » de migrants internationaux augmente en moyenne de 2 à 3 millions par an depuis 1980, contre 600 000 dans les années 1960. Pour la période 1990-2005, l'accroissement observé s'est fait à 90 % dans les pays développés : 33 millions, contre 3 millions pour les pays en développement (PED). Les migrations Sud-Sud, longtemps les plus importantes, ont donc perdu leur prééminence au profit des migrations Sud-Nord. Aujourd'hui, 60 % des migrants internationaux résident dans des pays développés et la moitié sont des femmes.

L'augmentation des migrants internationaux est concentrée dans un nombre restreint de pays. Ainsi, entre 1990 et 2005, les États-Unis ont-ils accueilli 15,1 millions de migrants supplémentaires, suivis de l'Allemagne et de l'Espagne (4 millions chacun) et des Émirats arabes unis (près de 2 millions). Parmi les pays les plus peuplés où le pourcentage de migrants internationaux est élevé, citons l'Australie (20 %), le Canada (19 %), l'Allemagne (12 %), l'Arabie saoudite (26 %), les États-Unis (13 %), l'Espagne (13 %) et la France (11 %).

Les origines des migrants sont aussi très diverses, mais certains pays dominent. Ainsi, au début des années 2000, les migrants internationaux chinois étaient estimés à 35 millions, les Indiens à 20 millions, les Philippins à 7 millions. Par ailleurs, le nombre de personnes d'origine mexicaine résidant aux

Migrations et développement

États-Unis était estimé en 2004 à 26 millions, parmi lesquelles 10 millions étaient nées au Mexique.

Si ces migrations s'inscrivent dans la mondialisation en cours, celle-ci est limitée du fait des politiques de contrôle à l'entrée et au séjour des pays d'accueil.

Les besoins des pays du Nord

Les migrants qui résident au Nord sont très divers : travailleurs qualifiés ou non qualifiés, réfugiés, demandeurs d'asile, bénéficiaires du regroupement familial, étudiants, saisonniers, personnes entrées légalement dont le visa n'est plus valable, etc. Quel est le coût de cette immigration pour les pays du Nord ? La réponse à cette question dépend de la durée et du niveau, local ou national, auquel on se place. D'un côté, les migrants alourdissent les dépenses publiques de santé, d'éducation et autres services publics, au niveau local notamment. Mais, d'un autre côté, les migrants paient des impôts, cotisations, et taxes, notamment à la consommation. Les études réalisées aux États-Unis et en Europe montrent que l'augmentation des travailleurs migrants a un effet positif sur la croissance économique des pays d'accueil, notamment à moyen et long terme.

Concernant l'impact sur l'emploi et le chômage, les migrants occupent souvent des emplois peu qualifiés, notamment dans l'agriculture et les services, refusés par les nationaux parce que précaires, dévalorisés, et mal rémunérés. Dans les années 1990, on a estimé que, dans les pays de l'OCDE (Organisation de coopération et de développement économiques), jusqu'à 70 % des migrants des PED arrivés récemment occupaient ce type d'emplois. L'arrivée de migrants peut avoir ici un léger effet défavorable sur les salaires ou sur l'emploi des nationaux peu qualifiés.

Les migrants qualifiés sont aussi de plus en plus admis au Nord pour combler des pénuries de main-d'œuvre, notamment dans le secteur des technologies de l'information et celui de la santé. Ces migrations sont facilitées soit par un système d'admission favorisant les migrants ayant des diplômes universitaires et une expérience, comme au Canada et en Australie, soit par des programmes spéciaux pour travailleurs qualifiés, comme aux États-Unis où un visa, le H-1B, leur est réservé. Vers 2000, 17 millions de personnes diplômées de l'enseignement supérieur vivaient dans un pays de l'OCDE dont elles n'étaient pas originaires. Parmi celles-ci, 10 millions venaient d'un pays hors OCDE : en gros, 6,5 millions d'Asie, 1,5 million d'Amérique latine, 1 million des Caraïbes et 1,5 million d'Afrique. L'importance pour les pays du Nord de disposer des meilleures ressources humaines a conduit plusieurs pays à encourager les étudiants étrangers à venir suivre leurs études universitaires chez eux. Avec 600 000 étudiants étrangers inscrits dans un cycle universitaire en 2002, les États-Unis sont la première destination des étudiants étrangers, suivis par l'Allemagne, l'Australie, la France et le Royaume-Uni.

Cette mobilité internationale des compétences devrait se poursuivre avec la montée en puissance d'économies fondées sur les connaissances. Mais les besoins en main-d'œuvre peu qualifiée devraient aussi rester importants du fait du vieillissement, voire du déclin démographique, des pays du Nord.

Obstacle ou atout pour le développement au Sud ?

Parmi les trois sources extérieures de financement du développement des pays du Sud : l'aide publique au développement (APD), les investissements directs étrangers (IDE) et les envois de fonds des migrants, ces derniers ont connu la progression la plus forte et la plus régulière au cours des dernières années. Ils ont doublé entre 2000 et 2004 et ont été multipliés par cinq entre 1990 et 2004. En 2004, les envois des migrants dans les PED étaient estimés à 160 milliards de dollars, soit le double de

Migrations et développement

Références

Banque mondiale, *Global Economic Prospects. Economic Implications of Remittances and Migration,* Banque mondiale, Washington DC, 2006.

El Mouhoub Mouhoud (sous la dir. de), *Les Nouvelles Migrations. Un enjeu Nord-Sud de la mondialisation,* coll. « Le tour du sujet », Universalis, Paris, 2005.

Global Commission on International Migration (GCIM), *Migration in an Interconnected World : New Direction for Action,* The Global Commission on International Migration, 2005.

D. S. Massey, J. E. Taylor, *International Migration : Prospects and Policies in a Global Market,* IUSSP, International Studies in Demography, Oxford University Press, New York, 2004.

Nations unies, *Suivi de la situation mondiale en matière de population : migrations internationales et développement,* Nations unies-Conseil économique et social, E/CN.09/2006/3, New York, 2006.

OCDE, *Migrations, transferts et fonds de développement,* OCDE, Paris, 2005.

OCDE, *Tendances des migrations internationales. Rapport annuel 2004,* OCDE, Paris, 2005.

@ **Site Internet**

Nations unies – Division de la population (*Trends in World Migrant Stock : The 2005 Revision Population Database*)
http://esa.un.org/migration/

l'APD (79 milliards), et équivalant aux IDE (166 milliards). En fait, les envois réels des migrants sont probablement deux fois plus importants que leur estimation officielle, du fait de l'importance des circuits informels, comme la remise directe aux familles à l'occasion de retours au pays.

Les effets de ces « migradollars » sur la croissance économique des pays concernés sont encore difficiles à déterminer. Ils sont utilisés par les familles restées au pays plus pour la consommation que pour l'investissement. Ils contribuent donc à réduire la pauvreté et à financer les dépenses d'éducation et de santé des familles restées sur place. Si la demande de biens et de services supplémentaires entraînée par ces envois trouve à être satisfaite localement, les effets sur l'économie locale peuvent être positifs. Mais, dans le cas contraire, ces envois peuvent provoquer des tensions inflationnistes et accroître la dépendance des familles vis-à-vis des produits importés. Cependant, les envois de fonds des migrants peuvent aussi être investis dans l'immobilier, le commerce et des activités productives permettant aux jeunes de rester travailler au pays. De même, les associations de migrants financent des centres de santé, des écoles, des infrastructures, et la création d'entreprises au pays.

Pour faciliter l'utilisation des transferts comme outil de développement, plusieurs pays cherchent à impliquer leurs diasporas dans le développement de projets. C'est le cas du Mexique, où, dans le cadre du programme dit « 3 pour 1 » lancé en 2002, pour chaque dollar envoyé par un émigrant mexicain résidant aux États-Unis, les collectivités locales et l'État fédéral donnent trois dollars, notamment pour des projets d'entreprises. D'autres pays, comme l'Inde et la Chine, incitent leurs diasporas à investir au pays et encouragent les retours. Depuis 2003, la France conduit une politique dite de codéveloppement au Mali, au Sénégal et au Maroc, en impliquant des migrants dans certains projets de développement au

Migrations et développement

pays. Au total, cependant, l'impact des migrations et des envois de fonds sera d'autant plus positif que les conditions seront favorables dans le pays concerné : système juridique et financier fiable, stabilité politique, institutions solides, etc. Les migrations et les envois de fonds, même importants, ne sauraient être une panacée contre le sous-développement.

Après que l'exode des cerveaux («*brain drain*») fut longtemps considéré comme une perte pour les pays d'origine, on parle maintenant de «*brain gain*». De nombreux auteurs soulignent que les pays du Sud n'étant pas capables d'employer tous leurs cadres, leur départ et les fonds qu'ils envoient font plus que compenser leur départ. Les effets, positifs ou négatifs, du départ de personnes qualifiées dépendent de facteurs tels que la taille du pays, les secteurs concernés et les performances de leur système d'éducation. Ainsi, l'émigration d'enseignants et de personnels de santé peut désorganiser les secteurs correspondants dans les pays d'origine, qui perdent aussi les investissements réalisés dans la formation de ces personnels. Mais le succès à l'étranger de ces migrants peut avoir un effet positif en incitant les jeunes à faire des études supérieures au pays, dans l'espoir notamment de partir eux aussi un jour. Cela suppose évidemment que les systèmes d'enseignement soient capables de scolariser tous les enfants au niveau primaire et d'en accueillir une proportion importante au niveau supérieur. De ce point de vue, les difficultés que connaissent nombre d'universités d'Afrique subsaharienne sont préoccupantes.

En conclusion, l'aide au développement n'est pas une alternative aux migrations internationales et la pauvreté n'est pas la cause première de ces migrations. De fait, les migrants qui résident au Nord viennent plutôt de pays à revenus intermédiaires ou émergents, et ils sont de plus en plus éduqués.

Les migrations internationales font partie du processus de développement des pays de départ comme des pays d'arrivée. Loin de se tarir, les migrations internationales vont probablement s'intensifier. Elles seront plus ou moins importantes, définitives ou circulaires ; elles s'accompagneront de tensions fortes ou maîtrisées, au niveau local et national ; l'intégration des migrants et de leurs enfants se fera plus ou moins bien : autant de questions en forme de défis. À ce sujet, on peut se demander si les très pauvres du Sud, peu présents dans les mouvements actuels, y prendront davantage part à l'avenir. On peut se demander aussi si les migrants éduqués des pays émergents resteront davantage chez eux ou circuleront plus qu'aujourd'hui. Enfin, les populations vieillissantes du Nord accepteront-elles une « migration de remplacement » pour maintenir le niveau de leurs retraites ?

Le XXe siècle a été celui de l'explosion démographique. Le XXIe siècle pourrait être celui des migrations internationales. La question essentielle aujourd'hui est de savoir comment prendre en compte ce phénomène et maximiser ses effets positifs potentiels. Cela ne sera pas facile, les migrations internationales restant un sujet controversé, qui soulève, au Nord et au Sud, des questions sensibles sur l'identité nationale, la sécurité, la justice sociale et les droits humains. ■

Vieillissement de la planète

La planète vieillit, mais de façon très contrastée

Jacques Vallin
Démographe, INED

Partout les populations humaines vieillissent, depuis qu'au milieu du XVIIIe siècle s'est enclenché ce grand mouvement historique qui a changé la face du monde : la *transition démographique*. L'homme étant enfin devenu performant dans sa lutte contre la maladie et la mort, l'espérance de vie a augmenté. Le nombre d'enfants par femme nécessaire au renouvellement des générations, après avoir été de l'ordre de 5 ou 6, est ainsi tombé à guère plus de 2. La croissance de la population s'est accélérée. Il a fallu, pour qu'elle retrouve un rythme plus modéré, que les populations apprennent à maîtriser leur fécondité, en bousculant les normes ancestrales réglant le mariage, la sexualité et les comportements reproductifs. Mais ces deux grandes innovations démographiques des temps modernes que sont la baisse de la mortalité et la baisse de la fécondité en entraînent automatiquement une troisième : le *vieillissement démographique*, l'un des enjeux démographiques les plus importants des décennies à venir.

Cependant, si toutes les populations du monde ont vécu ou sont en train de vivre la transition démographique, celle-ci s'inscrit dans des calendriers très fortement décalés. La diversité des situations actuelles est plus grande que jamais et, loin de tirer parti des complémentarités qui en découlent, les gouvernants en font souvent une source de tensions économiques, sociales, politiques.

La logique du vieillissement démographique

Mais que veut dire vieillissement ? Le mot est couramment utilisé pour désigner deux concepts très différents : le vieillissement

biologique du corps humain, signe de la dégénérescence de l'organisme qui conduit à la mort, et le vieillissement *démographique* de la population, simple augmentation de la part qu'y occupent les personnes de plus d'un certain âge. Autant le premier concept est connoté négativement, autant le second est, plus que jamais, déconnecté du premier (et de sa connotation négative) car, désormais, le vieillissement démographique s'accélère en raison d'un ralentissement du vieillissement biologique.

Il existe, bien entendu, autant de définitions possibles du vieillissement démographique que d'âges au-dessus duquel on peut estimer qu'un individu est vieux. Même si ce ne sont que des valeurs moyennes et grossièrement arrondies, admettons ici, en privilégiant l'aspect économique, que les moins de 20 ans, en période de formation, et les plus de 60 ans, à la retraite, sont à la charge des 20-59 ans. Peu importe que ces frontières soient largement arbitraires et contestables, la suite du raisonnement n'en dépend pas.

Dans l'histoire de toutes les populations, le premier facteur de vieillissement a d'abord été la baisse de la fécondité. Réduisant le nombre attendu d'enfants, elle réduit aussi la proportion de jeunes enfants à la base de la pyramide des âges, tandis que, peu à peu, les générations antérieures issues de femmes plus fécondes vont grossir les rangs de la population âgée, deux phénomènes qui tendent lentement mais sûrement à gonfler la proportion de personnes âgées. Pendant très longtemps, ce mécanisme du *vieillissement par le bas* a été le seul moteur du vieillissement démographique. Au dé-

Fig. 1

Pyramides des âges de la population mondiale observée en 1950 et 2005 et attendue en 2050, 2100 et 2150[a]

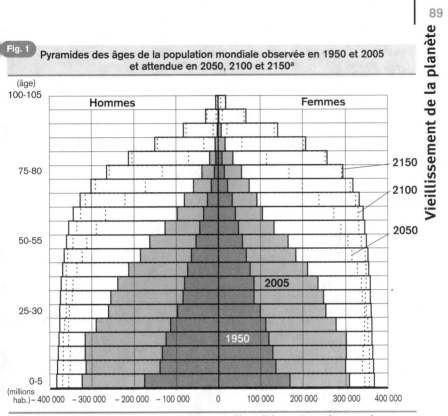

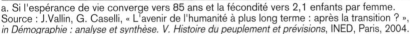

a. Si l'espérance de vie converge vers 85 ans et la fécondité vers 2,1 enfants par femme.
Source : J.Vallin, G. Caselli, « L'avenir de l'humanité à plus long terme : après la transition ? », in *Démographie : analyse et synthèse*. V. *Histoire du peuplement et prévisions*, INED, Paris, 2004.

part, en effet, s'il a bien eu pour effet d'allonger l'espérance de vie, le recul de la mortalité a surtout permis de faire survivre des enfants, grâce notamment à la régression massive des maladies infectieuses. C'est ainsi que dans un pays comme la France, jusque dans les années 1960, loin de contribuer au vieillissement démographique, la montée de l'espérance de vie a fortement atténué les effets en ce sens de la baisse de la fécondité. Et dans beaucoup de pays du Sud, notamment en Afrique, où s'est maintenue plus longtemps qu'ailleurs une forte fécondité, le premier effet de la baisse de la mortalité a été d'élargir considérablement la base de la pyramide des âges et de rajeunir la population.

Ce n'est qu'à une époque très récente que le nouvel élan donné à la progression

Fig. 2

Évolution de la part des moins de 20 ans, des adultes et des plus de 60 ans (population mondiale)[a]

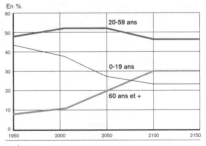

a. Évolution depuis 1950 et projection en 2150 de la population mondiale.
Source : Nations unies, *World Population Prospect. The 2004 Revision*.

de l'espérance de vie par la révolution cardiovasculaire a permis de faire reculer de manière décisive la mortalité aux âges éle-

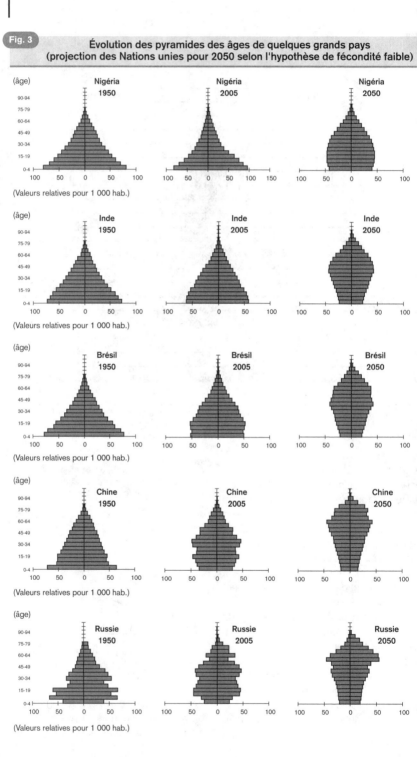

Fig. 3

Évolution des pyramides des âges de quelques grands pays
(projection des Nations unies pour 2050 selon l'hypothèse de fécondité faible)

Vieillissement de la planète

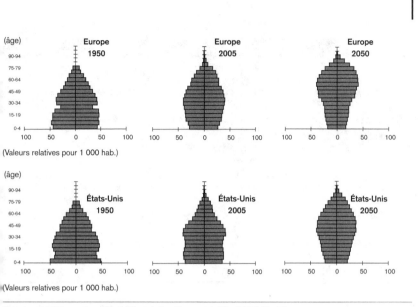

(âge)

(Valeurs relatives pour 1 000 hab.)

(âge)

(Valeurs relatives pour 1 000 hab.)

Source : Nations unies, *World Population Prospect. The 2004 Revision.*

vés et d'allonger la vie moyenne des plus de 60 ans, initiant ainsi un nouveau processus de *vieillissement par le haut* de la pyramide des âges. Le vieillissement de la population mondiale est donc une conséquence incontournable de la transition démographique et la transformation de la pyramide des âges est appelée à se poursuivre tant que cette transition ne sera pas partout arrivée à son terme. Cependant, si l'on reste à l'échelle de la population mondiale, qui ne peut évidemment pas connaître de migrations externes, et si l'on imagine la fin de la transition comme un retour à l'équilibre reposant sur la double hypothèse d'une convergence générale des espérances de vie vers le meilleur niveau possible (longtemps situé à 85 ans par les Nations unies) et d'une stabilisation de la fécondité à 2,1 enfants par femmes (seuil assurant le remplacement), ce bouleversement peut apparaître tout à fait viable économiquement.

La Figure 1 illustre les changements acquis et attendus en superposant les pyramides d'âges de la population mondiales de 1950 et de 2005, ainsi que les

pyramides projetées pour 2050, 2100 et 2150 aux conditions qui viennent d'être indiquées.

Les pyramides sont données ici en valeurs absolues, pour rendre compte en même temps de la croissance de la population (surface totale de la pyramide) et de son changement de structure par âge (forme de la pyramide). Au début de la transition démographique la baisse de la mortalité a fait exploser le nombre, mais le rééquilibrage par la baisse de la fécondité a radicalement modifié la structure en réduisant la part des jeunes. Ce mouvement promet évidemment de s'amplifier jusqu'à ce que l'ensemble de la population mondiale se conforme aux normes supposées de 85 ans d'espérance de vie et de 2 enfants par femme. Ainsi, dans la seconde moitié du XXe siècle, c'est surtout la population adulte qui s'est trouvée renforcée par le retrait relatif du nombre des jeunes. Mais à l'avenir, avec le temps et le cumul des deux ressorts du vieillissement (par le bas et par le haut), c'est la population âgée qui finirait par gonfler, beaucoup plus fortement encore que ne l'a fait la population adulte.

Vieillissement de la planète

Références

G. Caselli, J. Vallin, « Dynamique de la population : mouvement et structure », *in* *Démographie : analyse et synthèse. I. La dynamique des populations*, INED, Paris, 2001.

Nations unies, *World Population Prospect. The 2004 revision*, United Nations – Population Division, New York, 2005.

J. Vallin, « La transition démographique européenne : 1740-19 », *in* *Démographie : analyse et synthèse. V. Histoire du peuplement et prévisions*, INED, Paris, 2004.

J. Vallin, « De la mondialisation de la transition au retour des incertitudes : 1940-2000 », *in* *Démographie : analyse et synthèse. V. Histoire du peuplement et prévisions*, INED, Paris, 2004.

J. Vallin, « The demographic window : an opportunity to be seized », *Asian Population Studies*, vol. 1, n° 2, 2005.

J. Vallin, G. Caselli, F. D'Onorio, « Les perspectives de population mondiale des Nations unies », *in* *Démographie : analyse et synthèse. V. Histoire du peuplement et prévisions*, INED, Paris, 2004.

La Figure 2 montre cependant aussi que si, dans le cadre de ces hypothèses, l'avenir appelle d'importantes adaptations de nos sociétés, rien ne paraît pour autant insurmontable.

Une fois la population stabilisée aux normes prévues de fécondité et de mortalité, la part de la population d'âges actifs adulte s'établirait en effet à un niveau assez peu différent de celui de 1950 : 46 % au lieu de 48 %. L'essentiel du bouleversement consisterait en effet dans un basculement massif des moins de 20 ans (dont l'effectif tomberait de 44 % à 24 %) vers les plus de 60 ans (qui passeraient de 8 % à 30 %). Cela exigerait bien entendu une refonte complète des système de solidarité entre générations, mais, *grosso modo* la charge démographique pesant sur la population active resterait à peu près inchangée et l'alourdissement que peut constituer le remplacement de la prise en charge de jeunes par celle de vieux devrait pouvoir être assez facilement compensé par l'amélioration de la santé aux âges élevés et la porte qu'elle ouvre sur une plus grande participation des plus de 60 ans à la vie active.

Mais ces résultats très globaux cachent les énormes disparités qu'induit actuellement la diversité des stades de la transition auxquels se situent les différents pays du monde et, surtout, les tendances récentes d'évolution de la fécondité et de la mortalité permettent de douter fortement de la crédibilité d'une telle perspective de stabilisation.

D'une part, il s'avère d'ores et déjà que l'espérance de vie franchira très probablement la barre des 85 ans, du moins dans un certain nombre de pays, et le vieillissement par le haut de la pyramide risque fort de se révéler nettement plus massif et rapide que celui que supposent les Figures 1 et 2. Mais, surtout, la chute et le maintien durable de la fécondité à des niveaux très bas, non seulement dans de nombreux pays industriels mais aussi, déjà, dans certains pays du Sud, y compris la Chine – qui en a même fait un objectif majeur de sa politique –, lance un véritable défi pour les générations futures. Si en effet, dans un premier temps, l'effondrement de la fécondité réduit la charge actuelle des actifs bien au-delà de ce que l'on aurait pu attendre, ouvrant ce qu'on appelle une « *fenêtre démographique* » d'opportunités économiques et sociales, il viendra ensuite, au moment où ces jeunes générations prendront la relève d'adultes passés à la retraite, alourdir de manière extravagante le poids de la population âgée. Et si, réalisant

Tab. 1

Part (%) des moins de 20 ans, des adultes et des personnes âgées dans 6 grands pays et en Europe[a]

	1950	2005	2050
15-19 ans			
Nigéria	52,6	57,5	35,2
Inde	50,7	45,3	20,3
Brésil	53,1	41,1	19,1
Chine	43,3	30,3	14,5
Russie	44,5	28,7	17,1
Europe	36,2	25,4	15,9
États-Unis	34,7	30,2	19,6
20-59 ans			
Nigéria	43,8	38,8	57,7
Inde	45,3	48,8	61,2
Brésil	43,4	52,1	56,8
Chine	49,2	58,7	48,7
Russie	48,6	56,8	54,1
Europe	54,2	57,4	49,8
États-Unis	56,0	56,5	55,3
60 ans et plus			
Nigéria	3,6	3,7	7,1
Inde	4,0	5,9	18,5
Brésil	3,6	6,8	24,1
Chine	7,5	10,9	36,8
Russie	6,9	14,5	28,8
Europe	9,5	17,3	34,3
États-Unis	9,3	13,2	25,1

a. Évolution depuis 1950 et projection à 2050 selon l'hypothèse basse des Nations unies.
Source : Nations unies, *World Population Prospect. The 2004 Revision*.

qu'elles courent ainsi à leur pertes, les sociétés concernées réussissaient finalement une relance de la fécondité, la charge pesant sur les adultes s'alourdirait à nouveau au bas de la pyramide, rendant ainsi la question globale encore plus épineuse.

Une grande diversité de situations

La Figure 3 illustre la grande diversité des situations actuelles en présentant les pyramides d'âges de six pays parmi les plus peuplés du monde (Chine, Inde, Brésil, Nigéria, États-Unis, Russie) et de l'Europe (sans la Russie). La diversité apparaîtrait évidemment encore plus extrême si l'on considérait les cas plus particuliers de pays plus petits. La colonne du milieu représente la diversité actuelle ; celle de gauche permet de voir le changement intervenu depuis 1950 ; celle de droite donne une esquisse de la situation attendue en 2050 si les dernières projections des Nations unies se réalisaient selon l'hypothèse basse de fécondité (la plus probable aujourd'hui). Cette fois, les pyramides sont dressées en valeurs relatives pour que leurs silhouettes puissent être comparées quelle que soit la taille de la population.

En 2005, du Nigéria à la Russie ou à l'Europe, on passe d'une population encore très chargée d'enfants à un monde radicalement opposé, où la proportion de ces derniers est déjà très inférieure à celle indiquée par la projection normative de la Figure 1, tandis que les vieux ont fortement gonflé le haut de la pyramide. Entre les deux, le Brésil, l'Inde, la Chine illustrent autant de situations intermédiaires. Le dernier exemple, les États-Unis, montre cependant que l'écart ainsi creusé entre pays industriels et pays en développement (PED) n'est pas inéluctable, puisque la plus grande puissance industrielle du monde bénéficie d'une pyramide d'âge qui, loin de ressembler à celle de l'Europe, se situe entre celles du Brésil et de la Chine.

La comparaison avec la colonne de gauche montre que cette diversité s'est nettement accusée depuis 1950, tandis que la colonne de droite montre que, malgré la forte réduction de la base de la pyramide du Nigéria, la diversité sera encore très grande, car, en Chine, en Russie et en Europe, cette base aura littéralement fondu comme neige au soleil.

Complémentarités ou tensions ?

Ces différences de structures, rappelons-le, se sont dessinées sur un arrière-plan de différences tout aussi radicales de rythmes de croissance démographique, qui se sont elles-mêmes récemment exacerbées : en 2000-2005, la croissance naturelle (hors migrations) du Nigéria a été de 2,5 % par an, tandis que la population de l'Europe stagnait et que celle de la Russie diminuait annuellement de plus de 5 %! Logiquement, dans un monde ouvert, de telles différences pourraient être vues comme des sources de complémentarité. Les régions du monde à forte croissance resteront encore assez longtemps de formidables réservoirs de jeunes migrants capables d'alimenter un marché du travail en voie d'attrition dans les régions stagnantes ou décroissantes et, dans le même temps les cohortes de plus en plus nombreuses et relativement riches de personnes âgées des pays industriels pourraient trouver dans nombre de pays pauvres au climat propice des lieux de retraite agréables et bon marché.

Cependant, jusqu'à présent, en dépit de la rhétorique sur les bienfaits de la mondialisation, l'irrésistible pression des pays riches en faveur de la libre circulation des biens et services cède partout la place à la répression parfois très brutale dès qu'il s'agit de la circulation des personnes. L'argument souvent affiché pour faire admettre cette incohérence majeure du nouvel ordre mondial est que des économies, si riches soient-elles, ne peuvent accepter d'immigration quand elles sont elles-mêmes minées par le chômage. Il semble pourtant y avoir là une erreur fondamentale, car l'une des questions clés de la poursuite du développement économique des pays développés est bien la menace qui pèse sur sa force de travail endogène, minée par le vieillissement démographique. De tous les grands pays industriels, les États-Unis sont le moins fermés à l'immigration alors même que la natalité y reste beaucoup plus soutenue qu'en Europe, et il y a tout lieu de penser que c'est l'un des atouts majeurs qui leur permettront de continuer à dominer le monde. Il paraît donc urgent que l'Europe relève ce défi. ■

Dynamiques des réformes des systèmes de santé dans les pays développés

André-Pierre Contandriopoulos et Jean-Louis Denis
GETOS (FCRSS/IRSC), Département d'administration de la santé et GRIS, Université de Montréal

Dans tous les pays développés, que se soit en Europe de l'Ouest ou en Amérique du Nord, l'action combinée de l'avancée des technologies, des connaissances sur la vie, de la mondialisation, de l'évolution démographique et de l'apparition de nouvelles maladies exerce des pressions considérables sur les systèmes de santé, qui répondent de moins en moins bien aux attentes de la population. Depuis une vingtaine d'années, ces pressions obligent les États à entreprendre de façon continue des réformes plus ou moins ambitieuses, dont la mise en œuvre est partout très difficile. Un bref rapprochement des cas québecois et canadien avec les cas français et britannique donne à voir la dynamique d'évolution des systèmes de santé.

Sociétés et régimes en profonde mutation

L'introduction des régimes publics d'assurance maladie dans tous les pays du Nord, au cours des quinze années qui ont suivi la fin de la Seconde Guerre mondiale, peut s'expliquer par la rencontre tout à fait unique d'un pouvoir et d'un savoir. Le pouvoir considérable de dépenser – indispensable pour passer d'une économie de guerre à une économie de paix – et les savoirs nouveaux résultant des progrès extraordinaires enregistrés par la médecine durant la première moitié du XXe siècle.

La création des régimes publics d'assurance maladie constitue la contrepartie visible de l'apparition d'un droit fondamental nouveau pour la personne : non plus seulement le droit à la vie, mais celui à la vie en santé, comme l'évoquait Michel Foucault. Ce droit a comme corollaire le droit des personnes malades à être soignées, il contraint donc l'État à assumer de nouvelles responsabilités et il est porteur d'immenses espoirs pour la population.

Les capacités accrues d'intervention sur la maladie, jumelées à la volonté publique d'investir le champ de la protection sociale et sanitaire, ont favorisé un développement très important des systèmes de santé dans les pays développés. En moyenne, la part du PIB affecté à la santé dans les pays de l'OCDE est passé de 3,7 % en 1960 à plus de 8,5 % aujourd'hui (OCDE 2005).

Cet engagement des pouvoirs publics a eu pour corollaire immédiat l'augmentation sans précédent de l'espérance de vie : quarante ans depuis le milieu du XIXe siècle, soit environ deux ans tous les dix ans, en progression régulière, dans les pays occidentaux. Les personnes âgées de plus de 65 ans constituent désormais une part croissante de la population. Au Québec par exemple, on assiste ainsi à un renversement spectaculaire de la pyramide des âges :

alors qu'en 1950 le tiers de la population était âgée de moins de 15 ans, on projette qu'en 2040 le tiers aura plus de 65 ans (Institut de la statistique du Québec).

D'un côté, l'interaction entre le vieillissement de la population et le développement des connaissances et des techniques entraîne un élargissement continu du domaine d'intervention de la médecine et des attentes de la population. Et, d'un autre, la mondialisation et les exigences de la compétition internationale poussent les gouvernements à diminuer les impôts et à contenir fermement les coûts du système de santé. Les gouvernements n'ont donc d'autre choix que de tenter, avec encore plus de détermination que par le passé, de réformer les systèmes de santé.

Même si ceux-ci accaparent une part importante de la richesse collective, ils subissent actuellement les contrecoups de leur succès et ont de la difficulté à faire face aux coûts liés à une croissance rapide des capacités d'intervention (médicaments, techniques diagnostiques, nouveaux traitements) et aux espérances de plus en plus grandes de la population et des professionnels.

Des transformations importantes ont eu lieu depuis une vingtaine d'années : réduction significative du rôle de l'hôpital – au Québec, la part des dépenses hospitalières dans les dépenses totales de santé est passée de 48 % en 1980 à 35 % en 2003 ; augmentation du recours aux soins de longue durée ; mesures pour maîtriser les coûts, restructuration des soins de proximité ; mais elles apparaissaient encore insuffisantes.

Des objectifs quasi consensuels

À partir de la fin des années 1980 s'est amorcée une vague de réformes dans l'ensemble des systèmes de santé des pays industrialisés. Comme le montre le tableau sur les initiatives et résultats comparés du Canada (dont Québec), de la France et du Royaume-Uni, malgré les différences, les réformes visent les mêmes objectifs, tentant, dans chaque pays, de concrétiser ce

Systèmes de santé

Tab. 1 Réformes des systèmes de santé. Initiatives et résultats comparés Canada (dont Québec), France, Royaume-Uni

	Québec (Qc)/Canada (CND)	France	Royaume-Uni
Données chiffrées			
Dépenses de santé/ PIB (%)	CND 10,4 (2005) Qc 10,5 (2005) En croissance depuis 2000.	10,1 (2003) Stable	7,8 (2003) En croissance rapide. Objectif : 9,4 en 2008.
Dépenses publiques/ dépenses totales santé (%)	CND 69,6 (2005) QC 69,8 (2005) En diminution au Qc depuis quinze ans.	76 (2002) Stable depuis 1990.	81 (2002) En légère diminution depuis dix ans.
Main-d'œuvre dans système de santé/ main-d'œuvre active (%)	CND 7,6	7,5	••
Lits d'hospitalisation de courte durée (pour 1 000 personnes)	Qc 2,1 (2005)	4,2 (2000)	2,4 (1998)
Sources du financement public	Impôts et taxes	Cotisations employeurs et employés 55 %. Impôts et taxes 45 %.	Impôts et taxes
Initiatives pour assurer la viabilité des systèmes de santé			
Financement	Débats sur la place du secteur privé et inquiétude face à l'évolution des coûts de santé.	Dans le contexte des inquiétudes à propos du « trou » de la Sécurité sociale, accroissement de la part du financement fiscalisé.	Réinvestissement massif par l'État.
Services de proximité	Intégration des soins de proximité sur une base territoriale (création en 2004 de 95 réseaux locaux de santé).	Incitations à la création de réseaux de soins.	Longue tradition de responsabilité populationnelle des médecins généralistes.

Systèmes de santé

	Québec (Qc)/Canada (CND)	France	Royaume-Uni
Initiatives pour assurer la viabilité des systèmes de santé			
Régionalisation	Création en 2004 des agences régionales de santé, avec mandat de coordonner la réforme dans sa région.	Création en 1996 des ARH (agences régionales de l'hospitalisation) pour coordonner les services hospitaliers dans chaque région.	Système structurellement décentralisé.
Services spécialisés	Création en 2004 des RUIS (réseaux universitaires intégrés de santé), avec mandat de couvrir les besoins des réseaux locaux.	Création de grands réseaux autour de lourdes pathologies (Agence nationale du cancer).	Les médecins spécialistes hospitaliers fonctionnent comme des consultants des médecins généralistes.
Imputabilité/accréditation/ évaluation	Obligation de se soumettre à l'accréditation. Généralisation des démarches qualités. Ententes de gestion entre les établissements et le ministère de la Santé. Efforts pour créer des systèmes de suivi de la performance.	Système d'information hospitalier (Programme de médicalisation des systèmes d'information, PMSI). Schémas régionaux d'organisation des services (SROS). Création d'une Haute autorité de santé (accréditation, évaluation, qualité).	Système très opérationnel de suivi des activités et d'évaluation. Création du National Institute for Clinical Excellence (NICE). Volonté de créer des dynamiques marchandes de régulation.

Sources : OCDE (2005) ; CIHI (Canadian Institute for Health Information), 2004 ; S. Sandier et alii, *Systèmes de santé en transition*, Observatoire européen des systèmes et des politiques de santé, Copenhague, 2004 ; ministère de la Santé et des Services sociaux (MSSS, Québec, 2006) ; C. Ham, « Creative Destruction in the NHS », *BMJ*, n° 332, 2006.

Systèmes de santé

Références

Conference Board of Canada, *Challenging Health Care System Sustainability*, Ottawa, 2004.

A.-P. Contandriopoulos, J.-L. Denis, N. Touati, R. Rodriguez, « Intégration des soins : dimensions et mise en œuvre », *Ruptures*, 8(2), Montréal, 2001.

J.-L. Denis, « Governance and management of change in Canada's health system » *in* P. G. Forest, G. P. Marchildon, T. McIntosh (sous la dir. de), *Changing Health Care in Canada – Romanow Papers*, vol. 2, University of Toronto Press, Toronto, 2004.

C. Ham, *Creative Destruction in the NHS*, BMJ Publishing, Londres, 2006.

Horizon 2020, *Rapport préliminaire au schéma des services collectifs sanitaires. Quel système de santé à l'horizon 2020 ?*, Ministère de l'Emploi et de la Solidarité, DATAR-CREDES, La Documentation française, Paris, 2000.

M. McKee, J. Healy (sous la dir. de). *Hospitals in a Changing Europe*, Open University Press, Buckingham (R-U), 2002

R. B. Saltman, A. Rico, W. Boerma (sous la dir. de), *Primary Care in the Driver's Seat ?*, Open University Press, Buckingham (R-U), 2006.

R. B. Saltman, R. Busse, E. Mossialos (sous la dir. de), *Regulating Entrepreneurial Behaviour in European Health Care Systems*, Open University Press, Buckingham (R-U), 2002.

qui est très généralement reconnu comme souhaitable. Il est relativement facile, en s'inspirant des nombreux travaux menés (*voir bibliographie*), de définir les grandes caractéristiques d'un scénario vraisemblable pour les systèmes de santé de demain. Ses objectifs seraient les suivants :

1. maintenir un financement majoritairement public pour favoriser l'équité d'accès aux soins et l'intégration des différentes composantes du système, en particulier l'accès aux médicaments – ce qui exige des États vigilance et détermination pour éviter un glissement encore plus marqué vers le financement privé ;

2. favoriser la coopération entre les différents professionnels et organisations et œuvrer à une plus grande cohérence dans les décisions prises aux différents niveaux d'intervention du système ;

3. décentraliser le système pour tenir compte des réalités locales, offrir des soins intégrés de première et seconde ligne, accessibles et de qualité, ainsi que pour assumer la responsabilité de l'accès aux autres niveaux de soins ;

4. bénéficier de systèmes d'information intégrés et globaux sur l'utilisation des services, les coûts des prises en charge et les résultats sanitaires obtenus, en bref sur la performance du système et de ses différentes composantes ;

5. encourager les différents professionnels et organisations à être responsables envers leurs patients et à rendre collectivement des comptes sur la prise en charge et les résultats obtenus, entre autres par la mobilisation des connaissances scientifiques existantes pour améliorer les pratiques ;

6. repenser la formation des professionnels et des gestionnaires de façon à permettre à tous de mieux appréhender la complexité du système de santé et de pratiquer avec plus de réflexivité ;

7. revoir les finalités du système de soins de façon, d'une part, à le rendre directement responsable des domaines dans lesquels il peut agir (prévention, diagnostic, traitement, suivi des maladies spécifiques), d'autre part, à intégrer formellement le fait que c'est à la société tout entière que revient la responsabilité de la santé de la population.

Si l'accord sur ce qu'il convient de faire est très large, la question de la mise en œuvre des réformes reste entière.

La mise en place des réformes nécessaires pour assurer la viabilité des systèmes de santé des pays occidentaux implique que prenne naissance une dynamique de changement qui, de façon itérative, permette une réorganisation des structures du système et des évolutions dans les pratiques des différents acteurs.

Cette dynamique nécessite la volonté politique de prendre tous les risques associés à des changements radicaux, remettant forcement en question les pouvoirs des groupes actuellement dominants au sein du système, ainsi que la valorisation des initiatives émanant des professionnels et des décideurs locaux qui, au jour le jour, entreprennent d'innover dans leurs pratiques. Pour que la tension entre un changement planifié par en haut et les initiatives émergentes des acteurs locaux puisse engendrer les innovations nécessaires, il est indispensable qu'existe un large accord à la fois sur la nécessité du changement et sur ses finalités.

Ce projet de réforme, on le conçoit immédiatement, ne peut se limiter à une révision du système de santé. Il affectera, en fait, la société tout entière et pourrait devenir le grand chantier de la réforme de la démocratie, en montrant que les politiques publiques ont une véritable capacité à transformer les grandes institutions pour répondre aux attentes de la population. ▐

L'eau, ressource vitale, précaire et sans prix

Louise Vandelac
Sociologue, Institut des sciences de l'environnement, CINBIOSE, UQAM

Dès 2001, le Groupe d'experts intergouvernemental sur l'évolution du climat (GIEC) prévenait qu'en 2025, à la suite d'une succession d'événements extrêmes (« catastrophes naturelles ») associés aux changements climatiques, 5 des 8 milliards d'humains de la planète pourraient avoir de sérieuses difficultés à s'approvisionner en eau. L'élévation du niveau des mers et les inondations mêlant les eaux potables avec les eaux de mer et les eaux usées risqueraient en effet de provoquer des ruptures de stocks alimentaires et d'augmenter les maladies liés à la pénurie d'eau potable (malaria, choléra, diarrhées, etc.) qui menacent déjà 40 % de la population mondiale. Ces prévisions du GIEC s'appuient sur un scénario prévoyant une hausse des températures de 1 à 2 °C au cours du XXIe siècle, seuil au-delà duquel un emballement irréversible entraînerait une série de dérèglements climatiques, multipliant alors les problèmes économiques et sociopolitiques. Or, selon les données préliminaires de l'un des groupes de travail du GIEC datant de mars 2006, il faudrait s'attendre à des hausses de températures nettement plus élevées...

Dans ce contexte, l'eau, source vitale et insubstituable, limitée mais cycliquement renouvelée, symbolise à la fois le potentiel de vie mais aussi sa fragilité face à des menaces croissantes. L'eau a en effet été impliquée dans 90 % des catastrophes dites « naturelles » de la dernière décennie : crues, tempêtes, inondations, glissements de terrain, pollutions et sécheresses, rappelait le deuxième *Rapport mondial des Nations unies sur la mise en valeur des ressources en eau* de mars 2006. Ces catastrophes, souvent très meurtrières, ne sont pourtant que de pâles reflets des impacts des changements climatiques, appelés à s'intensifier dans les prochaines décennies.

En sommes-nous, pour autant, à la veille d'un déluge immergeant à moitié les tours de Manhattan, tel qu'illustré par les saisissants photos montages du magazine américain *Vanity Fair* en mai 2006 ? Risquons-nous de voir un jour la région de Shanghaï (40 millions d'habitants) ou celle de Calcutta (60 millions d'habitants) disparaître sous les eaux, comme l'évoque *An Inconvenient Truth*, documentaire choc réalisé par l'ancien vice-président américain Al Gore ? Si la fonte de la calotte polaire entraîne une surexposition au soleil des océans Arctique et Antarctique et une hausse marquée des températures jusqu'à un réchauffement irréversible, comment échapper à l'impitoyable hausse du niveau des mers, aux perturbations du grand courant marin du Gulf Stream et à la multiplication des événements extrêmes ? Dès lors, comment ne pas craindre pour la sécurité des trois milliards d'habitants qui vivent à moins de 125 milles des côtes, et particulièrement des populations démunies et vulnérables des régions déjà fragilisées par la destruction des barrières naturelles (milieux humides, barrières de coraux ou forêts de mangroves) ou par l'insuffisance d'ouvrages de protection ou de retenues ? À ce titre, les 1 600 victimes de l'ouragan *Katrina* qui a détruit La Nouvelle-Orléans en août 2005 ont fait figure de précurseurs.

Perturbation du cycle vital de l'eau

Les impacts hydriques des changements climatiques témoignent également de la dé-

térioration accélérée des écosystèmes qui, selon l'Évaluation des écosystèmes et du bien-être pour le Millénaire, dépasserait, depuis la seconde moitié du XXᵉ siècle, celle de toute l'histoire humaine. Selon le document synthèse de ce rapport de l'ONU, 60 % de tous les « services » qu'offrent les écosystèmes de la planète sont profondément dégradés ou sont exploités de façon insoutenable. Ainsi, leurs capacités de support au cycle des nutriments, à la régénération des sols et aux productions primaires, ainsi que leur rôle d'approvisionnement en eau fraîche, en aliments, en bois, en fibres et en carburant sont grandement affectés. La contribution des écosystèmes à la régulation du climat, des inondations, des maladies et à la purification des eaux est également perturbée, affectant les apports d'ordre culturel, esthétique, spirituel, éducatif et récréatif des écosystèmes. Bien que l'évaluation monétaire de la contribution des écosystèmes, estimée à 33 trillions de dollars (comparativement à 18 trillions pour toutes les productions humaines), soit fort controversée et fasse craindre leur mise à prix, elle met davantage en évidence encore l'absurdité de couper ainsi la branche sur laquelle nous sommes assis...

Il faut comprendre, en effet, que l'eau subit également les effets de la dégradation des écosystèmes. Ainsi, les pertes d'habitats, responsables d'un taux d'extinction des espèces, influent sur le régime hydrique, selon l'Union mondiale de la conservation de la nature. Par exemple, la disparition, depuis trois siècles, de la moitié des écosystèmes forestiers, littéralement rayés du territoire de 25 pays et réduits de 90 % dans 29 autres, affecte non seulement la biodiversité mais aussi la régulation des réserves d'eaux, dont dépendent 4,6 milliards de personnes. La qualité des réserves disponibles dépend également des quelque 1 280 millions d'hectares de milieux humides, qui jouent un rôle essentiel d'éponge, de filtre et de régénération de la biodiversité. Or, près de la moitié de certains de ces écosystèmes aurait été détruite ou dégradée au cours du XXe siècle, comme le rappelle le document synthèse de l'Évaluation pour le Millénaire sur les milieux humides. Sans compter les nombreux lacs, rivières et nappes phréatiques pollués, asphyxiés, voire exploités jusqu'à l'agonie : mer d'Aral réduite à l'extrême au milieu d'un désert de sel ; lac Tchad réduit en trente ans au vingtième de sa taille ; Ogallala, l'une des plus grandes nappes phréatiques du monde, en voie d'épuisement dans le sud-est des États-Unis.

Quand certains considèrent l'eau comme ressource infinie ou réductible à un outil de production, un circuit de transport, une marchandise, une source d'énergie, voire une poubelle, comment s'étonner de tels gâchis ? Heureusement, sous la pression des citoyens et des instances internationales – et bien qu'un travail imposant reste à faire –, la connaissance des milieux hydriques et des capacités de support des écosystèmes, de même que certains outils politiques et réglementaires se sont améliorés au cours des dernières années. Cela apparaît d'autant plus vital que, au-delà des capacités de régénération, les structures mêmes de nombreux écosystèmes sont désormais menacées, alors que les principes de fonctionnement des grands cycles biogéochimiques, comme ceux de l'eau, du nitrogène, du carbone et du phosphore, ont commencé à changer, plus rapidement, d'ailleurs, au cours du XXe siècle que jamais précédemment, selon le document de synthèse de l'ONU sur les écosystèmes et le bien-être.

La sécurité hydrique et biologique de la planète menacée

Devant l'ampleur et la gravité de la situation, une lecture renouvelée des enjeux hydriques s'impose donc. Tenant compte de la complexité des écosystèmes, de l'articulation entre les analyses scientifiques, socioéconomiques et politiques, et attentive aux exigences démocratiques, une telle appréhension globale et concertée peut permettre de limiter les contaminations, d'augmenter la productivité industrielle et agricole et de négocier les usages et partages de ces eaux dont nous ne sommes que fiduciaires. Ce type d'approche, inspiré des cycles naturels, se décline de mille façons (approche écosystémique, cycle de vie, écosanté, écodesign, économie écologique, éco-ingénierie, notion d'eau virtuelle, etc.), visant à réduire les dépenses d'énergie et de matières premières, à adapter les productions aux ressources, à limiter les impacts négatifs des processus et des produits, ce qui implique souvent d'intervenir, en amont, sur les orientations économiques et les politiques publiques.

Toutefois, devant les pénuries et la dégradation des ressources en eaux de nombreuses régions confrontées à une demande croissante, – tant pour l'agriculture, qui en accapare 70 %, que pour l'urbanisation accélérée –, ces perspectives s'estompent alors que les tensions s'aiguisent. Ce sont alors les conflits socioéconomiques et politiques et une gestion verticale, voire autoritaire, qui rythment l'accès à l'eau, le traitement des pollutions ou le règlement des conflits d'usage et des litiges transfrontaliers. À une gestion écosystémique de l'eau s'opposent en effet souvent des velléités d'accaparement, centrées notamment sur les marchés colossaux de la privatisation des services d'eau, des captages privés pour transferts massifs ou du commerce d'icerbergs et d'eaux embouteillées : quête d'« or bleu » des multinationales de l'eau, occupant les antichambres des grands forums mondiaux.

Cependant, les spécialistes reconnaissent que les problèmes hydriques tiennent davantage à l'inégale répartition géographique, socioéconomique et géopolitique des ressources, ou à leur surexploitation et à leur usage impropre qu'à des pénuries avérées. C'est dans ce contexte que, redoutant les impacts de la marchandisation

Références

M. Barlow, T. Clarke (préf. de L. Vandelac), *L'Or bleu*, Le Boréal, Montréal, 2002.

« La ruée vers l'eau », *Manière de voir*, nº 65, Le Monde diplomatique, Paris, 2002.

F. Lasserre, *Transferts massifs d'eau. Outils de développement ou instruments de pouvoir ?* Presses de l'Université du Québec, Sainte-Foy, 2005.

S. Paquerot, *Un monde sans gouvernail. Enjeux de l'eau douce*, Athéna, Outremont, 2005.

R. Petrella, *Le Manifeste de l'eau : pour un contrat mondial*, Labor, Loverdal, 1998.

M. de Villiers, *L'Eau*, Solin/Actes Sud/Léméac, Paris/Montréal, 1999.

de l'eau sur l'équilibre des écosystèmes et la santé des populations, de larges mouvements écocitoyens ont lancé des campagnes pour faire reconnaître l'eau en tant que « bien commun de l'humanité » et l'accès à l'eau comme un droit humain fondamental. Pour eux, la crédibilité même de tout projet de gestion écosystémique, globale et concertée de l'eau exige d'atténuer d'abord les criantes disparités socioéconomiques qui empêchent encore un milliard de personnes d'avoir de l'eau en quantité et en qualité suffisantes et qui en privent deux milliards des services sanitaires de base. À l'échelle du monde, cette pénurie de services d'eau et d'hygiène de base représente des coûts de santé et de services sociaux estimés entre 100 et 200 milliards de dollars par an. Or, il en coûterait, selon les Objectifs du Millénaire pour le développement, entre 9 et 30 milliards par an – soit une mince fraction des budgets militaires – pour assurer d'ici 2015 ces services de base à la moitié des populations urbaines et rurales qui en sont dépourvues. L'insuffisance des investissements collectifs dans ce domaine, source assurée de maladies liées à l'eau, risque donc de conduire, d'ici 2015, près de 50 millions d'humains (l'autre moitié des exclus de ces programmes, des enfants surtout) à payer de leur vie cette inqualifiable mesquinerie prenant l'allure d'un « génocide hydrique ». [*Voir aussi les articles « La lutte contre la désertification, une cause mondiale » et « Environnement – Conjoncture 2005-2006 ».*] ∎

La lutte contre la désertification, une cause mondiale

Marc Bied-Charreton
Géographe, Université de Versailles-Saint-Quentin-en-Yvelines, Comité scientifique français de la désertification

L'Assemblée générale des Nations unies a consacré 2006 comme l'«année des déserts et de la désertification», appelant à prendre la mesure de ce phénomène grave qui est pour l'instant largement sous-estimé : plus d'un milliard de personnes vivent sous la double contrainte de sécheresses croissantes et de l'instabilité des prix agricoles. Il en résulte une aggravation des situations de pauvreté et de l'environnement.

Le terme de «désertification» renvoie, dans la langue courante, aux phénomènes de dégradation des sols et de la végétation, de déplacements des sables et des dunes, de pénurie d'eau, ainsi qu'aux conditions de vie difficiles dans un environnement hostile. Les Nations unies, quant à elles, définissent la désertification comme «la dégradation des terres dans les zones arides, semi-arides et subhumides sèches par suite de divers facteurs, parmi lesquels les variations climatiques et les activités humaines». Il s'agit bien d'un processus complexe, qui conduit à la réduction de la fertilité du milieu naturel, donc à la baisse des revenus des habitants, et finalement à l'extension de la pauvreté. Des pratiques agricoles qui étaient autrefois adaptées ne le sont plus quand la population double et quand les pluies se raréfient. La lutte contre la désertification est donc indissociable de la question du développement durable des zones arides et semi-arides.

L'Afrique et l'Asie sont les continents les plus touchés : nord du Sahara, Sahel et Corne de l'Afrique, ainsi que de larges parties de l'Afrique de l'Est et de l'Afrique australe ; Inde, Pakistan, une partie de la Chine,

Asie centrale et Moyen-Orient. En Amérique du Nord et du Sud, le Mexique ainsi que certaines régions du Brésil, de l'Argentine et du Chili sont également affectés. Les régions concernées correspondent à 40 % des terres émergées de la planète. En 2000, 70 % des terres arides étaient en proie à la désertification (3,6 milliards d'hectares hébergeant plus d'un milliard de personnes). L'économie des pays menacés repose souvent essentiellement sur les ressources naturelles renouvelables, aussi le PIB est-il très sensible aux épisodes de sécheresses prolongées et à la dégradation des ressources.

Tous les scénarios développés par le rapport parrainé par l'ONU Millenium Ecosystem Assessment (Évaluation des écosystèmes pour le Millénaire, 2005) postulaient l'aggravation de ce processus dans les prochaines décennies, tant à cause des changements climatiques attendus qu'en raison de pratiques d'élevage et de culture inadaptées, de l'instabilité des prix agricoles et de l'insécurité politique et sociale. Si rien ne change, dans vingt-cinq ans, plus de 2 milliards de personnes seront touchées, dont 700 millions en Afrique.

Enjeux de la lutte contre la désertification (LCD)

La LCD relève tout d'abord de techniques physiques et biologiques dites de «réhabilitation» et de «restauration», permettant de fixer les dunes et les sables, de limiter l'érosion éolienne et hydrique, de favoriser l'infiltration de l'eau et la recomposition de la végétation herbacée et ligneuse et de relever la fertilité des sols. Elle relève

Références

P. Caron, M. Requier-Desjardins (dossier coord. par), *La Lutte contre la désertification, un bien public mondial environnemental?*, Agropolis/CSFD, Montpellier, 2002.

A. Cornet, « La désertification à la croisée du développement et de l'environnement, un problème qui nous concerne », *in* ADPF, *Johannesburg-Sommet mondial du développement durable 2002. Quels enjeux? Quelle contribution des scientifiques?*, Ministère des Affaires étrangères, Paris, 2002.

M. Mainguet, *Les Pays secs, environnement et développement*, Ellipses, Paris, 2003.

@ **Site Internet**

Comité scientifique français de la désertification
http://www.csf-desertification.org

ensuite d'une intégration de ces techniques dans des systèmes de culture assurant une augmentation de la production en même temps que la protection du milieu naturel (semis sous couvert végétal, par exemple). Mais, pour que ces techniques soient efficaces, les sociétés villageoises doivent se les approprier dans le contexte de politiques agricoles et d'investissements plus vastes, œuvrant notamment pour la formation, le renforcement de la société civile et la stabilisation des cours des produits agricoles.

Les acteurs de la LCD sont, en premier lieu, les agriculteurs et les éleveurs, qui se trouvent en position, à la fois, de détruire et d'entretenir leur environnement, et qui ont parfois développé des techniques efficaces et des stratégies utiles. Ces acteurs ne sont pas toujours écoutés par les pouvoirs publics, ils ne sont pas toujours bien organisés et leur niveau de formation est souvent faible. La recherche scientifique, quant à elle, a fait des propositions concernant l'amélioration génétique conventionnelle des semences et la gestion de l'eau notamment.

On estime que 50 milliards de dollars sont perdus chaque année (pertes de récolte en équivalent céréales) du fait de la dégradation des terres ; cette estimation ne prend pas en compte les dommages en terme de biodiversité et les effets indirects du phénomène comme la sédimentation dans les barrages. Or, les pays touchés vivent majoritairement des activités agricoles et de l'élevage ; comme, souvent, ni les États ni les populations n'ont les moyens d'investir dans la réhabilitation des sols, l'aide extérieure revêt une importance centrale. Les populations augmentent et l'argent envoyé par les migrants ne sert généralement qu'aux dépenses courantes (alimentation, santé, éducation, logement).

On estime qu'un budget de 400 dollars par an et par hectare pendant trois ou quatre ans suffirait pour réhabiliter les terres moyennement dégradées, avec un taux de retour économique des projets en zones arides compris entre 10 % et 20 %. Investir dans les zones arides est donc non seulement financièrement intéressant, mais absolument indispensable, de peur de voir, à terme, augmenter la pauvreté et se dégrader l'environnement local et bientôt mondial.

Difficile coordination des initiatives et de l'aide

La LCD a fait l'objet d'une prise de conscience dans les années 1970 mais aucune action d'envergure n'a été engagée ; la Conférence des Nations unies sur l'environnement et le développement (CNUED) de Rio, en 1992, a été l'occasion de créer une Convention des Nations unies sur la lutte contre la désertification, à l'instar des deux autres grandes conventions liées à l'environnement mises en place à la même occasion (biodiversité et changement climatique). Mais aucune ressource financière nouvelle n'est venue soutenir cette « convention des pauvres », faute d'enjeux industriels et commerciaux (comme c'est le cas des deux autres conventions). On s'est longtemps représenté la désertification comme un problème d'environnement et de développement local, relevant des mécanismes traditionnels de la coopération internationale. Or, celle-ci a enregistré une baisse régulière des crédits de l'aide publique au développement (APD), et notamment des investissements agricoles. Par ailleurs, au plan de l'environnement, l'accent a surtout été mis sur le climat et la biodiversité – qui ont bénéficié des crédits du GEF (Fonds pour l'environnement mondial) et de son équivalent français, le FFEM (Fonds français pour l'environnement mondial) – et pas, ou peu, sur la dégradation des terres.

La nécessaire synergie entre les actions relevant de la protection de la biodiversité, de l'adaptation aux changements climatiques et de la LCD semblait loin d'être acquise. De plus, toutes ces actions ne peuvent porter que mises en œuvre dans le cadre de stratégies globales de lutte contre la pauvreté. Les querelles bureaucratiques entre les ministères et les services, tant dans les pays développés que dans les pays touchés, sont un frein à l'efficacité de l'aide. Dans les pays menacés, la mauvaise articulation entre les services publics, souvent en mauvais état à la suite des opérations drastiques de privatisation et de décentralisation, et les acteurs de la société civile entrave également le bon usage des investissements et de l'aide publique. Ainsi, souvent, celle-ci ne parvient-elle pas à ses destinataires finaux, les agriculteurs et les éleveurs. Enfin, la société civile n'est pas très bien organisée dans de nombreux pays ; les groupements professionnels d'agriculteurs et d'éleveurs sont rares et pas toujours écoutés des pouvoirs publics. À cet égard, les ONG nationales et internationales ont un rôle de médiation et de formation important à jouer.

Ce n'est qu'en 2005 qu'a été ouvert un guichet « dégradation des terres » au GEF. Les aides bilatérales, comme l'aide française, permettent des actions importantes et significatives mais se situent bien en dessous de ce qu'il conviendrait de consacrer à la LCD. En 2004, par exemple, la France lui a alloué environ 60 millions d'euros en Afrique (développement rural, recherche scientifique, formation, décentralisation). Mais Paris n'avait pas encore développé une véritable stratégie d'action qui engloberait tous les aspects du développement dans les zones arides et semi-arides les plus touchées. Par ailleurs, la coordination entre les aides bilatérales et multilatérales n'est pas vraiment recherchée ; le Secrétariat de la Convention a joué un rôle important pour sensibiliser les pays à la LCD mais tant les gouvernements des pays touchés que les responsables de l'APD ne semblent en mesurer l'enjeu.

On constate donc que la désertification progresse, que les rendements agricoles décroissent dans beaucoup de pays et que la pauvreté augmente, alors que quelques dizaines de milliards de dollars alloués pendant quelques années à la LCD permettraient de redresser assez vite la situation. Pour situer ces enjeux, rappelons que l'APD totale à l'échelle du monde s'élève à environ 100 milliards de dollars, tandis que les fonds transférés par les migrants vers leurs pays d'origine sont de l'ordre de 200 milliards de dollars, mais ne peuvent, hors dispositif spécifique, être utilisés à cette fin.

Un « bien public mondial » ?

L'accroissement de la pauvreté et des inégalités en milieu rural, dans les régions arides et semi-arides, et les implications nationales et internationales de cette évolution font de la LCD une cause mondiale. Il convient donc qu'une action concertée soit mise en œuvre à échelle de la planète, coordonnant les initiatives locales, nationales et internationales. L'une des pistes explorées est que la LCD soit labellisée « bien public mondial » (concept proposé pour la pre-

Église catholique

mière fois par le PNUD – Programme des Nations unies pour le développement – en 1999), regroupant l'ensemble des techniques de LCD, les incitations à leur mise en œuvre collective, l'appui aux populations les plus démunies, la sécurité alimentaire et la lutte contre la pauvreté. La LCD deviendrait alors un ensemble de biens, de pratiques, de conditions, d'informations et de connaissances, offrant un cadre de référence à la réorganisation de la coopération internationale. Localement, c'est au niveau le plus décentralisé des communes et des organisations professionnelles que le « bien LCD » serait produit et organisé. Compte tenu de l'extrême pauvreté de celles-ci, il serait pris en charge financièrement par l'APD, en partenariat avec des crédits bancaires. Une utilisation judicieuse de l'APD et de crédits privés, garantis par les transferts des migrants et qui seraient investis dans la réhabilitation des terres et des activités non agricoles, apparaissait comme un objectif accessible, et permettrait de dégager sur le long terme des ressources publiques et privées, seules capables de répondre aux besoins des populations concernées. [*Voir aussi les articles « L'eau, une ressource vitale, précaire et sans prix » et « Environnement – Conjoncture 2005-2006 ».*] ∎

Église catholique : les défis à Benoît XVI

Hervé Yannou
Journaliste, Le Figaro, I.Média

19 avril 2005 : les cardinaux privilégiaient l'expérience de Joseph Ratzinger dans le choix du successeur de Jean-Paul II (décédé le 2 avril 2005), dont le pontificat de vingt-six ans et six mois a profondément marqué l'Église catholique et modifié l'image de la papauté. À 79 ans, Benoît XVI se trouvait ainsi à la tête de 1,9 milliard de catholiques, soit des fidèles représentant 17,2 % de la population mondiale. Davantage tourné vers les questions internes de l'Église, il choisissait d'appréhender la situation actuelle de l'Église dans la continuité du vaste héritage du pape polonais.

Moins charismatique que son prédécesseur, Benoît XVI a longtemps enseigné la théologie, ne pouvant se prévaloir que d'une courte expérience de terrain comme archevêque de Munich (1977-1981). Il entendait gouverner sa communauté en pasteur et souverain, mettant au centre de son enseignement « la vérité ». Sa première encyclique, *Deus caritas est*, publiée en janvier 2006, en est l'illustration. Pour revigorer une Église catholique en perte de vitesse, il a entrepris d'en réaffirmer l'identité pour lutter contre la « dictature du relativisme ». Face au modèle du pape voyageur et médiatique qu'était Jean-Paul II, son successeur a réduit le nombre des voyages à l'étranger, sans toutefois les abandonner. En août 2005, il s'est rendu aux JMJ (Journées mondiales de la jeunesse) de Cologne. À l'agenda 2006 figuraient quatre voyages : en Pologne (mai), en Espagne (juillet), en Bavière (septembre) et à Istanbul (novembre). En 2007, il devait se rendre en Israël et au Brésil.

Réformer le Saint-Siège et conserver ses prêtres

La papauté ressemble à une monarchie d'Ancien Régime où le monarque règne et gouverne entouré de conseils et de princes, ici les cardinaux. Le cardinal Ratzinger, préfet de la Congrégation pour la doctrine de la foi, avait dénoncé l'inflation de ces conseils et congrégations. Jean-Paul II avait laissé une grande latitude aux responsables de la Curie, le gouvernement central du Saint-Siège. La coordination laissait à désirer et Benoît XVI, homme de cabinet et de dossiers, a repris tranquillement les choses en main. Il a fait glisser des compétences d'un dicastère («ministère») à un autre, commencé à refondre l'organigramme du Saint-Siège, fusionnant en mars 2006 quatre dicastères en deux. Il a aussi nommé comme nouveau secrétaire d'État («Premier ministre») le cardinal Tarcisio Bertone (archevêque de Gênes). Faute d'être un diplomate comme ces prédécesseurs, celui-ci connaissait bien le fonctionnement interne de l'Église catholique, sur lequel le pape voulait centrer son action.

Cette omnipotence de la Curie renvoie à la question du développement de la collégialité épiscopale. Beaucoup d'évêques demandent plus de décentralisation. Benoît XVI a laissé davantage de marge aux épiscopats nationaux pour gérer les questions locales. En octobre 2005, lors du premier synode des évêques de son règne, il a instauré une heure quotidienne de débat libre. Le 23 mars 2006, il a réuni son premier consistoire («Sénat»). Il a réinstauré le «Conseil des ministres» (réunion strictement consultative des cardinaux et évêques en charge d'une administration dans le Saint-Siège), tombé en désuétude à la fin du règne de son prédécesseur. Si Benoît XVI aimait écouter, il ne se ralliait cependant pas à une majorité et décidait seul.

Un défi majeur à relever est d'éloigner le spectre d'une Église sans prêtres. En janvier 2006, le nombre des prêtres dans le monde était de 405 891 avec d'importants contrastes entre continents : forte augmentation en Asie et en Afrique, stabilité dans les deux Amériques et dans le Pacifique sud, net recul en Europe, qui perd en moyenne 2 000 prêtres annuellement. Le pape se trouvait confronté au contenu de la «pastorale des vocations» (enseignement pour recruter et former de nouveaux prêtres), à l'isolement croissant des serviteurs de l'Église, témoins et parfois coupables de scandales sexuels et pédophiles dans leur communauté, en Amérique du Nord et en Europe, à la question de l'accès au ministère ordonné d'hommes mariés. Benoît XVI a réaffirmé le «don» du célibat sacerdotal en octobre 2005. Le problème de la place des femmes demeure, mais la question de leur accès à la prêtrise est close, l'Église considérant plus que jamais que le prêtre agit au nom du Christ, donc comme un homme au nom d'un autre homme. Reste plus ouverte la possibilité de leur accès au diaconat. Le 13 mars 2006, Benoît XVI a ouvert la voie à une réflexion sur ce sujet en recevant les prêtres de Rome.

Approfondir le dialogue entre chrétiens et avec les autres religions

Le dialogue entre Églises et communautés chrétiennes a été élevé au rang de priorité par Benoît XVI. Jean-Paul II avait marqué une étape décisive avec son encyclique *Ut unum sint* (1995), dans laquelle il envisageait de revoir les formes d'exercice de la primauté du pape «sans renoncer à l'essentiel de sa mission». Benoît XVI a multiplié les gestes en direction des protestants et des responsables des Églises orthodoxes, sans méconnaître les difficultés. En juin 2005, dans un message au patriarcat œcuménique de Constantinople, il a rappelé que l'unité n'est «ni une fusion ni une assimilation, mais le respect de la plénitude multiple de l'Église». Le 19 août 2005 à Cologne, il appelait de ses vœux la diffusion d'un message commun émanant des différentes confessions chrétiennes sur les grands su-

Église catholique

Références

Annuaire statistique de l'Église, Libreria Editrice Vaticana, Vatican, 2005.

A. Besançon, « Situation de l'Église catholique au seuil d'un pontificat », *Commentaire,* n° 113, Paris, print. 2006.

J. Chélini, *Benoît XVI. L'héritier du Concile,* Hachette, Paris, 2005.

J.-M. Guénois, *Benoît XVI, le pape qui ne devait pas être élu,* Jean-Claude Lattès, Paris, 2005.

B. Lecomte, *Benoît XVI. Le dernier pape européen,* Perrin, Paris, 2006.

H. Tincq, *Le Catholicisme,* Marabout/Le Monde-Éditions, Paris, 1996.

jets de société, notamment éthiques. Il souhaitait aussi débloquer certains dossiers, pierres d'achoppement pour Jean-Paul II, comme les relations toujours difficiles avec l'Église orthodoxe de Russie. Le patriarche de Moscou Alexis II avait repoussé ses tentatives de rapprochement, lui reprochant son prosélytisme, notamment en Ukraine. Fin août 2005, Benoît XVI a aussi exprimé son désir de résoudre le schisme anticonciliaire des fidèles de l'évêque français Marcel Lefebvre, chef de file d'un courant intégriste excommunié en 1988.

Une autre urgence était d'instaurer un dialogue avec le monde musulman, dont les éléments les plus extrémistes légitiment leurs actions violentes en invoquant « le nom de Dieu », assimilant parfois le christianisme à l'ennemi occidental. Le dialogue avec l'islam se trouve notamment entravé par l'absence d'interlocuteurs représentatifs dans un monde musulman extrêmement divisé. Concernant l'islam, Benoît XVI a particulièrement affirmé ses convictions. En février 2006, lors de l'affaire des caricatures du Prophète publiées par un journal danois (et reprises dans la presse d'autres États occidentaux ensuite), il a appelé à un esprit de tolérance « réciproque » et demandé un sursaut de l'islam modéré. En mars 2006, il a souhaité que le dialogue islamo-catholique quitte le registre religieux pour s'étendre aux échanges culturels. Le syncrétisme, parfois affirmé par des hommes de confiance de Jean-Paul II, a été écarté.

C'est avec le judaïsme que le dialogue de l'Église catholique est le plus avancé, depuis la déclaration *Nostra aetate* du concile Vatican II en 1965. Jean-Paul II avait multiplié gestes et visites historiques. Benoît XVI a repris le flambeau, lourd pour un pape allemand marqué par le nazisme qu'il n'a cessé de condamner. Le 19 août 2005, il s'est rendu à la synagogue de Cologne en Allemagne, et a qualifié la Shoah de « crime inouï », avant de se recueillir, le 28 mai 2006, au camp d'extermination d'Auschwitz, en Pologne.

Défendre ses positions « urbi et orbi »

Au-delà du dialogue interreligieux, nombreuses sont les terres d'évangélisation ou de réévangélisation potentielles pour le Vatican. La première est l'Asie, « continent du troisième millénaire » où vivent 10,4 % des catholiques (112,9 millions de fidèles, soit seulement 3 % de la population, mais en augmentation de plus de 2 % par an), selon les estimations officielles de 2004. Benoît XVI aimerait engranger les succès souhaités par son prédécesseur. Trois des quinze cardinaux créés en mars 2006 étaient asiatiques. La Chine et ses 30 millions de chrétiens sont un enjeu de taille. Benoît XVI avait pour dessein la reconnaissance de la liberté religieuse par Pékin et le rétablissement des relations diplomatiques rompues en 1951. 5 millions de catholiques appartiennent à l'Église officielle qui n'a pas de relations avec le Vatican, entre 5 et 10 millions d'autres fidèles sont membres de l'Église clandestine. Pékin a reconnu en mars 2006 ses contacts avec le Saint-Siège, mais a posé comme préalable à l'instauration de relations diplomatiques que Rome abandonne sa représentation à Taiwan. La Chine craint notamment une ingérence du pape à travers les nominations épiscopales. Une détente s'est aussi manifestée avec le Vietnam. Le régime de Hanoi ne reconnaît pas le Vatican, mais ne peut ignorer ses 6 millions de catholiques. En novembre 2004, le gouvernement vietnamien a accru son contrôle sur les activités religieuses, mais des délégations du Saint-Siège se rendent régulièrement dans le pays et, en juin 2005, une délégation vietnamienne a été reçue à Rome. Là encore, en préalable à l'échange d'ambassadeurs, Hanoi demande des garanties sur la nomination des évêques.

En Asie, en Amérique latine comme en Afrique (où se situe désormais la majorité des catholiques), on assiste ces dernières années à la montée des communautés évangéliques, qui prônent une relation directe avec Dieu, ne sont pas dirigées de manière aussi hiérarchique que la communauté catholique et intègrent souvent des traditions locales. Les questions de la proximité de l'Église avec les fidèles, de la formation du clergé, de sa capacité à proposer un rituel correspondant aux attentes sont ainsi posées. L'Amérique latine, « continent de l'espérance » réunissant encore un tiers des catholiques du monde, reste au cœur de la géopolitique spirituelle du Vatican. Le continent n'est plus tenté par l'élan révolutionnaire de la « théologie de la libération », mais par les petites Églises pentecôtistes qui grignotent annuellement 1 % à 2 % de ses fidèles à la communauté catholique et

disposent du soutien de leurs bases américaines.

Dans une moindre mesure, l'Afrique, connaît également ce phénomène. L'Église catholique y recule aussi devant l'islam. L'Afrique, deuxième continent catholique après l'Europe (280 millions de fidèles), compte près de 149 millions d'adeptes, enregistrant une augmentation de 162 % en vingt-six ans. Là, le célibat des prêtres constitue un véritable problème. La lutte contre la pauvreté et surtout contre le sida y apparaît prioritaire.

Amérique latine et Afrique attendent un signal fort de la part de Benoît XVI et d'une Église encore très européenne, qui perçoit difficilement leurs spécificités.

L'Europe déchristianisée est aussi devenue une « terre de mission » pour le Vatican. Le divorce entre l'Église et la société est de plus en plus brûlant. Les incompréhensions entre Benoît XVI et une Europe qui oublie ses « racines chrétiennes » sont nombreuses, aussi bien sur les thèmes de la laïcité, de la cohabitation extraconjugale, du mariage homosexuel, de l'avortement, de l'enseignement, que des possibilités d'élargissement de l'Union européenne à la Turquie, auxquelles, encore cardinal, il s'était opposé. Cette fracture est évidemment liée aux prises de position du Vatican sur les grandes questions de société. La recherche sur les cellules souches, l'euthanasie, la contraception et surtout l'utilisation du préservatif (condamnée par Jean-Paul II) font l'objet de nombreuses polémiques. L'intransigeance du pape polonais a parfois été mal vécue. En fonction des réponses qu'apportera Benoît XVI à ces questions sera jugée la capacité d'adaptation de l'Église catholique face à l'évolution des mœurs ou, au contraire, son désir de réaffirmer ses principes moraux pour demeurer un repère face à « la dictature du relativisme ». ■

Diversité culturelle

Convention sur la diversité culturelle : un traité velléitaire face à l'OMC

Gilbert Gagné
Politologue, Université Bishop's (Sherbrooke), UQAM

La 33e conférence générale de l'UNESCO (Organisation des Nations unies pour l'éducation, la science et la culture), tenue en octobre 2005, a abouti à la mise au point d'une Convention sur la protection et la promotion de la diversité des expressions culturelles. Ce projet a été adopté par 148 voix ; seuls les États-Unis et Israël s'y sont opposés, tandis que l'Australie, le Libéria, le Honduras et le Nicaragua s'abstenaient. Cette Convention devait entrer en vigueur trois mois après le dépôt du trentième instrument de ratification. Au printemps 2006, le Canada et Maurice l'avaient déjà ratifiée.

L'adoption de cette Convention résulte de préoccupations grandissantes depuis les années 1990 quant aux effets homogénéisants de la mondialisation. Cette question met en scène des enjeux de deux ordres. D'abord, ceux liés à la protection de la diversité culturelle dans son acception large, c'est-à-dire comme appartenant au patrimoine commun de l'humanité, en faisant un parallèle avec la biodiversité et en insistant sur la dimension fondamentale et essentielle des droits culturels pour la dignité des êtres humains. En tant qu'agence des Nations unies mandatée pour traiter des questions culturelles, l'UNESCO s'est trouvée au centre des débats. Or, progressivement, ceux-ci ont de plus en plus pris en compte les rapports entre culture et commerce. En effet, le second type d'enjeux entrant en ligne de compte est lié au commerce et à l'investissement dans les industries culturelles, qui relèvent des négociations internationales sur le commerce mondial chapeautées par l'OMC (Organisation mondiale du commerce). Face aux partisans d'une libéralisation tous azimuts, la notion d'« exception culturelle » a été principalement défendue par le Canada (le Québec, notamment) et la France, faisant valoir que les biens et services culturels sont plus que de simples marchandises car ils permettent l'expression de valeurs et d'identités. Or ce débat s'est élargi du traitement des biens et services culturels à l'impact de la libéralisation des échanges sur les identités culturelles.

Les États-Unis se sont opposés à la Convention, même si cette dernière se défendait de toutes visées protectionnistes. En effet, pour Washington, adepte d'une stricte doctrine libérale, toute action perçue comme une interférence au principe de libre circulation des idées est inacceptable. En outre, les industries de l'information, de la communication et du divertissement occupent un rôle central dans l'économie des États-Unis, représentant l'un des secteurs d'exportation les plus profitables. Or c'est précisément la place importante sinon prépondérante qu'occupent les industries culturelles américaines dans le paysage mondial qui a suscité les principales craintes et amené à défendre et à promouvoir la diversité culturelle, au besoin en postulant des restrictions à la libéralisation des échanges. Les États-Unis redoutaient donc au premier chef l'impact de la Convention quant aux degrés d'ouverture des marchés.

Diversité culturelle

Un « cadre de cohérence » aux diverses négociations internationales

L'idée essentielle sous-tendant la position adoptée à l'UNESCO était de faire reconnaître la dimension proprement culturelle de certains échanges, de manière à contrer un registre de négociations, au sein de l'OMC, dans lesquelles la culture ne serait prise en compte que sous la forme d'une exception aux règles commerciales. La Convention est ainsi destinée à servir de cadre de référence en vue de renforcer la capacité du système international à atteindre un certain niveau de cohérence entre l'objectif de la diversité culturelle et les autres objectifs de politique publique, telle la politique commerciale.

Le préambule de la Convention souligne notamment la double nature – économique et culturelle – des activités, biens et services culturels, de même que l'importance de la diversité culturelle pour la pleine réalisation des droits de l'homme et des libertés fondamentales. Parmi les objectifs visés, on mentionne ceux de protéger et promouvoir la diversité des expressions culturelles ; de reconnaître la nature spécifique des activités, biens et services culturels ; de réaffirmer le droit souverain des États de conserver, d'adopter et de mettre en œuvre les politiques et mesures qu'ils jugent appropriées pour la protection et la promotion de la diversité des expressions culturelles sur leur territoire ; de renforcer la coopération et la solidarité internationales dans un esprit de partenariat, afin, notamment, d'accroître les capacités des pays en développement (PED). Au chapitre des principes opérationnels figurent l'accès équitable, l'ouverture et l'équilibre. Ils visent notamment à garantir que la promotion des expressions culturelles nationales s'articule à l'ouverture aux autres cultures, le tout au vu des objectifs de la Convention. Il est à souligner que la Convention évite toute mention spécifique des droits culturels et des droits collectifs, tenant à esquiver un débat politiquement délicat.

Pour ce qui est des relations avec les autres traités internationaux, l'article 20 de la Convention insiste sur le soutien mutuel, la complémentarité et la non-subordination. Les États signataires reconnaissent qu'ils doivent remplir de bonne foi leurs obligations en vertu de la Convention et de tous les autres traités auxquels ils sont parties. Ainsi, sans subordonner cette Convention aux autres instruments, ils encouragent le soutien mutuel entre cette Convention et les autres traités qu'ils ont signés.

Un traité trop peu contraignant ?

Par rapport à la question du règlement des différends, la Convention insiste sur la recherche de solutions négociées. D'un commun accord, les parties peuvent recourir aux bons offices ou à la médiation. Si le litige persiste, l'une des parties peut avoir recours à la conciliation. Une commission de conciliation est alors créée, qui rend une proposition de résolution du différend que les parties examinent de bonne foi (article 25 et annexe). Hormis pour ce qui touche la procédure de conciliation, le mécanisme envisagé n'est pas obligatoire en ce qu'il requiert une volonté conjointe des États parties. De plus, chacun peut, au moment de la ratification, de l'acceptation, de l'approbation ou de l'adhésion, déclarer qu'il ne reconnaît pas la procédure de conciliation.

Dans la mesure où la Convention doit avant tout servir de cadre de référence et de code de conduite aux gouvernements en vue de favoriser la diversité culturelle, un mécanisme contraignant n'apparaissait pas avisé. En outre, la Convention a peu à voir avec les engagements plus spécifiques et les dispositions élaborées des accords commerciaux internationaux. Le mécanisme de résolution des différends ne doit être utilisé que dans le cas d'une interprétation ou d'une application controversée de la Convention. Or c'est ce type de questions qui alimentait principalement les disputes soumises au mécanisme de règlement des litiges de l'OMC. En fait, les dispositions retenues en

Diversité culturelle

Références

F. de Bernard (sous la dir. de), *Europe, diversité culturelle et mondialisations*, L'Harmattan, Paris, 2005.
G. Gagné (sous la dir. de), *La Diversité culturelle : vers une convention internationale effective ?*, Fides, Montréal, 2005.
A. Mattelart, *Diversité culturelle et mondialisation*, La Découverte, Paris, 2005.
UNESCO, *Convention sur la protection et la promotion de la diversité des expressions culturelles*, Paris, 20 oct. 2005.
UNESCO, *Déclaration universelle de l'UNESCO sur la diversité culturelle*, Paris, 2 nov. 2001.

matière de règlement des différends laissaient craindre, d'ores et déjà, le caractère inopérant de la Convention. On sait que les dispositions du système commercial international sont plus développées et contraignantes, particulièrement concernant les contentieux et le pouvoir de sanction.

Aussi, depuis 2002, les États-Unis multiplient-ils les accords de libre-échange avec un ensemble de pays à travers le monde. Ces traités, pour la plupart bilatéraux, limitent de manière significative la latitude des États parties pour poursuivre des politiques culturelles. De tels accords constituent une menace à la diversité culturelle du fait que la Convention de l'UNESCO ne prévoit pas d'effet rétroactif et que, en règle générale, ces traités bilatéraux ont, pour les États parties, préséance sur tout traité multilatéral existant ou à venir. Force est de conclure qu'en ne souscrivant aucune obligation un tant soit peu contraignante en matière de règlement des différends dans le cadre de la Convention, la communauté internationale a montré qu'elle n'était pas prête à s'engager en faveur de la diversité culturelle au-delà de simples obligations morales.

Une mobilisation à plusieurs vitesses

Si le Canada et la France continuent d'être les principaux promoteurs d'une Convention efficace, l'effort de mobilisation qui a permis son adoption a apparemment fait en sorte de sensibiliser beaucoup d'États à l'importance de la défense de la diversité culturelle. Les PED espèrent notamment être soutenus dans la mise en place et/ou le renforcement de leurs politiques culturelles, et ce à travers un Fonds international pour la diversité culturelle, prévu par la Convention, et un traitement préférentiel pour leurs artistes, biens et services. Parmi les États européens, alors que la France, l'Allemagne et la Belgique ont pris les devants afin de faire adopter la Convention, le Royaume-Uni, les Pays-Bas et les pays scandinaves étaient plutôt tièdes face à cette initiative. Aussi, quand les États de l'Union européenne ont résolu, au cours de 2005, de parler d'une seule voix à l'UNESCO, il a été assez incongru d'entendre le Royaume-Uni, en tant que président de l'Union, défendre le projet de Convention.

Enfin, face aux impératifs économiques et aux négociations commerciales, rappelons que la Convention tient d'une démarche qui relève d'abord de l'action des ministres de la Culture. Or ces derniers n'occupent généralement pas une place centrale dans les Conseils des ministres. À moins que les ministres de la Culture ne bénéficient d'un soutien sans faille de leurs collègues et surtout de leur chef de gouvernement, les titulaires des ministères à vocation économique, et leurs clientèles respectives, risquent de s'opposer aux coûts des tensions diplomatiques qui pourraient résulter de divergences liées à la défense de la diversité culturelle. À cet égard, la bataille de la diversité culturelle risque fort de se jouer tout autant, sinon plus, au sein des États que sur la scène internationale. ■

Les enjeux de la période

Enjeux régionaux

Les gauches
au pouvoir en
Amérique du Sud ;
L'Europe après
le rejet du TCE ;
Le Congo
(-Kinshasa) entre
guerre et paix ;
Le Moyen-Orient
depuis 2003 (Irak,
Iran, Israël, Liban,
Territoires
Palestiniens) ;
Asie du Nord-Est,
entre tensions
et intégration.

Gauche en Amérique du Sud

La gauche latino-américaine élue, plus gestionnaire que « révolutionnaire »

Olivier Dabène
Politologue, CERI-Sciences Po

L'Amérique latine a souvent connu, au cours de son histoire, des vagues de changements politiques. Que l'on songe à la période populiste (années 1930-1950), aux coups d'État des années 1960, suivis des réformismes militaires (années 1968-1973), puis aux dictatures faisant régner la terreur et aux transitions vers la démocratie. Le début du XXIᵉ siècle ne semblait pas devoir faire exception. Avec l'arrivée au pouvoir de Hugo Chavez au Vénézuela (1999), Luis Inacio « Lula » da Silva au Brésil (2002), Nestor Kirchner en Argentine (2003), Tabaré Vazquez en Uruguay (2004), Evo Morales en Bolivie (2005) et Michelle Bachelet au Chili (2006), l'Amérique latine a changé brusquement de visage.

Le virage à gauche incarné par ces présidents révélait un paradoxe, un espoir et un défi. Paradoxe de voir la gauche gagner des élections, alors qu'elle s'en était montrée incapable tout au long du XXᵉ siècle, et ce une dizaine d'années après avoir semblé affaibli par la disparition du modèle socialiste. Espoir, aussi, de voir les problèmes sociaux du continent pris au sérieux, après des décennies de philanthropie, populiste ou libérale. Défi, enfin, au plan international, car le contraste apparaissait saisissant avec l'orientation conservatrice de la présidence Bush aux États-Unis.

Tourner la page d'une décennie de dérégulation

Deux raisonnements prévalent pour expliquer l'arrivée de la gauche au pouvoir en Amérique latine. En creux, tout d'abord, on relèvera qu'après avoir engendré des *outsiders* s'adonnant à la rhétorique antipolitique, la frustration sociale a produit les ajustements néolibéraux des années 1990, puis a orienté les électeurs vers la dernière tendance politique dont les capacités à gouverner n'avaient pas encore été testées au plan national.

Ce recours électoral résiduel à la gauche n'explique pourtant pas tout. Car, à d'importantes nuances près, il est vrai, les partis de gauche qui ont remporté les élections apparaissaient à la fois très pragmatiques et prudents dans leurs discours et très proches des mouvements sociaux. Cette dissonance permettait de séduire aussi bien les patronats que les secteurs sociaux déshérités, mais pouvait aussi classiquement engendrer des problèmes de gouvernabilité.

Le « consensus de Washington » (prescriptions économiques d'inspiration libérale pour le redressement des États en difficulté, en particulier ceux d'Amérique du Sud) faisant, au milieu des années 2000, l'unanimité contre lui, même à la Banque mondiale, les partis de gauche, qui se sont montrés constants dans leurs critiques des errements du néolibéralisme, apparaissaient crédibles s'agissant de revenir sur une décennie de dérégulation.

Le point commun de ces gouvernements de gauche était bien la volonté de se doter de capacités de régulation. Chez tous ces dirigeants se retrouvait la conviction que la puissance publique doit jouer un rôle régulateur, tout particulièrement dans le

Gauche en Amérique du Sud

traitement des problèmes sociaux, mais aussi dans la maîtrise des ressources naturelles ou la promotion du développement soutenable. Tous tentaient de mettre en œuvre des politiques redistributives ciblées (logement, éducation, santé, notamment), s'appuyant sur des réformes, fiscales, afin de doter la puissance publique de ressources, et administratives, afin que ces ressources ne viennent pas huiler les rouages clientélistes incrustés au sein de l'appareil d'État.

Dans le même temps, ils partageaient la volonté d'approfondir la démocratie, en mettant en place des dispositifs participatifs, notamment au niveau local, et en garantissant la transparence de l'action publique. Le succès du budget participatif, mis en place dès 1989 par le Parti des travailleurs (PT) brésilien à Porto Alegre, a inspiré de nombreux autres responsables politiques de gauche dans le continent et au-delà.

Diversité des expériences de pouvoir

Au-delà de ce socle commun, les différences l'emportent. Il y a bien plusieurs gauches en Amérique latine, ce qui ne doit au reste pas surprendre, au vu de la diversité des trajectoires politiques des pays concernés. Trois variables permettent de distinguer les gauches de gouvernement en Amérique latine : les liens avec les mouvements sociaux, les styles de gouvernement et la relation avec les États-Unis.

Le Parti des travailleurs (PT) au Brésil, le Mouvement vers le socialisme (MAS) en Bolivie ou le Parti de la révolution démocratique au Mexique (PRD) peuvent en grande partie être considérés comme des prolongements politiques des mouvements sociaux. Certes, les gauches « ouvriériste » brésilienne et indienne bolivienne ne sont pas de même extraction, mais, au Brésil, Lula a dû faire face à l'impatience de sa base électorale. E. Morales, ancien président du syndicat des producteurs de feuilles de coca, s'exposait à connaître le même sort.

La gauche incarnée par Ricardo Lagos (2002-2006) puis par M. Bachelet au Chili est, de ce point de vue, très différente, car déliée des mouvements sociaux. En ce sens, elle n'entretenait plus qu'une très lointaine relation de parenté avec le socialisme de Salvador Allende du début des années 1970, et pouvait sans trop de risque assumer l'héritage des réformes libérales tout en s'employant à lutter contre la pauvreté et les inégalités. D'une certaine façon, T. Vazquez en Uruguay entre dans cette catégorie. Lors de la campagne pour l'élection présidentielle au Mexique, le candidat de la gauche Andrés Manuel Lopez Obrador avait aussi entrepris de s'en rapprocher ; le 19 janvier 2006, il déclarait : « Qu'on m'écoute bien et qu'on m'écoute loin. Oui, il y aura une économie de marché, mais l'État encouragera le développement social pour combattre les inégalités. »

Deuxième variable discriminante, les styles d'exercice du pouvoir sont apparus diversifiés au sein de cette gauche de gouvernement. H. Chavez et, dans une moindre mesure, N. Kirchner entrent sans aucun doute dans la catégorie des dirigeants populistes, tels que l'Amérique latine en a produit en nombre. Outre ses penchants personnels, le style de H. Chavez s'explique par la déliquescence du système des partis au Vénézuela, ce qui n'était pas le cas en Argentine. Il recèle, par ailleurs, des traits autoritaires qu'ignoraient aussi les Argentins.

Mais, fondamentalement, tout sépare ces deux dirigeants de leurs homologues qui réprouvent toute trace de démagogie.

Variante dans la relation aux États-Unis

Bien qu'il soit toujours difficile de démêler l'écheveau de la défense des intérêts et des valeurs, la position du pouvoir vénézuélien s'écartait ostensiblement de celle du Chili ou du Brésil. Sur le continent, les réflexes populistes poussent toujours et assez naturellement les dirigeants vers le nationalisme et l'anti-américanisme. H. Chavez ne dérogeait pas à la règle. Son discours sur l'agression nord-américaine n'était toutefois pas sans fondement, les États-Unis ayant rapidement reconnu le gouvernement issu de la tentative de coup d'État d'avril 2002. Et le président George Bush n'a, par ailleurs, jamais fait mystère du peu de sympathie que lui inspirait la révolution bolivarienne du chef d'État vénézuélien. Celui-ci, de son côté, ne manquait pas une occasion de se montrer solidaire de Cuba et de fustiger l'arrogance et l'impérialisme nord-américains, tout en continuant à vendre son pétrole aux États-Unis. La «pétrodiplomatie» permettait à H. Chavez de redessiner la carte de l'intégration énergétique du continent et de donner corps à une Alternative bolivarienne pour les Amériques (ALBA), clairement orientée contre les États-Unis.

Le Brésil de Lula, tout comme le Chili de R. Lagos et M. Bachelet souhaitaient de leur côté entretenir des relations «adultes» avec les États-Unis. Lula s'est fait le champion de la défense des intérêts économiques de son pays, notamment au sein de l'OMC (Organisation mondiale du commerce), mais avait besoin de l'appui des États-Unis pour obtenir un jour un siège permanent au sein du Conseil de sécurité de l'ONU. R. Lagos, pour sa part, s'est montré capable de s'opposer à la guerre en Irak au moment où il négociait un accord de libre-échange avec les États-Unis.

Les uns comme les autres se sont montrés favorables aux progrès de l'intégration régionale en Amérique latine, mais selon des modalités divergentes. Alors que le Vénézuela devenait membre du Mercosur (Marché commun du sud de l'Amérique) tout en proposant une alternative continentale (ALBA), le Brésil soutenait un projet de Communauté sud-américaine de nations (CSAN), tandis que le Chili confirmait sa stratégie de «cavalier seul».

L'éventualité d'une reprise des négociations avec les États-Unis pour ressusciter le projet de Zone de libre-échange des Amériques (ZLEA) n'intéressait vraiment aucun de ces dirigeants de gauche, soit qu'ils aient opté pour d'autres stratégies (approfondissement de l'intégration sud-américaine pour le Brésil et la Bolivie), soit qu'ils aient déjà signé un accord de libre-échange avec les États-Unis (Chili, Mexique).

Premiers résultats socio-économiques très contrastés

En dépit de leurs différences, peut-on tirer des enseignements généraux des trois expériences de gouvernement de gauche disposant d'un certain recul, notamment au plan social?

Au Vénézuela, H. Chavez, solidement installé au pouvoir depuis 1998, n'avait jusque-là guère convaincu en matière de lutte contre la pauvreté. La part des Vénézuéliens pauvres est passée, selon la CEPALC (Commission économique de l'ONU pour l'Amérique latine et les Caraïbes), de 48 % en 1997 à 48,6 % en 2002, il est vrai dans le contexte d'une conjoncture économique difficile. La hausse des cours du pétrole depuis 2003 a accordé à H. Chavez une marge de manœuvre considérable, et la pauvreté diminuerait désormais dans des proportions qui font toutefois l'objet de polémiques.

Au Brésil, entre 2002 et 2006, Lula a indiscutablement réussi là où il était le moins attendu: l'économie se porte bien, et le Brésil s'est affirmé comme un acteur incontournable dans les négociations mondiales au sein de l'OMC. Le rythme des réformes a, en revanche, déçu les mouvements sociaux, que ce soit la réforme agraire ou le plan de lutte contre la faim («Faim zéro»). Au Chili, R. Lagos disposait d'un bilan social enviable, avec une baisse appréciable de la pauvreté, mais un accroissement des inégalités, s'appuyant sur une forte croissance économique. Il est vrai que certains gouvernements de gauche misaient sur l'éducation comme instrument de réduction de la pauvreté, mais dont les effets ne

Constitution européenne

pouvaient se faire sentir que sur le long terme. De manière générale, la gauche de gouvernement latino-américaine est bien devenue « gestionnaire », n'ambitionnant plus de bouleverser les structures économiques et sociales du continent. La mue apparaissait prometteuse. ▨

Après l'échec de la Constitution européenne, quelle relance du processus institutionnel ?

Paul Magnette
Institut d'études européennes (Université libre de Bruxelles)

Le rejet par les peuples français et néerlandais du Traité constitutionnel européen (TCE), consultés par référendum respectivement le 29 mai et le 1er juin 2005 (54,64 % et 61,6 % de « non »), a révélé une profonde crise du projet européen. Depuis le début des années 1990, l'Union européenne avait suscité des craintes toujours plus palpables. En 1992, le rejet (temporaire) du traité de Maastricht par le peuple danois et sa ratification très serrée en France ; le déclin du soutien à l'intégration européenne mesuré tout au long de la décennie par les enquêtes d'opinion ; la croissance continue de l'abstention et des votes protestataires lors des élections européennes de 1994, 1999 et 2004 ; l'installation durable de partis politiques eurosceptiques dans les espaces publics nationaux ; la multiplication des manifestations anti-Bruxelles… tout cela indiquait, dès avant les campagnes référendaires, que l'entreprise européenne souffrait d'une crise de légitimité larvée.

Un traité encadrant et prolongeant les précédents

L'idée de créer une « convention européenne » et de lui confier la mission de rédiger un projet de traité constitutionnel se voulait une réponse à cette montée des inquiétudes. Les chefs d'État et de gouvernement réunis à Laeken (banlieue de Bruxelles), en décembre 2001, avaient conscience de la nécessité de répondre aux critiques que suscitait une Europe perçue comme trop libérale par les uns, trop dirigiste par d'autres, et pas assez démocratique par tous. Ils savaient aussi que les grands engagements des années 1990 (la création de l'euro, le lancement de nouvelles coopérations en matière de politique étrangère et de sécurité intérieure, l'élargissement de l'Union aux pays d'Europe centrale et orientale, la libéralisation du transport aérien, des télécommunications et du secteur de l'énergie…) avaient rendu plus flous les objectifs et la portée de l'intégration. Un texte fondateur plus lisible, clarifiant les missions et les principes de l'Union, et rationalisant ses institutions, devait aider à dissiper les fantasmes. Rédigé par une vaste assemblée, représentant les gouvernements mais aussi les parlements nationaux, ainsi que le Parlement européen et la Commission, et délibérant en public, ce nouveau traité devait renouveler l'adhésion des Européens à l'Union.

Avec le recul, cette ambition apparaît démesurée. Sans doute le travail de la Convention européenne porta-t-il ses fruits (puisque celle-ci parvint, en juin 2003, contre le scepticisme général, à proposer un projet de traité constitutionnel, qui fut adopté sans modifi-

Constitution européenne

Références

R. Dehousse, *La Fin de l'Europe*, Flammarion, Paris, 2006.

P. Magnette, *Au nom des peuples. Le malentendu constitutionnel européen*, Le Cerf, Paris, 2006.

@ Sites Internet

Euractiv (site général d'informations sur l'UE et ses développements politiques)
http://www.euractiv.com/en/

Centre d'études européennes (Sciences Po) (nombreux liens vers d'autres bases de données francophones sur l'UE)
http://www.portedeurope.org

cations substantielles par les chefs d'État et de gouvernement un an et demi plus tard).

Le succès ne fut toutefois que très partiel : si le Traité constitutionnel n'était pas tout à fait mort, plus personne n'imaginait qu'il pût entrer en vigueur tel quel. Cela engage à s'interroger sur ce qui, dans le processus de rédaction de ce Traité constitutionnel, a pu conduire à une telle impasse.

Les écueils d'une trop grande ambition

1. On peut se demander, d'abord, si l'idée même de rédiger un Traité constitutionnel n'était pas déplacée. Cette démarche, largement soutenue par les dirigeants européens et rencontrant l'assentiment des deux tiers des personnes interrogées par les instituts de sondage dans les années 2001-2004, comportait en effet deux inconvénients. D'abord, celui de dramatiser les enjeux. En qualifiant le nouveau traité de « constitution », on éveillait les craintes de ceux redoutant la formation d'un État européen, et l'on donnait le sentiment que le processus prenait un tour irréversible. Ce faisant, on offrait aux opposants européens une formidable caisse de résonance. Par ailleurs, la constitutionnalisation des traités couvrait un double objectif : il s'agissait, d'une part, de « rationaliser » l'acquis et, d'autre part, d'adapter l'Union à ses nouvelles dimensions d'Europe élargie. Les campagnes de ratification se sont, dès lors,

trouvées tiraillées entre deux questions : faut-il confirmer l'adhésion au projet européen tel qu'il s'est déployé depuis le traité de Rome jusqu'au traité de Maastricht ? et faut-il accepter les nouveautés que comporte ce Traité constitutionnel ?

2. La réactivation des oppositions au projet européen, dans la phase de ratification, indique aussi que le consensus atteint par la Convention et confirmé par les gouvernements était plus superficiel qu'il n'y paraissait. Surreprésentant les grandes familles politiques centristes (libéraux, démocrates-chrétiens et sociaux-démocrates), la Convention européenne n'avait sans doute pas assez tenu compte des réticences exprimées par les autres familles politiques (extrême gauche, écologistes, conservateurs, souverainistes et extrême droite) qui, prises ensemble, représentent parfois plus de la moitié du corps électoral. Les ratifications parlementaires peuvent dissimuler ce décalage – les assemblées nationales surreprésentent, elles aussi, les partis centristes –, les référendums non.

3. Au sein même de la Convention, les oppositions qui se sont fait jour n'ont sans doute pas été assez entendues. Soucieux d'atteindre un résultat ambitieux, le président de la Convention Valéry Giscard d'Estaing a présenté comme consensuel un texte qui n'était, au mieux, qu'un compromis. Par ailleurs, prenant ouvertement le parti des grands États, il a suscité dans les petits pays

Constitution européenne

une méfiance renouvelée à l'égard de l'Union : lors de la campagne référendaire néerlandaise, la peur de la dilution dans une grande Europe et la crainte de l'hégémonie des grands semblent avoir fait leur effet. Et de telles craintes ont trouvé de larges échos en Europe centrale.

4. Les difficultés rencontrées lors de la phase de ratification du TCE s'expliquent aussi par l'isolement de la Convention. Bien que ses travaux aient été publics, et bien que quelques-uns de ses membres se soient efforcés de susciter un débat dans leur pays d'origine, l'exercice est resté confiné au cercle étroit des initiés. Le sentiment de n'avoir pas pu peser sur les débats, d'être contraints de ratifier ou de rejeter un texte qu'il était désormais impossible de modifier a, là aussi, durci les oppositions.

5. Enfin, l'écueil majeur est de n'avoir pas abordé l'hypothèse d'un échec des ratifications. Conscients que le texte se heurterait à de vives oppositions dans de nombreux États membres, certains conventionnels avaient ouvert le débat. Mais les représentants des gouvernements, à l'unisson, avaient fait entendre qu'il s'agissait là d'une « ligne rouge » que la Convention ne pouvait franchir – sauf à être désavouée ensuite par les gouvernements réunis en conférence intergouvernementale. D'où cette clause énigmatique qui prévoyait que le Conseil européen se réunirait pour débattre des suites à donner au processus lorsque vingt gouvernements auraient ratifié le traité. D'où aussi cet étrange « temps de réflexion » dans laquelle l'Union est entrée depuis le double rejet du texte, et dont rien, jusqu'ici, n'avait émergé.

Relance, morcellement, relégation du TCE ?

Ces limites tracent les bornes dans lesquelles devrait se tenir une éventuelle reprise du processus constitutionnel. Disons d'emblée que l'hypothèse d'une nouvelle ratification en France et aux Pays-Bas, à l'image de ce qui fut fait au Danemark pour le traité de Maastricht et en Irlande pour le

traité de Nice, apparaissait très peu plausible. On voit mal quel « protocole » ou quelle « déclaration annexe » pourrait faire changer d'avis les citoyens de ces deux pays, et rien ne garantissait que ce traité serait ensuite ratifié dans les huit États qui ont suspendu leurs procédures.

Les sauvetages partiels suggérés ici et là ne paraissaient pas plus plausibles. Certains ont proposé de mettre progressivement en application les aspects du TCE qui ne demandent pas de réforme des traités : on pourrait ainsi préparer l'entrée en vigueur de la Charte, renforcer le contrôle des parlements nationaux, esquisser le droit de pétition, réformer la présidence du Conseil... Outre qu'elle pose un problème de cohérence – le TCE est un paquet qu'il n'est pas aisé de défaire sans rouvrir une négociation globale –, cette stratégie paraît politiquement aventureuse, en ce qu'elle risquerait de diffuser dans les opinions publiques le sentiment que les gouvernements cherchent à réimposer ce qui a été rejeté « par les peuples ». Dans le climat actuel des opinions, c'était un risque à mesurer.

L'idée esquissée par le ministre de l'Intérieur français, Nicolas Sarkozy, de faire ratifier, par voie parlementaire, un traité plus réduit, qui ne retiendrait que la « partie 1 » du TCE, soit pour l'essentiel les dispositions institutionnelles, souffrait de la même faiblesse : en faisant passer par la voie parlementaire une partie de la Constitution, on risquait de nourrir le soupçon que les dirigeants européens cherchent à passer outre la volonté des citoyens.

Fallait-il alors envisager une renégociation globale des traités ? C'est la direction que privilégiait le gouvernement allemand d'Angela Merkel. Forte de sa « grande coalition », appelée à exercer la présidence de l'Union en 2007 et intégrant la possibilité d'une alternance de pouvoir en France (2007) qui viendrait accentuer le cycle des alternances récentes en Espagne, au Portugal et en Italie, l'Allemagne entendait parier sur un nouveau « moment fort » entre

Constitution européenne

2007 et les élections européennes de 2009. Les plus optimistes gageaient, à l'instar de Joshka Fischer, qu'une nouvelle Convention pourrait améliorer le texte – notamment en corrigeant l'asymétrie entre politiques «libérales» et politiques «sociales» –, susciter un vaste débat, et préparer une ratification conjointe dans tous les États membres à l'occasion des élections européennes de juin 2009. Le programme était séduisant mais le pari difficile. Pour éviter la répétition d'un rejet par un seul État qui paralyserait l'ensemble de l'Union, il paraissait impératif de commencer par revoir les articles évoquant la révision des traités, et poser qu'à l'avenir ils pourront être modifiés à des majorités spéciales, et entrer en vigueur s'ils sont ratifiés par une majorité large mais inférieure à l'unanimité. Mais cela revenait à faire le pari que les gouvernements se priveraient eux-mêmes de leur statut de maîtres des traités…

Des traités partiels appliqués par une « avant-garde »?

Restait l'hypothèse d'une reprise plus graduelle du processus. S'il est vrai que le TCE a souffert de vouloir, tout à la fois, rationaliser l'acquis et accentuer l'intégration, et conférer à ce processus une coloration constitutionnelle, peut-être fallait-il revenir à une mécanique d'intégration plus progressive, permettant de vérifier, étape par étape, que les nouveaux engagements jouissent de la confiance des citoyens européens. Plutôt que de renégocier le traité dans son ensemble, on pouvait envisager

de reprendre un ou deux « blocs » plus restreints (dans le domaine de l'Espace de liberté, sécurité et justice, ou celui de la Politique étrangère et de sécurité commune, qui ont fait l'objet d'un large consensus et n'ont pas été au cœur des campagnes du « non »). Un ou deux petits traités de ce type, reprenant les dispositions matérielles et institutionnelles *ad hoc* du TCE pourraient ainsi être soumis à ratification, pour récupérer la part la plus novatrice et la moins contestée du TCE. On perdrait au passage l'œuvre de simplification (même imparfaite) accomplie par la Convention, mais on conserverait les avancées les plus significatives, celles qui accentuent l'intégration proprement politique de l'Europe. Pour tenir compte des réticences de certains pays, il pourrait d'ailleurs être envisagé que ce ou ces mini-traités entrent en vigueur dans les États qui les ont ratifiés, même s'ils sont rejetés par d'autres, formant une avant-garde de fait.

Deux problèmes de taille demeuraient. D'abord, un tel scénario laisse pendante la difficile question de la coordination des politiques économiques et sociales qui fut, en France, au cœur des débats les plus vifs. Ensuite, quelle que soit la substance de ces traités, et quel que soit le groupe de pays qui y adhère, il apparaissait impératif d'inventer des formes de débats où puissent s'exprimer les tenants de toutes les positions et permettant d'éviter le repli sur soi narcissique des nations. [*Voir aussi l'article « Union européenne – Conjoncture 2005-2006 »*.] ∎

Guerre au Congo (-Kinshasa)

Congo (-Kinshasa), « première guerre africaine » déjà oubliée

Jean-Claude Willame
Politologue, Université catholique de Louvain

Qualifiée en 2000 par le Département d'État américain de « crise à basse intensité », la guerre dans les Grands Lacs africains, en l'occurrence celle qui été menée depuis 1998 en République démocratique du Congo par les armées des voisins rwandais et ougandais et par milices interposées, n'a jamais suscité beaucoup d'intérêt de la part de la communauté internationale. Celle-ci considère, en effet, que le noyau dur de l'insécurité internationale réside essentiellement dans la guerre contre le terrorisme et pas dans les « guerres chaudes » et complexes qui se sont déployées dans le Sud depuis l'effondrement de l'Union soviétique. Et pourtant, on affirme que cette « première guerre africaine » a déjà induit, directement et indirectement, entre 3 et 5 millions de morts.

Il est vrai que les origines du déclenchement de ce conflit n'entrent guère dans les schémas conceptuels des puissances du Nord, plus familières de la logique d'une « guerre froide » opposant des blocs d'États et gérée par les mécanismes finalement rassurants de la dissuasion nucléaire. Concernant le Congo, la notion et la réalité d'État n'ayant guère de profondeur historique, elle apparaît toute relative. C'est plutôt en termes de réseaux d'élites, de « criminalisation » et de prédation de l'État, voire de sa disparition pure et simple qu'il faut raisonner. En l'occurrence, les dix années de « guerre chaude » et de crise politique dans les Grands Lacs ont précisément pour arrière-plan l'effondrement d'un régime de factions patrimoniales prédatrices, agissant au nom et sous l'égide d'un monarque aux prétentions hégémoniques nationales et internationales illimitées.

L'effondrement de la rente dont ce système de prédation bénéficiait et le « vide d'État » qui s'était, en conséquence, installé dans le Zaïre du président Mobutu (au pouvoir de 1967 à 1997) ont alors aiguisé les appétits des réseaux d'élites voisins qui, sollicités par un vieux leader « révolutionnaire » exilé, Laurent-Désiré Kabila, ont dès lors entrepris de s'emparer des restes du riche « gâteau » zaïrois avec la connivence implicite des diplomaties étrangères fatiguées par l'extrême corruption d'un régime à l'agonie.

Un conflit de prédation

La zone des Grands Lacs et, d'une manière plus générale, tout l'est du Zaïre constituaient, du fait des énormes ressources potentielles (bois tropicaux, or et colombotantalite de l'Ituri et du Kivu, mais aussi cuivre, cobalt, niobium et germanium du Katanga), la partie utile de ce « gâteau » convoité tant par ce réseau d'élite que par les réseaux semi-mafieux multinationaux qui lui étaient associés et qui étaient formés de « juniors miniers » (compagnies de deuxième rang), de trafiquants d'armes et de spéculateurs de tout poil. Mais cette région du Zaïre est aussi celle qui a subi de plein fouet les suites calamiteuses du génocide au Rwanda en 1994 : c'est en effet par centaines de milliers que les populations hutu de ce pays se sont déversées dans le Kivu montagneux et déjà surpeuplé, fuyant les représailles des nouveaux maîtres du Rwanda pour qui ils étaient tous des « génocidaires ».

Vainqueur en mai 1997 à la suite d'une courte campagne militaire qui mit un terme à une première phase de « transition » confuse et manquée de plus de cinq ans, le « seigneur de guerre » L.-D. Kabila aura été

Guerre au Congo (-Kinshasa)

appuyé militairement et/ou politiquement, dans son odyssée, par des voisins aussi divers que l'Angola, le Zimbabwé, la Namibie, l'Ouganda et le Rwanda. Lors de la prise de pouvoir de L.-D. Kabila, ces nouveaux « parrains » du Zaïre (redevenu « Congo ») ont bien entendu réclamé leur dû. La société nationale de production minière Gécamines, qui avait entamé une chute vertigineuse depuis l'effondrement de la mine de Kamoto en 1993, est passée entre diverses mains, zimbabwéennes et belges notamment. Une vaste concession diamantifère du Kasaï appartenant à la société belgo-congolaise MIBA a été octroyée à un consortium militaro-industriel du Zimbabwé. L'Angola s'est vu promettre la commercialisation et la distribution des hydrocarbures congolais. Le Rwanda a obtenu la direction de l'état-major de l'armée congolaise, ainsi qu'un contrôle sur le Kivu, tandis que l'Ouganda bénéficiait d'une grande liberté d'action dans la zone aurifère de l'Ituri et dans le transit de la production congolaise de diamants. Très vite en rupture avec L.-D. Kabila, ces deux derniers pays ont pris pied, à travers des réseaux d'élites militaro-commerciaux, dans la commercialisation du colombo-tantalite (coltan), dont les cours se sont envolés entre 1999 et 2000, et dans celle de l'or, se disputant âprement les revenus des dizaines de comptoirs de diamant à Kisangani.

Cette nouvelle ère, marquée par l'économie de guerre, les pillages systématiques et les violences, a commencé en juillet 1998, avec le début de la « seconde guerre » du Congo (menée contre les alliés d'hier devenus « agresseurs »), et n'était toujours pas achevée en 2006. Économie de guerre pour le Rwanda, car, ainsi que le laissa entendre son président Paul Kagamé, la « guerre » menée en République démocratique du Congo (RDC) pour réduire les restes de l'ancienne armée rwandaise (ex-FAR) et les « Interahamwe » réfugiés au Congo « s'autofinançait ». Économie de guerre aussi pour le nouveau régime congolais, car toutes les ressources du pays encore utiles (le diamant surtout) étaient ponctionnées pour la « guerre ». Économie de guerre enfin pour le cercle rapproché du président ougandais Yoweri Museveni, « spécialisé » dans la vente d'armes, dans les entreprises de déforestation sauvage au Nord-Kivu par sociétés thaïlandaises interposées, dans le racket douanier aux frontières et, bien sûr, dans l'achat de l'or à des bandes armées auxquelles étaient assurées des « protections ».

Quant aux pillages des ressources, ils étaient orchestrés par les réseaux d'élites de pays voisins pendant et après leur occupation du Congo, ainsi que par les acteurs de la transition congolaise eux-mêmes. Enfin, ils ont été le fait d'une multitude de bandes armées, le plus souvent sans agenda politique, ravageant et pillant jusqu'à ce jour l'est du pays à travers le contrôle direct ou indirect des concessions aurifères de Kilo Moto en Ituri, de la Sominki au Sud-Kivu, de même que des sites d'extraction du colombo-tantalite précédemment exploités par l'armée rwandaise d'occupation et repris par les bandes Maï-Maï ou par les bandes armées du FDLR (Forces démocratiques de libération du Rwanda) nées dans les camps de réfugiés hutu ayant fui au Congo après le génocide de 1994.

Des populations sinistrées

Une violence particulièrement perverse a proliféré dans ce contexte, contribuant à dégrader profondément le tissu social dans l'est du pays. Il s'agit d'abord des violences sexuelles contre les femmes qui ont été utilisées comme armes de guerre par les combattants de tout bord (armée congolaise dépenaillée, troupes des « composantes » MLC [Mouvement de libération du Congo de Jean-Pierre Mbemba] et RCD [Rassemblement démocratique congolais), soldats rwandais, Maï-Maï ou groupes armés du FDLR]). Le but était soit de terroriser et d'humilier les populations, soit de punir des délateurs, soit de casser en profondeur le tissu familial, soit de se constituer une réserve d'esclaves sexuelles.

Le second type de violence a porté sur le recrutement forcé ou volontaire d'enfants soldats. Recrutés d'abord dans l'armée de L.-D. Kabila et appelés « Kadogo », ces jeunes et parfois très jeunes recrues (12 ans), réputées pour leur cruauté, provenaient des milieux déscolarisés ou des familles désagrégées et étaient, en quelque sorte, à la recherche implicite d'une promotion sociale que beaucoup trouvèrent dans le fusil. Selon Amnesty International (2002-2003), ce recrutement a continué de plus belle au sein des multiples bandes armées congolaises et étrangères.

Le déferlement des violences dans les Grands Lacs a eu des conséquences dramatiques sur la mortalité et a induit des déplacements massifs de populations à l'intérieur comme à l'extérieur du pays. Selon les chiffres du HCR (Haut Commissariat de l'ONU pour les réfugiés), 3 à 5 millions de personnes auraient perdu la vie en raison de maladies, de la malnutrition et surtout de la poursuite des massacres perpétrés au gré des renversements d'alliances entre belligérants de 1998 à 2003. Deux millions de personnes ont fui pour des régions voisines et 300 000 se sont réfugiées dans les pays voisins.

Incurie de la communauté internationale

Comme en Somalie et comme au Rwanda, la communauté internationale n'a pas su répondre de manière appropriée à cette crise que l'on a dite oubliée. Certes, l'opération visant à établir la paix au Congo, la Monuc (Missions des Nations unies en RDC), dépensait entre 600 000 et 1 milliard de dollars par an. Certes aussi, 17 000 « casques bleus » et environ 1 200 soldats des forces européennes de la mission Eufor-RDCongo, notamment, devaient être présents en RDC au moment des élections présidentielle et législatives fixées à 2006. Mais ces chiffres occultaient une gestion politique de crise fondamentalement défaillante.

Tout avait commencé par l'échéancier contestable de l'accord de cessez-le-feu de Lusaka, signé en juillet 1999 sous la pression des parrains du Congo (en particulier l'Afrique du Sud, la Belgique et les États-Unis) et qui faisait dépendre une obligation internationale – le retrait des pays agresseurs nommément désignés pourtant par le Conseil de sécurité de l'ONU en 2001 – d'un règlement de la crise politique au Congo par la tenue d'un « dialogue intercongolais », relevant de la souveraineté nationale. L'obstination patiente du nouveau président Joseph Kabila, qui a succédé à son père assassiné en janvier 2001, permit tout de même une inversion dans l'échéancier de cet accord : les troupes rwandaises et ougandaises se retirèrent formellement de la RDC en septembre 2002 avant que ne débute un régime de transition issu de ce « dialogue » en juillet 2003.

Mais la plus grande défaillance résida dans le caractère longtemps inapproprié du mandat des « casques bleus ». De simples « observateurs » établis pour la plupart en deçà de la zone de conflit jusqu'au début 2003, les soldats de la paix ne furent autorisés à adopter une attitude plus offensive et proactive qu'à la fin 2003 en Ituri, après le meurtre sauvage de neuf d'entre eux par des bandes armées, et à la fin 2004 pour ce qui regarde le Kivu. Quant au Nord-Katanga, en proie aux exactions, aux violences et aux pillages menés à la fois par les forces armées congolaises et des bandes Maï-Maï refusant de désarmer, il constituait une sorte de no man's land qui n'était pas du ressort de la Monuc. Dans cette zone vivent des populations déplacées (plus de 120 000 personnes), approvisionnées en vivres par parachutage.

Impuissante à venir à bout des violences dans l'est du pays, la Monuc ne chercha en outre jamais à sortir d'un schéma convenu : celui de conflictualités purement tribales dont les ressorts et les issues se trouvaient dans la capitale. Comme en Somalie et au Rwanda, la gestion de ces conflits et les logiques locales furent laissées à la « société civile » (sans moyens et sans formation), aux autorités congolaises locales (souvent parties prenantes des conflits) et aux « humanitaires » (qui ne voulaient pas s'impliquer au nom de leur neutralité).

Ce profond déficit de sécurité contrastait avec l'énergie déployée par les « faiseurs de paix » pour la tenue d'élections « libres et démocratiques », qui devaient de surcroît inclure les principaux acteurs de la transition dont certains étaient passibles de poursuites pour crimes de guerre et crimes contre l'humanité. Or, l'équation établie entre élections et rétablissement de la paix était hardie dans la mesure où l'on ne voyait guère émerger une élite politique acceptant de sortir du scénario traditionnel de la mauvaise gouvernance et d'un pouvoir qui ne se partage pas. Obnubilé par un processus électoral conçu surtout « pour et par le haut » et dont le coût était estimé à plus de 400 millions de dollars, les parrains du Congo et les faiseurs de paix ne paraissaient guère obsédés par un autre processus : celui de la « sortie de crise ». En février 2006, les promesses des bailleurs de fonds ont été très décevantes : un tiers seulement des 681 millions de dollars nécessaires pour financer le plan d'action pour la RDC a été « promis » par des donateurs qui semblaient accepter l'idée et le fait que la crise congolaise était bel et bien une crise de basse intensité. ∎

Proche et Moyen-Orient : nouveaux processus électoraux

Bernard Botiveau
CNRS (IREMAM, Aix-en-Provence)

Dans les pays du Proche et Moyen-Orient, les élections représentent des processus anciens, liés au développement du constitutionnalisme et périodiquement réactualisés au gré des changements de régimes. Souvent importées, les institutions électorales ont été réinterprétées, tandis que les comportements électoraux se modifiaient en fonction du renouvellement générationnel. Les années 1980 ont été celles des remises en question, notamment dans le monde arabe où le déclin du nationalisme et la dénonciation de ses dispositifs autoritaires laissaient penser que des ouvertures économiques amèneraient les conditions propices à un changement politique. Une approche institutionnelle des phénomènes électoraux postulait que ces derniers pouvaient provoquer un changement démocratique, par incitation, puis par contagion en quelque sorte. S'il a fallu déchanter face à la persistance de l'autoritarisme, la pression prodémocratique, elle, se maintenait, qu'elle vienne de l'extérieur ou qu'elle soit stimulée par des changements internes, avec l'apparition de générations d'électeurs mieux éduqués et mieux informés et, peut-être surtout, avec la montée de mouvements contestataires souvent incarnés dans l'islamisme radical et dans ses variantes politiques.

Au cours des dernières années, quelques tendances dominantes ont marqué cette évolution : on constate tout d'abord une progression électorale très nette des mouvements islamistes, ces derniers fédérant de plus en plus la résistance à des pouvoirs autoritaires, corrompus et facilement perçus comme otages ou collaborateurs consentants des États-Unis et d'Israël, leur allié indéfectible dans la région.

Faute d'avoir organisé des alternances crédibles dans le fonctionnement des exécutifs, ces régimes – comme celui de l'Égypte – sont paralysés entre deux attitudes contradictoires : la conviction qu'il faut réformer pour survivre et celle du risque d'être déstabilisés sinon éliminés s'ils pratiquent trop d'ouverture politique. Des processus électoraux juridiquement plus autonomes, assortis d'une répression calculée et d'une fraude qui peut être aussi bien grossière qu'habilement distillée, témoignent de ces inquiétudes. Mais ce qui change aussi et remodèle les scrutins, c'est le comportement des électeurs. La participation a augmenté et les votes ne s'organisent pas nécessairement selon la seule logique des solidarités primordiales telles que la famille, le clan, le village ou la communauté religieuse, mais suivent aussi des stratégies programmatiques que les islamistes arrivent assez bien à capter. Quand l'action des islamistes n'a pas été confrontée directement aux contraintes du pouvoir, comme en Iran ou en Afghanistan, leur entrée dans le jeu électoral, déjà expérimentée pour le monde arabe en Jordanie ou au Yémen, a trouvé un nouveau terrain d'essai en Palestine.

Péninsule Arabique : élargissement de l'électorat

Dans la péninsule Arabique, la situation électorale et parlementaire apparaissait extrêmement variable d'un pays à l'autre. Des monarchies ou des émirats, parfois qualifiés de « constitutionnels » quand ils se sont dotés d'une Loi fondamentale, ont longtemps rechigné à organiser un minimum de représentation politique nationale en dehors du canal des institutions islamiques traditionnelles ou des institutions coutumières, avant de percevoir une dévaluation de leur image à l'extérieur et une mise en cause directe de leur légitimité venant de l'intérieur. L'Arabie saoudite a organisé de février à avril 2005 des élections municipales où 800 000 Saoudiens – des hommes exclusivement – ont pu désigner la moitié de leurs

représentants, l'autre moitié faisant toujours l'objet de nominations. En comparaison, le Koweït faisait figure de pionnier en permettant pour la première fois à ses citoyennes – par une loi du 16 mai 2005 – de voter et d'être élues. Dans les Émirats arabes unis, des intellectuels ont réclamé par pétition, le 23 février 2005, la tenue d'élections législatives, tandis qu'au Bahreïn quatre partis d'opposition menaçaient de boycotter des législatives supposées se tenir en octobre 2006 si d'ici là le régime ne procédait pas à des réformes constitutionnelles.

Ces changements sont dus, pour partie, aux incitations extérieures, mais ils dépendent aussi d'une évaluation par les dirigeants des risques que représenterait l'immobilisme politique face à une opposition de plus en plus hardie et qui s'incarne majoritairement aujourd'hui dans les partis islamistes. Ainsi le Koweït a-t-il procédé récemment à l'arrestation de dirigeants islamistes, comme l'a fait le sultanat d'Oman en janvier 2005. Quant elles existent, les ouvertures pratiquées profitent, en effet, facilement aux partis islamistes, comme on peut l'observer au Yémen : dans ce pays, où le régime d'Ali Abdallah Saleh contrôle le Parlement par des moyens et réseaux clientélaires, le parti Islah a pu tout à la fois enregistrer aux élections parlementaires de 2003 un recul dans les zones rurales et une progression en zone urbaine (Sanaa et Aden).

Palestine et Égypte : affirmation des Frères musulmans

On ne saurait toutefois évaluer correctement le poids annoncé de l'islamisme dans les processus électoraux sans distinguer, dans les pays où ces oppositions sont les plus anciennes et les mieux structurées, des variantes géopolitiques importantes, comme on pouvait l'observer en Palestine et en Égypte, deux pays où les Frères musulmans ont progressé depuis 2005 dans différents scrutins. Le succès du Hamas aux législatives palestiniennes de février 2006 n'est en rien le résultat d'un vote « religieux », la montée régulière du Hamas dans l'opinion palestinienne ayant suivi l'effritement du processus de paix initié par les accords d'Oslo de 1993. L'OLP (Organisation de libération de la Palestine) – dominée par le Fatah et dont le Hamas ne fait pas partie – a incarné pendant plusieurs décennies la légitimité palestinienne jusqu'aux négociations avec Israël. Le Hamas recrutait son électorat parmi les Palestiniens de l'intérieur, pour qui il représentait une partie importante de la résistance interne face à Israël. Puis, le Fatah, pilier du régime fondé par Yasser Arafat, a dû répondre de ses échecs à obtenir des concessions d'Israël et de la corruption de certains. L'usure du régime a encouragé, à côté d'un vote de fidélité, un vote protestataire, renforcé par la construction par Israël d'un mur de séparation, par les arrestations et par la colonisation. Mais rien n'indiquait, pour le moment, qu'il se soit agi majoritairement d'un vote sur un programme « religieux » : d'une part parce que le vote clientélaire et de localisme l'emporte souvent en Palestine, d'autre part parce que le Hamas a affirmé à maintes reprises que la conquête de l'indépendance et de la souveraineté nationales primait sur l'islamisation de la société, qu'il posait pourtant en principe.

En Égypte, le scénario apparaissait différent. Aux élections législatives de novembre-décembre 2005, les Frères musulmans (FM) ont en effet conquis 88 sièges, avec seulement 170 candidats face aux milliers de candidats affiliés au PND (Parti national démocratique, au pouvoir) ou « indépendants ». C'était une première pour ceux que le régime de Hosni Moubarak avait tenus à l'écart du jeu électoral depuis 1981 en leur interdisant de créer un parti politique fondé sur la religion. Alliés à d'autres partis en 1984 et 1987, ou concourant comme indépendants aux derniers scrutins, ils se sont imposés en 2005 malgré des pressions multiples : arrestations préventives de militants ou refoulement de certains électeurs des bureaux de vote. Le contrôle judiciaire du

scrutin (prévu par la Constitution et depuis peu toléré par le pouvoir), en veillant mieux au bon déroulement des élections, a permis cette percée des FM. Outre cela, plusieurs facteurs ont facilité leur retour sur la scène politique, dont l'usure d'un régime autoritaire (depuis 1981, la loi sur l'état d'urgence est sans cesse reconduite) et le haut degré de corruption. Dans ce pays qui a vu naître trente ans plus tôt des mouvements islamistes radicaux, dont certains ont contribué plus tard au développement d'Al-Qaeda, les Frères musulmans sont devenus des acteurs à part entière : s'ils veulent « appliquer la *charia* (législation islamique) », comme la Constitution égyptienne les y autorise depuis 1980, ils sont suffisamment rodés au fonctionnement du régime pour ne pas tout bouleverser du jour au lendemain, tout en demeurant mobilisables dans les confrontations électorales à venir.

Iran : continuité réformiste perturbée

L'élection présidentielle iranienne de juin 2005, remportée par Mahmoud Ahmadinedjad, a paradoxalement mis en évidence l'aspect durable des ouvertures réformistes introduites par l'ancien président Khatami. Si un conservateur l'a emporté, cela tient peut-être à sa capacité de se poser en garant de la sécurité et de l'indépendance nationales dans un monde hostile, comme cela s'est confirmé lors de l'escalade d'annonces et avertissements qui a entouré en 2005-2006 le dossier nucléaire iranien. La campagne pour la présidentielle avait révélé l'intérêt de la population pour la chose publique aboutissant à une participation élevée (63 %). La dispersion des voix sur des candidats nombreux exprimait probablement la volonté des électeurs de voir représenter des courants politiques variés, tout en insistant sur la nécessité d'avoir des élus compétents.

Cette attente de renouvellement du personnel politique s'inscrit moins dans une reformulation du fondamentalisme issu de la révolution de 1979 que dans une reconfiguration du pouvoir politique susceptible d'amener plus d'expertise tout en créant les conditions d'une meilleure justice sociale.

Irak et Afghanistan : scrutins influencés par le contexte d'occupation militaire

Irak et Afghanistan avaient en commun de devoir réorganiser leurs institutions politiques sous la haute surveillance de l'armée américaine et de ses alliés. Ainsi n'est-il pas surprenant que l'Afghan de l'administration Bush, Zalmay Khalilzad, soit devenu, en juin 2005, le « proconsul » d'Irak, après avoir occupé la même fonction en Afghanistan à partir de novembre 2003. Concernant ces deux pays, Washington avait fait le pari de tenir des élections « démocratiques » en dépit de l'environnement militaire et de la situation d'occupation. La comparaison ne saurait cependant être développée dans des contextes aussi différents si ce n'est à observer les réactions des électeurs potentiels.

En Irak, où pour la première fois depuis un demi-siècle, les électeurs étaient appelés massivement aux urnes, le 30 janvier 2005, pour élire une Assemblée nationale provisoire, le taux de participation fut modeste mais conséquent (59 %). Lors des élections législatives du 15 décembre 2005, ce taux est passé à plus de 75 %, en raison, pour une bonne part, de la participation des électeurs sunnites qui avaient boycotté le précédent scrutin. Par ailleurs, plus de 7 500 candidats s'étaient présentés pour les 275 sièges de députés. Cette participation s'expliquait aussi par la peur d'une perte d'influence ressentie par les différents groupes communautaires (les sunnites en particulier), comme semblait en témoigner la polarisation des votes autour des candidats chiites, kurdes et sunnites, la répartition des postes (président, députés, ministres) ayant ensuite suivi cette logique.

L'élection présidentielle tenue en Afghanistan le 9 octobre 2004 a obéi à des cli-

vages communautaires (distribution du pouvoir sur des bases ethniques et politiques). Le président Hamid Karzaï, initialement imposé par Washington, a été réélu sans éclat (55 % des suffrages, dont une bonne partie venant du Sud pachtoune), mais, là aussi, dans le contexte d'une participation élevée (près de 70 %).

Renouvellement des pratiques électorales

Les exemples présentés ci-dessus montrent par leur variété et par l'extrême diversité des situations un regain d'intérêt pour la pratique électorale, soit parce que les scrutins ont acquis plus d'autonomie, soit parce qu'une nouvelle génération d'électeurs a compris le parti qu'elle pouvait tirer des urnes. Les entraves introduites par les autorités israéliennes au bon déroulement du scrutin palestinien en 2006 – liberté de circuler, d'ouvrir des bureaux de vote, d'être candidat – relevées par les observateurs internationaux dénotaient une inquiétude née du constat que les électeurs veulent voter et qu'ils savent ce qu'ils veulent voter. Les arrestations de militants islamistes dans certains pays du Golfe relèvent de la même préoccupation, de même que la fraude, constatée par exemple au Pakistan en avril 2002, en Irak (où 2 000 plaintes ont été enregistrées lors des élections de décembre 2005) ou, au même moment, lors des législatives égyptiennes.

La participation progresse aussi parce que les électeurs potentiels considèrent comme plus fiable le processus lui-même. Cela tient en particulier à la présence d'observateurs étrangers, à la résonance internationale de ces scrutins, relayée par les réseaux Internet, et aux modes de surveillance, constitutionnellement prévus mais longtemps écartés, tels que le contrôle des juges. Quant à l'« électeur ordinaire », les ressorts de son intérêt sont multiples : fierté nationale, choix individuel, calcul rationnel, discipline partisane, notamment. Ils ne reposent pas forcément sur la conviction que

Le Moyen-Orient après Saddam

l'élection est le moyen le plus efficace pour choisir ses dirigeants, mais probablement que c'est la preuve d'une existence politique et que des bienfaits collatéraux pourraient en résulter, notamment lorsque les attentes passent par un représentant identifié comme local. Les choix dictés par le clientélisme sont sans doute prépondérants, sans toutefois oblitérer le poids de certains enjeux nationaux. Sur ce terrain, les islamistes bénéficient à l'évidence de votes sanctionnant leurs prises de position (dénonciation de la corruption ou de l'occupation du pays), sans qu'ils s'attaquent de front à la demande de réforme sociale exprimée en termes de mieux-être économique ou de statut personnel incluant les droits des femmes.

Comme le montrait la victoire du Hamas en 2006, la bonne gouvernance prônée par les organismes internationaux et les gouvernements occidentaux devra sans doute s'affranchir du dilemme suivant : ou bien accepter des résultats électoraux obtenus dans des conditions acceptables selon les critères fixés par ces institutions aux régimes dépendants de l'aide internationale, quels que soient la nature et les programmes des vainqueurs (légitimement contestés dans certains cas) ; ou bien refuser ces résultats en ajoutant à l'obligation de *moyen* démocratique, celle de *résultat* démocratique du scrutin. Il va sans dire que cette seconde hypothèse est on ne peut plus hasardeuse puisqu'on ignore dans l'absolu quel est le contenu standard d'un programme réellement « démocratique ». ■

Le Moyen-Orient depuis la chute de Saddam Hussein

Hosham Dawod
Anthropologue, CNRS

Trois ans après l'intervention de la coalition américano-britannique en Irak (2003) et au-delà des scènes de chaos règnant dans une large partie du pays, des bouleversements profonds sont intervenus aussi bien en Irak que dans la région et à l'échelle mondiale. Il est indéniable que la guerre puis l'occupation de l'Irak constituent, avec la chute du Mur de Berlin (1989) et les attentats du 11 septembre 2001, un véritable tournant voire une rupture dans les relations internationales depuis 1945, et ce en dépit des grandes difficultés rencontrées par l'armée américaine sur le terrain.

Les acteurs régionaux face à la crise irakienne

Malgré la continuité formelle de l'État irakien au regard du droit international, la guerre a profondément modifié la donne régionale et bousculé ses dirigeants. Les réactions à l'occupation de l'Irak ont été diverses selon les pays arabes et moyen-orientaux : d'un côté, une hostilité affichée contre la guerre et l'occupation (prônée entre autres par la Syrie et l'Iran), de l'autre, la prosternation face aux pressions américaines (le cas libyen étant peut-être le plus représentatif). Entre les deux, la majeure partie des États arabes et musulmans du Moyen-Orient s'est repliée sur elle-même, adoptant une position instinctive de survie. Au départ, la guerre puis l'occupation de l'Irak ont été perçues par ces pays comme une menace mortelle à l'équilibre politique régional et donc à leur existence même. La guerre en Irak a ainsi entraîné des modifications profondes de l'environnement politico-stratégique, qui auront un impact fort sur l'avenir. D'un côté, son échec et l'instabilité engendrée ébranlent profondément toute la région, de l'autre, un éventuel succès américano-irakien bouleverserait aussi la donne : les pratiques institutionnelles prodémocratiques pourraient bien finir par se diffuser – élections à répétition, référendum, Constitution.

Après avoir attiré des radicaux et nihilistes islamistes, une partie de l'Irak est devenue aujourd'hui terre de *djihad*, exportatrice non seulement d'insécurité mais aussi de « kamikazes », comme l'ont montré les opérations-suicides effectuées par des djihadistes irakiens en Jordanie (octobre 2005). Quant à la Ligue arabe, après une longue absence, elle tentait de reprendre pied en Irak, organisant même une conférence de réconciliation inter-irakienne au Caire (mi-novembre 2005), et une seconde était prévue pour la mi-2006. En somme, la place et l'identité de l'Irak au Moyen-Orient demeurent un enjeu de première importance : l'Irak restera-t-il un pays arabe, pluriethnique partageant un longue histoire avec toutes les nations du Moyen-Orient ? Ou l'Irak se transformera-t-il en État autocentré sans affinités nationalistes ou religieuses avec son environnement ? Quant aux pays du Golfe, ils semblaient terrorisés à l'idée que l'Iran soit « définitivement » installé dans le sud de l'Irak, avec toutes les conséquences que cela implique pour la région.

Cependant, les principaux États voisins affichaient des vues différentes concernant le futur de l'Irak, largement conditionnées par leurs rapports avec les États-Unis et par leurs enjeux de politique intérieure.

– La défaite du parti Baas a, d'un certain côté, rassuré l'*Iran* quant à une éventuelle agression irakienne. Mais cette assurance relative a été contrebalancée par les propos hostiles de l'administration de George W. Bush à son égard. Néanmoins, l'Iran a réalisé une importante percée en Irak *via* des partis politiques chiites. Les objectifs de Téhéran concernant l'Irak sont : **1.** promouvoir un État chiite « ami » ; **2.** faire sortir les États-Unis d'Irak ; **3.** obtenir la coadministration des lieux saints de culte chiite en Irak ; **4.** cosuperviser les madrasas (écoles religieuses) chiites ; **5.** faire de la présence iranienne en Irak une base solide pour que Téhéran s'impose comme une force régionale incontournable. Paradoxalement, l'intervention américaine en Irak visait entre autres l'Iran, or, depuis, c'est l'Iran qui a fait irruption en Irak !

– Le *Koweït* a suivi la ligne de la coalition concernant le processus de transition, mais craignait que les difficultés politiques et économiques en Irak ne favorisent les extrémismes et ne fragilisent davantage le jeune État irakien post-Saddam, voire ne fassent péricliter toute la région. Cependant, certains courants salafistes koweïtiens se sont montrés de plus en plus actifs en Irak (soutiens financiers, politiques, voire envois de djihadistes). Parallèlement, de riches commerçants chiites koweïtiens espèrent toujours développer des relations économiques et religieuses avec les principales forces chiites irakiennes.

– L'*Arabie saoudite* fait face à une escalade du terrorisme à l'intérieur de ses frontières et entretient des relations de plus en plus méfiantes avec l'Iran et certaines forces politiques chiites d'Irak. Au regard de ces problèmes internes, la crise irakienne est plutôt mal venue, notamment en ce qui concerne l'éventuelle revendication politique de la communauté chiite et, d'une manière générale, de la « chiitisation » d'une partie du golfe Arabo-Persique. Mais à partir de 2005, les Saoudiens se sont montrés un peu plus actifs. N'ayant plus confiance en la capacité américaine à stabiliser la situation irakienne, à affaiblir l'influence iranienne voire à préserver l'unité de l'Irak, ils ont décidé de prendre directement contact avec certains acteurs irakiens. Pour ce faire, ils ont fait le deuil d'un pouvoir sous domination des Arabes sunnites en Irak en acceptant l'avènement des chiites au pouvoir.

Seulement, leurs nouvelles orientations tentent de favoriser l'apparition d'un chiisme ethniquement arabe moins enclin à se soumettre au diktat iranien.

– Fidèle à sa politique au Liban depuis l'assassinat, en février 2005, de l'ancien Premier ministre libanais Rafic Hariri, la *Syrie* poursuit désespérément une politique visant à limiter la très forte pression américano-européenne s'exerçant sur elle. Néanmoins, elle cherche toujours à perturber le processus de transition en Irak en soutenant les anciens militants du parti Baas et les groupes radicaux islamistes. La Syrie est ainsi devenue le principal refuge de 30 000 à 40 000 anciens officiers baassistes. Ce faisant, elle a perdu les marchés irakiens et une grande partie du marché turc (3 milliards de dollars).

– La *Jordanie*, à l'inverse, est parfaitement en phase avec la coalition menée par les États-Unis et le gouvernement irakien. Mais elle est, en revanche, en décalage avec son opinion publique et les groupes islamistes.

– La *Turquie* s'active, quant à sa politique irakienne, sur au moins trois axes : **1.** empêcher la création d'un espace politique kurde autonome – *a fortiori* d'un État indépendant ; **2.** protéger les Turkmènes irakiens ; **3.** s'assurer d'une place dans le futur marché irakien. L'émergence du « facteur chiite » incitera vraisemblablement la Turquie à s'allier avec d'autres pays en vue de neutraliser le rôle de l'Iran.

Pour ou contre un retrait des troupes multinationales ?

Trois ans après, que reste-t-il du projet initial américain ? Il est parfaitement établi que l'administration Bush disposait d'un plan de guerre, conçu et pensé par des militaires professionnels, mais n'avait élaboré aucun vrai plan de construction politique et sociétale. Certes, des scénarios idylliques furent promus par des groupes alors très influents à Washington (« néo-cons »), consistant à ériger à la place du despotisme

baassiste un système politique libéral, une économie de marché, un État central faible, des régions presque autogérées, soit un plan politique pour transformer radicalement le « Grand Moyen-Orient ».

Depuis, les Américains ont mesuré la difficulté de l'entreprise, ne parvenant toujours pas à stabiliser la situation. L'Irak a basculé d'un régime despotique à bout de souffle à un état de fragmentation identitaire avancé, sur fond de violence inouïe. Des voix s'élèvent aux États-Unis contre l'enlisement de leurs forces en Irak. En effet, cette guerre coûte cher en vies humaines : des dizaines de milliers d'Irakiens mais aussi quelque 2 500 morts américains, sans parler des dizaines de milliers de blessés et d'handicapés, et en budget défense (300 milliards de dollars déjà dépensés).

Au regard de la situation, la plupart des spécialistes s'accordent à dire qu'un retrait rapide des forces d'occupation aggraverait le contexte actuel et précipiterait peut-être toute la région dans une confrontation interrégionale. Sur le plan interne américain, un retrait, sans que la situation se soit améliorée, n'engagerait pas seulement l'administration Bush, mais aussi la crédibilité des États-Unis d'Amérique. Même en avançant l'hypothèse – peu vraisemblable aujourd'hui mais probable demain – que les forces multinationales se retirent d'Irak, il faudra des mois voire des années pour accompagner la période de transition.

Sauf à très bien connaître le pays actuel, on n'a pas idée, en effet, de la métamorphose de la société irakienne. La plupart des expertises se fondent sur des présupposés dépassés plutôt que sur l'étude concrète de la réalité. Or, actuellement, en Irak, on peut critiquer l'Amérique, on peut collaborer avec l'Amérique, mais il est impensable d'ignorer l'Amérique ! C'est pourquoi, nombreux sont ceux qui préconisent un accompagnement et un balisage de la présence américaine en Irak par la communauté internationale, en mettant au centre de sa préoccupation la formation et la consolidation rapides d'un État crédible, d'un pouvoir légitime, d'institutions respectueuses des droits de l'homme, mais aussi de la diversité religieuse, confessionnelle et ethnique de la société irakienne. [*Voir aussi l'article « Irak »*.] ■

Conflit israélo-palestinien : toutes médiations neutralisées

Bernard Botiveau
CNRS (IREMAM, Aix-en-Provence)

La victoire du Hamas aux élections législatives palestiniennes du 25 janvier 2006 a mis en évidence l'ampleur de la crise qui s'est installée entre les protagonistes locaux et internationaux du conflit israélo-palestinien, après la mort du président de l'Autorité palestinienne (AP) Yasser Arafat fin 2004. Depuis lors en effet, les acteurs concernés ont eu à réagir à différents événements qui semblent avoir modifié la configuration du conflit et l'avoir fait entrer dans une nouvelle phase : élection en janvier 2005 du successeur de Y. Arafat, Mahmoud Abbas ; retrait israélien de Gaza au cours de l'été de la même année ; disparition politique du Premier ministre israélien Ariel Sharon en décembre, arrêt des aides internationales à l'AP décidé en février 2006 ; tensions internes en Palestine ; élections législatives israéliennes du 28 mars 2006 consacrant le nouveau parti « centriste » Kadima.

Vers un isolement renforcé des Territoires

Du côté israélien, le changement de cap paraissait manifeste. Si le Premier ministre Sharon se montrait inflexible dans ses relations avec l'AP, il devait aussi tenir compte de l'évolution de l'opinion de sa propre population, lassée du conflit et souhaitant en sortir par un divorce en bonne et due forme. C'est le sens de la construction, inaugurée en juin 2002, d'un « mur de séparation » hermétique entre les deux populations, puis complétée par l'évacuation de la bande de Gaza. Si le prix à payer a paru lourd aux Israéliens qui croyaient encore au « Grand Israël », les bénéfices en étaient évidents : abandon d'une région trop difficile à contrôler et anesthésie politique des Palestiniens et de la « communauté internationale », permettant de poursuivre hors sanction la construction du mur. En effet, celui-ci a été déclaré illégal par la Cour internationale de justice de La Haye, le 9 juillet 2004, mais devrait permettre de confisquer encore plus de terres et d'isoler Jérusalem-Est de la Cisjordanie avant une éventuelle négociation finale.

Conçu après l'échec des négociations de Camp David II (juillet 2000) et au cours de la nouvelle *intifada* qui a suivi, ce plan a reçu l'aval d'une « communauté internationale » dominée par l'Amérique de G. W. Bush. En échange d'une « paix juste et durable » entre deux États indépendants, les Palestiniens devaient instaurer un « État de droit » supposé favoriser le commerce autant que la démocratie politique. Ces points ont été réaffirmés solennellement dans la « feuille de route » adoptée le 30 avril 2003 par le « quartet » composé des États-Unis, de l'Union européenne (UE), de la Russie et de l'ONU, et confirmée par la résolution 1515 du Conseil de sécurité de l'ONU du 30 novembre 2003 (prévoyant la proclamation de l'État palestinien en 2005...). Dans cette optique, M. Abbas, jugé comme « modéré », représentait le candidat idéal à la succession de Y. Arafat. Il fut, de fait, confortablement élu avec 62 % des voix, mais dans le contexte d'un faible taux de participation (40 %). L'accalmie fut pourtant de courte durée. En dépit de succès initiaux importants, tels que le « cessez-le feu » signé avec A. Sharon le 8 février 2005 à Charm el-Cheikh et une trêve obtenue du Hamas dans sa politique d'attentats en Israël, les Palestiniens ont compris que l'évacuation israélienne de Gaza ne changerait rien à leur vie quotidienne, à la limitation de leurs déplacements (750 points de contrôle israéliens), à leur façon de travailler, de se soigner ou d'envoyer leurs enfants à l'école. Dans cette période transitoire, 500 des 6 000 Palestiniens détenus en Israël ont été libérés, tandis qu'aux 8 000 colons expulsés de Gaza répondaient les quelque 6 100 établis en 2005 dans les colonies de Cisjordanie, désormais protégées par le mur de séparation. Le vote pour le Hamas aux municipales en 2005 et surtout aux législatives de 2006 a exprimé ce désespoir.

Le monde arabe muré dans le silence

Alors que la répression de la seconde *intifada* avait indigné le monde arabe et provoqué des manifestations imposantes, du Maroc à l'Égypte, la politique israélienne faite d'initiatives unilatérales tendant à ghettoïser toujours plus les Territoires ne suscitait plus guère de dénonciation réelle, même de la part des pays les plus proches. Depuis le « 11 septembre », l'Arabie saoudite se montrait prudente, les pays du Golfe suivaient avec anxiété l'enlisement américain en Irak, tout en pariant, pour certains, sur un développement économique (dont touristique) exponentiel. La Syrie, soutien du Front populaire de libération de la Palestine (FPLP) et de certains courants du Hamas, s'est mise en retrait, car confron-

tée à la résolution 1559 des Nations unies (septembre 2004) lui enjoignant de quitter le Liban. Quant aux deux pays signataires de traités de paix avec Israël, la Jordanie et l'Égypte, leurs régimes se savaient menacés si l'intensification stratégique des conflits irakien et israélo-palestinien se confirmait.

La sécurité de l'Égypte, pays le plus puissant et le plus peuplé de la région était sans doute garantie par les États-Unis, mais le premier souci du régime moubarakien était d'ordre interne : il concernait la progression, lors de chaque nouvelle élection, des Frères musulmans, seule véritable force organisée capable de fédérer, si les circonstances s'y prêtent, une opposition diminuée par l'« état d'urgence » permanent. Or, l'accession au pouvoir par les urnes des Frères musulmans en Palestine a produit un encouragement mutuel. Si le pouvoir moubarakien s'est davantage manifesté sur la scène internationale, en intervenant notamment avec l'UE pour surveiller le passage de Rafah (sud de Gaza), c'était pour mieux contrôler militairement le trafic vers le Sinaï et les islamistes régionaux, pour jouer un rôle dans la « coalition » occidentale et retrouver un certain poids diplomatique, mais non pour faciliter l'avènement d'un État palestinien pourtant défendu par les associations de la société civile égyptienne.

On comprend, dans ces conditions, l'indifférence de la classe politique israélienne face aux propositions saoudiennes, soutenues par la Ligue arabe au « sommet » arabe de Beyrouth (29 mai 2002), d'une normalisation des relations de l'ensemble du monde arabe avec Israël si ce pays acceptait de revenir à ses frontières de 1967. Bien que réitérées depuis, ces propositions sont restées sans écho, accroissant l'isolement sans précédent de l'AP.

Rapprochement américano-européen au Moyen-Orient

Les différends franco-américains lors de l'attaque de l'Irak en 2003 se sont estompés. Se déclarant convaincus qu'Israël avait fait le maximum en se retirant de Gaza, l'Europe a suivi Washington en réactivant juridiquement une « feuille de route » devenue politiquement impraticable. M. Abbas a été reçu à Washington le 26 mai 2005 et Paris, qui avait pour la première fois accueilli A. Sharon, en décembre 2005, a mis en place des programmes de coopération ministériels avec Israël. Ces rapprochements, dont témoignait aussi la non-publication d'un rapport de l'UE sur l'emprise territoriale israélienne croissante à Jérusalem-Est, font suite à une évolution de l'analyse stratégique de la situation globale au Proche et au Moyen-Orient.

En s'appuyant sur leurs alliés fidèles en Europe, comme le Royaume-Uni et l'Italie, en se servant de l'OTAN (Organisation du traité de l'Atlantique nord) et en faisant pression sur des pays européens influençables (Europe centrale), les États-Unis ont semé la division au sein d'une UE qui s'était engagée financièrement en faveur du processus de paix d'Oslo. La tâche était d'autant plus aisée que plusieurs facteurs invoqués n'étaient pas facilement récusables, comme la nécessité de resserrer les rangs occidentaux pour mieux prévenir une menace terroriste (attribuée en premier au monde arabe). Par ailleurs, l'assassinat du Premier ministre Rafic Hariri et de plusieurs leaders et intellectuels libanais a permis à Paris et à Washington d'isoler la Syrie.

Ce processus s'est emballé avec la formation d'un gouvernement Hamas en Palestine, qui a entraîné la suspension des aides financières directes attribuées à l'AP par les États-Unis, par l'UE et même par la Ligue arabe ; et ce tant que le Hamas ne satisferait pas à trois conditions : reconnaître Israël, renoncer à la violence et accepter les accords de paix antérieurs. Une position intenable (elle a entraîné, fin mai 2006, la démission de James Wolfensohn, ex-président de la Banque mondiale et envoyé spécial du quartet) pour au moins deux raisons.

L'AP et la population palestinienne dépendent de l'aide extérieure depuis de nombreuses années ; c'est en fait toute l'organisation mise en place par les accords d'Oslo qui serait condamnée par la faillite annoncée. Rappelons que les quelque 60 millions d'euros de taxes douanières mensuelles retenues actuellement par Israël dans les points d'entrée des marchandises à destination des Territoires sont censés couvrir les salaires de l'ensemble des fonctionnaires palestiniens. Si cette situation se prolongeait, on en reviendrait à l'administration des services publics par de grandes ONG, qui ont déclaré refuser de jouer ce rôle.

Le Hamas a laissé entendre, notamment par la voix de l'un de ses principaux dirigeants, Khaled Meshaal, qu'il ne saurait renoncer à la résistance tant que les « droits légitimes du peuple palestinien » ne seraient pas garantis. Or, comme les élections législatives récentes l'ont montré, ce mouvement était désormais le mieux placé, selon une majorité de Palestiniens, pour défendre ces droits, dont celui à l'indépendance politique reconnu par tous les partenaires étrangers de ce gouvernement.

Tous ces éléments révélaient une impasse, dont prennent peu à peu conscience l'UE et différentes instances internationales comme la Banque mondiale. C'est sur ces bases que devait se négocier dans l'immédiat la survie de l'Autonomie palestinienne et le maintien de ses relations avec Israël. [*Voir aussi les articles « Israël » et « Autonomie palestinienne ».*] ∎

« Question iranienne »

L'enjeu iranien, au-delà de la « question nucléaire »

Jean-François Bayart
CNRS-CERI, Fonds d'analyse des sociétés politiques
(FASOPO)

Vingt-sept ans après la Révolution islamique (1978-1979), la prise en otages des diplomates américains en poste à Téhéran (novembre 1979) et le déclenchement de la guerre d'agression de Saddam Hussein (1980-1988), l'Iran reste au cœur des tensions régionales et internationales. Cela peut sembler paradoxal car, dans les faits, la politique étrangère du nouveau régime a été beaucoup plus modérée que l'image que l'on s'en fait. L'imam Khomeyni a vite renoncé au mirage néo-trotskyste d'une révolution panislamique qui aurait transcendé le clivage confessionnel entre sunnites et chiites et se serait étendue dans l'ensemble des pays musulmans pour privilégier l'intérêt d'État. L'Iran n'a aucune revendication territoriale irrédentiste et a renoncé à ses visées implicites sur Bahreïn. Son contentieux avec les Émirats arabes unis sur les îlots des deux Tomb et d'Abu Mussa n'a jamais dégénéré en conflit militaire. La République islamique a certes recouru au terrorisme international pour riposter au soutien que la France et les États-Unis apportaient à l'Irak ou pour liquider des opposants en exil, mais son triste bilan en la matière n'est pas plus accablant que celui d'autres régimes proche ou moyen-orientaux, tels que la Syrie, la Libye ou l'Algérie. Par ailleurs, elle a été un facteur de modération dans les conflits du Caucase et du Tadjikistan depuis leur éclatement, dans les années 1990.

La mémoire douloureuse, obstacle à la confiance

Pourtant, elle demeure une paria du système international, que l'Europe tient en suspicion et que l'administration Bush a située dans l'« axe du mal » en 2002. Le traumatisme de la prise d'otage de 1979 et des attentats des années 1980 à Beyrouth et à Paris explique en partie que les tentatives successives de normalisation entre Téhéran et Washington aient avorté après la guerre du Koweït de 1991, au cours de laquelle l'Iran avait affiché sa neutralité, ou au lendemain de l'élection du réformateur Muhammad Khatami à la présidence de la République en 1997, ou encore après les attentats du 11 septembre 2001, qu'avait condamnés la République islamique, et le renversement des taliban afghans, ses ennemis jurés, en décembre de la même année. Cette mémoire douloureuse empêche également que les capitales occidentales accordent leur confiance au gouvernement iranien dans le domaine nucléaire et ont parasité les négociations qui se sont engagées en 2003 entre, d'une part, l'Agence internationale pour l'énergie atomique (AIEA) et l'Allemagne, la France et le Royaume-Uni, de l'autre, la République islamique, au sujet du programme d'enrichissement de l'uranium de cette dernière et de son respect du Traité de non-prolifération des armes nucléaires (TNP). En mars-juin 2006, l'esquisse d'un dialogue entre Téhéran et Washington, si elle a redonné à la diplomatie ses chances, n'a pas fondamentalement changé la donne.

De manière plus tangible, la ligne antisioniste résolue que défend l'Iran depuis 1979 et qu'il a réactualisée en prenant la tête du « front du refus » des accords d'Oslo de 1993 a également contribué à l'isoler diplomatiquement dans les pays occidentaux et même au Moyen-Orient. D'autant que le

« Question iranienne »

président Mahmoud Ahmadinedjad, après son élection en juin 2005, a repris à son compte les formulations les plus radicales des débuts du régime, vouant à la destruction l'« entité sioniste », et y a ajouté à plusieurs reprises des propos « négationnistes », inédits dans le discours diplomatique de la République islamique. Le programme balistique que développe cette dernière depuis les années 1980 et les probables finalités militaires de son programme nucléaire sont évidemment décryptés dans ce contexte.

Un équilibre régional intégrant déjà la dissuasion nucléaire

Cependant, il n'est pas certain que les autorités israéliennes prennent au pied de la lettre les menaces de destruction de leur État que profèrent certains responsables iraniens. Ces derniers savent pertinemment que toute attaque du territoire hébreu entraînerait une riposte automatique et massive. De ce point de vue, le Moyen-Orient vit déjà dans l'ère de la dissuasion nucléaire, univoque et à l'avantage de Jérusalem, singulièrement depuis que la Turquie a facilité son rapprochement diplomatique avec Islamabad en 2005-2006. L'Iran, quant à lui, s'en tient avec plus ou moins de réalisme à la défense de son intérêt national, que paramètrent quelques éléments de base : le respect de sa souveraineté et de son indépendance, chèrement acquis lors de la Révolution de 1979 après deux siècles de pertes territoriales et d'ingérences étrangères ; la sanctuarisation militaire de son sol ; l'affirmation de son rang à l'échelle régionale et internationale. Ces objectifs s'inscrivent dans la droite ligne de ceux que poursuivait Muhammad Reza Chah. Ce fut, en particulier, ce dernier qui lança le premier programme nucléaire du pays en 1974, suspendu au lendemain de la Révolution, repris au milieu des années 1980 pour rétablir le rapport de force stratégique avec l'Irak, et accéléré après la guerre du Koweït de 1991 et la démonstration de la supériorité militaire

écrasante des États-Unis dans ce nouveau type de conflit. Littéralement encerclé par le déploiement de l'armée américaine dans le Golfe et en Asie centrale, entouré de puissances nucléaires (Inde, Pakistan, Israël, Russie, Chine), l'Iran est certainement tenté de se doter de la bombe, ou tout au moins d'atteindre le seuil nucléaire à toutes fins utiles, à l'image du Japon. Mais il entend aussi devenir maître de l'une des technologies de pointe du monde moderne et préparer l'après-pétrole bien que cette échéance apparaisse, dans son cas, lointaine, du fait de ses énormes réserves d'hydrocarbures.

Ici survient un premier malentendu entre Téhéran et les capitales européennes. Ces dernières – à l'inverse de Washington – veulent préserver le TNP de 1968, dont est signataire l'Iran et, entre autres pour cette raison, ne sont pas prêtes à accepter de celui-ci ce qu'elles ont toléré de l'Inde et du Pakistan, États non signataires. Leur perspective est en grande partie tributaire du respect et de la promotion multilatérale du droit international. Mais l'intérêt premier de l'Iran est d'ordre national, ce qui ne signifie pas pour autant qu'il souhaite se retirer du TNP, sauf à y être contraint.

Les atouts de Téhéran

Or, dans cette partie de bras de fer, la République islamique dispose d'atouts que sous-estiment vraisemblablement les chancelleries européennes. Elle jouit du soutien tacite ou de l'indulgence d'États tiers – le Brésil, la République sud-africaine, l'Égypte, l'Algérie, et même l'Indonésie –, qui n'entendent pas hypothéquer définitivement leur propre avenir nucléaire ou qui n'acceptent pas l'hégémonie occidentale. Elle certifie vouloir faire bénéficier les pays arabes et musulmans de ses avancées technologiques pour dissiper les alarmes des pétromonarchies du Golfe, avec lesquelles elle a amélioré ses relations depuis le milieu des années 1990, et pour séduire leurs opinions publiques. Elle conserve une capa-

Liban, État tampon

cité d'influence et de nuisance dans son environnement régional, notamment en Afghanistan, en Irak, en Syrie, au Liban et en Palestine, qu'accroît encore l'incapacité des Occidentaux à nouer un dialogue politique avec les mouvements islamo-nationalistes tels que le Hamas et le Djihad palestiniens ou le Hezbollah libanais. La République islamique peut aussi bouleverser l'échiquier de sa propre initiative en ouvrant à tout moment une relation directe avec les États-Unis qui court-circuiterait l'Europe.

Elle est également susceptible de recourir derechef au terrorisme, l'arme classique du faible, ou d'enflammer le marché mondial des hydrocarbures en ménageant simultanément ses intérêts d'exportatrice bénéficiaire de l'augmentation des cours.

De ce point de vue, Téhéran trouve des oreilles complaisantes au Nord et à l'Est.

Outre le fait que la Russie n'entend pas se priver des revenus que lui procure sa coopération nucléaire avec l'Iran, elle a signé avec celui-ci, en juin 2006, un important accord gazier qui a ouvert la voie à la construction, par une filiale de Gazprom, du gazoduc reliant l'Iran au Pakistan et à l'Inde, dont le projet remonte à 1996 mais dont la réalisation avait été constamment repoussée du fait des relations tendues entre New Delhi et Islamabad. Un partage du marché mondial du gaz s'ébauche de la sorte entre la Russie et l'Iran, qui se réservent respectivement l'Europe et l'Asie du Sud. Pour amoindrir sa dépendance par rapport à Moscou, l'UE a réagi en relançant les projets d'interconnexion gazière entre l'Iran et la Turquie, mais elle est sur la défensive et a un temps de retard dans la manœuvre. En outre, la République islamique demeure un fournisseur crucial pour le Japon et, de plus en plus, la Chine. La participation remarquée de l'Iran à l'Organisation de coopération de Shanghaï (OCS) symbolise son ancrage croissant en Asie, qui modifie les termes de sa future et encore problématique adhésion à l'OMC. Forte de sa situation géographique, de ses ressources naturelles et de la taille de son marché intérieur, la République islamique, bien au-delà de l'avenir du seul TNP, est devenue un enjeu majeur de l'équilibre entre les États-Unis, l'Europe, la Russie et les puissances industrielles asiatiques. [*Voir aussi l'article « Iran ».*] ■

Liban : retour au statut d'État tampon

Georges Corm
Économiste et historien

Depuis l'expédition offensive internationale de 1991 pour libérer le Koweït envahi par l'Irak en août 1990, la situation libanaise avait été gelée au profit de la Syrie. Cette dernière avait vu son hégémonie confirmée sur le Liban, en proie à des déchirements violents de 1975 à 1990 en relation avec les différents conflits régionaux et notamment le conflit israélo-arabe, pour prix de son ralliement à la « coalition » militaire alors dirigée contre l'Irak par les États-Unis.

Entre 1990 et 1992, les gouvernements successifs de Selim el-Hoss, Omar Karamé et Rachid el-Solh vont procéder à la réunification de l'État libanais, la dissolution des milices et l'organisation d'élections législatives (1992). Par la suite, la Syrie va consacrer la domination presque absolue du milliardaire Rafic Hariri sur la scène libanaise.

Le système verrouillé de Rafic Hariri

R. Hariri sera Premier ministre de façon ininterrompue de fin 1992 à fin 1998, puis de nouveau d'octobre 2000 à octobre 2004. Sa position de Premier ministre du Liban et le réseau de ses relations, intimes avec le roi Fahd d'Arabie saoudite, privilégiées avec le régime syrien, très personnelles avec le président français Jacques Chirac, lui permettront de s'assurer une domination complète sur l'économie libanaise et une situation d'influence régionale et internationale exceptionnelle où affaires occultes et officielles, privées et publiques sont intimement mêlées.

En contrepartie, R. Hariri accepte volontiers que les dispositions constitutionnelles adoptées à l'issue des accords de Taëf (conclus en 1989 pour trouver de nouveaux arrangements internes dans la répartition du pouvoir entre communautés) ne soient pas appliquées, en particulier celles qui font du Conseil des ministres un organe collégial et qui exigent la constitution de gouvernements d'union nationale incluant des représentants de toutes les composantes de la population, ainsi que le redéploiement des troupes syriennes. Bien au contraire, les partis chrétiens qui sont sortis perdants de la « guerre des quinze ans » sont totalement marginalisés, voire durement réprimés lors des manifestations de la jeunesse étudiante chrétienne, cependant qu'une concentration du pouvoir entre les mains du Premier ministre et du président de la Chambre des députés paralyse le fonctionnement de la démocratie communautaire consensuelle traditionnelle.

Grâce à une hégémonie presque absolue sur les médias du pays, qui s'ajoute à son immense et mystérieuse fortune, R. Hariri domine le club politique qui s'est cimenté autour de lui, cependant que la presse européenne et internationale tombe elle aussi sous l'influence de ce club, protégé par la France, les États-Unis et l'Arabie saoudite,

mais aussi jusqu'à récemment par la Syrie. Le Premier ministre libanais est, en effet, considéré comme l'une des personnalités arabes les plus pro-occidentales de la région. Sont ainsi occultés tous les aspects négatifs de sa politique, en particulier dans le domaine économique et social : il enfonce notamment le pays dans une dette colossale, qui s'élève à 20 milliards de dollars dès 1998 pour atteindre 39 milliards fin 2005 (contre à peine 2 milliards fin 1992) au prétexte de la reconstruction du pays (fort modeste puisqu'elle n'a pas dépassé 6 à 7 milliards depuis 1992).

Vrais et faux-semblants des relations libano-syriennes

Le président Émile Lahoud, élu en septembre 1998, tente de faire évoluer la situation en s'en prenant à la toute-puissance du club fermé de R. Hariri. Il jouit pour cela de l'appui d'une branche du régime syrien qui entoure le futur successeur de Hafez el-Assad, son fils Bachar. S. el-Hoss, personnalité sunnite très respectée, remplace R. Hariri au poste de Premier ministre et met au point un plan quinquennal d'assainissement financier et de réduction de la dette. De plus, É. Lahoud et le nouveau gouvernement assurent un soutien total (politique, moral et logistique) au Hezbollah dans sa lutte contre les forces israéliennes, qui occupent une large partie du sud du Liban depuis 1978. Cet appui conduit à la libération de ce territoire en mai 2000, l'armée israélienne se retirant pour la première fois d'un espace qu'elle a occupé sans contrepartie ou gages.

Pourtant, aux élections législatives de 2000, R. Hariri et ses clients politiques directs parviennent à s'assurer une victoire importante, largement aidés par une forte mobilisation médiatique, des distributions d'aides matérielles et sociales et par l'appui de la vieille garde syrienne pour laquelle R. Hariri représente l'homme de confiance et l'allié « bienfaiteur ». Cette vieille garde est chapeautée par Abdel Halim Khaddam

Liban, État tampon

Références

G. Corm, « Crise libanaise dans un contexte régional houleux », *Le Monde diplomatique*, Paris, avril 2005.

G. Corm, *Le Liban contemporain. Histoire et société*, La Découverte, Paris, 2005.

G. Corm « Le Liban doit s'émanciper », *Le Monde*, Paris, 24 nov. 2005.

A. Gresh, « Les vieux parrains du nouveau Liban », *Le Monde diplomatique*, Paris, juin 2005.

A. Gresh, « Offensive concertée contre le régime syrien », *Le Monde diplomatique*, Paris, déc. 2005.

« Où va le Liban ? », *Confluences Méditerranée*, n° 56, Paris, hiv. 2005-2006.

E. Picard, « Les habits neufs du communautarisme libanais », *Culture et Conflits*, Paris, aut. 2001.

E. Picard, *Liban, État de discorde. Des fondations aux guerres fratricides*, Flammarion, Paris, 1988.

l'un des doyens de la dictature syrienne, qui a géré le dossier libanais depuis le début des années 1970, ainsi que par le redouté chef des services de sécurité syriens au Liban, le général Ghazi Kanaan. Les médias internationaux ne manqueront pas, eux aussi, de contribuer dès cette époque à discréditer le président Lahoud et le gouvernement de S. el-Hoss.

Ainsi R. Hariri revient-il aux affaires dès octobre 2000. Une coexistence malaisée s'établit avec le président de la République, compliquée par la rivalité des deux branches du régime syrien. En effet, cette rivalité s'aiguise à mesure que le nouveau président syrien, Bachar el-Assad (qui a succédé, en juillet 2000, à son père décédé), imprime au régime une impulsion plus libérale. Le général G. Kanaan est écarté du Liban et les liens avec le président libanais sont renforcés.

Toutefois, les deux présidents, syrien et libanais, font l'objet de virulentes campagnes médiatiques au Liban et à l'étranger. Le premier est accusé de faire évoluer la Syrie beaucoup trop lentement et d'avoir perdu ses aspirations réformistes ; le second de faire obstacle à d'importantes réformes que R. Hariri voudrait entreprendre conformément aux exigences de la communauté internationale, mobilisée pour aider le pays à contenir son énorme dette.

À partir de 2003, ces campagnes ne s'arrêteront pas, s'amplifiant même lorsque la Syrie, un moment hésitante, finit par exiger une extension de trois ans du mandat présidentiel venant à échéance en septembre 2004. Malgré son opposition à cette décision, R. Hariri signe le projet d'amendement constitutionnel transmis à la Chambre des députés pour entériner la décision syrienne, cependant que ses alliés politiques locaux et internationaux se déchaînent contre la dictature du régime syrien et de son « fidèle allié », le président « prosyrien » É. Lahoud.

Internationalisation contre-productive de la nouvelle crise

C'est donc sous un ciel déjà lourd qu'est adoptée par le Conseil de sécurité de l'ONU la résolution 1559 du 2 septembre 2004 ouvrant la voie à la déstabilisation du Liban, dont la gestion est brusquement retirée à la Syrie. Cette résolution a été préparée conjointement par la France et les États-Unis, qui retrouvent ainsi un terrain d'entente privilégié au Moyen-Orient après leur grande querelle sur l'intervention en Irak en 2003. Elle enjoint la Syrie de se retirer du Liban, le Parlement libanais de ne pas accepter une extension du mandat présidentiel et Beyrouth de désarmer toutes les milices encore existantes dans le pays (organisations palestiniennes et Hezbollah) et de se déployer jusqu'à la frontière avec Israël. Le lendemain, le Parlement libanais adopte le projet d'amendement constitutionnel qui étend le mandat du président de six à neuf ans.

Le président demande au Premier ministre en exercice de reformer un gouvernement qui soit d'union nationale pour surmonter un clivage désormais très profond dans l'opinion et les cercles politiques libanais. Ce dernier se désiste, aucun membre de l'opposition au président de la République et à la Syrie n'ayant accepté de participer à un tel gouvernement. Le 14 février 2005, R. Hariri est assassiné. En quelques minutes, les médias du monde entier et les deux gouvernements français et américain accuseront la Syrie avant même que ne soit ouverte l'enquête judiciaire locale. Le Liban est ainsi renvoyé à sa situation traditionnelle d'État tampon entre puissances régionales et internationales. Désormais un axe irano-syrien s'opposera aux proaméricains. Une succession impressionnante de résolutions du Conseil de sécurité sur le Liban internationalise à la fois la question libanaise et celle de l'assassinat du Premier ministre. Ce qui reste de troupes syriennes au Liban, réduites de 40 000 à 14 000 sous le mandat d'É. Lahoud, est contraint de se retirer du Liban dès la fin du mois d'avril. Des attentats et assassinats visant la communauté chrétienne ravagent le pays, livré aux manifestations et contre-manifestations de masse entre camps opposés. Des élections se tiennent durant l'été 2005 sous bonne garde de l'ONU et de l'Union européenne pour assurer la victoire des pro-occidentaux opposés au président et qui se déclarent désormais hostiles à la Syrie après avoir été les piliers de son influence durant toutes les précédentes années.

Le Liban sert à nouveau de caisse de résonance aux déchirements de la politique régionale et d'espace symbolique d'affrontement pour le contrôle du Moyen-Orient ; après avoir été mis, durant quinze ans sous la coupe syro-saoudienne (et donc sous celle de R. Hariri), il est désormais instrumentalisé pour servir la politique américaine au Proche-Orient. La Syrie, quant à elle, tout comme l'Iran, est entrée dans le collimateur de Washington, qui cherche à tout prix un bouc émissaire aux déboires de son invasion de l'Irak.

En juillet 2006, le retour du Liban au statut d'État tampon est définitivement confirmé. Une attaque israélienne similaire à celle subie par le Liban en 1982 détruit une nouvelle fois les infrastructures civiles du pays, inflige une succession de châtiments collectifs à la population et met le pays sous blocus maritime et aérien. En juin 1982, l'objectif de l'invasion du Liban était de déraciner les mouvements armés palestiniens présents sur son sol, avec pour prétexte un attentat contre un diplomate israélien à Londres. Cette fois, l'objectif est l'éradication du Hezbollah, qui a obtenu en mai 2000 l'évacuation sans contrepartie de la partie du sud du Liban occupée par Israël ; le prétexte est l'enlèvement de deux soldats israéliens par ce mouvement, qui réclame la libération des Libanais encore détenus en Israël.

Comme en 1982, les puissances occidentales cautionnent les opérations d'Israël au Liban ; elles accusent l'Iran et la Syrie d'être les instigateurs des actions du Hezbollah au Liban et du Hamas en Palestine occupée. Elles prônent l'application de la résolution 1559 de l'ONU par un gouvernement libanais qui serait en mesure de désarmer le Hezbollah, mais n'entendent pas obliger Israël à respecter d'autres résolutions et le droit international : l'évacuation des Territoires occupés et du Golan syrien, la libération de milliers de prisonniers arabes, la destruction du mur en Cisjordanie et le retour des réfugiés palestiniens ou leur compensation matérielle (résolution 194 de 1949). ∎

Liban, État tampon

L'Asie du Nord-Est : entre déstabilisation et intégration régionales

Régine Serra
Relations internationales, Inalco

Il est d'usage de comparer l'Asie du Nord-Est d'aujourd'hui à l'Europe au tournant des XIXᵉ-XXᵉ siècles : rivalités de puissance, conflits territoriaux, tumultueuses histoires bilatérales aboutissant à des tensions inquiétantes. Cette histoire ne semblait pas devoir se reproduire en Asie, qui, comme les autres continents, et l'Europe au premier chef, a appris la leçon. Les mouvements de construction régionale qui se sont développés en Asie au sortir de la Guerre froide, aboutissant en décembre 2005 à la tenue du premier Sommet de l'Asie orientale, en ont constitué des signaux positifs. À divers titres, le scepticisme gagnait cependant.

L'Asie du Nord-Est reste une région complexe : par ses dynamiques stratégiques régionales et internationales ; par sa situation de pôle de croissance économique et d'innovation ; par la quête d'identité nationale en Chine, en Corée du Sud mais aussi au Japon (le chapitre colonial et militariste apparaissant toujours vif entre les trois) ; enfin, par sa masse démographique et les bouleversements sociétaux issus des transformations économiques ou liés au vieillissement de ses populations. La région concentrait ainsi un ensemble de défis stratégiques, politiques et économiques, qui ont trouvé en 2005-2006 une résonance particulière. La décennie 1990 avait constitué une période d'embellie. La Chine émergente s'était convertie à l'économie socialiste de marché (1992) et avait intégré l'ensemble des dialogues multilatéraux. La Corée du Sud avait apprivoisé les principes démocratiques après des années de régime militaire autoritaire et ouvert la voie de la réconciliation avec ses cousins du Nord (1992 et 2000). Le Japon, enfin, avait amorcé un tournant de responsabilisation internationale (1992) et s'était engagé dans l'élaboration d'un forum de dialogue asiatique. Or, la décennie actuelle voit resurgir des litiges provisoirement enfouis que la croissance économique de la Chine exacerbe.

Corée du Nord et Taïwan, des dossiers « sous contrôle »

Sur le plan stratégique, la question nucléaire nord-coréenne tout comme la question de Taïwan ne sont certes pas nouvelles. Un premier accord a été conclu en 1994 à Genève, instaurant un moratoire sur le programme nucléaire nord-coréen. La mort de Kim Il-sung (1994) et la passation de pouvoir à son fils Kim Jong-il avaient laissé espérer une décomposition du régime. Une décennie plus tard, la Corée du Nord conserve un régime autoritaire isolé et a annoncé la reprise de son programme nucléaire. En 2006, Pyongyang a affirmé pouvoir développer des armes nucléaires. Traité hors du champ onusien, le dossier apparaît sensible puisqu'il lie des acteurs aux intérêts très divers, voire divergents. Les parties prenantes à la division de la péninsule coréenne en 1953 (deux Corées, Chine, Russie, États-Unis et Japon) sont réunies depuis 2003 dans un « dialogue à Six » conduit par Pékin, qui n'a guère progressé en 2005-2006, se complexifiant de sensibilités bilatérales nouvelles. Alors que le dossier de la prolifération nucléaire demeurait a priorité principale de Washington ou de Moscou, Séoul privilégiait la dynamique de réunification, Pékin son propre agenda de légitimation politique et Tokyo le dossier des citoyens japonais enlevés par les services secrets nord-coréens dans les années 1970-1980. De fait, la « question nord-coréenne » est aussi devenue un objet de construction identitaire coréenne et le dossier sur le respect des droits de l'homme a été réouvert. En décembre 2005, Séoul a refusé de voter une résolution des Nations unies, soutenue par Tokyo et Washington, condamnant Pyongyang en matière de droits de l'homme, signal de divergences croissantes dans les priorités.

Du côté du détroit de Taïwan, l'escalade verbale et militaire a pris un tour alarmant. Avec plus de 700 missiles désormais pointés sur l'île, la Chine accompagne dans les faits la Loi anti-sécession votée en mars 2005, qui prévoit l'usage de la force en cas de déclaration d'indépendance taïwanaise. Elle poursuit, en outre, son programme de modernisation militaire et d'acquisition d'équipements. Contrairement au dossier nord-coréen, peu d'États de la région se sont formellement engagés sur l'avenir de Taïwan. Les bonnes relations diplomatiques et économiques avec la Chine passent par un profil bas et la reconnaissance explicite que l'île fait partie intégrante de la Chine. Pourtant, la question demeurait sensible pour deux raisons : Taïwan est une démocratie établie dont les citoyens ont développé un sentiment identitaire distinct du continent chinois. En outre, les États-Unis, par le *Taiwan Relations Act* de 1979, et indirectement le Japon, comme base arrière potentielle en cas d'opération militaire américaine, sont impliqués dans la sécurité de l'île dès lors que le *statu quo* serait rompu par la Chine. Tous deux, appuyés par le Parlement européen, s'inquiétaient en 2005 de la Loi anti-sécession et réaffirmaient leur souhait d'une solution pacifique.

Les tensions avec le Japon

Relevant d'une dynamique très différente, la résurgence de conflits territoriaux bilatéraux devenait préoccupante en 2005-2006, car se doublant de tensions historiques liées au colonialisme japonais de la première moitié du XXe siècle. Les mouvements scientifiques et militaires chinois autour des îles Senkaku-Diaoyutai, ou les explorations scientifiques japonaises menées autour des îlots Takeshima-Tokto réunissaient dans une même dialectique antijaponaise Pékin et Séoul, ces îles ayant été annexées par le Japon après la guerre sino-japonaise de 1894-1895 et la mise sous protectorat, puis la colonisation en 1910 de la péninsule coréenne. Certes, le prétexte était économique, au vu des richesses énergétiques ou halieutiques entourant ces îles, mais la référence historique légitimait une protestation commune.

La seule fracture idéologique entre la Chine et le Japon ne peut expliquer les tensions sino-japonaises depuis 2001. La Corée du Sud, démocratique, a été aussi virulente en 2005-2006 que la Chine communiste à l'encontre du Japon, première démocratie asiatique. Les démonstrations de nationalisme de la part de Tokyo – hommages officiels aux « martyrs de la nation » au sanctuaire Yasukuni, publication d'un manuel d'histoire révisionniste à l'été 2005 – faisaient écho aux propres questionnements nationaux coréens – notamment la question de la collaboration avec l'occupant nippon – et à la dynamique de consolidation nationale en Corée. Néanmoins, les valeurs communes entre la Corée du Sud et le Japon laissaient espérer un dialogue constructif en dépit de la ligne hostile choisie par le président Roh.

La réconciliation avec la Chine semblait plus compromise, le Premier ministre japonais Junichiro Koizumi maintenant le rejet de la « carte historique » agitée par Pékin lorsque le président Hu Jintao cherchait à rallier les États-Unis et la communauté in-

Rivalités en Asie du Nord-Est

ternationale à la cause chinoise. L'activisme diplomatique omnidirectionnel chinois couplé à la poursuite de la croissance économique en 2005 défiaient le statut international du Japon, construit après guerre sur le principe de la puissance économique, et attisaient les questionnements identitaires sur sa place en Asie et dans le monde.

Le moteur économique chinois

La fragilité de l'équilibre géopolitique régional était paradoxalement compensée par la solidité des échanges économiques, jamais remis en question : la Chine est devenue en 2005 le premier partenaire du Japon et celui-ci son premier investisseur et fournisseur. La Corée du Sud était le deuxième fournisseur de la Chine, tandis que ses échanges avec Taïwan étaient déficitaires. Le Japon optait cependant pour une politique plus prudente en matière d'investissements directs en Chine (qui représentaient 9 % de ses investissements étrangers en 2005), compte tenu du rattrapage technologique progressif de la Chine (production de produits électroniques grand public, de semi-conducteurs) et du faible contrôle exercé sur le respect de la propriété intellectuelle. Avec un PNB qui pourrait dépasser rapidement celui du Japon, la Chine détrônerait son voisin de son rang de deuxième puissance économique mondiale.

Le développement économique chinois, accéléré après l'adhésion de la Chine à l'OMC (Organisation mondiale du commerce) en 2001, apparaissait comme la préoccupation majeure de la région, surtout dans le contexte de ses mouvements diplomatiques et militaires. Troisième puissance commerciale avec un excédent commercial désormais supérieur à celui du Japon (autour de 100 milliards de dollars) la Chine préservait cependant les mécanismes de gestion du triangle économique asiatique, en important biens intermédiaires et matières premières d'Asie pour exporter en Occident. Dans ce contexte, deux orientations possibles se profilaient : celle d'une intégration économique régionale ou celle d'un antagonisme déstabilisant. La simple tenue du Sommet de l'Asie orientale, dans un contexte de fortes tensions, a montré la résolution de la Chine, de la Corée du Sud et du Japon à privilégier la première voie. Néanmoins, l'absence de structure régionale de sécurité et de dialogue rendait plus urgente la formation d'un forum de l'Asie du Nord-Est pour gérer au mieux les souffrances historiques, les conflits territoriaux et la compétition énergétique. Au printemps 2006, la main tendue du Premier ministre japonais Koizumi recueillait toujours le refus catégorique du président chinois Hu Jintao et du président coréen Roh Moo-hyun [*Voir aussi les articles « Asie méridionale et orientale. Les tendances de la période » et « Organisations régionales asiatiques - Conjoncture 2005-2006 ».*] ■

2005

7 juillet. Royaume-Uni. Trois bombes explosent simultanément dans le métro de Londres et une quatrième dans un bus tuant 56 personnes – dont les quatre terroristes – et en blessant 700. Les attentats sont revendiqués par deux groupes se réclamant d'Al-Qaeda. Le 21 juillet, quatre nouveaux attentats à l'explosif sont perpétrés dans trois stations de métro et dans un bus, ne faisant qu'un blessé.

9 juillet. Soudan. Conformément à l'accord de paix du 9 janvier 2005 qui a mis fin à vingt et un ans de guerre civile dans le Sud, le président Omar al-Bechir signe une Constitution provisoire devant être appliquée pendant six ans. L'ex-chef de la rébellion sudiste John Garang est nommé vice-président, mais il meurt dans un accident d'hélicoptère le 30 juillet.

12 juillet. CIJ. Arrêt de la Cour internationale de justice déterminant le tracé de la frontière entre le Bénin et le Niger dans le lit des fleuves Niger et Mekrou.

23 juillet. Égypte. Plusieurs attentats-suicides quasi simultanés frappent la station de Charm el-Cheikh sur la mer Rouge : 88 personnes sont tuées et 200 blessées. Ils sont revendiqués par un groupe lié au réseau Al-Qaeda.

28 juillet. Irlande du Nord. L'Armée républicaine irlandaise (IRA), qui observe un cessez-le-feu depuis 1997, annonce l'abandon de la lutte armée. Selon le général anglais John de Chastelain, le désarmement est achevé le 26 septembre.

3 août. Mauritanie. Une junte militaire dirigée par le colonel Ely ould Mohamed Vall, proche du président Maaouya ould Taya, renverse celui-ci. Lui-même avait pris le pouvoir par un coup d'État en 1984.

8 août. Iran. L'Iran annonce la reprise de ses activités d'enrichissement d'uranium dans l'usine d'Ispahan, suspendues depuis novembre 2004 en vertu d'un accord avec l'Union européenne. Le 11 novembre, la Russie présente un plan, en accord avec l'Europe et les États-Unis, proposant aux Iraniens de mener sur son sol ses activités d'enrichissement d'uranium. Il est refusé par Téhéran.

8 août. Inde-Pakistan. Accord sur sept mesures destinées à réduire la tension militaire entre les deux pays, dans le cadre du processus de paix engagé en janvier 2004.

15 août. Indonésie. Signature, à Helsinki, du traité de paix entre le gouvernement indonésien et les séparatistes de la province d'Aceh, qui doit mettre fin à trois décennies de conflit. Il prévoit le retrait des forces armées gouvernementales (qui sera terminé le 30 décembre) et le désarmement des troupes du GAM (Mouvement Aceh libre).

15-23 août. Israël-Palestine. Conformément au plan Sharon, Israël évacue les vingt et une implantations juives de la bande de Gaza – mettant un terme à 29 ans de colonisation de ce territoire – et quatre colonies isolées en Cisjordanie. Le 12 septembre, retrait des troupes israéliennes de la bande de Gaza après trente-huit ans d'occupation.

17 août. Bangladesh. Environ 350 bombes de faible puissance explosent quasi-simultanément dans les 64 principales villes du pays, faisant deux morts et une centaine de blessés. Les attentats sont revendiqués par un groupe islamiste interdit, le Jamaatul Mujaheedin.

14 septembre. Irak. Le Jordanien Abou Moussab al-Zarkaoui, qui se présente comme le chef de la branche d'Al-Qaeda en Irak, annonce une « guerre totale » contre les chiites dans ce pays. Il sera tué le 7 juin 2006, lors d'une opération irako-américaine.

18 septembre. Afghanistan. Les élections législatives constituent la dernière étape du processus de transition politique lancé par la conférence internationale de Bonn qui a suivi la chute des taliban fin 2001. Le paysage parlementaire qui en ressort apparaît très morcelé.

29 septembre. Algérie. Approbation par référendum de la Charte pour la paix et la réconciliation nationale du président Abdelaziz Bouteflika, ce qui pose la question de la recherche de la vérité et des responsabilités concernant les crimes commis pendant le conflit algérien.

11 octobre et 8 novembre. Libéria. Les élections présidentielle et législatives mettent fin au régime de transition issu de l'accord de paix signé en août 2003 par les trois factions belligérantes. Ellen Johnson-Sirleaf, ex-économiste de la Banque mondiale, est élue avec 59,4 % des suffrages.

15 octobre. Irak. Le projet de Constitution est approuvé par référendum avec 78 % de voix favorables. Le 19 s'ouvre le premier procès de Saddam Hussein devant le Tribunal spécial irakien.

21 octobre. Côte-d'Ivoire. Le Conseil de sécurité de l'ONU adopte la résolution 1633 qui prévoit de confier des pouvoirs élargis à un Premier ministre de consensus, malgré le maintien à son poste du président Laurent Gbagbo, pour une durée maximale de douze mois. En effet, le Conseil de sécurité a estimé que l'élection présidentielle prévue pour le 30 octobre ne pouvait être organisée en raison de la persistance des troubles. Le 4 décembre, Charles Konan Banny est désigné au poste de Premier ministre et chargé d'organiser le scrutin (reporté à octobre 2006).

24 octobre. ONU-Kosovo. L'ONU approuve le lancement des négociations sur le statut final du Kosovo, « province autonome » de l'État de Serbie-Monténégro administrée depuis juin 1999 par les Nations unies. Celles-ci débutent le 7 novembre.

27 octobre-fin novembre. France. Des violences urbaines éclatent à Clichy-sous-Bois, suite à l'électrocution dans un transformateur électrique de deux jeunes gens qui fuyaient la police. Les incendies de voitures s'étendent en Seine-Saint-Denis (banlieue parisienne) et touchent de nombreuses villes de France. Le 8 novembre, le gouvernement décrète l'état d'urgence (levé le 3 janvier 2006).

8 novembre. ONU-Irak. L'ONU reconduit pour un an le mandat de la Force multinationale en Irak.

15 novembre. Israël-Palestine. Accord israélo-palestinien sur la réouverture, effective le 25, du terminal de Rafah, unique débouché de la bande de Gaza vers l'étranger.

15 décembre. Irak. Au terme des élections législatives, la liste chiite conservatrice, l'Alliance unifiée irakienne (AUI), obtient la majorité relative. Ces élections marquent la dernière étape du calendrier de la transition politique depuis le transfert du pouvoir aux Irakiens par la coalition militaire multinationale le 28 juin 2004.

15 décembre. ONU/Liban-Syrie. Le rapport de l'ONU sur l'assassinat de l'ex-Premier ministre libanais Rafic Hariri, le 14 février 2005 à Beyrouth, conclut à l'implication de la Syrie dans l'attentat.

18-19 décembre. République démocratique du Congo. L'approbation, par référendum d'une nouvelle Constitution marque la première étape d'une sortie de la transition engagée en 2003, les élections présidentielle et législatives devant avoir lieu à la mi-2006.

20 décembre. ONU. L'organisation se dote d'un nouvel organe consultatif permanent, la Commission de consolidation de la paix, destinée à aider les pays sortant d'un conflit à se stabiliser.

31 décembre. ONU-Sierra Léone. Fin de la Mission des Nations unies pour la Sierra Léone (Minusil), créée en octobre 1999 pour garantir les accords de paix signés en juillet 1999.

2006

25 janvier. Palestine. Le mouvement radical palestinien Hamas remporte les premières élections législatives depuis 1996, mettant fin à dix ans d'hégémonie du Fatah. Le 7 avril, l'Union européenne et les États-Unis annoncent qu'ils suspendent leur aide directe à l'Autorité palestinienne, se montant respectivement à 250 et 400 millions de dollars.

7 février. Haïti. Les élections présidentielle et législatives ont lieu après avoir été reportées quatre fois, suite à la démission et au départ le 29 février 2004 du président Jean-Bertrand Aristide. René Préval, largement en tête, rejette les résultats partiels qui le placent juste en dessous de la barre des 50 %, et est finalement déclaré vainqueur dès le premier tour.

18 février. Somalie. Création de l'ARPCT (Alliance pour la restauration de la paix et contre le terrorisme) par des ministres et puissants chefs de guerre, dont le but officiel est de s'opposer au terrorisme et à l'extrémisme islamique. De violents affrontements entre les forces de l'ARPCT, soutenues par les États-Unis, et les milices somaliennes des « tribunaux islamiques » ont lieu en mars, puis en mai pour le contrôle de Mogadiscio. Le 5 juin, les « tribunaux islamiques » affirment avoir remporté la bataille de Mogadiscio.

22 février. Sri Lanka. Reprise, avec la médiation de la Norvège, des négociations de paix interrompues depuis 2003 entre le gouvernement sri-lankais et les Tigres de libération de l'Eelam tamoul (LTTE), alors que le cessez-le-feu de février 2002 est violé depuis décembre 2005. Le 8 juin, échec des négociations.

3 mars. États-Unis. Début de la publication par le département de la Défense des noms des prisonniers détenus à Guantanamo depuis les attentats du 11 septembre 2001. Le 3 mai, le Français Zacarias Moussaoui, unique inculpé pour les attentats du 11 septembre, échappe à la peine de mort et est condamné à la prison à vie par le tribunal d'Alexandria.

8 mars. ONU-Iran. L'AIEA (Agence internationale de l'énergie atomique) décide de transférer à l'ONU le dossier nucléaire de l'Iran. Le 29 mars, le Conseil de sécurité donne un mois à l'Iran pour la suspension complète de toutes ses activités liées à l'enrichissement d'uranium. Rejet de Téhéran.

22 mars. Espagne. L'organisation séparatiste basque ETA annonce un « cessez-le-feu permanent ».

13 avril. Tchad. L'offensive lancée en mars dans l'est du Tchad par les rebelles du Front uni pour le changement (FUC), une coalition de rébellions apparue fin décembre 2005, est repoussée par les forces régulières du président Idriss Déby aux portes de N'Djamena après de violents combats. Le 14 avril, le président tchadien annonce la rupture des relations diplomatiques avec le Soudan, accusé de soutenir les rebelles.

22 avril. Irak. Le Parlement irakien désigne le chiite Nouri al-Maliki au poste de Premier ministre. Chargé de former un gouvernement d'union nationale rassemblant sunnites, Kurdes et chiites, il n'y parviendra que le 20 mai, en se réservant le poste de la Défense.

22 avril. Népal. Des centaines de milliers de personnes manifestent à Katmandou, réclamant l'instauration d'une république parlementaire et le départ du roi Gyanendra, qui exerce les pleins pouvoirs depuis février 2005. Le 24, le roi est contraint de rétablir le Parlement dissous en 2002 et, le 27, il nomme, sur proposition de l'opposition, l'ex-Premier ministre Girija Prasad Koirala, chef de file du Congrès népalais (NPC), au poste de Premier ministre. Le 26 mai, le nouveau gouvernement annonce l'ouverture de négociations avec la rébellion maoïste.

3 mai. Serbie-Monténégro. La Commission européenne suspend les négociations, entamées le 10 octobre 2005, pour la conclusion d'un accord de stabilisation et d'association (ASA) avec la Serbie, celle-ci n'ayant pas arrêté et transféré Ratko Mladic au Tribunal pénal international pour l'ex-Yougoslavie (TPIY). Le 21 mai, lors d'un référendum, le Monténégro se prononce à 55,50 % des voix

pour la séparation de la Serbie et proclame officiellement son indépendance le 3 juin.

5 mai. Darfour. Le gouvernement soudanais et la faction majoritaire du principal groupe rebelle au Darfour, le Mouvement/Armée de libération du Soudan (M/ALS), signent à Abuja un accord de paix négocié sous les auspices de l'Union africaine et de la communauté internationale. L'autre rébellion, le Mouvement pour la justice et l'égalité (MJE), refuse l'accord, de même que la faction minoritaire du M/ALS. Le plan prévoit le désarmement des milices progouvernementales, une plus grande autonomie du Darfour et la tenue d'un référendum d'autodétermination de la population, au plus tard en juillet 2010.

15 mai. Afghanistan. Les forces de la coalition militaire internationale menée par les États-Unis et l'armée afghane lancent dans le sud de l'Afghanistan leur plus importante offensive depuis la chute des taliban.

25 mai. Palestine. Lancement d'un « dialogue national » interpalestinien destiné à mettre fin aux violences et à la crise politico-financière qui oppose le Hamas, victorieux aux élections législatives de janvier, et le Fatah de Mahmoud Abbas, chef de l'Autorité palestinienne depuis janvier 2005. Après l'échec des pourparlers, le 5 juin, le président palestinien évoque, dans un premier temps, la tenue d'un référendum, le 26 juillet, pour trancher sur le plan de sortie de crise en litige.

29 mai. Burundi. Ouverture, en Tanzanie, des premiers pourparlers directs entre les Forces nationales de libération (FNL), dernière rébellion en activité dans le pays, et le gouvernement issu des élections générales de juillet 2005.

31 mai. Iran. Les États-Unis annoncent qu'ils participent directement aux négociations internationales avec l'Iran contrairement à la position adoptée depuis la rupture des relations diplomatiques en 1980 ; le 1er juin, l'Iran se dit prêt au dialogue. Le 6, le représentant de la diplomatie européenne, Javier Solana, remet à l'Iran une offre des cinq membres permanents du Conseil de sécurité de l'ONU et de l'Allemagne, qui l'autoriserait à continuer de convertir l'uranium pour des utilisations civiles en contrepartie de la suspension de ses activités d'enrichissement d'uranium, avec des offres incitatives, notamment en matière commerciale, mais aussi une menace d'action devant le Conseil de sécurité. ∎

Grands ensembles continentaux

8 continents, 27 états

Rédigés par
les meilleurs
spécialistes,
une présentation
de chaque
continent et
le bilan
de l'année pour
une sélection
de 27 États.
Sous l'angle
politique,
économique,
social et
diplomatique.

Par **Roland Pourtier**
Géographe, Université Paris-I-Panthéon-Sorbonne

D'une architecture massive, située, pour l'essentiel, dans la zone intertropicale dont elle partage tous les climats, l'Afrique offre l'apparence d'une unité physique. Elle s'accroche à l'Asie par l'isthme de Suez, regarde vers l'Europe au-delà de la Méditerranée. Sur ses 30 millions de km^2 vivaient, en l'an 2005, environ 900 millions d'habitants, dont plus de 80 % au sud du Sahara. L'Afrique porte l'héritage d'une histoire marquée, à partir du xvie siècle, par des relations dissymétriques avec l'Europe : traite des esclaves et colonisation. Depuis la période des indépendances, diversement acquises autour de 1960, les 54 États qui la composent s'efforcent de récupérer leur part d'initiative politique. Celle-ci est cependant étroitement limitée par les difficultés économiques et financières rencontrées par la plupart d'entre eux, contraints de se plier aux exigences des plans d'ajustement structurel (PAS) du FMI. Prise globalement, l'Afrique est le continent où les traits du sous-développement apparaissent les plus accusés, surtout au sud du Sahara où se trouvent la plupart des pays les plus pauvres du monde. Famines, épidémies, dont celle du sida qui la touche plus cruellement que le reste de la planète, guerres particulièrement longues, les trois Parques semblent ne laisser aucun répit à l'Afrique, entretenant l'afro-pessimisme.

Ce tableau d'ensemble masque cependant la grande diversité d'une Afrique qu'il est préférable de décliner au pluriel tant les différences écologiques, les niveaux de développement économique, les dynamiques politiques créent des combinatoires contrastées. Au nord du Sahara, du Maghreb à l'Égypte, l'« Afrique blanche », intimement liée à l'histoire millénaire de la Méditerranée, demeure distincte du reste du continent. Même si le plus grand désert du monde n'a jamais été une barrière étanche, il a considérablement freiné les phénomènes de diffusion. Le seul apport extérieur notable, avant la colonisation, devait être l'adoption de l'islam dans les espaces de contact avec le monde arabe : sahels d'Afrique de l'Ouest et des rivages de l'océan Indien.

Au sud du Sahara, on peut distinguer quatre grands types d'enivironnement. Les savanes constituent des espaces ouverts, propices aux échanges autant qu'aux activités agropastorales. Là s'épanouirent autrefois royaumes et empires ; là une paysannerie laborieuse et des commerçants avisés constituent le socle d'un développement endogène possible. L'univers de la forêt, quant à lui, avec ses faibles densités humaines et ses horizons bornés, n'a connu dans le passé que des sociétés acéphales : les États, les villes sont d'origine exogène. Le succès des cultures « tropicales » (café, cacao, etc.) a favorisé les régions forestières littorales, sans les mettre à l'abri des aléas des économies de rente, comme l'a illustré la Côte-d'Ivoire et son « miracle » économique sans lendemain. Troisième type, les hautes terres, caractéristiques de l'est du continent, combinent, pour l'agriculture et l'élevage les avantages de l'altitude et de sols volcaniques, mais ces atouts peuvent se retourner contre les hommes lorsque ceux-ci se trouvent confrontés au surpeuplement, comme dans les territoires de den-

L'AFRIQUE QUI VERRA LE JOUR DEMAIN S'ENFANTE DANS LES VILLES, DONT AUCUN POUVOIR N'A PU CANALISER LA VERTIGINEUSE CROISSANCE.

Afrique

sités élevées de la crête Congo-Nil (Rwanda, Burundi, Kivu...). Dernière configuration, l'Afrique du Sud, partagée entre milieux tempérés et tropicaux, tranche sur le reste de l'Afrique subsaharienne par l'importance de sa population blanche. Elle se distingue aussi par un niveau de développement sans commune mesure avec les autres pays, quand bien même la majorité des Noirs et des Métis vivent toujours dans un grand dénuement. La diversité des paysages naturels est considérable : désert de sable et de roc ; forêt primaire à l'exceptionnelle biodiversité ; vastes étendues encore parcourues, dans quelques espaces préservés, par les animaux sauvages, ou neiges du Kilimandjaro. Quant à la diversité humaine, elle semble infinie. Les langues, les cultures ethniques se comptent par milliers. La progression de l'islam et du christianisme n'a pas effacé un « animisme » aux manifestations multiformes. La contrepartie de l'ethnodiversité se lit dans les difficultés de construction d'États modernes toujours à la recherche d'un difficile équilibre entre citoyenneté et identités ethniques, d'autant que ces dernières font souvent l'objet de manipulations politiques. À partir du milieu du xxᵉ siècle, tous les pays d'Afrique ont été confrontés à la vague de fond d'une croissance démographique sans précédent. Même si celle-ci s'est ralentie, les projections basses affichent encore un taux annuel légèrement supérieur à 2 % pour 2005-2010. La baisse de la fécondité, désormais acquise au Maghreb, est plus lente en Afrique noire le doublement de la population en une génération représente un énorme défi pour cette partie du continent. Certes, d'immenses espaces sont à peine peuplés, notamment dans la cuvette congolaise, mais les lieux où « la terre est finie » se multiplient, engendrant des tensions foncières.

Parallèlement à la croissance de la population, le continent s'urbanise à un rythme très rapide. L'Afrique de demain s'enfante dans ces villes, dont aucun pouvoir n'a pu canaliser la croissance. Autre conséquence décisive pour son avenir : l'extrême jeunesse d'une population qui compte 60 % de moins de vingt ans. Depuis les années 1980, le secteur moderne de l'économie crée peu d'emplois, rejetant les jeunes citadins, au mieux vers des activités de survie dans le secteur informel, sinon dans une marginalité propice à la violence – quand les leaders politiques n'en font pas des miliciens ou des enfants soldats. Affaiblis par ces facteurs d'instabilité interne, les États africains ont du mal à s'affirmer dans une mondialisation reproduisant les schémas de la dépendance : les économies exportatrices de produits primaires, agricoles, miniers et pétroliers ne parviennent pas à se dégager du modèle rentier qui les assujettit aux marchés des pays consommateurs du Nord. L'Afrique compte peu dans l'économie mondiale, même si les échanges commerciaux avec les autres continents, notamment l'Asie, se développent ; elle a perdu de surcroît sa rente géopolitique depuis la fin de la Guerre froide. L'importance de l'aide humanitaire sous toutes ses formes révèle l'ampleur de la crise qui accompagne ses mutations. ■

L'AFRIQUE COMPTE PEU DANS UNE ÉCONOMIE MONDIALE REPRODUISANT LES SCHÉMAS DE LA DÉPENDANCE ; ELLE A PERDU DE SURCROÎT SA RENTE GÉOPOLITIQUE DEPUIS LA FIN DE LA GUERRE FROIDE. L'IMPORTANCE DE L'AIDE HUMANITAIRE SOUS TOUTES SES FORMES RÉVÈLE L'AMPLEUR DE LA CRISE QUI ACCOMPAGNE SES MUTATIONS.

150 | *Par* **Richard Banégas**
Science politique, Université Paris-I-Panthéon-Sorbonne, CEMAf

Dans son dernier essai, l'anthropologue américain James Ferguson s'interrogeait sur le statut de l'Afrique dans la globalisation et ce qu'il appelle sa « place-dans-le-monde », entendue à la fois comme une catégorie géopolitique, économique, stratégique et comme la représentation de son « rang » dans un système mondialisé (*Global Shadows, Africa in the Neoliberal World Order*, 2006). Selon le sens commun de l'après-Guerre froide et de l'ère libérale, le continent était destiné à une marginalisation croissante. Or on constate que depuis quelques années l'Afrique redevient un enjeu international de première importance pour des raisons essentiellement sécuritaires, énergétiques, migratoires ou sanitaires.

Placée au cœur des stratégies internationales d'endiguement des « nouvelles menaces » de l'après-« 11 septembre », l'Afrique constitue d'abord un « laboratoire » de la gestion des crises, où s'éprouvent des dispositifs inédits d'intervention militaire et de reconstruction post-conflit, à l'initiative de l'ONU, de l'Union européenne (UE), de l'Union africaine (UA) ou des anciennes puissances coloniales. Des dispositifs qui visent, d'une part, à « multilatéraliser » et à « africaniser » les forces de maintien de la paix, et d'autre part, à faire face à la régionalisation croissante des crises sur le continent. L'Afrique est aussi redevenue un espace de compétition économique entre les grandes puissances (notamment les États-Unis et la Chine), dans une version globalisée du *« scramble for Africa »* (ruée sur l'Afrique), un espace également où se manifestent avec violence les contradictions d'une libéralisation tronquée des échanges sous la houlette de l'OMC (cycle de Doha). Enfin, le continent est plus que jamais un lieu d'expérimentation des politiques compassionnelles de lutte contre la pauvreté, inscrites au frontispice des Nations unies depuis les Objectifs du Millénaire. Ces politiques de développement, très généreuses en apparence, se traduisent par un souci croissant de réduire la dette des pays les moins avancés (PMA), mais sont aussi de plus en plus guidées par des considérations liées aux flux migratoires dont l'Europe-forteresse tente en vain de se prémunir. Durant l'année 2005-2006, de nombreux événements sont venus illustrer ces tendances.

Sur le front de l'aide internationale, d'abord, une vaste campagne médiatique et l'organisation de divers « sommets » ont placé le continent sous les feux de l'actualité. En mars 2005, la commission Blair sur l'Afrique a publié son rapport, réitérant l'engagement du Royaume-Uni à aider le continent. En juillet 2005, une série de grands concerts ont été donnés de par le monde pour sensibiliser les opinions publiques au problème de la pauvreté en Afrique et soutenir les initiatives en faveur des suppressions de dettes. Organisés par les chanteurs Bono et Bob Geldof sur le modèle du fameux Band Aid pour l'Éthiopie, ces « Live 8 » ont suscité de vives polémiques en Afrique pour avoir délibérément exclu les artistes du continent. Dans le même temps se tenait le « sommet » du G-8 à Gleneagles (Écosse), qui avait précisément pour thème la pauvreté en Afrique et le réchauffement de la planète. Faisant suite aux engagements de la réunion d'Évian, le G-8 a décidé d'augmenter sensiblement l'aide au développe-

L'AFRIQUE REDEVIENT UN ENJEU INTERNATIONAL DE PREMIÈRE IMPORTANCE POUR DES RAISONS SÉCURITAIRES, ÉNERGÉTIQUES, MIGRATOIRES OU SANITAIRES.

ment (plus 50 milliards de dollars par an) et d'annuler une grande partie des dettes africaines (notamment celle du Nigéria). Cette annonce, faite le 6 juillet par Tony Blair, a été saluée par la plupart des observateurs, mais elle a aussi suscité des réserves quant à la timidité de l'effort consenti et l'ambiguïté des mesures.

L'AFRIQUE CONSTITUE UN «LABORATOIRE» DE LA GESTION DES CRISES,

Autre grand-messe destinée à soutenir l'Afrique : le Sommet du Millénaire, organisé par l'ONU en septembre 2005. Cette revue à mi-parcours des Objectifs du Millénaire était attendue par tous comme un test majeur de l'engagement de la communauté internationale en faveur du développement et de l'Afrique en particulier. Las, aucune décision ferme n'a été prise par les bailleurs de fonds, qui se sont limités à la création d'un nouveau mé-

OÙ S'ÉPROUVENT DES DISPOSITIFS INÉDITS D'INTERVENTION MILITAIRE ET DE RECONSTRUCTION POST-CONFLIT.

canisme de financement (la taxe sur les billets d'avion, prônée par le président français Jacques Chirac) et à réitérer leur promesse de consacrer, d'ici 2015, 0,7 % de leur PNB à l'aide au développement. Les débats sur les contradictions manifestes entre, d'un côté, les politiques de lutte contre la pauvreté et, de l'autre, les contraintes de la libéralisation commerciale n'ont pas été abordés. Ils ont également été escamotés lors de la conférence interministérielle de l'OMC à Hong Kong en décembre 2005. Cette réunion a buté, comme à Cancun, sur la question de la libéralisation du commerce des produits agricoles – certains pays africains comme l'Afrique du Sud suivant l'Inde et le Brésil dans la volonté d'ouverture totale des marchés, d'autres préférant maintenir les préférences douanières établies avec l'UE –, les uns et les autres se retrouvant dans la contestation des subventions à l'agriculture américaine et européenne.

Ces débats sur l'aide et le commerce se sont déroulés sur fond de compétition économique de plus en plus rude entre les grandes puissances, qui tentent de reprendre pied en Afrique pour sécuriser des rentes notamment énergétiques. C'est en particulier le cas de la Chine, qui a effectué un retour très remarqué sur le continent. 25 % de ses importations de pétrole proviennent déjà du golfe de Guinée et du Sud-Soudan, où les firmes chinoises jouent un rôle déterminant. Les relations avec l'Angola et le Nigéria se sont renforcées de manière spectaculaire. En 2005, l'empire du Milieu est devenu le troisième partenaire commercial du continent africain. Pékin manifeste également une forte implication dans le financement des actions de développement (notamment des infrastructures) sans poser les mêmes conditionnalités que les autres bailleurs. Cette double tendance suscite une inquiétude croissante chez ses « concurrents » occidentaux, mais elle ouvre aussi aux pays africains des opportunités nouvelles.

Les États-Unis, premiers à s'alarmer de la percée chinoise en Afrique, s'impliquent eux aussi de plus en plus sur le continent au double titre de la lutte contre le terrorisme international (notamment dans la Corne de l'Afrique et au Sahel) et de l'accès aux ressources pétrolières (l'Angola est ainsi devenu l'un des tout premiers fournisseurs des États-Unis). Cette offensive commerciale s'est renforcée en 2005-2006 avec l'extension de l'AGOA (Loi sur la croissance et les possibilités économiques en Afrique, signée par Bill Clinton pour favoriser les échanges avec l'Afrique) à de nouveaux pays et le renforcement des relations de libre-échange avec les pays membres de la SACU (Union douanière d'Afrique australe). Elle s'est aussi affermie sur le plan sécuritaire avec la multiplication des actions de coopération militaire dans le cadre de l'Initiative pansahélienne, l'implication américaine dans la résolution des conflits au Soudan et le soutien de plus en plus ouvert aux clans somaliens combattant les miliciens des Tribunaux islamiques. Cette action américaine en Somalie, destinée à prévenir la formation d'un futur « Afghanistan africain », semblait d'ailleurs en passe d'échouer, avec la prise de Mogadiscio par les factions islamistes en juin 2006.

La conflictualité semblait pourtant en voie d'apaisement depuis le début 2005. La signature d'accords de paix en Casamance (Sénégal), au Burundi et au Sud-Soudan ; l'adoption de la « charte pour la paix et la réconciliation » en Algérie ; le retour à la paix en Sierra Léone et au Libéria, où une élection présidentielle a pu se tenir en novembre, portant pour la première fois au pouvoir une femme, Ellen Johnson-Sirleaf ; la mise en œuvre du processus de désarmement en République démocratique du Congo (RDC) ; la perspective de l'élection présidentielle d'octobre 2006 en Côte-d'Ivoire constituaient autant d'indices de l'avènement d'une ère nouvelle de « paix armée ».

Malheureusement, la violence n'a guère décru avec la persistance de certains conflits et l'ouverture de nouvelles crises. Au Soudan, par exemple, un accord de paix historique a été signé le 9 janvier 2005 entre le pouvoir de Khartoum et la rébellion sudiste de John Garang. Mettant un terme à une guerre civile de vingt et un ans, cet accord prévoit un partage du pouvoir (J. Garang est ainsi devenu vice-président le 9 juillet suivant) et des richesses, dans le cadre d'une période de transition de six ans, au terme de laquelle les populations du Sud devront se prononcer par référendum sur l'indépendance de leur province. Le 30 juillet 2005, la mort accidentelle du leader historique de la rébellion a fait craindre une reprise des hostilités, mais finalement l'accord a tenu. Au Darfour, en revanche, la violence n'a guère cessé malgré la tenue de négociations de paix et l'implication croissante de la communauté internationale. Le 5 mai 2006, un accord était conclu à Abuja sous l'égide de l'UA. Mais ce document, signé par une partie seulement des rebelles, le M/ALS (Mouvement/Armée de libération du Soudan), n'a pas conduit à une résolution de la violence. Au contraire, elle s'est étendue au Tchad voisin où, à partir du second semestre 2005, la crise politique du régime Déby s'est aggravée avec la décision du chef de l'État de se représenter à la magistrature suprême et de réorganiser sa sécurité. La défection d'officiers *zaghawa* (proches du régime) en octobre a conduit à l'émergence de nouvelles rébellions, qui ont lancé des offensives sur la capitale en avril 2006. Sans le soutien de la France (maintenant sur place un important dispositif militaire), le pouvoir d'Idriss Déby aurait sans doute chuté. Au lieu de quoi, trois semaines après ces offensives, des élections (boycottées par l'opposition) venaient conforter ce régime honni par une majorité de plus en plus large de Tchadiens.

Dans le conflit du Darfour – et ses connexions au Tchad – se testent les capacités d'interposition des armées africaines (l'UA y a déployé une force en 2005) et leur articulation avec les dispositifs de l'ONU, de l'OTAN ou de l'UE. C'est aussi un test

LES DÉBATS SUR L'AIDE ET LE COMMERCE SE DÉROULENT SUR FOND DE COMPÉTITION ÉCONOMIQUE DE PLUS EN PLUS RUDE ENTRE LES GRANDES PUISSANCES.

pour la Cour pénale internationale (CPI), qui a été saisie du dossier. Mais l'incapacité de cette dernière à mener à bien ses investigations et le refus de Khartoum de voir s'installer des « casques bleus » au Darfour traduisent les limites de ce modèle multilatéral de résolution des conflits. C'est aussi le cas en Côte-d'Ivoire, où la communauté internationale ne parvient toujours pas à imposer la paix malgré une implication de plus en plus forte. En octobre 2005 devait se tenir, au terme du mandat de Laurent Gbagbo, une élection présidentielle, qui n'a pu avoir lieu. Le Conseil de sécurité de l'ONU a pris acte de cette impossibilité en accordant au chef de l'État un délai d'un an supplémentaire, tout en essayant de transférer ses pouvoirs à un Premier ministre de transition (Charles Konan Banny). Cette décision a traduit un changement d'importance dans la gestion internationale du « dossier ivoirien ». Après la CEDEAO (Communauté économique des États de l'Afrique de l'Ouest), la France et l'ONU, c'étaient désormais l'UA et les bailleurs réunis dans un Groupe de travail international (GTI) qui

LES ÉTATS-UNIS, PREMIERS À S'ALARMER DE LA PERCÉE CHINOISE EN AFRIQUE, S'IMPLIQUENT DE PLUS EN PLUS SUR LE CONTINENT AU DOUBLE TITRE DE LA LUTTE CONTRE LE TERRORISME INTERNATIONAL ET DE L'ACCÈS AUX RESSOURCES PÉTROLIÈRES.

allaient prendre les décisions. Au Togo, après la disparition du général Étienne Gnassingbé Éyadéma en février 2005, la CEDEAO et l'UA se sont également fortement impliquées pour faire rétablir la « légalité républicaine » et faire accepter aux militaires soutenant la succession dynastique de Faure Gnassingbé la tenue d'un scrutin régulier. Mais le trucage de celui-ci et les violences qui ont suivi (au moins 500 morts selon l'ONU) ainsi que les « petits arrangements entre amis » au sein des organisations régionales ont clairement démontré les limites cette nouvelle ingérence de l'UA. Le silence de cette dernière sur les événements au Zimbabwé (expropriation de dizaines de milliers de personnes et violences politiques après les élections législatives du printemps 2005, où la ZANU-PF, au pouvoir depuis l'indépendance en 1980, s'est assuré deux tiers des sièges) et en Éthiopie (où la contestation du scrutin de mai 2005 par l'opposition a conduit à de très violents affrontements en juin et novembre suivants) laisse planer des doutes quant à ses capacités réelles à imposer la paix sur le continent.

Ces nouveaux dispositifs « multilatéralisés » et « africanisés » de gestion des crises traduisent-ils un effacement progressif des anciens interventionnismes menés par les ex-puissances coloniales ? L'érosion de l'influence de la France, mise en cause au Togo, au Tchad et en Côte-d'Ivoire pour son manque d'impartialité, pourrait le laisser penser. Il n'est pas sûr, toutefois, que ce modèle soit complètement dépassé, comme l'a montré l'opération européenne *Artémis* en Ituri (RDC) en 2004, qui cachait mal une implication bilatérale française. Néanmoins, les conditions ont changé : les polémiques suscitées par le vote de la loi du 23 février 2005 en France louant des « aspects positifs de la colonisation », ainsi que les débats (très virulents en Afrique francophone) sur la criminalisation des migrants en Europe et la thématique de l'« immigration choisie » (perçue comme un nouvel esclavage) constituent autant de pierres d'achoppement à l'émergence d'une « nouvelle politique africaine de la France ». ■

Par **Ivan Crouzel**
Science politique, CEAN

2005-2006 / Journal de l'année

2005

4 juillet. Burundi. L'ancien mouvement rebelle des Forces pour la défense de la démocratie-Conseil national pour la défense de la démocratie (FDD-CNDD) remporte les élections législatives devant le Front pour la démocratie au Burundi (Frodebu), avec 58,23 % des voix. Le FDD-CNDD sort également vainqueur des élections sénatoriales du 29 juillet. Son leader, Pierre Nkurunziza, est élu président de la République par le Parlement le 19 août.

9 juillet. Soudan. Dans le cadre des accords de paix signés le 9 janvier pour mettre fin à vingt et un ans de guerre civile, John Garang, leader du principal mouvement rebelle du Sud (Mouvement populaire de libération du Soudan, MPLS) est investi premier vice-président du Soudan. Il décédera le 30 juillet dans un accident d'hélicoptère. Salva Kiir le remplace pour prendre, en octobre, la direction du gouvernement autonome du Sud-Soudan.

24 juillet. Guinée-Bissau. L'ancien président Joao Bernardo Vieira (1975-1999) est élu président avec 52,35 % des suffrages, devant Malam Bacai Sanha. Le 29 octobre, après une passe d'armes avec le Premier ministre en place Carlos Gomes Junior, le président dissout le gouvernement pour nommer un nouveau Premier ministre, Aristide Gomes.

3 août. Mauritanie. Le régime impopulaire du président Maaouya ould Taya est renversé par un coup d'État mené par l'un de ses proches, le colonel Ely ould Mohamed Vall. La junte militaire nomme un Premier ministre civil, Sidi Mohamed ould Boubacar, pour diriger un gouvernement de transition. Le pays commencera à exploiter ses ressources pétrolières en février 2006.

7 septembre. Égypte. Hosni Moubarak, au pouvoir depuis 1981, est réélu président avec 88,6 % des voix. Seulement 23 % des électeurs se sont déplacés pour ces premières élections multipartites au suffrage universel direct.

29 septembre. Algérie. Le « oui » rassemble plus de 97 % des suffrages lors du référendum sur le projet de Charte pour la paix et la réconciliation, présenté par le président Abdelaziz Bouteflika. Dans ce cadre, des centaines d'islamistes seront libérés à partir de mars 2006 et aucune poursuite n'est envisagée contre les responsabilités étatiques dans le conflit algérien.

Octobre. Maroc. Mort de plus d'une dizaine d'immigrés qui tentaient de pénétrer clandestinement dans les enclaves espagnoles de Ceuta et Melilla. Plusieurs centaines de ces immigrants sont expulsés et abandonnés dans le désert du Sud marocain.

10 octobre. Éthiopie. Le Parlement, issu des élections controversées du 15 mai, reconduit Méles Zenawi à la présidence du pays pour un nouveau mandat de cinq ans. Parallèlement, les affrontements entre manifestants et forces de l'ordre se multiplient et le régime poursuit les arrestations de membres de l'opposition.

13 octobre. Burkina Faso. Au terme d'une campagne électorale aux grands moyens, Blaise Compaoré, au pouvoir depuis 1987, est réélu président du pays avec 80,3 % des voix.

Octobre-novembre. Éthiopie-Érythrée. Regain de tension autour de la question de la démarcation de la frontière entre les deux pays.

8 novembre. Libéria. Ellen Johnson-Sirleaf est élue présidente du Libéria avec 59,4 % des voix, devant l'ancien footballeur George Weah. Elle est la première femme africaine à devenir chef d'État.

21 novembre. Kénya. Le projet de Constitution présenté par le président Mwai Kibaki, limitant le pouvoir de l'exécutif et prévoyant une forte décentralisation, est rejeté par 57 % des électeurs lors d'un référendum. Ce projet avait divisé la classe politique kényane.

26 novembre. Zimbabwé. L'Union nationale africaine du Zimbabwé-Front patriotique (ZANU-PF, au pouvoir) remporte les élections sénatoriales. La question de la participation à ces élections a profondément divisé le Mouvement pour la démocratie et le changement (MDC), principale force d'opposition.

27 novembre. Gabon. Omar Bongo, au pouvoir depuis 1967, est réélu à la présidence du pays avec 79,21 % des voix.

4 décembre. Côte-d'Ivoire. Ancien gouverneur de la Banque centrale des États d'Afrique de l'Ouest (BCEAO), Charles Konan Banny est nommé Premier ministre. Doté

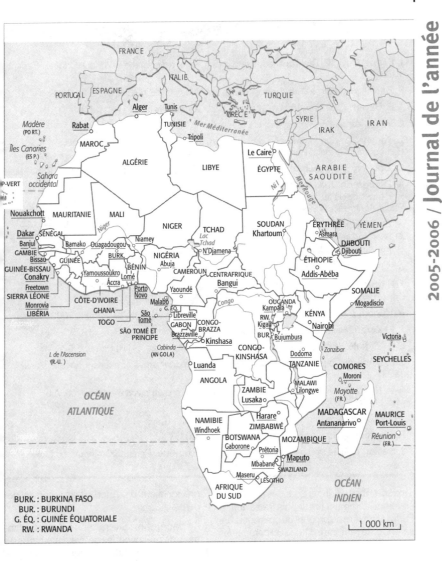

BURK. : BURKINA FASO
BUR. : BURUNDI
G. ÉQ. : GUINÉE ÉQUATORIALE
RW. : RWANDA

1 000 km

de pouvoirs élargis, il dirige un gouvernement de transition regroupant les principales forces politiques du pays et doit notamment préparer l'élection présidentielle récemment reportée. Le 21 octobre, faute de voir réunies les conditions de tenue du scrutin, le Conseil de sécurité de l'ONU a en effet prolongé d'un an le mandat de Laurent Gbagbo à la tête de l'État.

Novembre-décembre. Égypte. Le Parti national démocrate (PND, au pouvoir) remporte les élections législatives avec 75 % des sièges. Ce scrutin est marqué par une percée des candidats issus du mouvement des Frères musulmans, qui obtiennent 88 sièges sur 444.

14 décembre. Tanzanie. Ancien ministre des Affaires étrangères, Jakaya Kikwete succède à Benjamin Mkapa en remportant le scrutin présidentiel avec 80 % des voix. Lors de ces élections générales, Chama Cha Mapinduzi, parti au pouvoir, conserve également la majorité absolue au Parlement.

Afrique/Bibliographie sélective

J. F. Ade Ajayi, M. Crowder (sous la dir. de), *Atlas historique de l'Afrique*, Jaguar, Paris, 1988.

F. Bart (sous la dir. de), *L'Afrique, continent pluriel*, CNED/SEDES, Paris, 2003.

J.-F. Bayart, *L'État en Afrique, la politique du ventre*, Fayard, Paris, 1989.

CEAN, *L'Afrique politique*, Karthala (annuel).

J. Copans, *La Longue Marche de la modernité africaine, savoirs intellectuels, démocratie*, Karthala, Paris, 1990.

C. Coquery-Vidrovitch, *Afrique noire, permanences et ruptures*, Payot, Paris, 1985.

A. Dubresson, J.-Y. Marchal, J.-P. Raison, « Les Afriques au sud du Sahara », *in* R. Brunet (sous la dir. de), *Géographie universelle*, vol. VI, Belin/RECLUS, Paris/Montpellier, 1994.

A. Dubresson, J.-P. Raison, *L'Afrique subsaharienne, une géographie du changement*, Armand Colin, Paris, 1998 (2e éd. 2003).

S. Ellis, *L'Afrique maintenant*, Karthala, Paris, 1995.

A. Glaser, S. Smith, *Comment la France a perdu l'Afrique*, Calmann-Lévy, Paris, 2005.

J. Herbst, *States and Power in Africa : Comparative Lessons in Authority and Control*, Princeton University Press, 2000.

P. Hugon, *L'Économie de l'Afrique*, La Découverte, coll. « Repères », Paris, 2003 (4e éd.).

J. Ki Zerbo, *Histoire de l'Afrique noire : d'hier à demain*, Hatier, Paris, 1972.

É. M'Bokolo, *L'Afrique au xxe siècle, le continent convoité*, Seuil, Paris, 1991.

J.-F. Médard, *États d'Afrique noire. Formations, mécanismes et crises*, Karthala, Paris, 1991.

J.-P. Ngoupandé, *L'Afrique sans la France, histoire d'un divorce consommé*, Albin Michel, Paris, 2002.

Politique africaine (trimestriel), Karthala, Paris.

R. Pourtier, *Afriques noires*, Hachette, Paris, 2001.

J. Sellier, *L'Atlas des peuples d'Afrique*, La Découverte, Paris, 2004 (nouv. éd.).

18 décembre. Guinée. Lors des premières élections communales depuis treize ans, le Parti de l'unité et du progrès du président Lansana Conté remporte 31 des 38 communes du pays.

18 décembre. Tchad. Le mouvement rebelle du Rassemblement pour la démocratie et la liberté (RDL), accusé par N'Djamena d'être soutenu par le Soudan, lance une offensive contre les forces gouvernementales à Adré, dans l'est du Tchad. La multiplication de ces attaques traduit le faible contrôle exercé par N'Djamena sur son territoire.

18-19 décembre. République démocratique du Congo. Le projet de Constitution est approuvé par référendum par 84,31 % des électeurs, dotant la RDC d'un régime semi-présidentiel et d'un État unitaire fortement décentralisé.

31 décembre. Sierra Léone. Après six années de présence, les derniers membres de la Mission des Nations unies pour la Sierra Léone (Minusil) quittent le pays. La mission, créée en 1999, aura largement contribué au retour à la paix et à la stabilisation du pays.

2006

15 janvier. Nigéria. Attaque d'une station de pompage de pétrole dans le delta du Niger. Dix ans après l'exécution de l'écrivain et militant non-violent Ken Saro-Wiwa, les revendications pour une meilleure redistribution des dividendes du pétrole du sud du pays sont dorénavant essentiellement le fait de groupes armés, qui intensifient leurs actions violentes contre les intérêts des compagnies pétrolières.

23-26 janvier. Union africaine. Le président congolais Denis Sassou Nguesso prend, pour un an, la tête de l'Union africaine lors du « sommet » de Khartoum. Le Soudan, initialement pressenti pour présider l'organisation panafricaine, a finalement été écarté en raison de sa politique au Darfour.

Février. Caricatures du Prophète. De nombreux musulmans manifestent à travers toute l'Afrique pour protester contre la publication de représentations satiriques du prophète Mohammed parues dans la presse européenne. Au Nigéria, ces manifestations provoquent des affrontements ethno-religieux, qui font plus d'une centaine de morts.

8 février. Nigéria. Pour la première fois en Afrique, le virus H5N1 est détecté dans un élevage aviaire au nord du pays. L'épizootie, et ses effets induits en termes économiques et alimentaires, s'étendra ensuite à de nombreux pays africains.

23 février. Ouganda. Au terme des premières élections pluralistes depuis vingt-six ans, Yoweri Museveni est réélu pour un troisième mandat à la présidence de l'Ouganda, avec un score de 59,3 % des voix.

26 février. Somalie. De retour de son exil kényan, le Parlement de transition tient sa première session à Baidoa, dans le sud du pays. Dans le même temps, les affrontements armés entre chefs de guerre s'intensifient à Mogadiscio.

28 février. Côte-d'Ivoire. Rencontre à Yamoussoukro des cinq principaux dirigeants et leaders politiques ivoiriens : le président Gbagbo, le Premier ministre Konan Banny, les opposants Alassane Ouattara et Henri Konan Bédié, et Guillaume Soro, chef des Forces nouvelles. Ils décident de se rencontrer régulièrement en vue de la préparation de la présidentielle, notamment pour discuter du désarmement et de l'identification nationale.

1er mars. Afrique du Sud. Le Congrès national africain (ANC, au pouvoir) remporte les élections locales avec 66 % des suffrages. Le parti de Thabo Mbeki perd néanmoins le contrôle de la métropole du Cap au profit de l'Alliance démocratique (DA), principal parti d'opposition.

19 mars. Bénin. Ancien président de la Banque ouest-africaine de développement, Boni Yayi remporte le second tour de l'élection présidentielle avec 74,52 % des voix face à Adrien Houngbédji. Cette élection porteuse de changement marque le départ de la scène politique de Mathieu Kérékou, après deux mandats consécutifs.

29 mars. Libéria-Sierra Léone. L'ancien président libérien Charles Taylor est extradé du Nigéria, où il vivait en exil depuis 2003, pour être livré au Tribunal spécial pour la Sierra Léone. Il sera le premier président africain à répondre de crimes de guerre devant une juridiction internationale.

Mai. RDC. À l'approche des élections générales (prévues pour le premier semestre 2006), l'armée congolaise, appuyée par des « casques bleus », intensifie ses opérations pour désarmer les milices rebelles dans le district de l'Ituri (Nord-Est).

1er mai. Tchad-Soudan. Attaque de miliciens janjawid venus du Soudan contre des villages et les camps de réfugiés à la frontière est du Tchad. Ce type d'attaque s'est multiplié depuis décembre dans cette zone où près de 200 000 Soudanais ont trouvé refuge pour fuir le conflit du Darfour.

3 mai. Tchad. Lors d'un scrutin boycotté par les partis d'opposition, Idriss Déby Itno remporte un troisième mandat présidentiel consécutif avec 64,61 % des voix. Quinze jours auparavant, les forces loyalistes avaient repoussé l'offensive d'un groupe de rebelles qui avait tenté de renverser le pouvoir à N'Djamena, faisant près de 200 victimes.

5 mai. Darfour. Après deux années d'efforts, l'Union africaine obtient la signature, à Abuja, d'un accord de paix entre le gouvernement soudanais et le principal mouvement rebelle du Darfour, l'Armée de libération du Soudan (ALS). Toutefois, deux mouvements rebelles ont refusé de signer cet accord qui vise à mettre un terme à un conflit qui a causé près de 200 000 morts et plus de deux millions de déplacés.

14 mai. Comores. Ahmed Abdallah Sambi remporte l'élection présidentielle. Dans le cadre de la nouvelle Constitution, la présidence tourne tous les quatre ans entre les trois îles de l'archipel. Elle échoit en 2006 à l'île d'Anjouan. ∎

Afrique du Sud

Afrique du Sud

Scandales à la tête de l'État

Le président Thabo Mbeki (au pouvoir depuis 1999) a connu une année 2005-2006 que d'aucuns ont qualifié d'*annus horribilis* alors même que le bilan économique du pays n'avait jamais été aussi bon et que les élections municipales confirmaient la domination sans partage du Congrès national africain (African National Congress, ANC). Le renvoi du vice-président, Jacob Zuma, en juin, le scandale du Travelgate impliquant de nombreux parlementaires (qui avaient échangé leurs bons de voyage contre de l'argent) et les vacances luxueuses prises aux frais du contribuable par la nouvelle vice-présidente, Phumzile Mlambo-Ngcuka, ont affaibli la crédibilité du gouvernement en place. Le procès pour viol de l'ancien vice-président, début 2006, même s'il s'est conclu par un acquittement, a jeté le discrédit sur le héros de la gauche sud-africaine (officiellement soutenu par le Parti communiste et la centrale syndicale Cosatu) à cause de ses déclarations discutables sur le sida (11 % de la population et 18, 5 % des 15-49 ans en étaient affectés en 2005). Peut-être fallait-il voir avant tout dans le soutien apporté à J. Zuma un rejet du style de gestion centralisateur et des choix de politique économique néolibéraux du président Mbeki. Ce n'est toutefois qu'en novembre 2007 que sera rendu public le nom du candidat de l'ANC à l'élection présidentielle de 2009 ; entre-temps, en juillet 2006, devait s'ouvrir le second procès de J. Zuma, mis en examen dans une affaire de corruption. L'annonce de la tenue de la Coupe du monde de football en Afrique du Sud en 2010 est l'un des rares événements ayant éclairé ce panorama politique relativement sombre.

Des élections locales se sont tenues le 1er mars 2006 pour élire les représentants des municipalités, elles-mêmes subdivisions des provinces chargées de mettre en œuvre l'accès aux services de base comme l'eau et l'électricité. L'ANC a remporté 66,3 % des sièges à l'échelle nationale alors que ces élections étaient considérées comme un test pour le parti au pouvoir, dans un contexte de mécontentement général face à la lenteur de la mise en place des politiques de proximité. L'Alliance démocratique (DA, premier parti d'opposition) a obtenu 14,8 % des sièges, le Parti de la liberté Inkatha (zoulou), divisé par une lutte de succession, 8,1 %, confirmant son recul national et régional, et le parti des Démocrates indépendants (ID) de Patricia de Lille, 2 % au niveau national mais 10,7 % au niveau du conseil métropolitain du Cap. Cependant, en raison d'une alliance mal calculée avec l'ANC, le parti ID s'est finalement rapidement discrédité, tandis que le DA, en coalition avec l'ensemble des autres petits partis d'opposition, reprenait à l'ANC la mairie du Cap. L'annonce de candidatures indépendantes de conseillers ANC n'a pas reçu de soutien populaire significatif, même si certaines localités ont connu des troubles importants mettant en cause la gestion locale de l'ANC.

Bons scores économiques sur fond d'inégalités persistantes

À mesure que se succèdent les élections et que se consolide l'économie, confirmant la réussite de la transition sud-africaine, le pays peine à réduire ses considérables inégalités, plus d'une décennie après la fin de l'apartheid. Les bons résultats de l'économie en 2005 doivent être mis en regard de zones d'ombre persistantes. Certes, le taux de croissance de 4,9 % est le meilleur atteint depuis plus de dix ans et l'inflation a pu être jugulée à un peu plus de 3 %, tandis que les exportations augmentaient de 13 % après plusieurs années de stagnation. Les revenus de l'État apparaissaient donc en nette progression, ce qui s'est traduit dès 2006 par une augmentation des dépenses dans l'éducation, la protection sociale des plus démunis et l'équipement des infrastructures locales. L'Afrique du Sud pâtit cependant encore d'un rand fort, qui handicape son industrie à l'exportation, et les investissements directs étrangers sont encore en deçà des attentes. Sa politique industrielle subit de plein fouet les effets de l'ouverture de ses marchés aux exportations chinoises en particulier. Plus de 100 000 emplois ont ainsi été supprimés dans ce secteur en dix ans. Avec un taux de chômage officiel de 26 % (mais de près de 40 % en comptant le secteur informel), il est évident que des investissements massifs dans le secteur éducatif et des secteurs de production propices à la création d'emplois sont nécessaires.

Le bilan des politiques de redressement des inégalités historiques (*affirmative action*, *Black Economic Empowerment*– BEE) apparaissait mitigé et des critiques ouvertes sur le caractère élitiste de ces programmes se faisaient entendre de la part des syndicats et de l'opposition, d'où l'idée nouvelle d'un *Broad-Based Black Economic Empowerment*, destiné à toucher une base plus large. Certaines compagnies, comme SASOL Gas ou Telkom, ont déjà signifié leur inquiétude en intégrant le BEE dans les risques à l'investissement, au même titre que le chômage, la criminalité et la pauvreté. Par ailleurs, les exemples célèbres de fortunes fulgurantes (Cyril Ramaphosa, Tokyo Sexwale, Tony Yengeni) et la porosité entre le monde des affaires et l'administration publique constituaient un motif de préoccupation.

Les politiques sociales ont certes vu des avancées spectaculaires, notamment par le nombre de logements construits depuis 1994 (1,7 million), le nombre de familles ayant accédé à l'eau potable (86 % en 2004) et à l'électricité (de 50 % en 1994 à 68 % en 2002). Cependant, différents indices révélaient un creusement durable des inégalités et la précarisation continue des plus pauvres. L'indice de développement humain (IDH) de l'Afrique du Sud était de 0,658 pour 2005, la plaçant au 122e rang mondial sur 177, soit une perte de 35 places

depuis 1990, essentiellement en raison du recul de l'espérance de vie lié au sida (49 ans en 2005 contre 53 en 2000). L'indice Gini, mesurant les inégalités, se situait à 0,578

République d'Afrique du Sud

Capitale : Prétoria.
Superficie : 1 221 040 km².
Population : 47 432 000.
Langues : zoulou, xhosa, afrikaans, sotho du Nord, anglais, tswana, sotho du Sud, tsonga, venda, swazi, ndebele (inscrites dans la Constitution et citées par nombre de locuteurs natifs).
Monnaie : rand (1 rand = 0,13 € au 30.4.06).
Nature de l'État : république unitaire composée de 9 provinces.
Nature du régime : démocratie constitutionnelle mixte (présidentielle-parlementaire).
Chef de l'État : Thabo Mbeki, président de la République (depuis le 16.6.99, réélu le 14.4.04).
Vice-présidente : Mme Phumzile Mlabo-Ngcuka (depuis le 22.6.05).
Ministre de la Défense : Patrick Mosiuoa Lekota (depuis le 17.6.99).
Ministre des Affaires étrangères : Mme Nkosazana Dlamini-Zuma (depuis le 17.6.99).
Ministre de l'Intérieur : Mme Nosiviwe Mapisa-Nqakula (depuis le 29.4.04).
Ministre des Finances : Trevor Manuel (depuis le 4.3.96).
Ministre de la Santé : Mme Manto Tshabalala-Msimang (depuis le 17.6.99).
Principaux partis politiques : Congrès national africain (ANC, au pouvoir) ; Alliance démocratique (DA) ; Inkatha Freedom Party (IFP, zoulou) ; Mouvement démocratique uni (UDM, localisé dans l'ex-Transkei) ; Démocrates indépendants (ID) ; Parti démocrate-chrétien africain (ACDP) ; Front de la liberté Plus (FF+, afrikaner) ; Congrès panafricaniste (PAC) ; Parti communiste sud-africain (SACP) ; Le nouveau parti national (NNP, ex-Parti national, au pouvoir pendant l'apartheid, a fusionné avec l'ANC).
Échéances institutionnelles : élection présidentielle (2009).

Afrique du Sud/Bibliographie

B. Antheaume (sous la dir. de), « L'Afrique du Sud », *L'Espace géographique*, t. 28, n° 2, Belin/RECLUS, Paris/Montpellier, 1999.

R. Brunet, *Le Diamant, un monde en révolution,* Belin, Paris, 2003.

A. Christopher, *The Atlas of Changing South Africa,* Routledge, Londres, 2001.

J.-P. Cling, *L'Économie sud-africaine au sortir de l'apartheid.* Karthala, Paris, 2000.

J. Daniel, R. Southall, J. Lutchman, *State of the Nation, South Africa 2004-2005,* HSRC Press, Prétoria, 2005.

D. Darbon (sous la dir. de), *L'Après-Mandela. Enjeux sud-africains et régionaux,* Karthala/MSHA, Paris/Talence, 1999.

D. Fassin (sous la dir. de), *Afflictions. L'Afrique du Sud, de l'apartheid au sida,* Karthala, Paris, 2004.

P. Gervais-Lambony, *L'Afrique du Sud et les États voisins,* Armand Colin, Paris, 1997.

P. Gervais-Lambony, F. Landy, S. Oldfields, *Espaces arc-en-ciel. Identités et territoires en Afrique du Sud et en Inde,* Géotropiques/IFAS/Karthala, Johannesburg/Paris, 2003.

P. Guillaume, *Johannesburg, géographies de l'exclusion,* IFAS/Karthala, Johannesburg/Paris, 2001.

P. Guillaume, N. Péjout, A. Wa Kabwe-Segatti (sous la dir. de), *L'Afrique du Sud dix ans après ; transition accomplie ?,* IFAS/Karthala, Johannesburg/Paris, 2004.

W. Gumede, *Thabo Mbeki and the Battle for the Soul of the ANC,* Zebra Press, Le Cap, 2005.

M. Houssay-Holzschuch, *Le Cap, Ville blanche, vies noires,* L'Harmattan, Paris, 1998.

A. Mbembé, S. Nuttal (sous la dir. de), « Johannesburg, the elusive city », *Public Culture* (n° spéc.), Duke University Press, 2004.

South African Institute of Race Relations, *South Africa Survey 2004-2005,* South African Institute of International Relations, Johannesburg, 2006.

en 2005, certes bien en dessous de la moyenne africaine (0,722), mais largement au-dessus des moyennes des autres continents.

La réforme foncière, concernant plus de 40 % de la population totale, toujours rurale, et plus de 60 % de la population noire, ne conduit pas à une véritable redistribution des ressources faute de politique efficace permettant aux petits agriculteurs noirs de développer une production commerciale. En février 2005, le pourcentage des terres restituées et redistribuées en milieu rural ne dépassait pas 3 % des terres arables. Enfin, la criminalité – dont l'évolution divise les experts : augmentation ou diminution ? – restait globalement élevée avec plus de 18 000 homicides et 55 000 viols en 2005.

À la recherche du leadership continental

À travers l'implication de l'Afrique du Sud au Burundi, au Libéria, en République démocratique du Congo et en Côte-d'Ivoire, le président Mbeki a consolidé l'ambition continentale de son pays dans le domaine de la résolution des conflits et du maintien de la paix. La Côte-d'Ivoire a cependant plutôt symbolisé les limites de ces initiatives, entravées à la fois par le manque d'expérience et l'insuffisance des capacités diplomatique et militaire. L'Afrique du Sud sera donc appelée à réviser sa politique africaine, alors même que le Nepad (Nouveau partenariat pour le développement de l'Afrique) ne peut encore se prévaloir que d'avancées modestes, exception faite du Mécanisme africain d'évaluation par les pairs (MAEP), auquel l'Afrique du Sud s'est soumise de façon exemplaire. Le « sommet » du Nepad de 2007, les élections de 2009, la Coupe du monde de football de 2010 seront les prochains grands rendez-vous de cet État pour confirmer sa position de leader continental ainsi que son statut de premier pays émergent d'Afrique subsaharienne. - **Aurelia Wa Kabwe-Segatti** ■

Côte-d'Ivoire

En attendant les élections

Depuis le déclenchement du conflit ivoirien (septembre 2002), qui a conduit à une partition du pays entre un Sud contrôlé par le régime légal du président Laurent Gbagbo et un Nord administré par la rébellion des Forces nouvelles, la Côte-d'Ivoire se trouvait dans une situation critique « ni [de] guerre ni [de] paix ». En 2005-2006, cette situation de blocage n'a guère évolué en dépit d'échéances importantes et d'une implication croissante de la communauté internationale.

Le second semestre 2005 a été polarisé par l'attente fébrile du 30 octobre, date à laquelle une élection présidentielle devait normalement être organisée. Ce scrutin était considéré comme une opportunité de sortie de crise et comme un risque majeur de déclenchement de nouvelles violences. Lors des négociations de Pretoria en avril et juin 2005, certaines dissensions avaient pu être réglées, dont la participation au scrutin d'Alassane Dramane Ouattara, le chef du Rassemblement des républicains (RDR). Les opposants au régime, déjà coalisés dans le « G-7 », avaient créé une nouvelle alliance, le RHDP (Rassemblement des houphouëtistes pour la démocratie et la paix, lancé à Paris en mai 2005), réunissant les « frères ennemis » anciens du Parti démocratique de Côte-d'Ivoire (PDCI, au pou-

voir pendant près de quarante ans), du RDR et d'autres petites formations, à l'exception des ex-rebelles des Forces nouvelles. Le régime, de son côté, tentait de s'assurer le contrôle du processus et de gagner du temps en mettant en œuvre des stratégies dilatoires.

De fait, la lenteur des procédures de recensement des électeurs, le blocage des réformes politiques et des opérations de désarmement, ainsi que la mauvaise volonté des divers acteurs ont très vite rendu impossible la tenue de ce scrutin à haut risque. La tension n'a cessé de croître, le pays bruissant de rumeurs de putsch (avec notamment les initiatives médiatiques lancées par l'ancien chef d'état-major Mathias Doué et le colonel Yao Yao) et de reprise de la guerre. Divers scénarios de transition s'éla-

---

République de Côte-d'Ivoire

À compter de septembre 2002, le Nord et une partie de l'Ouest ont échappé au contrôle du gouvernement central, ces zones étant administrées par des mouvements rebelles, rebaptisés « Forces nouvelles » après les accords de Marcoussis (2003).

Capitale : Yamoussoukro.
Superficie : 322 460 km^2.
Population : 18 154 000.
Langues : français (off.), baoulé, dioula, bété, sénoufo.
Monnaie : franc CFA (100 FCFA = 0,15 €).
Nature de l'État : république unitaire.
Nature du régime : parlementaire.
Chef de l'État : Laurent Gbagbo, président de la République (depuis le 22.10.2000).
Premier ministre : Charles Konan Banny, qui a remplacé le 4.12.05 Seydou Elimane.
Ministre des Affaires étrangères : Youssouf Bakayoko.
Ministre de l'Intérieur : Joseph Dja Blé.
Ministre de la Défense : René Aphing Kouassi.
Echéances institutionnelles : élections présidentielle et législatives prévues en déc. 2006.

Côte-d'Ivoire

Côte-d'Ivoire/Bibliographie

R. Banégas, R. Marshall-Fratani (dossier sous la dir. de), « La Côte d'Ivoire en guerre : dynamiques du dedans et du dehors », *Politique africaine*, n° 89, Karthala, Paris, mars 2003.

C. Bouquet, *Géopolitique de la Côte d'Ivoire*, Armand Colin, Paris, 2005.

B. Contamin, H. Memel-Fotê (sous la dir. de), *Le Modèle ivoirien en question*, Karthala, Paris, 1997.

I. Diabaté, O. Dembelé, F. Akindes (sous la dir. de), *Intellectuels ivoiriens face à la crise*, Karthala, Paris, 2005.

Global Witness, *The Usual Suspects : Liberia Weapons and Mercenaries in Côte d'Ivoire and Sierra Leone*, Rapport Global Witness, mars 2003 (http ://www.globalwitness.org).

T. Hoffnung, *La Crise en Côte d'Ivoire. Dix clés pour comprendre*, La Découverte, Paris, 2005.

International Crisis Group, *Côte d'Ivoire : le pire est peut-être à venir*, Rapport Afrique, n° 90, 24 mars 2005.

M. Le Pape, C. Vidal (sous la dir. de), *Côte d'Ivoire, l'année terrible. 1999-2000*, Karthala, Paris, 2002.

B. Losch (dossier sous la dir. de), « Côte d'Ivoire, la tentation ethnonationaliste », *Politique africaine*, n° 78, Karthala, Paris, juin 2000.

J. Rueff, *Côte-d'Ivoire. Le feu au pré carré*, Autrement, Paris, 2004.

G. Soro, S. Daniel, *Pourquoi je suis devenu un rebelle. La Côte d'Ivoire au bord du gouffre*, Hachette, Paris, 2005.

boraient pour éviter le pire, le chef de l'État menaçant d'utiliser l'article 48 de la Constitution pour se maintenir au pouvoir. Et puis, le 30 octobre est arrivé sans que rien ne se passe.

Partage du pouvoir exécutif

Ce « miracle » a tenu notamment à un engagement international plus volontariste qu'auparavant. En effet, le 21 octobre 2005, le Conseil de sécurité des Nations unies, face à l'impossibilité d'organiser le scrutin, a adopté une résolution (1633) qui prolongeait le mandat du président Gbagbo de douze mois mais qui lui adjoignait simultanément un Premier ministre aux pouvoirs élargis, devant exercer l'essentiel du pouvoir exécutif. Ce compromis permit sans doute d'éviter l'explosion de violence redoutée. Il reflétait, fondamentalement, les orientations prises dès les accords de Marcoussis (janvier 2003) et d'Accra (mars 2003), mais témoignait aussi d'une évolution notable dans la gestion internationale du dossier ivoirien.

La résolution 1633 (et son application ultérieure) traduisait en effet un glissement dans le processus de médiation : entamé sous l'égide de la CEDEAO (Communauté économique des États de l'Afrique de l'Ouest) en 2002, puis de la France et de l'ONU à partir de 2003, celui-ci avait été confié, après les événements de novembre 2004, au président sud-africain Thabo Mbeki, représentant l'Union africaine (UA). La France passait ainsi au second plan (d'autant que, fin 2005, une affaire allait éclabousser les troupes françaises de l'opération *Licorne*, accusées de s'être assassiné un « coupeur de route », Firmin Mahé). Désormais, les négociations se déroulaient en Afrique australe, avec des résultats assez spectaculaires (comme l'accord de Prétoria) mais aussi des critiques de plus en plus vives sur la « méthode Mbeki » et son soutien au régime Gbagbo. Excédé, le ministre sud-africain des Affaires étrangères finira par « jeter l'éponge » fin septembre 2005.

Dès lors, le chef d'État nigérian Olusegun Obasanjo, président de l'UA, allait reprendre le dossier en s'appuyant sur l'ONU et une nouvelle structure de coordination : le Groupe de travail international (GTI, impliquant un grand nombre de pays et d'organisations internationales), qui deviendra l'arbitre ultime des litiges locaux et internationaux.

L'engagement multilatéral s'est ainsi transformé, à partir du 30 octobre 2005, en une forme de régime de « tutelle ». En effet, lorsqu'un nouveau Premier ministre a enfin été nommé (Charles Konan Banny, le 4 décembre 2005), ce fut au nom des résolutions du Conseil de sécurité de l'ONU et non de la Constitution ivoirienne, et par la voix d'O. Obasanjo, suscitant l'ire des partisans de L. Gbagbo, ainsi dépouillé de ses pouvoirs institutionnels.

Un nouveau gouvernement de transition a été nommé, comprenant des représentants de la plupart des formations politiques, dont Guillaume Soro, le chef des Forces nouvelles, qui a repris ses fonctions de ministre d'État. Les tâches prioritaires de la nouvelle équipe étaient de réunifier le pays, de conduire le désarmement et d'organiser les élections tant attendues. La fin 2005 semblait donc ouvrir une période de décrispation politique.

Pourtant, la violence a très vite repris. D'abord, sous la forme d'une « mutinerie » au camp militaire d'Akouedo, le 2 janvier 2006. En fait, comme cela avait déjà été le cas à Agboville et Anyama durant l'été 2005, ou même en décembre 2005 au camp d'Agban, ces incidents s'expliquaient surtout par les tensions internes à l'armée ivoirienne (arriérés de paiement des primes), instrumentalisées par certaines franges du pouvoir. À Akouedo, il s'agissait notamment pour le chef de l'État, intervenu très vite sur les lieux, de marquer son territoire face à un Premier ministre soutenu par toutes les chancelleries. Depuis lors, cette bataille de compé-

tences entre les deux têtes de l'exécutif n'a pas cessé, sous les apparences d'une collaboration cordiale.

Rejet de la « tutelle » internationale

Le second embrasement, fort médiatisé, a visé la communauté internationale. Cette fois, ce n'est pas la France qui était visée, mais l'ONU. À partir du 16 janvier 2006, des milliers de « jeunes patriotes » ont pris le contrôle des rues d'Abidjan et se sont attaqués aux installations des Nations unies pour protester contre la décision du GTI de suspendre l'Assemblée nationale, dont le mandat était échu en décembre. S'est alors développée (à Abidjan et dans l'Ouest) une vague de violence ultranationaliste, stigmatisant le projet d'« État onusien » qui bafouait la souveraineté nationale. Ces heurts ont conduit l'ONU à retirer du pays une partie de son personnel et à durcir le ton, en appliquant un dispositif de sanctions individuelles (sur la base de la résolution 1572 du 15 novembre 2004).

Cet accès de fièvre passé, le premier semestre 2006 a été marqué par les débuts prometteurs du gouvernement Banny, loué par la plupart des acteurs pour son habileté politique, mais aussi par une neutralisation réciproque des divers protagonistes (comme après Marcoussis), freinant la mise en œuvre des réformes. Fin mai 2006, la « méthode Banny » d'évitement des conflits semblait déjà montrer ses limites, confinant à du « surplace ». Le principal obstacle tenait aux querelles incessantes sur l'ordre des priorités : désarmement (comme l'exigeait le pouvoir) ou processus d'identification des personnes sans pièces d'identité en vue des élections (réclamé par les Forces nouvelles et les partis du G-7). Début mai 2006, un accord semblait avoir été trouvé sur la concomitance des deux processus, mais les retards semblaient déjà trop importants pour que le scrutin puisse se tenir comme prévu en octobre 2006.
- **Richard Banégas** ∎

Nigéria

Précampagne électorale mouvementée

Les élections générales prévues pour avril 2007 ont continué d'accaparer une bonne partie des débats politiques durant l'année 2005-2006. L'hypothèse d'une révision constitutionnelle permettant au président Olusegun Obasanjo (au pouvoir depuis 1999) de briguer un troisième mandat s'est maintenue en 2005 et au premier semestre 2006 avant d'être finalement écartée les 16 et 17 mai 2006 par les sénateurs et les députés. Le président Obasanjo s'était pour l'instant soumis à cette décision. Le Parti démocratique du peuple (PDP, au pouvoir) est cependant sorti profondément divisé de cette tentative de révision constitutionnelle. Atiku Abubakar, vice-président d'O. Obasanjo depuis 1999, paraissait avoir pris la tête des mécontents au sein du PDP. Le 20 avril 2006, il participait à la fondation d'un nouveau parti à Abuja, le Congrès progressiste des démocrates (ACD), dont l'objectif avoué était de s'opposer à tout nouveau mandat d'O. Obasanjo. A. Abubakar, qui bénéficiait de nombreux appuis au sein du parti, a déclaré qu'il se présenterait à la présidentielle de 2007. Ce conflit au sommet de l'État s'affichait désormais publiquement, pouvant conduire à une scission du PDP et à d'importants reclassements politiques.

Les candidatures de l'opposition se sont également multipliées. Ahmed Sani, gouverneur de l'État de Zamfara, qui fut le premier à introduire la *charia* (législation islamique) dans un État de la fédération en 1999, a lancé sa campagne dans les villes du Nord, défiant ainsi le général Mohammadu Buhari, son adversaire au sein du principal parti d'opposition, le Parti de tous les peuples du Nigéria (ANPP). Le général Ibrahim Babangida (président de 1985 à 1993), candidat déclaré depuis 2004, pouvait également, grâce à sa fortune personnelle, mobiliser une importante machine électorale ; son influence demeurait grande dans les milieux politiques, économiques et religieux du Nord.

L'organisation d'un recensement général de la population (le premier depuis 1991) a également engendré des difficultés pour le gouvernement et la Commission nationale de la population chargée de l'opération. En effet, au Nigéria, les recensements représentent toujours une compétition aux enjeux considérables, dans la mesure où la surévaluation d'un groupe peut susciter des revendications en termes de répartition des ressources et de représentation politique. Malgré une bien longue préparation (six ans), la presse nigériane a largement critiqué le manque d'organisation du processus (absence de formulaires, complexité des questions posées, indemnités impayées aux agents recenseurs) et déploré plusieurs incidents contre les agents (à Onitsha et à Kaduna). Dans l'ensemble, l'opération s'est déroulée dans le calme, les gouverneurs de chaque État ayant imposé à leurs concitoyens de rester chez eux pour remplir les questionnaires et éviter ainsi des sous-estimations préjudiciables au versement futur des allocations fédérales.

L'autre événement politique majeur de l'année 2005 fut l'organisation d'une « conférence politique nationale » pour tenter de résoudre les tensions et conflits dans le pays. L'opposition réclamait depuis longtemps la tenue d'une conférence nationale souveraine ; O. Obasanjo a simplement autorisé la réunion d'une instance consultative, qui a davantage contribué à exacerber les divisions politiques qu'à les résoudre. En juin 2005, les délégués de la région du delta du Niger ont quitté les débats après que des délégués des autres régions eurent refusé d'accorder une allocation budgétaire plus importante aux États pétroliers de cette zone. Ce départ marquait la faillite d'une solution politique à la question centrale de la redistribution des dividendes du pétrole.

Violences dans le Delta et émeutes urbaines

De fait, les tensions, déjà très vives tout au long de l'année dans le Delta, sont encore montées d'un cran à partir de la fin 2005. En septembre 2005, l'arrestation d'Alhadji Dokubo Asari, chef de la milice de la Force volontaire du peuple du delta du Niger (NDPVF), juste après le démantèlement de celle-ci, a été vécue par les Ijaw, la principale population de cette zone, comme une trahison du pouvoir fédéral. Fin 2005 est ainsi apparue une nouvelle milice, le MEND (Mouvement pour l'émancipation du delta du Niger), basée dans l'ouest de la région, mais dont les activités s'étendent désormais à l'est, dans les États de Bayelsa et des Rivières (Rivers). Ses leaders se réclament de A. Dokubo Asari et prétendent pouvoir mobiliser 5 000 combattants. Comme ce dernier en juillet 2004, ils ont déclaré la guerre à O. Obasanjo ainsi qu'aux compagnies pétrolières occidentales. La cible principale est la compagnie Shell qui refuse la décision de la justice nigériane lui demandant de verser 1,5 million de dollars de dommages et intérêts à la communauté Ijaw en compensation des dégradations environnementales dans la région. Ainsi au moins cinq attaques ont-elles été menées contre les installations pétrolières de la compagnie entre décembre 2005 et février 2006, imposant la fermeture de ses terminaux et l'arrêt de l'exploitation, soit, selon les sources, une perte représentant entre 10 % et 20 % de la production nigériane (de 226 000 à 455 000 barils par jour). Cette fermeture, intervenue à un moment de forte tension sur les marchés du brut, a contribué à la hausse des cours mondiaux en mars 2006. En outre, le 18 février 2006, le MEND prenait en otage neuf employés de Shell, dont six furent libérés le 1er mars et trois autres (deux Américains et un Britannique) le 27 mars seulement. Ce délai inhabituellement long témoignait de l'évolution des revendications de certaines milices armées du Delta. Le MEND exigeait

effectivement non pas une rançon mais la libération de A. Dokubo Asari, et le versement par Shell à l'État de Bayelsa de l'indemnité de 1,5 million de dollars. On ignore si ces revendications ont ou non été satisfaites. En avril 2006, Abuja annonçait la mise en œuvre d'un vaste plan de développement dans la région du Delta (construction de routes, d'écoles, de centres de soins, électrification des villages et création de nombreux emplois), auquel le MEND a répondu par un attentat à la voiture piégée à Port Harcourt (2 morts et 6 blessés).

À la mi-février 2006, une violente émeute à caractère confessionnel éclatait dans la ville de Maiduguri, à l'extrême nord du pays. L'affaire des « caricatures du Prophète » (dessins de presse publiés

République du Nigéria

Capitale : Abuja.
Superficie : 923 770 km².
Population : 131 530 000.
Langues : anglais (off., utilisé dans tous les documents administratifs) ; 200 langues dont le haoussa (Nord), l'ibo (Sud-Est), le yorouba (Sud-Ouest).
Monnaie : naira (au taux officiel, 100 nairas = 0,63 € au 30.4.06).
Nature de l'État : république fédérale (36 États).
Nature du régime : démocratie.
Chef de l'État : Olusegun Obasanjo, président de la République (depuis le 29.5.99, réélu en mai 03).
Ministre de l'Économie et des Finances : Okonjo Iweala.
Ministre des Affaires étrangères : Oluyemi Adeniji.
Ministre de l'Intérieur : Magaji Muhammed.
Principaux partis politiques : Parti démocratique du peuple (PDP, formation présidentielle ayant la majorité absolue à l'Assemblée nationale) ; Parti de tous les peuples du Nigéria (ANPP) ; Alliance pour la démocratie (AD) ; Parti progressiste de la grande alliance (APGA).
Échéances institutionnelles : élections générales (2007).

Nigéria

Nigéria/Bibliographie

K. Amuwo, D. C. Bach, Y. Lebeau (sous la dir. de), *Nigeria during the Abacha Years (1993-1998). The Domestic and International Politics of Democratization,* IFRA, Ibadan, 2001.

D. C. Bach, « Applications et implications de la charia : fin de partie au Nigéria », *Pouvoirs,* n° 104, Seuil, Paris, 2003.

S. Barnes, « Global Flows. Terror, Oil and Strategic Philanthropy », *African Studies Review,* vol. 48, n° 1, avril 2005.

T. Falola, *Violence in Nigeria. The Crisis of Religious Politics and Secular Ideologies,* University of Rochester Press, Rochester, 1998.

L. Fourchard, « Les territoires de la criminalité à Lagos et à Ibadan depuis les années 1920 », *Tiers Monde,* n° 185, janv.-mars 2006.

Human Rights Watch, *Rivers and Blood : Guns, Oil and Power in Nigeria's Rivers State,* A Human Rights Watch Briefing Paper, New York, févr. 2005.

International Institute for Democracy and Electoral Assistance (IDEA), *Democracy in Nigeria : Continuing Dialogue(s) for Nation-Building,* IDEA, Stockholm/Lagos, 2001.

O. Kane, *Muslim Modernity in Postcolonial Nigeria. A Study of the Society or the Removal of Innovation and Reinstalment of Tradition,* Brill, Leyde/Boston, 2003.

K. Maier, *This House Has Fallen : Nigeria in Crisis,* Westview Press, Oxford, 2003 (2e éd.).

A. Momoh, S. Adejumobi (sous la dir. de), *The National Question in Nigeria. Comparative Perspectives,* Ashgate, Aldershot, 2001.

K. Nwajiaku, « Between discourse and reality. The politics of oil and ijaw ethnic nationalism in the Niger delta », *Cahiers d'études africaines,* n° 178, EHESS, Paris, 2005.

E. E. Osaghae, *Crippled Giant. Nigeria since Independence,* Hurst & Co, Londres, 1998.

R. T. Suberu, *Federalism and Ethnic Conflict in Nigeria,* Institute of Peace Press, Washington, 2001.

M. Watts, « Économies de la violence : or noir et espaces (in)gouvernables du Nigéria », *Politique africaine,* n° 93, Karthala, Paris, mars 2004.

par plusieurs pays occidentaux) a été invoquée, mais les violences semblaient le fait de quelques centaines de personnes armées, qui auraient brûlé plusieurs églises et pillé des commerces tenus par des chrétiens igbos. Derrière l'antagonisme religieux bien réel au Nigéria, les mobiles financiers ne sont jamais loin. La riposte a été immédiate dans les villes d'Onitsha et d'Enugu (Sud-Est), où plusieurs « musulmans » étaient tués au cours d'émeutes tout aussi sanglantes. Le bilan des victimes était très incertain : cette semaine de violences aurait fait 150 morts, 900 blessés et 16 000 déplacés. Le dé-

ploiement de l'armée et d'importantes forces de police ont mis un terme provisoire à ce cycle de violences.

Au cœur des intérêts de Washington en Afrique

Le 29 mars 2006, le président Obasanjo rendait une visite officielle à George W. Bush. Le jour même, la police nigériane arrêtait Charles Taylor – l'ancien président du Libéria qui s'était réfugié au Nigéria en 2003 – et l'extradait vers son pays d'origine pour qu'il réponde de « crimes de guerre » et de « crimes contre l'humanité ». La pression des États-Unis a été considérable pour

Nigéria

que le gouvernement nigérian accepte l'extradition de l'ancien chef de guerre puis qu'il procède à son arrestation alors que celui-ci tentait de prendre la fuite. Le président Bush aurait menacé ne pas recevoir O. Obasanjo si C. Taylor n'était pas immédiatement retrouvé, arrêté et livré au Tribunal spécial pour la Sierra Léone.

Au-delà de ce rôle diplomatique régional, le Nigéria apparaît aux yeux des États-Unis comme un partenaire africain essentiel depuis les attentats du 11 septembre 2001. Washington perçoit en Afrique un double danger, celui du terrorisme et celui de l'interruption de l'approvisionnement en pétrole, deux domaines dans lesquels le Nigéria doit pouvoir jouer un rôle clé. Certains mouvements islamistes nigérians du Nord étaient considérés par Washington comme suspects et donc à surveiller de près. Washington a, par ailleurs, offert à la marine ni-

gériane quatre navires de guerre et plusieurs frégates pour renforcer la sécurité maritime de la zone du Delta.

Les importations pétrolières américaines depuis le Nigéria (1,85 million b/j soit 8,25 % des importations totales des États-Unis en 2005) pourraient passer à 4 Mb/j en 2009 si la sécurité de la zone était garantie. La proposition américaine de mettre en œuvre une commission de surveillance pour la sécurité, l'approvisionnement et la stabilité des prix des hydrocarbures dans la région du golfe de Guinée a été bien accueillie par le Nigéria. Ce soutien américain intervenait alors que le Club de Paris concédait un allégement de la dette nigériane en octobre 2005. Avec un budget dopé par le prix record du brut et une croissance économique de plus de 6,9 % en 2005, le Nigéria devrait avoir les moyens de sa diplomatie pour les années à venir. - **Laurent Fourchard** ■

168 | *Par* **Bernard Hourcade**
Géographe, CNRS

Le Moyen-Orient désigne une région dont les limites ont varié avec le temps et selon les spécialistes. Pour les Britanniques, il se situait entre l'empire des Indes et le Proche-Orient ; pour les Américains, le *Middle East* va de la Mauritanie au Pakistan ; parfois cette expression désigne les mondes arabe, turc et persan. Le Proche et Moyen-Orient comprend ici les pays situés entre la Méditerranée et l'Indus. C'est le cœur du monde musulman. De part et d'autre de la Mésopotamie, c'est l'un des berceaux de l'histoire antique de l'humanité, le lieu de naissance des trois grandes religions monothéistes, judaïsme, christianisme et islam.

Cet ensemble de 360 millions d'habitants et 15 États, plus un État palestinien émergent, comprend, au centre, les pays arabes pétroliers (Irak, péninsule Arabique), à l'est, le monde indo-iranien où vivent les deux tiers des habitants de la région, à l'ouest, en bordure de la Méditerranée, le Proche-Orient (ou « Levant ») où trente millions de personnes vivent sur l'un des territoires les plus riches au monde en symboles et donc en conflits (Syrie, Liban, Israël, Palestine). Le Moyen-Orient est désertique, avec de faibles densités de population, sauf quand l'eau est abondante le long des grands fleuves (Indus, Tigre et Euphrate), dans les montagnes refuges (Kurdistan) et dans les Territoires palestiniens. Après le pétrole, l'eau sera probablement l'un des enjeux majeurs de la région.

Le rôle unificateur de l'islam et des langues et cultures arabes à l'ouest, iraniennes et ourdou à l'est, ne doit pas cacher la grande hétérogénéité ethnolinguistique et religieuse de la région. L'islam sunnite du Pakistan, de la Syrie ou de l'Irak n'est pas assimilable à celui de l'Arabie wahabhite. Les chiites sont nombreux au Liban, majoritaires en Irak et forment 85 % de la population de l'Iran. Le soufisme constitue en outre des réseaux très puissants. Les minorités religieuses antéislamiques sont partout bien implantées, sauf dans la péninsule Arabique, où vivent en revanche un grand nombre d'immigrés chrétiens ou hindouistes, qui n'ont pas le droit de pratiquer leur religion. Les chrétiens forment des communautés anciennes et toujours vivantes en Iran, Irak, Syrie et bien sûr au Liban. Les juifs, en revanche, ont, pour la plupart, été expulsés des pays arabes après la création d'Israël, mais forment toujours une minorité reconnue en Iran, comme les zoroastriens.

Le fait religieux prend dans cette région une dimension internationale, en raison du conflit israélo-palestinien et de la montée de l'islam politique, mais aussi de l'importance des pèlerinages vers Jérusalem, Machhad en Iran (15 millions de visiteurs par an), au sanctuaire de l'imam Réza, et surtout vers La Mecque – où le pèlerinage (5 millions de personnes par an) donne à l'Arabie saoudite une place éminente dans tout le monde musulman.

Les populations minoritaires sont pour la plupart divisées par des frontières. Les revendications pour former des États indépendants sont aujourd'hui moins fortes que l'exigence d'une reconnaissance de leur existence culturelle. Les Kurdes – 25 millions de personnes en Irak, Iran, Syrie, Turquie et en Europe – ont retrouvé un rôle international. Et l'arrivée en 2005 de Jalal Talabani à la présidence de l'Irak marque un tournant dans la nature des rapports entre ethnicité et politique dans la région. Les Azéris (20 % de la population iranienne) vivent près de la République d'Azerbaïdjan, mais surtout à Téhéran et dans la plupart des provinces de l'Iran. En Syrie, les minorités religieuses et non arabes forment 35 % de la population. En Afghanistan, les Pachtounes cohabitent difficilement avec les Tadjiks, les Hazaras, les Ouzbeks ou les Baloutches. Au Pakistan, le pays est divisé entre Pendjabis au sud, Ourdous au nord, Pachtounes et Baloutches à l'ouest. Le cas des Palestiniens (5 millions), dont le Territoire autonome dépend de l'issue du conflit avec Israël, demeure le plus aigu et le plus délicat, combinant les situations de populations locales divisées par des frontières, de réfugiés et de diaspora.

LE RÔLE UNIFICATEUR DE L'ISLAM ET DES LANGUES ET CULTURES ARABES À L'OUEST, IRANIENNES ET OURDOU À L'EST, NE DOIT PAS CACHER LA GRANDE HÉTÉROGÉNÉITÉ DU PROCHE ET MOYEN-ORIENT.

Le trafic de drogue est devenu un enjeu stratégique majeur dans la région depuis que l'Afghanistan est le premier producteur mondial d'opium. Le trafic d'héroïne a déjà corrompu la vie sociale et politique de plusieurs États.

La plupart des gouvernements de la région sont despotiques, mais il semblerait bien qu'un changement profond puisse venir des nouvelles dynamiques sociales, culturelles et politiques en relation avec la construction d'une nouvelle culture urbaine moderne et l'affirmation, notamment en Iran, du rôle politique des jeunes et des femmes issus des générations post-islamistes.

Depuis le premier gisement découvert en 1908 à Masjed Soleyman, le pétrole et le gaz naturel ont placé la région au centre des conflits d'intérêts des puissances industrielles. Les « Majors » ont constitué un « État dans l'État » et favorisé les interventions étrangères et des guerres. Avec 46 % des exportations mondiales de pétrole et 60 % des réserves prouvées de pétrole, cette région est vouée à demeurer longtemps encore un enjeu majeur de la géopolitique mondiale.

À cet enjeu se sont ajoutés, à compter de 1979, le développement d'un islam politique ayant les État-Unis pour adversaire emblématique, et la volonté d'indépendance de plusieurs États soutenus par une nouvelle classe moyenne urbaine. Ces tensions et l'abondance des capitaux ont fait du Proche et Moyen-Orient le principal marché d'armement du monde, avec des programmes officiels ou clandestins d'armes de destruction massive (AMD) en Israël, au Pakistan ou en Iran.

Ces divers facteurs expliquent les multiples guerres qui ont ravagé et ravagent encore la région (Israël, Palestine, Liban, Irak, Iran, Koweït, Afghanistan) et surtout l'intervention et la présence militaires américaines massives et durables au Moyen-Orient. ■

Par **Bernard Botiveau**
Politologue, CNRS, IREMAM

*E*n 2005-2006, deux questions ont continué de dominer l'évolution politique et sociale des pays du Proche et du Moyen-Orient : la sécurité régionale et internationale à l'extérieur, les aléas de l'ouverture politique à l'intérieur. Le « bras de fer » Iran/monde occidental autour du nucléaire, la guerre non terminée en Irak et en Afghanistan et la dégradation constante du sort réservé au peuple palestinien ont continué de représenter les menaces principales pour les intérêts occidentaux dans la région, tout en bloquant le plus souvent les attentes de réforme à l'intérieur.

L'élection à la présidence de la République islamique d'Iran, en juin 2005, de Mahmoud Ahmadinedjad a créé une incertitude supplémentaire. S'il a bénéficié des attentes – déçues par son prédécesseur réformiste, Mohammad Khatami – d'une population dont la majorité a vu son niveau de vie baisser régulièrement depuis l'embargo décrété par les États-Unis en 1979, il devra tenir compte d'une fierté nationale blessée par le refus américain, relayé par Israël, de voir se développer dans ce pays un véritable infrastructure nucléaire.

Mais c'est aussi sur le plan des relations avec la plupart des pays arabes de la région que la nouvelle politique iranienne a reçu un large écho. Bien que l'Iran ait amorcé un dialogue, en octobre 2003, avec des représentants européens – dont la France – et signé en décembre de la même année le protocole additionnel au Traité de non-prolifération des armes nucléaires (TNP), les dirigeants des pays voisins ne cachent plus leur inquiétude, convaincus que l'Iran ne renoncera pas au cycle d'enrichissement de l'uranium. Cette attitude des autorités iraniennes s'inscrit d'ailleurs dans une continuité historique depuis le régime du Chah, tout en étant soutenue par la quasi-totalité de la population, conservateurs, réformistes ou membres exilés des différents courants d'opposition, également opposés à toute concession en termes de souveraineté nationale et estimant que l'indépendance nucléaire est un *droit*. Réuni en décembre 2005 à Abu Dhabi pour son « sommet » annuel, le Conseil de coopération du Golfe (CCG, réunissant l'Arabie saoudite, le Koweït, Bahreïn, le Qatar, et les Émirats arabes Unis) a exprimé son inquiétude en termes de risques environnementaux autant que politiques. L'opposition à la politique nucléaire iranienne est aussi manifeste dans les pays qui craignent pour leur leadership régional, comme l'Arabie saoudite ou l'Égypte. Un pays comme la Jordanie, dont le souverain Abdallah II œuvre hors de son pays jusqu'au Pakistan et dans le subcontinent asiatique à la promotion d'un islam réformé, ne voit dans la politique iranienne que source d'ennuis après les attentats meurtriers perpétrés pour la première fois dans sa capitale, Amman, le 9 novembre 2003 et revendiqués par l'organisation Al-Qaeda. Bien qu'une partie importante des Jordaniens ait manifesté de la sympathie pour cette organisation, dont la résistance au monde occidental est à leurs yeux légitime, ces attentats ont resserré les liens autour de la monarchie hachémite. Ce contexte de né-

LES PAYS VOISINS DE L'IRAN NE CACHENT PLUS LEUR INQUIÉTUDE, CONVAINCUS QUE TÉHÉRAN NE RENONCERA PAS AU CYCLE D'ENRICHISSEMENT DE L'URANIUM.

gociations de la dernière chance avec l'Iran pourrait aussi encourager Israël à rééditer dans ce pays, en prenant prétexte des déclarations belliqueuses de M. Ahmadinedjad à son encontre, une opération militaire du type de celle qui avait conduit en 1981 à la destruction du réacteur nucléaire irakien d'Osirak. L'Iran peut encore compter sur la Syrie, mais ce pays se trouve, lui aussi, dans le collimateur de Washington, des Européens et d'Israël, depuis le 11 septembre 2001 en général et plus particulièrement depuis la vague d'assassinats de politiciens et d'intellectuels libanais – Rafic Hariri, Samir Kassir, pour n'en citer que deux parmi les premiers atteints –, attribués le plus souvent à des membres influents des régimes syrien et libanais.

LA RADICALISATION PROGRESSIVE DES MANIFESTATIONS DE RÉSISTANCE EN IRAK ÉVOQUE MOINS LE RISQUE D'UNE «LIBANISATION» DE LA SOCIÉTÉ QUE CELUI, ENCORE PLUS REDOUTABLE, DE SA « TALIBANISATION ».

L'impasse militaire et politique dans laquelle les États-Unis et leurs alliés se sont enfermés est de plus en plus manifeste avec les guerres qu'ils ont continué d'imposer à l'Irak et à l'Afghanistan. De l'été 2005 à l'été 2006, Bagdad et les grandes agglomérations urbaines irakiennes ont vécu au rythme quasi quotidien des attentats, dont les victimes se sont comptées par milliers, et la population n'a vu dans les projets démocratiques annoncés que division ethnique et insécurité. Les pouvoirs constitutionnels, présidence de l'État, de l'Assemblée législative et de l'exécutif, ont été attribués respectivement à un Kurde, à un sunnite et à un chiite. Les apparences de légalité du scrutin, comme celles d'équilibre entre les « communautés » sont sauves, mais cet arrangement a aussi creusé les clivages entre populations en opposition, les sunnites étant les moins favorisés dans une opération qu'ils n'ont accepté d'entériner que tardivement. Les Afghans, qui pouvaient légitimement attendre un peu de stabilité après de nombreuses années de guerre, se préparent à de nouvelles épreuves, l'incapacité du gouvernement d'Hamid Karzaï à étendre son autorité trop loin de Kaboul laissant entrevoir un retour des taliban. Le Pakistan voisin, dont le président Pervez Musharraf a choisi après le « 11 septembre » de se placer explicitement dans le sillage de la politique régionale américaine, ne cache plus son inquiétude devant la montée de l'instabilité, provoquée par la progression des taliban sur le terrain ; une avancée à laquelle une partie des services secrets de ce pays n'est pas étrangère et qui bloque pour le moment les zones frontalières avec l'Afghanistan, notamment le Waziristan où l'armée pakistanaise a subi des revers importants.

Quant au conflit israélo-palestinien, il a pris un tour nouveau avec le retrait d'Israël de la bande de Gaza, achevé le 11 septembre 2005. Expliqué jusque dans l'entourage de l'ancien Premier ministre, Ariel Sharon, par la nécessité de fermer un front trop coûteux en énergie pour se concentrer sur la conservation des terres confisquées de Cisjordanie, ce retrait unilatéral s'est intégré dans le dispositif de séparation totale organisé par le gouvernement israélien, incluant un mur de séparation qui englobe les colonies de peuplement les plus récentes et la ville de Jérusalem. Cette construction, réalisée au mépris des lois internationales, à commencer par les résolutions 242 (1967) et 338 (1973) de l'ONU, ne fait que repousser le règlement final d'un conflit qui a continué de peser sur la diplomatie internationale et régira les années à venir. La fin de non-recevoir opposée depuis juin 2002 par Israël – et réitérée récemment – au plan saoudien de règlement définitif du conflit (proposition relayée par la Ligue arabe d'un accord global avec le monde arabe en échange d'un retrait israélien définitif sur les frontières de 1967) alimente l'inquiétude qu'aucune entente n'interviendra dans un délai proche. Par ailleurs, après la victoire électorale du Hamas en Palestine, en janvier 2006, et la formation par ce parti d'un nouveau gouvernement, les États-Unis mais aussi l'Union européenne ont suspendu les financements qui permettaient aux institutions de l'Autorité palestinienne de fonctionner : en misant sur un essoufflement du Hamas et sur sa disparition du paysage politique au profit d'alliés sûrs, les Occidentaux ont pris le risque d'allumer de nouveaux foyers de résistance dans le Proche et le Moyen-Orient.

Les gouvernements des États arabes de la région ont longtemps justifié le haut degré de contrôle institué sur leurs populations (état d'urgence, juridictions d'exception, liberté d'expression souvent bafouée, etc.) et le financement de forces armées importantes au détriment de postes budgétaires socialement « utiles » par l'obligation de faire face à un contexte stratégique menaçant. La « question palestinienne », longtemps mise en avant, reste à l'ordre du jour, mais elle est relayée et renforcée par l'aggravation quotidienne de la violence en Irak et la menace terroriste qui lui est liée, incarnée par la nébuleuse Al-Qaeda. En Irak, un semblant de restauration institutionnelle ne masque plus l'échec désormais criant de l'administration Bush, dont la politique de communautarisation ouverte dans l'attribution des postes constitutionnels a entraîné des résistances. La radicalisation progressive de ces dernières évoque moins le risque d'une « libanisation » de la société que celui, encore plus redoutable, de sa « talibanisation », au sens où les éléments les plus radicaux, chiites ou sunnites, parviendraient à imposer un contrôle social en profondeur à défaut de conquérir le leadership constitutionnel, chasse gardée des notables mis en place par les autorités américaines. Le procès de l'ancien président irakien Saddam Hussein est ainsi passé au second plan, repoussant à une date indéterminée tout débat sur la nature de l'autoritarisme qu'incarnait le système baassiste, d'autant plus que le projet de ses promoteurs américains a été miné par la dégradation de la situation sur le terrain. Et ce dans le contexte d'une politique américaine en Irak de plus en plus décrédibilisée : aux massacres avérés de populations civiles par le régime de Saddam Hussein sont en effet opposés désormais les exactions dévoilées de l'armée américaine en Irak (Haditha) et en Afghanistan.

Dans ce contexte, l'argument de solidarité avec la Palestine tient de moins en moins, indépendamment de la réalité d'une occupation de plus en plus brutale et cynique des Territoires palestiniens, d'une part parce que deux États ont signé des traités de paix avec Israël (l'Égypte en 1978 et la Jordanie en 1994), d'autre part parce que

LA PEUR BIEN ORCHESTRÉE DES ISLAMISTES EST DEVENUE LE NOUVEL ALIBI POUR FREINER DES RÉFORMES POURTANT INDISPENSABLES.

les ouvertures économiques des deux dernières décennies et le renouvellement générationnel ont ancré sinon l'existence de « classes moyennes » difficiles à identifier, du moins un relatif mieux-être dans le quotidien des fractions de population pas complètement démunies, ce qui a amené de nouvelles élites actives à la recherche de formules politiques libérales. Cependant, la peur bien orchestrée des islamistes est devenue le nouvel alibi pour freiner des réformes pourtant indispensables (santé, éducation, jouissance des droits de citoyenneté), servant des gouvernements suffisamment discrédités (au Liban et en Égypte notamment) pour savoir qu'il ne peuvent lâcher le pouvoir sans risque pour eux-mêmes.

LES SOURCES D'INSTABILITÉ DE LA RÉGION, RÉPERTORIÉES D'ANNÉE EN ANNÉE, SUBSISTENT CERTES, MAIS ELLES ONT ENCCORE GAGNÉ EN INTENSITÉ EN 2006.

Le changement politique est programmé, mais les modalités de son instauration demeurent souvent introuvables : c'est le cas, par exemple, de la Syrie, qui souffle le chaud et le froid, libérant le 2 novembre 2005 190 détenus politiques et procédant en mai 2006 à une nouvelle série d'incarcérations de figures de la société civile, comme Michel Kilo. Quand il a été malgré tout mis en œuvre, le changement est d'abord venu d'« en haut » et sur incitation des bailleurs de fonds occidentaux. L'une des manifestations les plus visibles à l'heure actuelle de cette interaction entre les injonctions venues de l'extérieur et la prise en compte de revendications locales exprimées par les associations de la société civile est l'organisation d'élections, où une certaine ouverture – contrôlée par des ONG locales et par des observateurs internationaux – donne des résultats plus équilibrés entre partis de gouvernement et oppositions. Cela n'élimine pas pour autant l'existence d'une abstention endémique, caractéristique d'une situation où la mobilisation sur des objectifs ponctuels n'est pas exclusive d'une dépolitisation dans la durée. Les expressions électorales ont pris de l'importance, mais leur impact doit être évalué pays par pays et dans un même système en fonction des enjeux, locaux ou plus explicitement nationaux.

Au total, les sources d'instabilité de la région, répertoriées d'année en année, subsistent mais elles ont gagné en intensité en 2006. Sur le plan international, l'Irak, l'Afghanistan et la Palestine restent des lieux-enjeux majeurs, dans la mesure où le processus annoncé d'ouverture politique n'a pas eu lieu. Aux promesses non tenues de promouvoir un développement économique qui ne soit pas seulement évalué à l'aune des intérêt pétroliers et des profits attendus de la reconstruction de zones sinistrées par la guerre s'est ajoutée l'hypocrisie du discours de l'État de droit, illustrée par l'existence d'un système de répression antiterroriste impliquant le non-droit (Guantanamo) ou par l'acceptation sélective par l'UE des résultats électoraux dans le monde arabe. S'il est patent que certains discours antioccidentaux ont servi d'antidote à la violence subie, une question demeure : la progression de mouvements radicaux, comme en Somalie à la mi-2006, affectera-t-elle des traditions politiques bien ancrées, comme en Palestine, où la menace de « guerre civile » résulte plus, pour le moment, de rumeurs déstabilisatrices que d'un processus réellement en marche ? ∎

Par **Bernard El Ghoul**
Science politique, IEP-Paris

2005-2006 / Journal de l'année

2005

1er août. Arabie saoudite. Le roi Fahd meurt à 84 ans. Le prince héritier Abdallah, gouvernant du royaume *de facto* depuis 1995, lui succède. Le ministre de la Défense, Sultan bin Abdelaziz, devient le nouveau prince héritier.

9 août. Iran. Au lendemain de l'annonce par Téhéran de la reprise de ses activités d'enrichissement de l'uranium, la « troïka » (France, Allemagne, Royaume-Uni), représentant l'Union européenne, reconnaît publiquement à l'Iran le droit de développer un programme nucléaire civil pour réduire sa dépendance envers le pétrole et le gaz, et appelle le pays à respecter ses obligations à l'égard du Traité de non-prolifération des armes nucléires, dont Téhéran est signataire. L'Iran rejette ces propositions.

12 septembre. Israël-Territoires palestiniens. Conformément au plan du Premier ministre israélien Ariel Sharon, l'armée israélienne retire ses derniers soldats de la bande de Gaza après avoir fait évacuer les colonies de cette zone ainsi que quatre autres de Cisjordanie, mettant ainsi un terme à trente-huit ans d'occupation.

18 septembre. Afghanistan. Élections législatives aboutissant à la constitution d'un paysage parlementaire très morcelé.

8 octobre. Pakistan. Un violent séisme au Cachemire fait plus de 87 000 morts. Le 30 octobre, l'Inde et le Pakistan acceptent d'ouvrir aux rescapés du séisme cherchant du secours des points de passage le long de la ligne qui divise ce territoire au cœur des rivalités entre les deux pays depuis 1947.

15 octobre. Irak. Les électeurs approuvent à 78 % la nouvelle Constitution irakienne, ouvrant la voie à des élections législatives.

20 octobre. Liban-Syrie. Le rapport de la commission d'enquête sur l'assassinat de l'ex-Premier ministre Rafic Hariri, remis par le juge allemand Detlev Mehlis au secrétaire général de l'ONU Kofi Annan, met en cause Damas. Il estime notamment, après quatre mois d'enquête, qu'il existe « des preuves convergentes montrant à la fois l'implication libanaise et syrienne dans cet acte terroriste ».

26 octobre. Iran. Le président Mahmoud Ahmadinedjad appelle à « rayer Israël de la carte ». C'est la première fois depuis des années qu'un dirigeant iranien d'aussi haut niveau appelle publiquement à la disparition de l'État hébreu.

9 novembre. Jordanie. L'attaque terroriste la plus meurtrière perpétrée dans le pays fait près de 60 morts dans trois hôtels d'Amman. Le triple attentat est revendiqué par un groupe se présentant comme la branche irakienne d'Al-Qaeda, dirigée par le Jordanien Abou Moussab al-Zarkaoui.

8 décembre. Afghanistan-OTAN. Les ministres des Affaires étrangères de l'OTAN (Organisation du traité de l'Atlantique nord) entérinent des plans opérationnels pour le déploiement de plusieurs milliers de soldats dans les provinces sud de l'Afghanistan, confirmant ainsi un engagement sans précédent pour l'Alliance atlantique.

12 décembre. Liban. Jebrane Tuéni, journaliste engagé et député, est assassiné. Ses funérailles officielles et populaires se transforment en une gigantesque manifestation anti-syrienne.

15 décembre. Irak. 15,8 millions d'Irakiens votent pour désigner pour quatre ans les membres de l'Assemblée nationale. Les chiites emportent 128 sièges sur 275.

30 décembre. Syrie. Le vice-président syrien, Abdel Halim Khaddam, démissionne de toutes ses fonctions politiques et déclare que le président syrien Bachar el-Assad ne pouvait ignorer le projet d'assassinat de R. Hariri.

2006

15 janvier. Koweït. La mort de l'émir du Koweït, Cheikh Jaber al-Ahmad al-Sabah (77 ans) entraîne une crise politique sans précédent dans le pays. Le prince héritier devant lui succéder est destitué et doit renoncer au pouvoir. C'est le Premier ministre, Cheikh Sabah al-Ahmad al-Sabah, qui devient le nouvel émir.

19 janvier. Syrie-Iran. Le président syrien Bachar el-Assad appuie la volonté de Téhéran de se doter d'une « technologie nucléaire à des fins pacifique » au cours d'une visite à Damas du président iranien.

25 janvier. Autorité palestinienne. Le mouvement de la résistance islamique, Hamas, remporte les élections législatives palestiniennes avec près de 42,9 % des voix. Le scrutin est marqué par une très forte mobili-

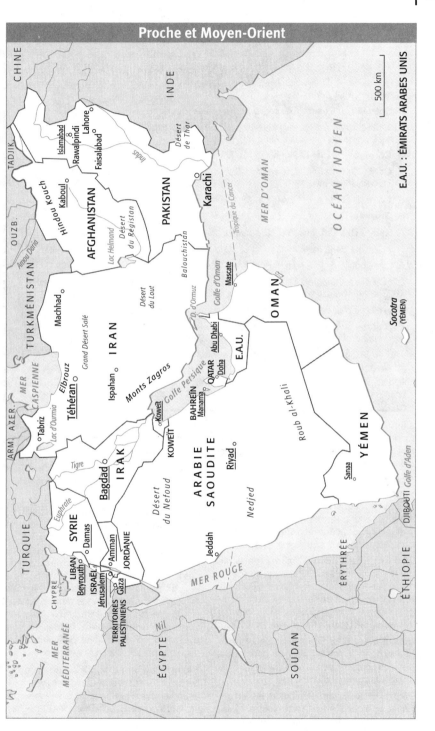

Proche et Moyen-Orient

CHINE — TADJIK. — OUZB. — TURKMÉNISTAN — Amou Daria — MER CASPIENNE — ARM. — AZER. — TURQUIE — CHYPRE — MER MÉDITERRANÉE

INDE — Désert de Thar — Indus — Islamabad — Rawalpindi — Lahore — Faisalabad — Kaboul — Hindou Kouch — AFGHANISTAN — Lac Helmand — Désert du Régistan — PAKISTAN — Karachi — Baloutchistan — Tropique du Cancer — MER D'OMAN — OCÉAN INDIEN

500 km

Machhad — Grand Désert Salé — I R A N — Désert du Lout — Golfe d'Oman — Mascate — D. d'Ormuz — OMAN — Socotra (YÉMEN)

Elbrouz — Téhéran — Ispahan — Monts Zagros — Golfe Persique — Abu Dhabi — E.A.U. — QATAR — Doha — Roub al-Khali

Tabriz — Lac d'Ourmia — Koweït — BAHREÏN — Manama — KOWEÏT — YÉMEN

Tigre — Bagdad — IRAK — Désert du Nefoud — ARABIE SAOUDITE — Riyad — Nedjed — Sanaa

Euphrate — SYRIE — Damas — LIBAN — Beyrouth — ISRAËL — Jérusalem — Gaza — Amman — JORDANIE — TERRITOIRES PALESTINIENS — Jeddah — MER ROUGE — ÉRYTHRÉE — DJIBOUTI — Golfe d'Aden — ÉTHIOPIE

Nil — ÉGYPTE — SOUDAN

E.A.U. : ÉMIRATS ARABES UNIS

2005-2006 / Journal de l'année

Proche et Moyen-Orient/Bibliographie

M. **Arkoun, J. Maïla,** *De Manhattan à Bagdad,* Desclée de Brouwer, Paris, 2003.

P. **Bocco, M.-R. Djalili** (sous la dir. de), *Moyen-Orient : migrations, démocratisation, médiations,* PUF, Paris, 1994.

B. **Botiveau, J. Césari,** *Géopolitique des islams,* Économica, Paris, 1997.

K. A. **Chaudry,** *The Price of Wealth. Economies and Institutions in the Middle East,* Cornell University Press, Ithaca (NY), 1997.

G. **Corm,** *Le Proche-Orient éclaté,* La Découverte, Paris, 1988.

G. **Corm,** *Le Proche-Orient éclaté – II. Mirages de paix et blocages identitaires,* La Découverte, Paris, 1997.

G. **Corm,** *L'Europe et l'Orient,* La Découverte, coll. « La Découverte/Poche », Paris, 2002.

B. **Ghalioun,** *Islam et politique. La modernité trahie,* La Découverte, Paris, 1997.

A. **Gresh, D. Vidal,** *Les 100 Clés du Proche-Orient,* Hachette Littératures, Paris, 2003.

Les Cahiers de l'Orient (trim.), Paris.

A. **Levallois,** *Moyen-Orient, mode d'emploi,* Stock, Paris, 2002.

Monde arabe/Maghreb-Machrek (trim.), La Documentation française (pour les années 1998 à 2001) et Éditions Choiseul (pour les années suivantes), Paris.

Revue d'études palestiniennes (trim.), diff. Éd. de Minuit, Paris.

G. **Salamé** (sous la dir. de), *Démocraties sans démocrates. Politiques d'ouverture dans le monde arabe et islamique,* Fayard, Paris, 1994.

J. et A. **Sellier,** *L'Atlas des peuples d'Orient. Moyen-Orient, Caucase, Asie centrale,* La Découverte, Paris, 2004 (nouv. éd.).

PNUD, *Arab Development Report 2004. Towards Freedom in the Arab World,* UNDP-RBAS (Regional Bureau for the Arab States), New York/Amman, 2005.

sation de la population palestinienne exprimant notamment son rejet de la politique menée par l'Autorité palestinienne et par le parti du président, le Fatah.

31 janvier. Afghanistan. Réunis à Londres, une soixantaine de pays donateurs s'engage à soutenir l'Afghanistan et adopte un plan de partenariat sur cinq ans prévoyant notamment d'améliorer la sécurité et de renforcer la lutte contre le trafic de drogue dans le pays.

28 mars. Israël. Ehoud Olmert, Premier ministre par intérim depuis l'attaque cérébrale subie par Ariel Sharon le 4 janvier 2006, à la tête du nouveau parti centriste Kadima, remporte les élections législatives. Un nouveau gouvernement est mis en place le 4 mai 2006.

29 mars. Iran. Le Conseil de sécurité de l'ONU donne un mois à Téhéran pour la suspension complète de toutes ses activités liées à l'enrichissement d'uranium.

23 avril. Irak. Au terme de quatre mois d'impasse politique, l'Arabe chiite Nouri al-Maliki est désigné Premier ministre, après le retrait de la candidature du Premier ministre sortant, Ibrahim al-Jaafari. Son gouvernement est investi par l'Assemblée le 20 mai 2006.

9 mai. Iran-Irak. Pour la première fois depuis vingt-six ans, l'Iran nomme un ambassadeur en Irak.

6 juin. Iran. Les cinq membres permanents du Conseil de sécurité de l'ONU et l'Allemagne remettent à Téhéran une proposition de reprise des négociations sur le programme nucléaire iranien. Cette offre, qui ne comprend pas la menace directe de sanctions, réaffirme le droit de l'Iran de développer l'énergie nucléaire à des fins pacifiques en accord avec ses obligations de signataire du TNP, le soutien à un programme nucléaire civil, et des mesures d'encouragement au développement économique du pays. L'Iran réserve sa réponse.

8 juin. Irak/États-Unis. Celui qui se présentait comme le chef d'Al-Qaeda en Irak, A. M. al-Zarkaoui, est tué lors d'un raid aérien américain au nord de Bagdad. Pour les États-Unis, son élimination est un « grand succès ». ∎

Autonomie palestinienne

Au bord de la banqueroute

Le 11 novembre 2004 mourait Yasser Arafat, icône de la revendication nationale palestinienne ; dans le cadre d'une succession calme et rapide, la direction de l'Organisation de libération de la Palestine (OLP), en charge de la représentation de l'ensemble des Palestiniens dans le monde, et celle de l'Autorité palestinienne (AP), mettant en œuvre l'autonomie dans les Territoires occupés depuis 1967, échéait à Mahmoud Abbas (« Abou Mazen »). Un an plus tard, le 25 janvier 2006, lors de l'élection d'un nouveau Conseil législatif de l'Autonomie, la population de Cisjordanie-Gaza accordait en toute transparence la majorité absolue au mouvement islamiste d'opposition Hamas, déjà vainqueur des élections municipales organisées tout au long de 2005.

Le Hamas au pouvoir

Le Mouvement de la résistance islamique-Hamas avait été créé au début de la première *intifada*, en 1987, par l'Association des Frères musulmans, soucieuse de pérenniser sa place dans la société en entrant dans la lutte patriotique jusque-là menée au nom du seul nationalisme. L'Association rompait ainsi avec une décennie d'activités limitées à la réislamisation de la société. Avec le slogan « la Palestine est islamique de la mer au Jourdain », le Hamas se proposait de conjuguer mobilisation morale et lutte politique, les brigades Izz al-Din al-Qassam traduisant dans le domaine militaire son refus de l'occupation.

Les causes de ce véritable raz de marée palestinien paraissaient évidentes : échec de l'OLP, qui n'était plus considérée comme un interlocuteur par un Israël plus unilatéral que jamais ; incapacité de l'AP à assurer la sécurité de la population face aux éliminations ciblées israéliennes tout autant qu'aux exactions de bandes armées, dont la majorité émanait du Fatah (le mouvement de Y. Arafat devenu l'épine dorsale de l'Autorité) ; corruption de nombre des cadres de l'AP, dans un contexte de chômage endémique sans cesse aggravé.

Se soumettant au verdict des urnes, le président Abbas a nommé au poste de Premier ministre, en février 2006, Ismaïl Hanniya, ancien secrétaire de Cheikh Ahmed Yassine, fondateur du Hamas éliminé par Israël en mars 2004. I. Hanniya animait depuis longtemps déjà un courant (minoritaire) décidé à installer le Hamas au cœur même du politique. Suite à l'échec de la mise en place d'un gouvernement d'union nationale, il a pris la tête d'un cabinet exclusivement constitué de membres du Hamas ou de proches.

Le « quartet » (États-Unis, Nations unies, Russie et Union européenne [UE]) a rapidement imposé au nouveau cabinet une triple exigence : renonciation à la violence, reconnaissance d'Israël et respect des accords signés par l'OLP. La « feuille de route », parrainée par le « quartet » en 2003, demeurait, par ailleurs, la référence officielle de la diplomatie internationale, bien qu'ayant déjà montré son inefficacité : elle prétendait déboucher, à brève échéance et sans pressions, sur la coexistence de deux États dans un contexte de paix israélo-arabe globale.

Le cabinet palestinien a refusé de se soumettre à ce qu'il considérait être une exigence de capitulation, au nom de la légitimité universelle de la résistance à l'occupation et du respect de la décision démocratique. Il a également réitéré les positions avancées par le Hamas depuis une décennie, se montrant prêt à envisager une trêve sans limite avec Israël si celui-ci se retirait de l'ensemble des Territoires occupés depuis 1967. Dès lors, le cabinet s'est retrouvé qualifié de « terroriste » par Israël et la communauté internationale (à l'exception notable de la Russie) et soumis à une privation de tout financement, tandis que l'ancienne majorité palestinienne, refusant sa défaite, travaillait à isoler encore plus le vainqueur.

Autonomie palestinienne

Autonomie palestinienne/Bibliographie

M. **Barghouti**, *Rester sur la montagne*, Entretiens sur la Palestine avec Éric Hazan, La Fabrique, Paris, 2005.

M. **Bishara**, *Palestine/Israël : la paix ou l'apartheid ?*, La Découverte, « Sur le vif », Paris, 2002 (nouv. éd.).

B. **Botiveau**, *L'État palestinien*, Presses de Sciences Po, Paris, 1998.

F. **Débié**, S. **Fouet**, *La Paix en miettes. Israël et Palestine (1993-2000)*, PUF, Paris, 2001.

A. **Dieckhoff**, *Israéliens et Palestiniens, l'épreuve de la paix*, Aubier, Paris, 1996.

M. K. **Doraï**, *Les Réfugiés palestiniens au Liban. Une géographie de l'exil*, CNRS éditions, Paris, 2006.

C. **Enderlin**, *Paix ou guerres. Les secrets des négociations israélo-arabes, 1917-1995*, Fayard, Paris, 2004 (nouv. éd.).

A. **Kapeliouk**, *Arafat l'irréductible*, Fayard, Paris, 2004.

R. **Khalidi**, *L'Empire aveuglé. Les États-Unis et le Moyen-Orient*, Actes Sud, Arles, 2004.

B. **Kimmerling**, *Politicide. Les guerres d'Ariel Sharon contre les Palestiniens*, Agnès Viénot, Paris, 2003.

B. **Kodmani-Darwish**, *La Diaspora palestinienne*, PUF, Paris, 1997.

H. **Laurens**, *La Question de Palestine*, t. 1 : *1799-1922. L'invention de la Terre sainte*, t. 2 : *1922-1947. Une mission sacrée de civilisation*, Fayard, Paris, 1999 (t. 1), 2002 (t. 2).

J.-F. **Legrain**, « Les phalanges des martyrs d'Al-Aqsa en mal de leadership national », *Maghreb-Machrek*, n° 176, Paris, été 2003.

J.-F. **Legrain** (dossier sous la dir. de), « En attendant la Palestine », *Maghreb-Machrek*, Paris, été 2003.

S. **Mishal**, A. **Sela**, *The Palestinian Hamas. Vision, Violence and Coexistence*, Columbia University Press, New York, 2000.

I. **Pappe**, *Une terre pour deux peuples. Histoire de la Palestine moderne*, Fayard, Paris, 2004.

N. **Picaudou**, I. **Rivoal** (sous la dir. de), *Retours en Palestine*, Karthala, Paris, 2006.

T. **Reinhart**, *L'Héritage de Sharon. Détruire la Palestine, suite*, La Fabrique, Paris, 2006.

E. **Said**, *D'Oslo à l'Irak*, Fayard, Paris, 2005.

A. **Signoles**, *Les Palestiniens*, Le Cavalier bleu, Paris, 2005.

Israël a suspendu le reversement à l'Autorité des taxes prélevées en son nom sur les importations transitant par son territoire (55 millions de dollars par mois, soit les deux tiers de ses recettes propres – 85 millions –, pour des dépenses mensuelles de 126 millions). Les donateurs internationaux, UE en tête, décidaient, pour leur part, de geler leur aide directe. Les États-Unis, enfin, parve-naient à bloquer tous les échanges bancaires internationaux avec l'Autorité. Affichant la volonté de maintenir une aide strictement humanitaire, l'UE tardait pourtant à mettre en place un mécanisme permettant le versement de certaines sommes qui ne contredirait pas son boycottage de principe.

Par ailleurs, Israël a poursuivi sa politique unilatérale. Dans la ligne de son prédéces-

Irak

seur Ariel Sharon, le nouveau Premier ministre Ehoud Olmert, élu en mars 2006, déclarait vouloir dessiner les frontières définitives d'Israël avant 2010. Son « plan de convergences » permettait à Israël de conserver des pans entiers de la Cisjordanie, dont le Grand Jérusalem et la vallée du Jourdain, au prix de l'évacuation d'environ 60 000 colons (sur 400 000). La « barrière (ou mur) de sécurité », dont la construction avait été lancée en 2002 en plein territoire palestinien par Israël au nom de seuls arguments sécuritaires, constituerait ainsi la nouvelle frontière occidentale d'entités palestiniennes discontinues. Après avoir unilatéralement évacué la totalité de la bande de Gaza en septembre 2005, Israël lui imposait un blocus quasi continu. Tandis que le niveau de vie s'effondrait toujours plus, les organisations internationales faisaient état d'un risque humanitaire majeur. Un cycle sans fin s'initiait : tirs de roquettes sur le sud d'Israël par des groupes de la mouvance du Jihad islamique et du Fatah et bombardements aériens israéliens sur le nord de la bande.

Pas d'union nationale

En l'absence de toute autocritique sur les causes de sa défaite et de toute mesure de réforme organisationnelle, certains cadres du Fatah tentaient de persuader la communauté internationale que l'étranglement du nouveau cabinet et la tenue de nouvelles élections ramèneraient inéluctablement au pouvoir les tenants du pragmatisme, dont ils prétendaient avoir le monopole. Au niveau de sa base, depuis quelques années déjà, des groupes armés – entre logiques mafieuses, claniques et localistes – se sont lancés dans la violence civile, s'attaquant à des bureaux de l'administration, aux personnes, aux biens. Avec l'arrivée au pouvoir du Hamas, ces groupes se sont trouvé un ennemi commun.

Très rapidement, alors même qu'il s'était d'abord interdit de refuser au Hamas ce que lui-même avait tenté d'obtenir en 2003 de

Y. Arafat lorsqu'il était Premier ministre, M. Abbas a argué de sa qualité de commandant en chef des forces armées pour refuser au ministre de l'Intérieur (Hamas) la direction effective de la police. Tandis que le cabinet procédait en avril 2006 à la constitution d'une nouvelle force d'appoint chargée de rétablir la sécurité à Gaza, le président cassait cette décision. Au risque de déclencher une guerre civile, il décidait de déployer sur le terrain ses propres forces de sécurité, quasi exclusivement formées de membres du Fatah, face à ce qui était dénoncé comme une « milice du Hamas ».

Mouvement islamiste porté au pouvoir par les voies démocratiques, le Hamas heurtait les régimes de la région, du coup peu empressés à se mobiliser pour une Palestine devenue gênante. Sa prise en main des affaires ne pouvait qu'être exploitée par tous ceux qui entendaient continuer à refuser aux Palestiniens leurs droits autrefois reconnus par la légalité internationale. Le pourrissement de la situation, né de l'alliance contre nature entre des nationalistes palestiniens sanctionnés par le peuple et leurs adversaires *et* partenaires, était ainsi porteur d'une violence dont les Palestiniens risquaient de ne pas être les seules victimes. [*Voir aussi l'article « Le conflit israélo-palestinien, toutes médiations neutralisées ».*] - **Jean-François Legrain ■**

Irak

Nouvelle dynamique politique

En 2005-2006, la situation en Irak s'est caractérisée par des phénomènes et dynamiques politico-militaires fort contradictoires : ce fut une période riche en élections et référendums, qui n'ont pas pour autant réussi à engendrer un pouvoir central crédible. Au lieu de la mise en place d'un gouvernement d'union nationale représentant l'importante diversité irakienne, 2005-2006

Irak

a vu la segmentation confessionnelle et ethnique du pays : non seulement la sécurité des citoyens n'était pas assurée, mais l'Irak, particulièrement sa région centrale, a été secoué par une véritable guerre entre civils ; la coalition chiite au pouvoir s'est fissurée mais les Arabes sunnites sont demeurés très divisés ; les forces politico-ethniques kurdes ont continué de monnayer très chèrement leur alliance, même si leur poids hors de leur région restait minime. L'économie irakienne n'a aucunement bénéficié de la flambée des prix du pétrole, et l'on a même annoncé une chute de la production. Alors que la présence militaire américano-britannique restait massive, l'ingérence de certains pays voisins (Iran, Syrie, Turquie...) est apparue de plus en plus agressive, visant à subordonner l'avenir de l'Irak à leur stratégie régionale. Enfin, le 19 octobre 2005 s'est ouvert à Bagdad le procès de l'ancien dictateur Saddam Hussein. La population souhaitait comprendre, à cette occasion, trente-cinq années de baassisme en Irak, mais très vite cet exercice a montré ses limites.

Repositionnement des principales communautés

La liste *chiite* soutenue par le grand ayatollah Ali Sistani a remporté, à la majorité absolue, les élections législatives du 30 janvier 2005. La nouvelle majorité chiite apparaissait fort hétéroclite (23 courants politiques allant de partis importants à des personnalités indépendantes). Le deuxième vainqueur des élections fut le bloc kurde, mais il est vrai que les Arabes sunnites avaient largement boudé les urnes. Chemin faisant, un gouvernement de vainqueurs fut constitué n'aplanissant pas pour autant les contradictions kurdo-chiites. Les postes importants du pays furent partagés selon un quota confessionnel et ethnique, avec le choix d'un président de la République (poste largement honorifique) kurde, Jalal Talabani, et d'un Premier ministre chiite, Ibrahim al-Jaafari, chef du parti Al-Dawa. Après neuf mois de pouvoir, le bilan du gouvernement apparaissait globalement négatif, au point que le grand ayatollah Sistani lui-même exprima des critiques publiques.

Parallèlement, le jeune et ombrageux clerc Moqtada al-Sadr revint avec vigueur sur la scène politique : il adopta une stratégie gagnante en portant l'étendard de la « résistance » contre l'occupation mais aussi en défendant les conditions de vie du petit peuple chiite. Tout au long de 2005 et début 2006, de violents conflits ont opposé les milices de M. al-Sadr à celles de l'ASRII (Assemblée suprême de la révolution islamique en Irak) d'Abdel-Aziz al-Hakim (à Bassorah, Samawa et Sadr-City à Bagdad). Quant au gouvernement de I. al-Jaafari, affaibli et miné par la corruption, il était géré pour l'essentiel par le parti Al-Dawa.

En 2005, les forces politiques chiites ont confessionnalisé l'État irakien renaissant et noyauté les capacités d'action du ministère de l'Intérieur. Pendant ce temps, l'ancien exilé qui avait bénéficié du sou-tien du Pentagone, Ahmed al-Chalabi, quoique affaibli, faisait toujours partie du gouvernement Jaafari, ne conservant du pouvoir que dans son rôle de médiateur entre chiites.

Les partis chiites participèrent massivement à la rédaction de la Constitution et appelèrent à voter le texte, le 15 octobre 2005. Au vu de leur bilan, ils perdirent leur majorité absolue à l'Assemblée lors des élections organisées sur la base de la Constitution, le 15 décembre 2005 (128 sièges sur 275), mais restèrent incontournables, particulièrement au centre et sud de l'Irak. Des voix de plus en plus insistantes réclamaient une fédération chiite au sud du pays, bénéficiant d'une large autonomie comme celle dont jouit la zone de peuplement kurde. Malgré la forte opposition de Washington, les partis chiites souhaitèrent d'abord maintenir I. al-Jaafari au poste de Premier ministre. L'Irak demeura ainsi pendant de longs mois sans gouvernement. Le 22 avril, Nouri al-Maliki, le « numéro 2 » du parti Al-Dawa était chargé de former un cabinet, présenté le 20 mai 2006.

Irak

Après sa stratégie calamiteuse depuis la chute du régime de S. Hussein, le monde *sunnite* irakien a connu un vrai changement. Cette population a cessé de présenter l'insurrection militaire comme la seule et unique réponse à sa perte de pouvoir. En contribuant à la rédaction de la Constitution, une dynamique politique a été déclenchée au point qu'une minorité significative a appelé à voter « oui ». Tendance confirmée par la participation aux élections législatives du 15 décembre 2005. Les Arabes sunnites en Irak sont et demeurent très divisés, vacillant entre pragmatisme politique et ultraradicalisme. Entre ces deux pôles, une masse importante de notables, d'anciens militaires, de religieux, de chefs de tribus, etc. n'avaient pas encore déterminé leurs positions. Le premier challenge pour les États-Unis restait celui d'intégrer une grande partie de cette masse variée au processus politique.

Quant aux *Kurdes*, leur position n'a pas vraiment évolué, si ce n'est la légère prise de conscience que le fédéralisme passe par Bagdad. Cependant, ils ont réussi à obtenir d'importants gains dans la Constitution. À leurs yeux, leur région fédérée ressemble de plus en plus à une entité confédérée assortie d'une large autonomie non seulement envers Bagdad mais à l'échelle régionale et internationale. Des dizaines de sociétés se sont implantées au Kurdistan d'Irak, sans passer par Bagdad, non sans conséquences sur la relation avec la coalition chiite et particulièrement avec l'ancien Premier ministre I. al-Jaafari. Dans le secteur énergétique également, des sociétés norvégiennes examinaient les modalités de production de pétrole dans la région. Autre avancée, les Kurdes sont enfin parvenus, début mai 2006, à « fusionner » leurs deux administrations régionales, celle sous l'égide de Massoud Barzani et sa capitale Erbil, et l'autre sous l'égide du parti de J. Talabani avec sa capitale Sulaymanyiah. Mais sur le terrain, cette initiative prenait plus la forme d'une juxtaposition que d'une intégration institutionnelle.

Recul de la citoyenneté comme fondement identitaire

Un quatrième camp politique, « sécularo-centriste », a réuni les forces séculières,

État d'Irak

Après l'intervention militaire de mars-avril 2003, l'Irak a été placé, le 1.5.03, sous régime d'occupation militaire, légitimé par la résolution 1483 du Conseil de sécurité de l'ONU (22.5.03). En juin, la résolution 1546 du Conseil de sécurité a « approuvé la formation d'un gouvernement intérimaire souverain »; celui-ci a commencé d'« assumer pleinement la responsabilité et l'autorité de gouverner l'Irak » le 28 juin 2004.

Capitale : Bagdad.
Superficie : 438 320 km².
Population : 28 807 000.
Langues : arabe (off.), kurde (off.), syriaque, turkmène, persan, sabéen.
Monnaie : dinar (au taux officiel, 1 dinar = 0,68 $ au 30.6.04).
Nature de l'État : la « Loi d'administration de l'État irakien pour la période transitoire », signée le 8.3.04, fait référence à l'« État irakien » et non plus à la « république d'Irak ».
Nature du régime : la « Loi administrative de transition » prévoit un système de gouvernement « républicain, fédéral, démocratique et pluraliste ». L'islam est la religion officielle (« une source du droit »).
Chef de l'État : Jalal Talabani (élu le 6.4.05).
Premier ministre : Nouri al-Maliki, qui a succédé le 22.4.06 à Ibrahim al-Jaafari.
Principaux partis politiques : Assemblée suprême de la Révolution islamique en Irak et parti Da'wa (islamistes chiites) ; Parti démocratique du Kurdistan (PDK, de Massoud Barzani) ; Union patriotique du Kurdistan (UPK, de Jalal Talabani) ; Parti communiste irakien ; Congrès national irakien ; Front du peuple turkmène ; Entente nationale irakienne ; Parti islamique irakien (sunnite).

Irak

Irak/Bibliographie

H. **Dawod** (sous la dir. de), *Tribus et pouvoirs en terre d'islam*, Armand Colin, Paris, 2004.

H. **Dawod**, H. **Bozarslan** (sous la dir. de), *La Société irakienne : communautés, pouvoirs et violences*, Karthala, Paris, 2003.

T. **Dodge**, *Inventing Irak : The Failure of Nation-Building and a History Denied*, Columbia University Press, New York, 2003.

T. **Dodge**, *Iraq Transformed*, Blackwell, New York, 2004.

J. **Henrotin** (sous la dir. de), *Au risque du chaos, leçons politiques et stratégiques de la guerre d'Irak*, Armand Colin, Paris, 2004.

F. A. **Jabar**, *Ayatollahs, Sufis and Ideologues : State, Religion and Social Movements in Iraq*, Saqi Books, Londres, 2002.

F. A. **Jabar**, *The Shi'ite Movement in Iraq*, Saqi Books, Londres, 2004.

F. A. **Jabar**, H. **Dawod** (sous la dir. de) *Tribes and Power : Nationalism and Ethnicity in the Middle East*, Saqi Books, Londres, 2003.

C. **Kutschera**, *Le Défi kurde ou le rêve fou de l'indépendance*, Bayard, Paris, 1997.

P.-J. **Luizard**, *La Formation de l'Irak contemporain. Le rôle politique des ulémas chiites à la fin de la domination ottomane et au moment de la création de l'État irakien*, CNRS-Éditions, Paris, 2002.

P.-J. **Luizard**, *La Question irakienne*, Fayard, Paris, 2002.

P.-J. **Luizard** (sous la dir. de), « Mémoires d'Irakiens. À la découverte d'une société vaincue », *Maghreb-Machrek*, n° 163, La Documentation française, janv.-mars 1999.

P. **Marr**, *The Modern History of Iraq*, Westview, Colorado & Oxford, 2004 (nouv. éd.).

N. **Salam** (sous la dir. de), *Le Moyen-Orient à l'épreuve de l'Irak*, Actes Sud/Sindbad, Paris, 2005.

J. **Tragert**, *Understanding Iraq*, The Complete Idiot's Guide, Alpha, New York, 2004 (nouv. éd.).

C. **Tripp**, *A History of Iraq*, Cambridge University Press, Cambridge, 2004 (nouv. éd.).

hétéroclites, autour de l'ancien Premier ministre Iyad Allaoui, à la veille des élections du 15 décembre 2005. Cette alliance regroupe aussi bien des communistes et des islamistes modérés que des nationalistes laïques. Trois objectifs organisaient cette diversité : défendre l'identité irakienne, construire un État crédible et affaiblir le poids de la religion en politique. En dépit d'une aide massive en provenance des États-Unis, du Royaume-Uni et même des pays arabes modérés, I. Allaoui a échoué dans sa tentative de s'imposer comme le bâtisseur d'un État irakien fondé sur la citoyenneté.

L'opinion irakienne s'est, en effet, radicalisée dans ses positions confessionnelles et ethniques. La citoyenneté irakienne reste un référent mais très affaibli au profit des appartenances ou mots d'ordre infra-étatiques. La violence, les assassinats, les explosions ont à nouveau dressé les communautés irakiennes les unes contre les autres, particulièrement après l'explosion du mausolée chiite de Samarra, le 22 février 2006. Les jours suivants, des violences voire des pogroms entre chiites et sunnites ont fait des centaines de morts.

Rien ne permettait encore de dire si le jeune gouvernement irakien serait capable de sortir le pays de cette impasse, mais une dynamique politique était enclenchée. [*Voir aussi l'article « Le Moyen-Orient depuis la chute de Saddam Hussein ».*] - **Hosham Dawod** ■

Iran

Grave crise diplomatique

L'élection de Mahmoud Ahmadinedjad à la présidence de la République, en juin 2005, a bouleversé le paysage politique sans pour autant consacrer la suprématie des conservateurs sur leur rivaux réformateurs ou défenseurs du président sortant Mohammad Khatami. Le nouveau président s'est en effet vite heurté à l'opposition de la majorité parlementaire des « fondamentalistes (*osoulgerayan*), comprenant certes ses partisans, les « fertilisateurs » (*abadgaran*), mais aussi la droite traditionnelle du Parti de la coalition (*motalefeh*), et les « sacrificateurs » (*isargaran*), dont la plupart avaient soutenu les candidatures d'Ali Laridjani (ancien responsable de la radio-télévision) et de Mohammad Ghalibaf (directeur général de la police). L'Assemblée a refusé sa confiance à plusieurs ministres clés et M. Ahmadinedjad a mis plusieurs mois à composer son équipe gouvernementale, au prix de compromis. Par ailleurs, la commission de l'Économie et des Finances, présidée par Ahmad Tavakkoli, l'une des figures historiques de la droite, a étrillé son projet de budget, jugé inflationniste. La suspension, pendant quelques semaines, des importations en provenance de Corée du Sud, de Chine et du Royaume-Uni, en guise de rétorsion aux positions défavorables à l'Iran que ces pays avaient prises au Conseil de sécurité de l'ONU, a provoqué la grogne du bazar.

Un président doué d'autonomie

Il s'est donc vite confirmé que le nouveau président était moins le fondé de pouvoir de la droite conservatrice que le vecteur d'une recomposition politique et de la montée en puissance d'une nouvelle génération de dirigeants, dont le rapport à la société et à l'histoire de l'Iran est particulière. M. Ahmadinedjad a notamment surpris en se déclarant favorable à l'accès des femmes aux matchs

République islamique d'Iran

Capitale : Téhéran.
Superficie : 1 648 200 km^2.
Population : 69 515 000.
Langues : persan (off.), kurde, turc, baloutche, arabe, arménien.
Monnaie : rial (au taux officiel, 1 000 rials = 0,87 € au 30.4.06).
Nature de l'État : république islamique.
Nature du régime : à la fois théocratique (primauté du gouvernement du jurisconsulte) et démocratique (élection du Parlement et du président de la République).
Chef de l'État : Ali Khamenei, Guide de la Révolution (depuis juin 89).
Chef de l'Assemblée pour la défense de la raison d'État : Ali Akbar Hachemi Rafsandjani (depuis mars 97).
Président de la République, chef du gouvernement : Mahmoud Ahmadinedjad, élu le 24.6.05 et entré en fonction le 6.8.05 en succesion de Mohammad Khatami.
Porte-parole du Conseil des gardiens de la Constitution : ayatollah Ahmad Djannati.
Président du Parlement : Haddad Adel (depuis mai 04).
Président de l'Assemblée des experts : ayatollah Ali Meshkini.
Président du Haut Conseil de la sécurité nationale : Ali Laridjani.
Principaux partis et groupes politiques : Parti du front de la participation islamique (secr. gén. par intérim : Mohammad Reza Khatami) ; Organisation des modjahedin de la Révolution islamique (Mohammad Salamati) ; Serviteurs de la Reconstruction (secr. gén. par intérim : Hossein Marashi) ; Association des clercs combattants ; Société du clergé combattant (Mahdavi Keni) ; Parti de motalefeh Eslami (Mohammad-Nabi Habibi) ; Parti de la solidarité (Ebrahim Asgharzadeh) ; Bureau de la consolidation de l'unité (association étudiante) ; Mouvement de la libération nationale [officiellement non reconnu] (Ebrahim Yazdi) ; Alliance des fertilisateurs (Etelaf-e Abadgaran, dirigée par Haddad Adel) ; Parti de la confiance nationale ; Parti islamique du travail (Hossein Kamali).

Iran/Bibliographie

F. Adelkhah, *Être moderne en Iran,* Karthala, coll. « Recherches internationales », Paris, 1998.

F. Adelkhah, *Iran,* Le Cavalier bleu, Paris, 2005.

S. Cronin (sous la dir. de), *Reformers and Revolutionaries in Modern Iran. New Perspectives on the Iranian Left,* Routledge Curzon, Londres, 2004.

J.-P. Digard, B. Hourcade, Y. Richard, *L'Iran au XXe siècle,* Fayard, Paris, 1996.

M. J. Gasiorowski, M. Byrne (sous la dir. de), *Mohammad Mosddeq and the 1953 Coup in Iran,* Syracuse University Press, Syracuse (New York), 2004.

B. Hourcade, *Iran, nouvelles identités d'une république,* Belin, coll. « Asie plurielle », Paris, 2002.

B. Hourcade, H. Mazurek, M.-H. Papoli-Yazdi, M. Taleghani, *Atlas d'Iran,* La Documentation française, Paris, 1998.

F. Khosrokhavar, O. Roy, *Iran : comment sortir d'une révolution religieuse ?,* Seuil, Paris, 1999.

M. Ladier-Fouladi, « Population et politique en Iran : de la monarchie à la République islamique », *Les Cahiers de l'INED,* n° 150, INED, Paris, 2003.

Z. Mir-Hosseini, *Islam and Gender. The Religious Debate in Contemporary Iran,* Princeton University Press, Princeton, 1999.

P. C. Salzman, *Black Tents of Baluchistan,* Smithsonian Institute Press, Washington, 2000.

E. Sanasarian, *Religious Minorities in Iran,* Cambridge University Press, Cambridge, 2000.

de football (février 2006) et a laissé son conseiller aux Affaires artistiques, Javad Shamghadri, évoquer la possibilité d'une libéralisation de la réglementation en vigueur sur le port du voile. L'émoi qu'il a suscité dans une partie du clergé, et notamment chez son mentor spirituel, l'ayatollah Mesbah Yazdi, a également rappelé son autonomie par rapport à l'institution religieuse. C'est d'ailleurs la première fois depuis 1981 que le président n'est pas un clerc. Au fond, M. Ahmadinedjad apparaissait comme un « homme neuf », n'ayant pas joué de rôle notable pendant la révolution et n'ayant jamais été élu avant juin 2005. Bien qu'il se réclame de l'esprit originel de la Révolution, son accession à la présidence de la République a signifié dans les faits que la page en était tournée. De ce point de vue, sa relation supposée privilégiée avec les « gardiens de la Révolution » ou les services secrets devait être relativisée, en dépit de son expérience militaire sur le front. La particularité la plus

évidente de M. Ahmadinedjad était décidément son isolement et son inexpérience politique, expliquant son style brouillon et très personnel de gouvernement. Néanmoins, il s'efforçait d'utiliser la « crise nucléaire » pour se poser en leader nationaliste. Soucieux de gagner le soutien des provinces frontalières qui n'ont pas voté pour lui au premier tour de la présidentielle, il leur a affecté des crédits du Fonds de stabilisation pétrolière. En effet, la tension entre le centre et la périphérie se substitue de plus en plus aux conflits entre conservateurs et réformateurs au sein du Parlement et dans la société. Pour différents motifs, des émeutes ont éclaté, des manifestations ont été organisées et des pétitions ont circulé dans le Kouzistan, le Sistan-Baloutchistan et les Azerbaidjan. Elles exprimaient moins une volonté indépendantiste ou irrédentiste qu'une soif de reconnaissance, de représentation, de développement, de décentralisation.

La différenciation de la société, l'intensification du débat public, profane ou religieux, sont évidentes. Elles vont de pair avec la généralisation de la procédure élective et la juridicisation croissante des rapports sociaux, mais aussi avec la poursuite d'arrestations de « blogistes » et d'intellectuels, tels que Ramin Jahanbeglou en avril 2006, la fermeture de journaux, le brouillage des télévisions satellitaires et le blocage de sites Internet.

Ces restrictions à l'accès à l'information risquaient de compromettre l'ouverture engagée depuis une quinzaine d'années, même si on ne pouvait parler d'un programme de restauration autoritaire et si l'hypothèse de la militarisation du régime semblait infondée.

Escalade de tensions sur la « question nucléaire »

Le contentieux nucléaire avec les pays occidentaux a occupé le devant de la scène, s'articulant désormais étroitement à la vie politique intérieure. Dès avant l'entrée en fonction de M. Ahmadinedjad, Téhéran avait annoncé son intention de reprendre les activités d'enrichissement d'uranium, officiellement à des fins civiles, faute d'avoir obtenu des contreparties tangibles à leur suspension depuis 2003. En avril 2006, l'AIEA (Agence internationale de l'énergie atomique) s'est résolue à transmettre au Conseil de sécurité un rapport critique, ouvrant la voie à l'adoption d'une résolution onusienne qui a enjoint l'Iran de renoncer à son programme atomique, au risque de l'inciter à sortir du TNP (Traité de non-prolifération nucléaire). Simultanément M. Ahmadinedjad a déclaré que son pays maîtrisait désormais le cycle du combustible nucléaire à titre expérimental et allait développer sa production industrielle. Mais les réticences de la Chine et de la Russie à sanctionner l'Iran ont laissé au pays un répit, et les États-Unis se sont résignés à accorder aux Européens un nouveau délai pour reprendre le fil des négociations. Les propos négationnistes de M. Ahmadinedjad sur la Shoah et

ses menaces contre Israël (octobre 2005), ainsi que de nouveaux essais de missiles dans le détroit d'Ormuz et la raréfaction des voyages présidentiels à l'étranger, enfin un vaste mouvement de rappel de diplomates khatamistes ou rafsandjanistes ont isolé l'Iran. Le pays se préparait à affronter des sanctions, et des frappes aériennes ne paraissaient plus complètement exclues. Néanmoins, Téhéran a reçu l'appui de l'Indonésie, qui a offert sa médiation en mai 2006. En outre, la lettre de M. Ahmadinedjad adressée au président américain George Bush au cours du même mois, bien qu'elle se soit heurtée à une fin de non-recevoir, ne permettait plus d'exclure l'ouverture d'un dialogue direct entre Téhéran et Washington, dialogue que les Européens appelaient de leurs vœux, qui semblait s'être ponctuellement noué à Bagdad et que l'administration Bush finit par ne plus exclure sous certaines conditions. La capacité de nuisance, mais aussi la modération, de fait, de la République islamique au Liban, en Afghanistan et en Irak conféraient à cette issue quelque crédibilité. En attendant, l'Iran intensifiait ses liens avec Moscou, New Delhi, Pékin et Tokyo, dans un contexte de forte demande mondiale d'hydrocarbures.

La flambée des cours du pétrole procure à l'Iran une manne financière dont l'utilisation fait débat. La commission des Finances du Parlement et la Banque centrale s'inquiétaient du gonflement de la dépense publique à des fins clientélistes ou sociales, et au détriment des investissements productifs ou des réformes de structure. En outre, le climat international et la fièvre nationaliste n'étaient guère propices aux investissements directs étrangers, dont certains ont été remis en cause. L'appréciation du taux de change réel et l'abondance des devises ont entraîné une forte poussée des importations. Le déficit du secteur public a provoqué une accélération de l'inflation (13 % en 2005). S'ajoutant à un taux de chômage officiel de 11 %, manifestement sous-évalué, cette dernière contribuait à la

Israël

perpétuation de la crise sociale, l'un des facteurs de la victoire électorale de M. Ahmadinedjad en 2005. [*Voir aussi l'article « L'enjeu iranien, au-delà de la "question nucléaire" »*.] - **Fariba Adelkhah** ■

Israël

Un paysage politique transformé

Au cours de l'année 2005-2006, les événements se sont succédé à un rythme soutenu dans l'espace israélo-palestinien : retrait civil et militaire de Gaza ; disparition politique du Premier ministre Ariel Sharon alors qu'il venait de fonder un nouveau parti, Kadima ; triomphe sans partage du Hamas aux élections législatives palestiniennes de janvier 2006 ; victoire d'Ehoud Olmert, nouveau leader de Kadima, aux élections législatives anticipées de mars 2006. La configuration politique israélienne en est sortie profondément transformée.

Retrait express de Gaza

Le 12 septembre 2005, les derniers soldats israéliens quittaient la bande de Gaza, mettant fin à une occupation militaire de trente-huit ans. Ce départ – bien en avance sur le calendrier prévu – a fait suite à l'évacuation forcée, en l'espace de cinq jours à la mi-août, des 21 colonies de Gaza (plus quatre colonies du nord de la Cisjordanie), des 4 000 à 5 000 habitants qui y résidaient encore et de quelques milliers de manifestants. Contrairement à certaines prédictions alarmistes, le plan de désengagement de Gaza n'a guère rencontré d'obstacles. Certes, manifestations, *sit-in* et blocage des routes, organisés par la droite nationaliste, à forte dominante religieuse, se sont multipliés. Pourtant, à aucun moment, ces différentes actions n'ont été en mesure d'alimenter en Israël une opposition forte au retrait. Même à Gaza, la « résistance » des colons se sera limitée à des jets de projectiles sur

les forces de l'ordre et à des bordées d'injures. Le succès de l'opération tient à la conjonction de trois facteurs : la persistance d'une volonté politique inébranlable aux plus hauts sommets de l'État ; l'isolement du mouvement des colons, privé de relais puissants à l'intérieur du système politique ; le soutien majoritaire de l'opinion publique israélienne.

Fort de ce résultat, A. Sharon pouvait envisager plus sereinement l'extension de sa méthode unilatérale à certains secteurs de la Cisjordanie. Toutefois, pour poursuivre dans cette voie, le Likoud, globalement réservé concernant tout désengagement, devenait une entrave. D'où la tentation de se doter d'une base politique plus loyale. Le moment favorable pour réaliser ce « big bang » se présenta en novembre 2005, après le changement inattendu intervenu à la tête du Parti travailliste israélien (PTI). Des élections internes conduisirent en effet à la défaite du président en titre, Shimon Pérès, au profit de l'*outsider* Amir Peretz, chef depuis 1995 de la grande centrale syndicale Histadrout. Les militants du PTI manifestaient ainsi une volonté de renouvellement à la fois générationnel et politique, autour d'un message plus social. Dans cet esprit, le PTI se retira du gouvernement d'union nationale, précipitant la convocation d'élections législatives anticipées et offrant à A. Sharon l'occasion rêvée de se dégager de la tutelle pesante du Likoud – dont il avait été un des fondateurs en 1973 – en recréant autour de lui une formation politique plus centriste, Kadima (« En avant »).

Le destin voudra pourtant qu'A. Sharon ne profite pas de cette latitude politique nouvelle : victime d'une attaque cérébrale au tout début de l'année 2006, il disparut brusquement d'une scène politique qu'il avait profondément marquée de son empreinte depuis son arrivée à la tête du gouvernement en mars 2001.

L'effacement brutal d'A. Sharon faisait craindre pour l'avenir de Kadima. Pourtant, la nouvelle formation, désormais dirigée par le Premier ministre par intérim, E. Olmert, est parvenue à conserver une audience importante grâce à son positionnement comme un véritable parti centriste. Même si le gros des forces provenait du courant pragmatique du Likoud (Tzipi Livni, Meir Sheetrit...), Kadima a attiré à lui des personnalités issues du Parti travailliste (S. Pérès, Haim Ramon...) ainsi que de la société civile. Ce centrisme transparaissait aussi à travers l'offre politique de Kadima sur la question israélo-palestinienne, fondée sur un unilatéralisme assumé qui rejetait, tout à la fois, l'immobilisme du *statu quo* prôné par la droite nationaliste et l'illusion d'un règlement définitif par la négociation invoqué par la gauche pacifiste. Préserver Israël en tant qu'État juif et démocratique requérait, selon ce positionnement, l'établissement de frontières permanentes avec les Palestiniens, sans hésiter à recourir à des actions unilatérales. Dès lors, ce qui avait été fait à Gaza devait se poursuivre en Cisjordanie.

La victoire sans appel, aux élections palestiniennes, d'un Hamas irrédentiste, refusant toute négociation avec Israël, a donné encore plus de crédit à l'idée centrale de « l'absence de partenaire palestinien crédible ».

En obtenant 29 mandats au terme des législatives anticipées de mars 2006, Kadima a gagné son pari, devenir le pivot de la nouvelle Knesset, au détriment des deux formations historiques de l'échiquier israélien, le Likoud et le Parti travailliste. Le premier, incapable de « trouver la bonne formule » après le départ d'A. Sharon et de ses amis, a subi un revers sévère (12 mandats seulement). Cet échec apparaissait lié à la fois au manque de crédibilité de sa rhétorique nationaliste intransigeante et à la désaffection d'une fraction de l'électorat populaire séfarade.

Ce dernier a en effet subi de plein fouet la « thérapie de choc » administrée par le chef du Likoud et ministre des Finances, Benyamin Netanyahou. Le plan d'assainissement du budget de l'État a eu des effets macroéconomiques positifs (relance de la croissance – 5,2 % en 2005 –; baisse du nombre de demandeurs d'emploi) mais, en choisissant de diminuer les impôts des catégories favorisées tout en réduisant massivement les allocations de tous ordres (chômage, logement, familiales...), B. Netanyahou a alimenté le mécontentement des milieux populaires.

C'est précisément l'irruption de la question sociale qui a été la surprise de ces élections. Elle explique que le Parti travailliste

État d'Israël

Capitale : Jérusalem (état de fait, contesté au plan international).

Superficie : 21 060 km^2; Territoires occupés : Golan (1 150 km^2, annexé en 1981), Cisjordanie (5 879 km^2, dont l'enclave autonome de Jéricho et la zone A autonome depuis 1995), Gaza n'est plus occupé depuis sept. 05. Jérusalem-Est (70 km^2) a été annexée en 1967.

Population : 6 725 000.

Langues : hébreu et arabe (off.) ; anglais, français, russe.

Monnaie : nouveau shekel (1 nouveau shekel = 0,18 € au 30.4.06).

Nature de l'État : unitaire.

Nature du régime : démocratie parlementaire combinée à une administration militaire dans les Territoires occupés.

Chef de l'État : Moshé Katzav (depuis le 31.7.2000).

Premier ministre : Ehoud Olmert (Kadima), qui a succédé à Ariel Sharon le 4.5.06.

Ministre des Affaires étrangères : Tzipi Livni (Kadima).

Ministre de la Défense : Amir Peretz (Parti travailliste).

Principaux partis politiques : *Coalition au pouvoir* (67 sur 120 députés) : Kadima (centre) ; Parti travailliste ; Shass (orthodoxe séfarade). *Opposition* : Likoud (droite nationaliste) ; Israël Beiteinou (russophones) ; Judaïsme unifié de la Torah (orthodoxe ashkénaze) : Meretz (sioniste de gauche) ; Ra'am (musulman nationaliste) ; Hadash (communiste) ; Balad (arabe nationaliste).

Israël/Bibliographie

Atlas historique d'Israël, par les correspondants du New York Times, Autrement, Paris, 1998.

J.-C. **Attias**, E. **Benbassa**, *Israël imaginaire*, Flammarion, Paris, 1998.

M. **Benvenisti**, *Jérusalem, une histoire politique*, Actes Sud/Solin, Arles, 1996.

S. **Cypel**, *Les Emmurés. La société israélienne dans l'impasse*, La Découverte, Paris, 2005.

A. **Dieckhoff**, *Israël. De Moïse aux accords d'Oslo*, Seuil, Paris, 1998.

A. **Dieckhoff**, *L'Invention d'une nation. Israël et la modernité politique*, Gallimard, Paris, 1993.

A. **Dieckhoff**, R. **Leveau**, *Israéliens et Palestiniens. La guerre en partage*, Balland, Paris, 2003.

C. **Enderlin**, *Le Rêve brisé : histoire de l'échec du processus de paix au Proche-Orient*, Fayard, Paris, 2002.

I. **Greilsammer**, *La Nouvelle Histoire d'Israël, essai sur une identité nationale*, Gallimard, Paris, 1998.

A. **Keller**, *L'Accord de Genève. Un pari réaliste*, Seuil/Labor & Fides, Paris/Genève, 2004.

C. **Klein**, *Israël, État en quête d'identité*, Casterman/Giunti, Paris, 1999.

C. **Klein**, *La Démocratie d'Israël*, Seuil, Paris, 1997.

P. **Razoux**, *Tsahal. Nouvelle histoire de l'armée israélienne*, Perrin, Paris, 2006.

A. **Shapira**, *L'Imaginaire d'Israël. Histoire d'une culture politique*, Calmann-Lévy, Paris, 2005.

C. **Snegaroff**, M. **Blum**, *Qui sont les colons ? Une enquête de Gaza à la Cisjordanie*, Flammarion, Paris, 2005.

D. **Vidal**, *Le Péché originel d'Israël*, L'Atelier, Paris, 1998.

M. **Warschawski**, *À tombeau ouvert. La crise de la société israélienne*, La Fabrique, Paris, 2003.

I. **Zertal**, *La Nation et la Mort. La Shoah dans le discours et la politique d'Israël*, La Découverte, Paris, 2004.

soit parvenu, avec 19 mandats, à préserver ses acquis, confortant un A. Peretz soumis à de fortes contestations internes. Elle permet aussi de rendre compte du bon score de la formation ultra-orthodoxe Shass (12 mandats) et, surtout, de la percée spectaculaire du Parti des retraités (7 sièges,) revendiquant le droit à une pension décente (40 % des Israéliens ne bénéficient pas de retraites garanties). Enfin, ces élections ont montré que le vote communautaire demeurait une réalité puisque, à côté du Shass, séfarade, Israël Beitenou apparaissait avant tout comme un parti « russe » (deux tiers des voix recueillies après des immigrants de l'ex-

URSS), tandis que les trois listes arabes ont attiré plus des deux tiers des suffrages des Arabes d'Israël.

Poursuite de l'unilatéralisme ?

La coalition gouvernementale, constituée par E. Olmert en mai 2006 s'est fixée une double priorité. La première est sociale (augmentation du salaire minimum, système de retraite...) ; la seconde diplomatique : fixer les frontières permanentes de l'État d'ici 2010. Même si, en théorie, la voie de la négociation avec les Palestiniens restait privilégiée, on voyait mal comment elle trouverait à se concrétiser rapidement. Or, E. Olmert avait déjà averti : si fin 2006 rien n'avait bougé, il poursuivrait la stratégie unilatérale. Celle-ci repose sur deux principes : évacuation des colonies rurales isolées ou proches des grands centres urbains palestiniens ; consolidation des trois blocs de colonies d'Ariel, de Ma'aleh Adoumim et du Goush Etzion, à quoi il convenait d'ajouter la plus grande partie de Jérusalem-Est et de ses environs, situés derrière la « barrière de sécurité » (celle-ci prenant dès lors une fonction politique). La double offensive militaire menée par Israël, d'abord contre le Hamas à Gaza (fin juin), puis contre le Hezbollah au Liban (mi-juillet), suite à la capture de trois soldats israéliens, remettra-t-elle en cause ce programme ? À l'évidence, elle change, au moins provisoirement, l'ordre des priorités. [*Voir aussi l'article « Le conflit israélo-palestinien, toutes médiations neutralisées »*.] - **Alain Dieckhoff** ∎

raissait comme le véritable centre de l'autorité, court-circuitant le Premier ministre et le Parlement, et il semblait décidé à pérenniser une structure politique hybride dominée par l'armée et dans laquelle les partis ne joueraient qu'un rôle prédéterminé. Pourtant, n'ayant pas réussi à se constituer une base de soutien dans la population, il sem-

République islamique du Pakistan

Capitale : Islamabad.
Superficie : 796 100 km^2.
Population : 157 935 000.
Langues : ourdou, anglais (off.) ; pendjabi, sindhi, pachtou, baloutchi.
Monnaie : roupie pakistanaise (au taux officiel, 100 roupies = 1,33 € au 30.4.06).
Nature de l'État : république fédérale islamique.
Nature du régime : civil.
Chef de l'exécutif : général Pervez Musharraf (au pouvoir depuis le 12.10.99, investi président de la République le 20.6.01).
Premier ministre et ministre des Finances : Shaukat Aziz (depuis le 28.8.04).
Ministre de l'Intérieur : Aftab Ahmad Khan Sherpao.
Ministre des Affaires étrangères : Kurshid Mahmood Kasuri.
Principaux partis politiques : *Partis nationaux :* Parti du peuple pakistanais (PPP, social-démocrate) ; Ligue musulmane du Pakistan (PML, libérale). *Partis régionaux : baloutche :* Jamhoori Watan Party (JWP) ; *pathan :* Parti national Awami (ANP) ; Parti national populaire pachtou (PKMAP) ; *Immigrés indiens musulmans dans le Sind :* Mouvement national unifié (MQM) ; *Partis de religieux :* Rassemblement des oulémas de l'islam (JUI) ; Rassemblement des oulémas du Pakistan (JUP). *Partis religieux :* Jamaat-e Islami (JI, fondamentaliste sunnite).
Contestations territoriales : anciennes principautés de Junagadh et de Jammu et Cachemire, administrées par l'Inde, laquelle revendique l'Azad-Cachemire, administré par le Pakistan.

Pakistan

Un pouvoir très éloigné de la population

Le 8 octobre 2005, un tremblement de terre a dévasté l'Azad-Cachemire et la Province de la frontière du Nord-Ouest (NWFP), faisant plus de 87 000 morts et près de 3 millions de sans-abri. La société civile et les organisations humanitaires internationales se sont mobilisées pour mener les opérations de secours en collaboration avec les groupes islamistes radicaux déjà présents dans la région et qui ont bénéficié du soutien logistique de l'armée.

Sur le plan intérieur, l'année a été marquée par la polarisation grandissante de la société, la dégradation de la situation sécuritaire dans la NWFP et au Baloutchistan et la poursuite des violences confessionnelles.

Sept ans après sa prise de pouvoir (1999), le général Pervez Musharraf appa-

Pakistan

Pakistan/Bibliographie

H. Abbas, *Pakistan's Drift into Extremism. Allah, the Army and America's War on Terror,* M. E. Sharpe, Armonk, New York, 2005.

M. Abou Zahab, « Pakistan : entre l'implosion et l'éclatement ? », *Politique étrangère,* nº 2, IFRI, Paris, 2006.

M. Abou Zahab, O. Roy, *Réseaux islamiques. La connexion afghano-pakistanaise,* Autrement, coll. « CERI-Autrement », Paris, 2002.

S. Cohen, *The Idea of Pakistan,* Brookings Institution Press, Washington D.C., 2005.

H. Haqqani, *Pakistan. Between Mosque and Military,* Carnegie Endowment for International Peace, Washington D.C., 2005.

C. Jaffrelot (sous la dir. de), *Le Pakistan,* Fayard, Paris, 2000.

C. Jaffrelot (sous la dir. de), *Le Pakistan, carrefour de tensions régionales,* Complexe/ CERI, Paris, 2002 (nouv. éd.).

C. Jaffrelot (sous la dir. de) *Pakistan. Nationalism without a Nation ?,* Manohar/Zed Books, Delhi/Londres, 2002.

S. Mumtaz, J.-L. Racine, I. A. Ali (sous la dir. de), *Pakistan. The Contours of State and Society,* Oxford University Press, Karachi, 2002.

J.-L. Racine, *Cachemire. Au péril de la guerre,* Autrement, coll. « CERI-Autrement », Paris, 2002.

I. Talbot, *Pakistan. A Modern History,* Hurst & Company, Londres, 2005 (nouv. éd.).

M.-J. Zins, *Pakistan. La quête de l'identité,* La Documentation française, Paris, 2002.

L. Ziring, *Pakistan at the Crosscurrent of History,* Oneworld Publications, Londres, 2004.

blait de plus en plus isolé et dépendant des États-Unis tout en poursuivant une politique ambiguë de coopération sélective à la « guerre contre le terrorisme », notamment par le maintien de son alliance avec les partis religieux.

Une scène politique figée

Les élections locales, qui ont été organisées en août et en octobre 2005, officiellement sans participation des partis, ont été remportées par la Ligue musulmane du Pakistan (PML, rassemblant les partisans du général Musharraf) et entachées de fraudes massives. Ce scrutin a donné le coup d'envoi de la campagne pour les élections législatives prévues pour la fin de 2007 alors que le général Musharraf, qui entendait briguer un nouveau mandat présidentiel, ne semblait toujours pas décidé à renoncer à la fonction de chef de l'État-Major.

L'ancien Premier ministre en exil Nawaz

Sharif renversé par le coup d'État de 1999 a été autorisé à quitter l'Arabie saoudite pour Londres. Quant à Benazir Bhutto, qui vivait également en exil, elle continuait à négocier avec le gouvernement les conditions de son éventuel retour au Pakistan tout en se rapprochant de Nawaz Sharif en vue de constituer une alliance pour les élections, mais tant la Ligue musulmane du Pakistan-Nawaz (PML-N) que le Parti du peuple pakistanais (PPP) apparaissaient affaiblis par les nombreuses défections dans leurs rangs au profit de la PML. Par ailleurs, le gouvernement manipulait les partis religieux pour créer un contrepoids au Muttahida Majlise Amal (MMA, « Conseil d'action unifié », alliance de six partis religieux). Toutes ces manœuvres avaient pour but de garantir le succès de la PML aux élections législatives dont personne ne pensait qu'elles seraient « libres et régulières » comme le réclamaient les États-Unis.

Pakistan

Nouvelles insurrections et violences confessionnelles

La situation au Baloutchistan est devenue explosive : attaques contre les infrastructures et les moyens de communication, sabotages du gazoduc, attentats à l'explosif et embuscades visant les forces de sécurité ponctuaient le quotidien. Le gouvernement a choisi l'option militaire et accusé les pays voisins de soutenir l'insurrection dans cette province, qui a retrouvé son importance géostratégique depuis l'intervention américaine en Afghanistan. Les insurgés, qui réclamaient la reconnaissance des droits des Baloutches sur le gaz et les autres ressources naturelles de la province, s'opposaient aux projets de développement autour du port de Gwadar et à l'implantation de garnisons militaires, ainsi qu'à l'attribution de terres et d'emplois à des non-Baloutches. L'Armée de libération du Baloutchistan (BLA, revendiquant la plupart des opérations de la guérilla) a été déclarée mouvement terroriste et interdite en avril 2006.

Malgré la présence de quelque 70 000 soldats pakistanais dans les Zones tribales (jouxtant l'Afghanistan), l'un des principaux objectifs des opérations militaires déclenchées en février 2004 – empêcher l'infiltration de militants d'Al-Qaeda et de combattants taliban en Afghanistan – n'a pas été atteint. Ces zones semi-autonomes continuaient de servir de sanctuaire aux taliban afghans que certains éléments de l'armée considéraient comme de futurs alliés stratégiques du Pakistan après le départ des États-Unis d'Afghanistan. Cet échec a entraîné une recrudescence des incursions terrestres et aériennes américaines dans la région, dont les civils ont été les principales victimes, ce qui a renforcé le sentiment antiaméricain et la perception de l'armée pakistanaise comme menant une guerre injuste pour le compte des États-Unis. Les militants opposés aux opérations armées ont lancé une campagne contre les chefs tribaux progouvernementaux, dont plus de

cent ont été tués en 2005. L'administration civile était paralysée et l'anarchie régnait au Waziristan, où la population se trouvait à la merci des taliban locaux, qui ont consolidé leur emprise sur la région et étendu leur influence aux villes voisines.

Comme les années précédentes, les violences confessionnelles, y compris entre sunnites, n'ont pas connu de répit. Les attentats-suicides se sont multipliés alors que le gouvernement menait une politique des plus ambiguës envers les groupes interdits, et notamment le Sipah-e Sahaba (SSP, Armée des compagnons du Prophète). Ce mouvement extrémiste sunnite a été la cible de la répression qui a suivi les attentats de Londres en juillet 2005, mais il a été autorisé à reprendre ses activités sous son nouveau nom de Millat-e Islamia Pakistan (MIP, Communauté musulmane du Pakistan) et a tenu, en avril 2006, un meeting à Islamabad sous protection policière.

La « modération éclairée » est restée le mot d'ordre de la politique du général Musharraf, mais aucune initiative n'a été prise pour lutter contre l'extrémisme religieux ni pour abroger, ou au moins amender, les lois discriminatoires envers les femmes et les minorités. Par ailleurs, l'alliance du gouvernement avec les partis religieux a entravé la réforme des madrassa (écoles religieuses).

Islamabad au second plan de la diplomatie régionale américaine

Malgré l'ouverture, en novembre 2005, de cinq points de passage sur la ligne de contrôle séparant la partie indienne de la partie pakistanaise du Cachemire, la mise en service en janvier 2006 d'une ligne d'autocars reliant Lahore à Amritsar et l'assouplissement de la délivrance des visas, notamment pour les pèlerins sikhs, la normalisation des relations indo-pakistanaises a marqué le pas. Islamabad craint, en effet, que New Delhi ne se contente de ces « mesures de confiance » et ne fasse aucune concession sur le Cachemire. La

Pakistan

méfiance s'est accrue après la visite du président américain George W. Bush dans la région, en février-mars 2006, et la signature d'un accord de coopération nucléaire entre les États-Unis et l'Inde entérinant la reconnaissance de celle-ci comme « puissance nucléaire responsable ». Par ailleurs, le Pakistan a régulièrement dénoncé le renforcement de la présence indienne en Afghanistan et les ingérences indiennes au Baloutchistan.

Washington n'a cessé de souffler le chaud et le froid, félicitant le Pakistan pour sa participation à la « guerre contre le terrorisme » tout en lui reprochant de ne pas en faire assez. La visite du président Bush a ainsi laissé un goût amer, confirmant que les États-Unis ne considèrent le Pakistan qu'au prisme des services qu'il peut rendre dans le cadre de la stratégie diplomatique américaine alors qu'ils s'adressent à l'Inde comme à un partenaire stratégique à long terme.

Les relations avec l'Afghanistan sont restées tendues, le président afghan Hamid Karzaï accusant le Pakistan de soutenir l'insurrection dans le sud et l'est de son pays et d'accueillir sur son territoire des dirigeants taliban.

Alors que les indicateurs macroéconomiques restaient satisfaisants, avec, en particulier, un taux de croissance supérieur à 8 % durant l'année fiscale 2005-2006, le déficit commercial a atteint un niveau record (plus de 10 milliards de dollars en avril 2006 – soit une augmentation de 93 % par rapport à l'année précédente), notamment en raison de l'augmentation du prix du pétrole. Le « boom » économique reposait sur la consommation, favorisée par les crédits généreusement accordés par les banques, plutôt que sur l'investissement. Les classes moyennes devaient faire face à l'élévation des taux de chômage et d'inflation ; l'écart entre riches et pauvres ne cessait de se creuser, la majorité de la population demeurant à l'écart de la croissance. Les protestations contre les caricatures du Prophète, qui ont dégénéré en émeutes et pillages, exprimaient la frustration de la jeunesse urbaine pauvre et le ressentiment contre la place croissante des sociétés multinationales dans l'économie. L'insécurité continuait de freiner les investissements étrangers (891 milliards de dollars en 2005) ; ceux-ci étaient liés pour moitié aux privatisations, qui ont surtout attiré des investisseurs d'Arabie saoudite et des émirats du Golfe. Les transferts de fonds des émigrés (plus de 4 milliards de dollars par an) ont alimenté la spéculation immobilière. En dépit d'un renforcement des contrôles aux frontières, des milliers de travailleurs clandestins ont, comme les années précédentes, été refoulés à la frontière iranienne et renvoyés de la péninsule Arabique, notamment du sultanat d'Oman, ainsi que de nombreux pays européens. - **Mariam Abou Zahab** ◼

Par **Pierre Gentelle**
Géographe, CNRS

L'Asie, concept d'origine coloniale longtemps resté vide de sens pour les pays se partageant ce vaste territoire, désignait jadis un champ exotique d'affrontements européens. Ces mêmes pays semblent avoir désormais pris conscience d'appartenir à une partie du monde pouvant faire jeu égal avec d'autres parties de celui-ci, comme l'Amérique ou l'Europe. Le cas de la Russie demeure à part, puisqu'elle est à la fois asiatique par son extension d'un bout à l'autre de la Sibérie et européenne par son peuplement et sa culture.

Les limites de l'Asie méridionale et orientale sont floues. Au nord, le monde des steppes se lie sans solution de continuité à la Sibérie. À l'ouest, la mer Caspienne ne suffit pas à isoler l'Asie de l'Europe ; le monde persan (Iran, Afghanistan et Tadjikistan) est partagé entre l'Asie centrale et le Moyen-Orient. On peut dessiner plusieurs Asie : Asie arctique, Asie moyenne ou tropicale ; Asie des moussons et Haute Asie…

On peut aussi voir l'Asie comme un ensemble de plateaux et de plaines, pluvieux ou désertiques, entourant l'immense môle du Tibet et du Tian Shan, d'où rayonnent tous les grands fleuves asiatiques (Amou Daria, fleuve Jaune [Huang He], Yangzijiang, Mékong, Brahmapoutre, Gange, Indus, etc.). Deux traits originaux doivent être soulignés : la continuité climatique de la façade orientale, de la Mandchourie à la Cochinchine, sans zone aride ; l'ancienneté de la vie de relations, routes des steppes, de la soie, des épices, du bouddhisme, etc.

L'Asie est une géographie surprenante. Développés dans des contextes naturels allant des montagnes sèches, des plateaux glacés et des pentes abruptes jusqu'aux deltas humides, luxuriants, et aux forêts de plus en plus surexploitées, six États réunissent la moitié de la population mondiale, avec des concentrations d'une extrême densité : Chine, Inde, Indonésie, Pakistan, Bangladesh, Japon, par rang démographique. Chacun d'eux, cependant, contient, dans de grands espaces vides, des peuples mal intégrés, des cultures minoritaires. De petits États subsistent aux côtés des colosses démographiques et de quelques États moyens aux traditions culturelles bien affirmées (Vietnam, Corées, Philippines, Thaïlande).

L'ensemble asiatique est évidemment traversé de rivalités internes et de conflits de voisinage. Des régions entières sont soumises à des conflits endémiques : Tibet, Cachemire, Tamil Nadu, Bengale, Birmanie, plusieurs îles indonésiennes. Nombre de minorités doivent être protégées. L'accord général des États contre les troubles du terrorisme fait apparaître de nouvelles solidarités, mais aucun pays ne s'attache à réduire les causes profondes du problème, même ceux qui préféreraient des Nations unies dignes et puissantes à la tutelle américaine.

DES RÉGIONS ENTIÈRES SONT SOUMISES À DES CONFLITS ENDÉMIQUES : TIBET, CACHEMIRE, TAMIL NADU, BENGALE, BIRMANIE, PLUSIEURS ÎLES INDONÉSIENNES.

SIX ÉTATS
RÉUNISSENT
LA MOITIÉ DE
LA POPULATION
MONDIALE,
AVEC DES
CONCENTRATIONS
D'UNE EXTRÊME
DENSITÉ : CHINE,
INDE, INDONÉSIE,
PAKISTAN,
BANGLADESH,
JAPON.

C'est que l'Asie est en mouvement vers une appropriation croissante des formes modernes de l'économie, qui entraîne un individualisme favorisant autant l'ascension sociale que le maintien des privilèges. La primauté donnée à l'enrichissement, le faible niveau général des protections sociales colorent la forme asiatique du développement économique et montrent que, à l'exception du Japon, l'Asie dans son ensemble n'a pas trouvé son modèle.

Autant les situations à l'intérieur de l'Asie sont diverses, autant certains problèmes sociaux sont ressemblants. Le travail des enfants n'est pas moindre dans les pays bouddhistes que dans les autres. La situation des femmes reste délicate, quels que soient les morales, les religions et les régimes politiques. Le mythe d'une Asie « calme et sereine » ne correspond pas à la réalité. Les difficultés que rencontrent les diverses sociétés à entrer dans la modernité sous la forme actuelle de la mondialisation ne paraissent pas diminuer.

Au plan géopolitique, l'Asie méridionale et orientale est partagée entre deux géants qui ne se comprennent guère, l'Inde et la Chine. La première gère au plus près les problèmes de sa croissance. Elle est encadrée par deux États musulmans, le Pakistan et le Bangladesh. La Chine, pour sa part, élargit avec rapidité le fossé de puissance qui la sépare du reste de l'Asie. Grâce à sa croissance économique nouvelle, encouragée par des investissements venant du monde entier, elle construit une puissance militaire sans égale dans la région, fondée depuis 1964 sur l'armement nucléaire et, plus récemment, sur le développement d'une marine visant à disposer d'une force de projection outre-mer.

Les transformations rapides des aires métropolitaines, les réseaux routiers, la multiplication des industries ne suffisent pas à arracher la majorité des populations de l'Asie à la prégnance de l'effort physique. Des centaines de millions de personnes n'ont de contact qu'épisodique avec le moteur ou la roue, avec la force électrique ou le chauffage au gaz dans la vie quotidienne. Les secteurs modernes ne concernent pas la majorité de la population, sauf au Japon.

L'existence disséminée de populations vivant à l'écart de l'agitation créatrice des grandes villes maintient vivants, en harmonie avec la nature, des paysages traditionnels parmi les mieux domestiqués. Ils sont tous menacés.

L'Asie présente les contrastes les plus extrêmes quant aux situations vécues par ses habitants. Les différences de potentiel qui existent entre des communautés qui occupent de vastes régions et les citadins des grandes villes ne se réduisent pas, bien que la majorité des économies soient en croissance. Les riziculteurs du Bangladesh, les pêcheurs du Kerala, les ouvriers des plantations malaises, les pasteurs du Tibet, les écobueurs des montagnes indochinoises, les éleveurs mongols, les cueilleurs de thé de l'Assam, les plongeurs des mers chaudes, les forestiers de Mandchourie, et partout les spécialistes du colportage et de l'échange continuent pour l'essentiel de vivre à l'écart. Ils se trouvent à de grandes distances culturelles des employés de Singapour, des dockers de Shanghaï et de la foule des classes moyennes réunies dans le fonctionnement des unités urbaines, et, plus encore, des membres des classes supérieures des mégapoles japonaises. ■

Par **François Godement**
Sciences Po, Asia Centre

L'Asie reste dominée par la montée de l'économie et de l'influence chinoise, mais aussi par le jeu d'équilibre que pratiquent les États de la région. L'Inde, dont la croissance a atteint pour la première fois un rythme annuel de 10 % au début de 2006, renforce ses principales relations. Le Japon, qui est sorti d'un long marasme économique, affiche toujours plus clairement son retour au statut d'«État normal». Les pays de l'ANSEA (Association des nations du Sud-Est asiatique), dont la diplomatie est fondée sur la recherche constante d'assurances et de contre-assurances, ceux d'Asie centrale, qui voient leurs choix en matière de partenaires s'élargir et inclure aussi bien les États-Unis que la Russie ou la Chine et le Japon, deviennent autant de partenaires importants et courtisés. Cette diversification n'est pas forcément favorable au multilatéralisme, mais plutôt à des coalitions d'intérêt assorties de contrepoids. Le tsunami de décembre 2004 a fourni une démonstration de cet affaiblissement des mécanismes multilatéraux au profit de l'action des États. Certes, l'ANSEA a tenu un «sommet» d'urgence à Jakarta (Indonésie), mais ce «sommet» arrivait après la mobilisation immédiate, et a plus servi à recadrer celle-ci dans un décor international qu'à la structurer. Les sommes colossales collectées par la charité internationale – plus de 15 milliards de dollars, alors que l'ensemble de l'aide globale au développement ne dépasse pas 70 milliards de dollars par an – témoignent d'une mobilisation transnationale des opinions. Mais leur distribution et plus encore l'intervention d'urgence se sont déroulées dans un cadre strictement étatique.

Le jeu des puissances s'illustre particulièrement dans l'exemple de l'Inde. En l'espace de deux ans et malgré un changement de majorité politique, elle a conduit une normalisation et un rapprochement diplomatique et commercial avec la Chine (sans aller toutefois jusqu'à résoudre le différend frontalier sino-indien). En avril 2005, un «partenariat stratégique et de coopération pour la paix et la prospérité» était signé par les Premiers ministres Manmohan Singh et Wen Jiabao. Les échanges commerciaux, naguère inexistants, ont dépassé 18 milliards de dollars en 2005. Mais l'Inde vient de toucher les dividendes d'un rapprochement avec les États-Unis accentué par le 11 septembre 2001, en signant avec ceux-ci un accord sur l'énergie nucléaire civile (mai 2006), dont la simple existence rend stratégiquement caduc le refus de la puissance nucléaire militaire indienne par ces mêmes États-Unis ; enfin, elle esquisse une coopération militaire notamment navale avec le Japon, qui dessine une autre convergence stratégique régionale. Les relations de l'Inde avec le Pakistan se sont également améliorées en 2005, avec la réouverture d'une route au Cachemire, les perspectives d'un pipeline partagé à partir de l'Iran : les États-Unis ont, pour l'instant, bloqué celui-ci en raison du «bras de fer» entretenu avec le gouvernement iranien de Mahmoud Ahmadinedjad.

L'Asie reste dominée par la montée de l'influence chinoise et par le jeu d'équilibre que pratiquent les États de la région.

La réforme économique libérale indienne – confirmée pour l'essentiel par le nouveau gouvernement du Congrès-I –, sa croissance démographique, qui lui fera dépasser la population chinoise en 2020, avec une meilleure maîtrise des industries de *software*, le statut de plus en plus accepté par l'opinion indienne de «partenaire straté-

LE NOUVEAU « GRAND JEU » DES PUISSANCES ASIATIQUES ÉCLIPSE LES ORGANISMES RÉGIONAUX MULTILATÉRAUX QUI AVAIENT MARQUÉ LES ANNÉES 1990 JUSQU'À LA GRANDE CRISE FINANCIÈRE DE 1997.

gique des États-Unis », enfin, la perspective – encore incertaine – d'une entrée au Conseil de sécurité de l'ONU comme membre permanent confèrent à l'Inde un rôle majeur et une fonction de contrepoids régional à la Chine. Ce nouveau « grand jeu » des puissances asiatiques éclipse donc les organismes régionaux multilatéraux qui avaient marqué les années 1990 jusqu'à la grande crise financière asiatique de 1997. Certes, l'APEC (Coopération économique Asie-Pacifique, qui rassemble la quasi-totalité des pays riverains du Pacifique et de l'océan Indien), l'ASEM (Rencontre Asie-Europe, associant les pays de l'Union européenne [UE], à ceux de l'ANSEA plus la Chine, le Japon et la Corée du Sud), la SAARC (Association d'Asie du Sud pour la coopération régionale) se réunissent toujours, quoique parfois avec difficulté : ainsi l'Inde a-t-elle repoussé deux fois de suite en 2005, pour des raisons de sécurité, sa participation au « sommet » annuel de la SAARC qu'elle domine évidemment. L'ANSEA a su éviter l'écueil international d'une présidence birmane, la junte de Yangon ne pouvant être un interlocuteur pour les Européens ou les Américains au sein du Forum régional de l'ANSEA (FRA).

Le premier Sommet de l'Asie orientale, tenu à Kuala Lumpur en décembre 2005, a constitué une sorte d'apothéose formelle du régionalisme asiatique : les États-Unis en ont été tenus à l'écart, les Européens s'en sont abstenus, tandis que le président russe Vladimir Poutine se montrait dans les coulisses. Mais le Sommet révèle aussi les tensions sous-jacentes : il a été précédé par une déclaration sans précédent des pays de l'ANSEA en faveur des normes et valeurs démocratiques, apparaissant comme un geste de défiance à l'égard de la Chine ; cette dernière n'a pu s'opposer à l'entrée de l'Inde et de l'Australie. Les réunions de l'ASEM sont rendues plus difficiles par la participation éventuelle de la Birmanie-Myanmar, en raison du contentieux avec l'UE sur les droits de l'homme.

Quelques mois plus tard, en mai 2006, le 5e Sommet de la sécurité de l'Asie-Pacifique se tenait à Singapour. C'est en principe une réunion annuelle « informelle », associant pourtant 19 ministres de la Défense, dont le secrétaire américain à la Défense Donald Rumsfeld ; seule la Chine en est ostensiblement absente. D. Rumsfeld a prolongé sa venue par une visite au Vietnam, avec lequel la coopération militaire s'est resserrée, et en Indonésie, où les échanges militaires, suspendus depuis la fin du régime Suharto pour des motifs tenant aux droits de l'homme, ont également repris à la fin de l'année 2005.

De son côté, la Chine, dont l'activisme diplomatique dépasse largement l'Asie pour se déployer notamment en Afrique et au Moyen-Orient, tisse un réseau d'influence sans cesse plus nourri avec l'Organisation de coopération de Shanghaï (OCS) en Asie centrale : élargie aujourd'hui à la Mongolie, l'organisation a admis l'Iran et le Pakistan au rang d'observateurs ; la diplomatie énergétique – celle des pipelines depuis la Caspienne notamment, mais aussi celle des rapports clients-fournisseurs opposés à l'utilisation par les États-Unis (et l'Europe) des sanctions énergétiques dans la lutte contre la prolifération nucléaire – est un nouveau leitmotiv de l'OCS.

Non-intervention, souveraineté intérieure, séparation du commerce et des intérêts bilatéraux, d'une part, des normes internationales, d'autre part : ces thèmes d'inspiration chinoise, tous critiques de l'unilatéralisme américain et de l'emploi de la force par les États-Unis, viennent fragiliser les capacités d'action des institutions internationales. En retour, des critiques, notamment américaines, évoquent une politique étrangère chinoise sans principes autres que l'intérêt bien compris. Nombre de pays asiatiques, il est vrai, ont peur avant tout d'un embrasement du Moyen-Orient ou de conflits suscités par la lutte contre la prolifération. C'est ainsi qu'à une réunion de l'obsolète Mouvement des non-alignés seul Singapour a adopté des positions proches de l'Europe ou des États-Unis sur le dossier iranien, les autres pays, et notamment l'Indonésie et le Vietnam, saisissant cette tribune héritée de l'ère tiers-mondiste pour défendre au premier chef « le droit de l'Iran à disposer de l'énergie nucléaire civile ». À l'évidence, l'impopularité des interventions militaires américaine ou occidentales est un facteur important, mais le risque de prolifération nucléaire en chaîne, après les cas indien, pakistanais, nord-coréen et peut-être iranien, ne peut plus être négligé non plus.

En Asie du Nord-Est, c'est l'approfondissement des divergences sino-japonaises qui retient l'attention et freine l'essor d'une coopération régionale entre ses principaux acteurs.

Populaire jusqu'au terme de son mandat (septembre 2006), le Premier ministre Junichiro Koizumi a aussi écarté l'avis de la plupart de ses pairs en persistant dans le principe des visites au temple Yasukuni, dédié aux morts des guerres, y compris ceux de la guerre du Pacifique et accueillant les cendres des criminels de guerre. Quoique les pressions de l'opinion nationaliste ne soient pas absentes du dossier, l'objectif essentiel de J. Koizumi est clair : démontrer la capacité de résistance du Japon à toute exigence ou pression chinoise ; d'autant que, en juillet 2005, il n'a pas hésité à réitérer solennellement les excuses du Japon à toute l'Asie lors d'une rencontre du FRA.

L'inquiétude devant le réarmement chinois et les incursions maritimes dans les eaux proches du Japon, la concurrence énergétique en Sibérie, doublée d'un vrai conflit territorial autour des ressources gazières *offshore*, l'influence sourde du Japon à Taïwan et les soupçons que nourrit la Chine de voir Tokyo freiner toute éventuelle réunification Taïwan-Chine, enfin la rivalité pure de leadership dans un espace asiatique largement clientélaire, sinon tributaire, dessinent une opposition qui pourrait dépasser le règne de J. Koizumi. À la veille de son départ du pouvoir, la Chine a consenti quelques ouvertures diplomatiques et médiatiques, sans doute pour favoriser au sein du Parti libéral-démocrate japonais les partisans de Yasuo Fukuda, favorable à un cours nouveau avec la Chine.

Mais la diplomatie régionale pâtit également d'un phénomène certes prévisible, mais encore peu fréquemment pris en compte en Asie : l'instabilité et les divagations de la démocratie politique dans plusieurs pays. En Corée du Sud, l'état de grâce du président Roh Moo-hyun, ex-opposant populiste qui avait surfé sur la vague des critiques vis-à-vis des États-Unis et du nationalisme antinippon, ainsi que sur une pulsion de l'opinion publique pour un accommodement à tout prix avec la

En Asie du Nord-Est, l'approfondissement des divergences sino-japonaises freine la coopération régionale.

L'ASIE INCARNE À LA FOIS UNE GLOBALISATION IMPÉTUEUSE ET LA STAGNATION OU LE RECUL DE LA PLUPART DES INSTITUTIONS ET DE L'ORDRE INTERNATIONAL MIS EN PLACE APRÈS 1945.

Corée du Nord, semble bien fini. Symboliquement, c'est la fille de l'ancien président dictateur Park Chung-hee, dirigeant l'opposition conservatrice, qui était désormais très largement majoritaire dans les sondages. L'obstination de la Corée du Nord à défendre son bouclier nucléaire et balistique, la suspension indéfinie des pourparlers « à six » de Pékin sur cette question constituent de toute façon un verrou régional. En Asie du Sud-Est, le passage au pouvoir du Premier ministre thaïlandais Thaksin Shinawatra semblait également tirer à sa fin. Le milliardaire tombe sous le coup de ses propres excès – y compris concernant la répression inutilement brutale de l'extrémisme islamique dans les provinces du Sud –, mais aussi des critiques coalisées de l'*establishment* politique traditionnel, dont il avait aspiré tous les pouvoirs effectifs. Bien plus prudent et effacé apparaît le Premier ministre malaisien Abdullah Ahmad Badawi, dont le programme est avant tout de faire oublier son prédécesseur, le flamboyant Mahathir, et de faire reculer les tensions communautaires, fût-ce au détriment de toute prétention à un rôle régional. Seul le président indonésien Susilo Bambang Yudhoyono, à la fois réformateur et partisan de l'unité nationale, exerce une influence accrue : malgré le règlement de la situation d'Aceh, où les ex-rebelles appliquent un accord de désarmement, celle d'Irian Jaya et la pression de l'islamisme contraignent encore l'Indonésie à faire face d'abord aux urgences.

À Taïwan toutefois, la même instabilité démocratique joue en faveur de la réduction des tensions diplomatiques régionales. Ligoté par une majorité parlementaire qui lui est défavorable, le président Chen Shui-bian ne peut plus faire face à la diplomatie des « balles sucrées » que déploie la Chine à l'adresse de ses concurrents. Tandis que les partisans de l'indépendance reprennent leurs distances, ceux du Kuomintang attendent leur heure et l'occasion de prendre au mot la Chine dans ses ouvertures, pour l'instant très formelles.

L'Asie-Pacifique est revenue aux années de très forte croissance qu'elle avait connue avant la crise financière de 1997, les dépassant même : l'explosion des échanges commerciaux mutuels, l'apparition d'un excédent commercial global de la Chine (100 milliards de dollars au total), l'accumulation régionale de réserves en devises gagées sur le Trésor américain et le dollar mettent à distance toutes les tensions géopolitiques. Les pénuries énergétiques, bien réelles, sont comblées par le recours au marché mondial. Plus que jamais, l'Asie incarne à la fois une globalisation impétueuse, en même temps que la stagnation ou le recul de la plupart des institutions et de l'ordre international mis en place après 1945, tout comme un désintérêt pour l'approfondissement des expériences régionales. N'est-ce pas l'Europe avec son expérience communautaire, sa gestion des tensions par des institutions juridiques et politiques formelles, qui fait figure d'exception par la somme des mécanismes mis en place pour prévenir le retour des conflits historiques ? Bien plus pragmatique sur le plan économique, mais bien plus vulnérable au ressac des nationalismes et aux divergences culturelles, l'Asie connaît un nouvel épanouissement dans son espace, mais sans projet régional véritable. ■

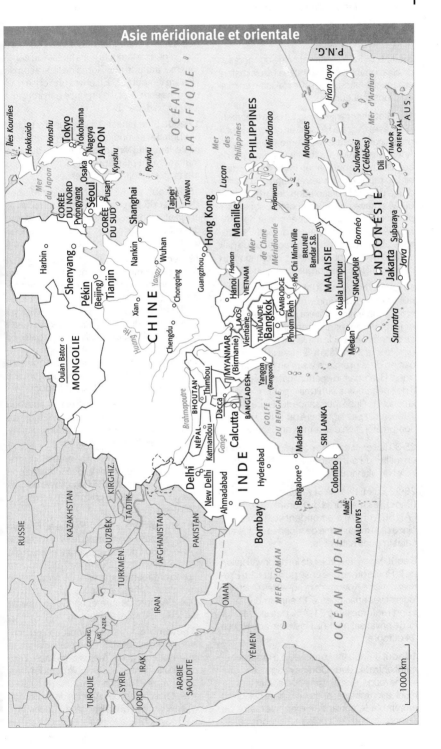

Asie méridionale et orientale

Par **Régine Serra**
Relations internationales, Inalco

2005-2006 / Journal de l'année

2005

5 juillet. OCS. L'Organisation de coopération de Shanghaï se réunit à Astana (Kazakhstan) et accueille l'Inde, l'Iran et le Pakistan en qualité d'observateurs.

16 juillet. Indonésie-Aceh. Le gouvernement indonésien signe à Helsinki un accord de paix préliminaire avec le Mouvement séparatiste Aceh libre (GAM), mettant fin à trente ans de conflit. Le 15 août, par un traité de paix définitif, le retrait des forces armées de Jakarta, d'une part, et la dissolution des troupes du GAM, d'autre part, sont amorcés, sous la supervision de l'Union européenne et de l'ANSEA (Association des nations du Sud-Est asiatique). Le 30 décembre, le processus de paix est achevé. Les observateurs internationaux prolongent leur mission jusqu'en juin 2006.

19 juillet. Inde/États-Unis. La relation bilatérale se consolide : après une entente portant sur la coopération militaire sur dix ans signée en juin, les deux parties paraphent un accord de coopération sur le nucléaire civil. Celui est confirmé et complété le 2 mars 2006, à l'occasion de la première visite en Inde du président Bush, par un « partenariat stratégique ». Il doit néanmoins être ratifié par le Congrès américain : l'Inde, puissance nucléaire depuis 1998, n'est pas signataire du TNP (Traité de non-prolifération des armes nucléaires).

25-30 juillet. Inde. Une nouvelle mousson tue un millier de personnes à Bombay et dans l'État du Maharashtra.

26-29 juillet. FRA-ANSEA. Réunis à Vientiane (Laos), les membres du Forum régional de l'ANSEA (FRA) s'entendent sur la mise en place d'un mécanisme de réponse rapide aux catastrophes naturelles.

8 août. Japon. Le projet de loi de privatisation de la Poste ouvre une crise politique. Le Premier ministre Koizumi convoque des élections législatives anticipées le 11 septembre, dont il sort renforcé avec 61,7 % des sièges. La loi de privatisation de la Poste est adoptée le 14 octobre.

10 août. Péninsule coréenne. Le rapprochement entre les deux Corées progresse : une « ligne rouge » est établie pour faciliter la communication militaire, et les deux pays célèbrent ensemble le soixantième anniversaire de l'émancipation de la présence japonaise.

12 août. Sri Lanka. L'assassinat du ministre des Affaires étrangères Lakshman Kadirgamar, d'origine tamoule mais hostile au séparatisme, attribué aux Tigres de libération de l'Eelam tamoul (LTTE), ouvre une crise politique majeure. L'état d'urgence est proclamé jusqu'à fin décembre.

17 août. Bangladesh. Une vague d'attentats à la bombe, revendiquée par le groupe islamiste Jamaatul Mujaheedin, frappe quasi simultanément plusieurs villes, faisant deux morts et une centaine de blessés.

18-25 août. Chine-Russie. Intitulés *Mission de paix 2005*, les premiers exercices militaires conjoints sino-russes débutent dans le cadre de la coopération au sein de l'OCS. L'opération simule un encerclement de l'île de Taïwan.

19 septembre. Corée du Nord. Le « dialogue à six » piétine. Pyongyang s'engage à abandonner son programme nucléaire militaire mais souhaite développer l'énergie nucléaire à des fins civiles ; elle s'engage aussi à rejoindre le TNP qu'elle avait quitté en janvier 2003 sous condition que reprenne la livraison des réacteurs à eau légère décidée en 1994 (KEDO). Ces conditions sont rejetées par les États-Unis notamment. Le 22 novembre, le KEDO est abandonné.

1er octobre. Indonésie. Bali est de nouveau frappée par des attentats (une vingtaine de morts et 150 blessés), attribués à l'organisation islamiste Jemaah Islamiyah.

8 octobre. Cachemire. Un séisme d'une magnitude de 7,8 sur l'échelle de Richter frappe toute la région faisant 87 000 victimes du côté pakistanais, 1 300 du côté indien et des millions de sans-abri.

12-13 novembre. SAARC. Réunis au Bangladesh, les pays membres de l'Association d'Asie du Sud pour la coopération régionale décident d'un plan de lutte contre la pauvreté et de la création d'un centre de préparation aux catastrophes naturelles. Le 1er janvier 2006, l'Accord de libre-échange en Asie du Sud (SAFTA) entre en vigueur.

13 novembre. Chine. Une pollution au benzène, provoquée par l'usine pétrochimique de Jilin, affecte jusqu'à la mi-décembre l'approvisionnement en eau potable dans le Nord-Est, à Harbin et dans la ville russe de Khabarovsk. Le président de l'Agence de protection de l'environnement est limogé le 4 décembre. Le 28 novembre, la région est frappée par un coup de grisou dans la mine de Dongfeng (Qitaihe), faisant plus de 160 victimes. Le 8 décembre, une nouvelle explosion tue 90 personnes à Tangshan (province de Hebei).

15-21 novembre. Asie/États-Unis. Tournée asiatique du président Bush. La relation stratégique avec le Japon et la Corée du Sud est consolidée, mais seule une déclaration de principe sur la propriété intellectuelle est obtenue avec Pékin. La visite retour de Hu Jintao aux États-Unis les 18-21 avril 2006 ne marquera aucun progrès.

17 novembre. Sri Lanka. Le Premier ministre Mahinda Rajapakse (gauche nationaliste) remporte l'élection présidentielle avec 50,3 % des suffrages. Dès janvier 2006, des incidents violents remettent en péril le cessez-le-feu. Le 27 avril, l'armée sri-lankaise lance une offensive contre les positions des séparatistes tamouls dans le sud-est de l'île, en représailles à un attentat suicide meurtrier contre l'état-major le 25.

18-19 novembre. APEC. Réunis à Pusan (Corée du Sud), les pays membres de la Coopération économique en Asie-Pacifique se heurtent au dossier de l'agriculture dans le cadre des négociations de l'OMC et engagent des mesures collectives contre la « grippe aviaire ».

22 novembre. Népal. Un plan est envisagé pour mettre fin à la tension politique entre le régime monarchique et les rebelles maoïstes, sous supervision de l'ONU. En avril 2006, l'opposition politique népalaise et les maoïstes organisent une grève générale illimitée et des manifestations quotidiennes, souvent violentes, contre le roi Gyanendra. Le 24 avril, celui-ci accepte de rétablir le Parlement et nomme Premier ministre le chef du principal parti d'opposition, Girija Prasad Koirala.

28 novembre. Myanmar (Birmanie). Aung San Suu Kyi, dirigeante de l'opposition assignée à résidence depuis mai 2003, est reconduite dans son isolement, d'abord pour six mois, puis, en mai 2006, encore pour un an.

4 décembre. Hong Kong. Les mouvements prodémocratiques défilent pour réclamer l'instauration du suffrage universel, inscrit dans la Loi fondamentale du territoire, mais que Pékin continue de rejeter.

6 décembre. Chine. Répression policière contre les paysans chinois de Dongzhou, dans la riche province du Guangdong, alors qu'ils manifestaient contre la confiscation de leurs terres. Le mouvement de contestation sociale s'est généralisé.

12-14 décembre. Asie orientale. Le premier Sommet de l'Asie orientale se tient à Kuala Lumpur. La tension politique sino-japonaise n'a pas permis d'avancée significative vers une Communauté d'Asie orientale.

22 décembre. Chine. Un rapport intitulé *La Voie de développement pacifique de la Chine* met en évidence la nouvelle politique d'aide au développement de la Chine.

2006

10-17 janvier. Corée du Nord-Chine. Kim Jong-il se rend secrètement en Chine et y rencontre Hu Jintao.

19 janvier. Taïwan. Su Tseng-chang, ancien président du Parti progressiste pour la démocratie, remplace Frank Hsieh au poste de Premier ministre et nomme un nouveau gouvernement le 26 janvier. Le président Chen Shui-bian abroge, le 27 février, le Conseil de l'unification nationale mis en place en 1990 pour faciliter la réunification avec la Chine.

24 février. Thaïlande. La crise politique gagne : le Premier ministre Thaksin Shinawatra, sous la critique, dissout le Parlement et convoque des élections législatives anticipées, remportées par son parti, Thai Rak Thai, avec 56 % des suffrages. Mais le boycottage du scrutin par les grands partis d'opposition et les 37 % de suffrages blancs poussent Thaksin à la démission le 4 avril. En mai, la Cour constitutionnelle invalide les élections, dans l'attente d'un nouveau scrutin à l'automne, mais Thaksin revient tout de même aux affaires.

24 février-3 mars. Philippines. L'état d'urgence est décrété à Manille pour tentative présumée de coup d'État : plusieurs responsables politiques ou militaires sont arrêtés.

7 mars. Inde. Trois attentats à la bombe endeuillent la ville sainte de Bénarès.

21-22 mars. Chine-Russie. En voyage officiel en Chine, Vladimir Poutine signe un protocole d'accord sur la construction de deux gazoducs d'ici 2011, renforçant la coopération énergétique entre les deux pays, mais ne s'engage pas sur une branche vers le nord de la Chine à partir du futur oléoduc Sibérie-Pacifique, financé par le Japon.

30 mars. Corée du Sud. Han Myung-sook, an-

Asie méridionale et orientale/Bibliographie

D. Camroux, J.-L. Domenach (sous la dir. de), *L'Asie retrouvée*, Seuil, Paris, 1997.

S. Collignon, J. Pisani-Ferry, Yung Chul Park, *Exchange Rate Policies in Emerging Asian Countries*, Routledge, Londres, 1999.

J.-L. Domenach, *L'Asie en danger*, Fayard, Paris, 1998.

M. Foucher (sous la dir. de), *Asies nouvelles. Atlas géopolitique*, Belin, Paris, 2002.

S. Ganguly (sous la dir. de), *India as an Emerging Power*, Frank Cass, Londres, 2003.

F. Godement (sous la dir. de), *Asie : Chine, Indonésie, Japon, Malaisie, Pakistan, Vietnam*, Les Études de La Documentation française/Centre Asie IFRI, éd. 2004-2005, Paris, 2004.

F. Godement, *Dragon de feu, dragon de papier. L'Asie a-t-elle un avenir ?*, Flammarion, Paris, 1998.

G. Hervouet, *L'Asie menacée*, Presses de Sciences Po, Paris, 2002.

J. W. Morley *et alii, Driven by Growth : Political Change in the Asia-Pacific Region*, M. E. Sharpe, New York, 1999.

Nouvelles organisations régionales en Asie orientale (vol. 1 : P. Pelletier [coord. par], *Modèles et identités*; vol. 2 : C. Taillard [coord. par], *Dynamiques spatiales intrarégionales*), Éd. du Centre d'études de l'Asie orientale, Lyon, 2002.

J. Sellier, *Atlas des peuples d'Asie méridionale et orientale*, La Découverte, Paris, 2004 (nouv éd.).

R. Serra, F. Godement (sous la dir. de), *Annuaire Asie orientale. Édition 2003*, La Documentation française, Paris, 2003.

J. Soppelsa, *Géopolitique de l'Asie-Pacifique*, Ellipses, Paris, 2001.

R. G. Sutter, *China's Rise in Asia. Promises and Perils*, Rowman & Littlefield, Lanham, 2005.

A. Tellis et alii, *Strategic Asia 2004-2005*, National Bureau of Asian Research, Seattle, 2004.

cienne avocate, est nommée Premier ministre en remplacement de Lee Hae-chan, accusé de corruption.

1er-8 avril. Chine-Pacifique. Le Premier ministre chinois Wen Jiabao inaugure le premier Forum Chine-Pacifique de coopération et de développement économiques, accompagnant les nouvelles avancées diplomatiques de la Chine face à Taïwan.

3 avril. Chine-Australie. Un accord historique sur la fourniture d'uranium par l'Australie est signé à l'occasion du voyage de Wen Jiabao, sous condition d'une utilisation pacifique de l'énergie nucléaire par la Chine, signataire du TNP.

19 avril. Japon-Corée du Sud. La dispute territoriale autour des îlots Takeshima-Tokto envenime les relations bilatérales entre les deux pays après que Tokyo a décidé de lancer une mission océanographique dans la région.

28 avril. Corée du Sud. Chung Mong-koo, P-DG de Hyundai Motor, est arrêté pour détournement de fonds et abus de confiance.

1er mai. Japon/États-Unis. Un accord est trouvé pour notamment renforcer, d'ici 2014, l'intégration des forces japonaises au dispositif stratégique américain, ainsi que pour réaménager les bases américaines. L'opposition des maires et gouverneurs japonais concernés est forte.

6 mai. Singapour. Le Parti de l'action du peuple (PAP, au pouvoir) remporte les élections législatives en obtenant 82 sièges sur 84. Le Premier ministre sortant Lee Hsien Loong est reconduit dans ses fonctions.

25 mai. Chine-Japon. Les ministres des Affaires étrangères des deux pays se rencontrent au Qatar, en marge d'une rencontre du Conseil pour la coopération asiatique. C'est la première entrevue à ce niveau depuis un an. ■

Chine

Consolidation de l'équipe au pouvoir

En 2005-2006, la politique chinoise continuait de s'inscrire dans un système de parti unique. Forte des succès économiques du pays, la « quatrième génération » de dirigeants, promue lors du XVIe congrès du Parti communiste chinois (PCC) de 2002, a consolidé son pouvoir en 2005. Hu Jintao, président de la République populaire de Chine et secrétaire général du PCC, cumulait les plus hautes fonctions depuis qu'il a pris, en mars 2005, la tête de la Commission militaire centrale de l'État, qui chapeaute l'armée. Les proches de l'ancien président Jiang Zemin (1993-2003) se sont ralliés au tandem « Hu-Wen », du nom du président et du Premier ministre. Les nominations de décembre 2005 à la tête de provinces et de municipalités autonomes (Tibet, Heilongjiang, Guizhou, Hunan, Chongqing) traduisaient le renforcement de la base politique de la nouvelle équipe dirigeante.

La direction chinoise a affiché un consensus renouvelé sur les grandes orientations politiques du pays. L'opposition entre les mouvances centrées autour de Jiang Zemin et de Hu Jintao s'est estompée : le premier avait insisté, durant ses dernières années au pouvoir, sur la priorité à accorder à la croissance et à la poursuite de la libéralisation économique ; le second bâti son image sur la défense d'un gouvernement « proche du peuple », attentif à remédier aux problèmes sociaux nés de la transition. Une autre ligne de clivage semble avoir pris le relais, opposant les « libéraux », favorables à la poursuite du cours des réformes économiques, à la « nouvelle gauche », défendant l'idée d'une pause.

Lors de la session annuelle de l'Assemblée nationale populaire (ANP) de mars 2006, les autorités ont réaffirmé leur engagement à continuer dans la voie des réformes. Les mesures annoncées pour ren-

forcer les politiques sociales sont apparues comme une inflexion limitée de la ligne suivie jusque-là pour mettre en place un système capitaliste. La direction chinoise semble s'être retrouvée sur un compromis « au centre » entre l'approche plus libérale, dont Jiang Zemin s'était fait le promoteur, et la « nouvelle gauche », qui s'est de nouveau mobilisée contre le « virage à droite » de Hu Jintao et de son Premier ministre. Elle a ainsi développé tout au long de 2005 deux maîtres mots en guise de programme politique : promouvoir le « développement scientifique » tout en veillant à favoriser une « société harmonieuse ».

La réforme politique n'était toujours pas à l'ordre du jour. Dans son premier *Livre blanc sur la démocratie*, publié en octobre 2005, le gouvernement a clairement distingué son projet d'édification d'une « démocratie socialiste » des régimes libéraux occidentaux. Les restrictions à la liberté d'expression, tout comme la répression de la dissidence sont restées sous le coup du durcissement apparu en 2004.

Approfondissement du malaise social

Les écarts de richesse entre régions, entre villes et campagnes et à l'intérieur des villes se sont creusés en 2005. Avec un coefficient Gini de 0,49 (mesure comprise entre 0 et 1 des écarts de revenus dans une société, 0 représentant un écart nul et 1 un écart maximum), la Chine figure désormais parmi les pays les plus inégalitaires du monde. La précarité croissante de certains groupes sociaux (paysans, licenciés du secteur public, migrants ruraux qui occupent la moitié de l'emploi urbain), une corruption massive persistante, le poids du chômage et les insuffisances de la protection sociale (90 % des ruraux et 50 % des urbains ne possèdent pas de couverture santé) ont suscité une nouvelle flambée des mouvements de protestation en 2005. 63 % des incidents officiellement répertoriés sont survenus en milieu rural, à la suite de saisies illégales de terres par les autorités locales. Le gouvernement chinois prend au sérieux le potentiel déstabilisateur du malaise social croissant. Sous le nom de « nouvelles campagnes socialistes », il a annoncé en mars 2006 une politique de développement rural. L'effort devait porter sur l'amélioration du revenu des paysans, l'équipement en infrastructures ainsi que l'accès gratuit à l'éducation et aux soins pour les plus pauvres. La réforme du permis de résidence a commencé d'être expérimentée dans certaines régions pilotes pour réduire les différences de droits entre ruraux et urbains. L'inversion de la politique de transfert des richesses des campagnes vers les villes, ou de l'agriculture vers l'industrie, amorcée dès les débuts du régime, semble toutefois loin d'être acquise. La taxe agricole a été supprimée le 1er janvier 2006, mesure avant tout symbolique qui devrait accroître le déficit budgétaire des gouvernements locaux.

De manière générale, l'effort budgétaire en faveur des politiques sociales, rapporté au nombre des destinataires finaux – et dont il faut déduire les ponctions effectuées à tous les échelons de l'administration –, est resté très en deçà des besoins. L'État chinois ne semble pas encore prêt à jouer pleinement de ses marges financières pour réduire les déséquilibres géographiques et sociaux et à mettre en place les contre-pouvoirs nécessaires pour lutter efficacement contre une corruption massive.

Bons résultats économiques et considérables défis

L'économie chinoise a enregistré d'excellents résultats en 2005. Son taux de croissance s'est maintenu à un niveau élevé (+ 9,9 %). Le PIB s'est élevé à 2 226 milliards de dollars. Le revenu par tête a progressé, mais restait faible (1 710 dollars). L'inflation a été limitée (+ 1,8 %), du fait de l'effet modérateur des bons résultats agricoles sur la hausse des prix des denrées alimentaires et de l'intensification de la

concurrence sur le marché chinois. Sur la base de la réévaluation officielle des statistiques de la croissance de 2004, la Chine aurait dépassé la France, qui reculerait au rang de sixième puissance économique mondiale en terme de PIB.

L'excédent commercial chinois a triplé en 2005 pour s'établir à 102 milliards de dollars (4,8 % du PIB chinois). La progression des exportations (+ 28 %) et des importations (+ 18 %) s'est poursuivie, mais à un rythme moins soutenu. La décélération marquée s'agissant des importations explique le rebond de l'excédent commercial. Assurés pour moitié par des entreprises à capitaux étrangers, les échanges extérieurs de la Chine sont restés structurés par un système d'approvisionnement en matières premières et en biens intermédiaires en Asie et d'exportation de produits finis en Occident. L'excédent commercial avec l'Occident a fortement augmenté (102 milliards de dollars avec les États-Unis et 70 milliards de dollars avec l'Union européenne). Troisième exportateur mondial, la Chine est ainsi devenue, début 2006, le premier détenteur de réserves monétaires devant le Japon.

En dépit de ces bons résultats, le pays demeure confronté à des défis économiques importants. La consommation intérieure, en progression, peine à prendre le relais des exportations pour pérenniser la dynamique de croissance. L'émergence d'une nouvelle classe moyenne va de pair avec l'accentuation des écarts de richesse, et le désengagement de l'État des services sociaux a renforcé l'épargne de précaution. En 2005, l'économie chinoise est restée très dépendante des investissements étrangers (60,3 milliards de dollars). Parallèlement, le déséquilibre des échanges commerciaux avec l'Occident a suscité un nouvel épisode de frictions (textile, chaussures) et alimenté de nouvelles tentations protectionnistes, en particulier aux États-Unis.

Le risque de surchauffe, désormais plus largement sous contrôle, persiste dans certains secteurs (immobilier, industrie lourde). Plusieurs secteurs structurants (infrastructures, énergie, tertiaire) souffrent toujours d'un sous-développement chronique pesant sur les perspectives de croissance. L'économie du pays est également de moins en moins créatrice d'emplois. Si le maintien d'objectifs quantitatifs concernant la croissance apparaît nécessaire, les mesures prises sont insuffisantes pour remédier au coût de la pollution (estimé entre 8 % et 12 % du PIB) et au coût humain du modèle de développement actuel (le nombre d'accidents mortels dans les mines a été estimé à 20 000 en 2005).

Le 11e « programme » quinquennal (2006-2010), entériné lors de la session de l'ANP de mars 2006, a maintenu la priorité à une croissance forte (doubler le PIB entre 2000 et 2010 puis entre 2010 et 2020), mais plus équilibrée sur le plan social, régional et environnemental. Trois principaux objectifs ont été définis : renforcer la protection de l'environnement, notamment en réduisant l'intensité énergétique de 20 %, améliorer la situation des populations les plus défavorisées et poursuivre la restructuration de l'économie chinoise. Le secteur financier devait être ouvert à la concurrence étrangère fin 2006. Aucune modification de la politique monétaire n'a été annoncée. La réévaluation du yuan en juillet 2005 a conduit à une appréciation limitée de 2,4 % sur l'année.

Une puissance responsable ?

La Chine a continué de renforcer son influence sur la scène internationale. Sa politique de rapprochement en direction de l'Asie centrale, de l'Afrique et de l'Amérique latine est principalement motivée par la recherche de nouveaux débouchés à ses exportations et d'approvisionnements en ressources naturelles, notamment énergétiques (la Chine est le deuxième consommateur mondial d'énergie).

Fort de son statut de membre du Conseil de sécurité et de son poids économique croissant, le pays affiche de plus en plus sa volonté d'être reconnu comme une puissance responsable. Afin de répondre aux inquiétudes que son influence accrue suscite, Pékin a publié à la mi-décembre 2005 un *Livre blanc* sur son attachement à un « dé-

République populaire de Chine

Capitale : Pékin (Beijing).
Superficie : 9 598 050 km².
Population : 1 315 844 000.
Langues : mandarin (*putonghua*, langue commune off.) ; huit dialectes avec de nombreuses variantes ; 55 minorités nationales avec leur propre langue.
Monnaie : renminbi [ou yuan] (au taux officiel, 100 renminbis = 9,95 € au 30.4.06).
Nature de l'État : « république socialiste unitaire et multinationale » (22 provinces, 5 régions « autonomes », 4 grandes municipalités : Pékin, Shanghaï, Tianjin et Chongqing).
Nature du régime : démocratie populaire à parti unique : le Parti communiste chinois, PPC (secrétaire général : Hu Jintao, depuis le 8.11.02).
Chef de l'État : Hu Jintao, président de la République (depuis le 15.3.03).
Premier ministre : Wen Jiabao (depuis le 15.3.03).
Président de l'Assemblée nationale populaire : Wu Bangguo (depuis le 15.3.03).
Président de la Commission centrale militaire : Hu Jintao.
Vice-président : Zeng Quinghong (depuis le 15.3.03).
Président de la Conférence consultative du peuple : Jia Qinglin.
Problèmes de souveraineté territoriale : Taïwan est considérée par la Chine continentale comme une province devant un jour revenir à la mère patrie. Les archipels de la mer de Chine du Sud (Spratly, Paracels, Macclesfield, Pratas) font l'objet de revendications multiples. Les îles Senkaku, sous administration japonaise, sont revendiquées par Pékin. L'Inde et la Chine revendiquent mutuellement des territoires frontaliers, respectivement l'Aksaï Chin et l'Arunachal Pradesh.

Chine/Bibliographie

S. Balme, *Entre soi. L'élite du pouvoir dans la Chine contemporaine*, Fayard, Paris, 2004.

M.-C. Bergère, *La Chine de 1949 à nos jours*, Armand Colin, Paris, 2000 (nouv. éd.).

J.-P. Cabestan, B. Vermander, *La Chine en quête de ses frontières. La confrontation Chine-Taïwan*, Presses de la FNSP, Paris, 2005.

Cai Chongguo, *Chine, l'envers de la puissance*, Mango, Paris, 2005.

A. Cheng, *Histoire de la pensée chinoise*, Seuil, Paris, 2002.

Chen Yan, *L'Éveil de la Chine : les bouleversements intellectuels après Mao*, Éd. de l'Aube, La Tour-d'Aigues, 2003.

D. Chesne, « Chine », *in Les Nouveaux Mondes rebelles*, Michalon, Paris, 2005.

J.-L. Domenach, *Où va la Chine ?*, Fayard, Paris, 2002.

J.-L. Domenach, P. Richer, *La Chine* (vol. 1 : *1949-1971* ; vol. 2 : *De 1971 à nos jours*), Seuil, « Points Histoire », Paris, 1995.

P. Gentelle (sous la dir. de), *L'état de la Chine*, La Découverte, coll. « L'état du monde », Paris, 1989.

P. Gentelle (sous la dir. de), *Chine, peuples et civilisation*, La Découverte, coll. « La Découverte/Poche », Paris, 2004 (nouv. éd.).

F. Gipouloux, *La Chine du XXIᵉ siècle : une nouvelle superpuissance ?*, Armand Colin, Paris, 2005.

J. F. Huchet, X. Richet, *Gouvernance, coopération et stratégie des firmes chinoises*, L'Harmattan, Paris, 2005.

« Le devenir financier de la Chine », *Revue d'économie financière*, n° 77, janv. 2005.

F. Mengin, J.-L. Rocca (sous la dir. de), *Politics in China. Moving Frontiers*, Palgrave, New York, 2002.

Perspectives chinoises, Centre d'études français sur la Chine contemporaine, Paris (bimestriel).

A. Roux, *La Chine au XX ᵉ siècle*, Sedes, Paris, 1999.

Zhang Lun, « La crise de légitimité. Le Parti à l'épreuve des protestations populaires », *La Vie des idées*, n° 9, Paris, févr. 2006.

veloppement pacifique » et à la promotion d'un « monde harmonieux ». La Chine joue un rôle important de facilitateur dans la crise nucléaire nord-coréenne. Son image a toutefois continué de pâtir de certaines prises de position sur les grandes questions internationales (Soudan, Zimbabwé, Birmanie, réforme du Conseil de sécurité, crise nucléaire iranienne...).

La lutte contre le « séparatisme » taïwanais est restée au cœur de l'action extérieure de la Chine. Pékin a renforcé sa stratégie d'isolement diplomatique de l'île. Les autorités chinoises cherchaient, en outre, à af-

faiblir le président pro-indépendantiste taïwanais Chen Shui-bian en développant leurs relations avec l'opposition favorable à un rapprochement avec le continent. Après avoir adopté la loi « anti-sécession » en mars 2005, la Chine met désormais l'accent sur l'objectif d'une réunification pacifique à long terme, tout en faisant peser la menace d'un recours à la force en cas d'indépendance.

La volonté affichée par Washington, depuis l'automne 2005, de promouvoir des relations bilatérales plus apaisées et coopératives a constitué un succès pour Pékin. Les résultats de la visite du président chi-

Corée du Sud

nois aux États-Unis, en avril 2006, sur fond de frictions commerciales et d'absence de transparence des dépenses militaires chinoises, ont toutefois été mitigés. Les relations entre la Chine et le Japon, marquées par une interdépendance économique croissante, ont en revanche connu une nouvelle détérioration sur le plan politique. De son côté, le partenariat entre l'Union européenne et la Chine a enregistré de nouvelles avancées, avec notamment le lancement d'un « dialogue stratégique » en décembre 2005. Toutefois, la question de la levée de l'embargo européen sur les armes à destination de la Chine restait bloquée.

Le budget officiel de la défense en 2006 (35,1 milliards de dollars, soit 1,6 % du PIB chinois) a poursuivi sa croissance à double chiffre (+ 14,7 %). Le budget réel s'échelonnerait néanmoins entre 50 et 70 milliards de dollars (entre 2 % et un peu plus de 3 % du PIB). Alors que les forces modernes de l'armée chinoise sont évaluées à seulement 15 % de l'effectif total, la Chine concentre toujours son effort sur l'acquisition d'une dissuasion crédible contre l'affirmation de l'indépendance de Taïwan. Les velléités taïwanaises en la matière constituent un véritable test pour les prétentions de Pékin à apparaître comme un acteur responsable sur la scène internationale. **- Dora Chesne** ■

Corée du Sud

Affaiblissement du parti gouvernemental Uri

La perte de la majorité à l'Assemblée nationale au terme des élections législatives partielles du 30 avril 2005 a réduit la marge de manœuvre du parti gouvernemental Uri (Notre parti de l'ouverture) et du président Roh Moo-hyun (au pouvoir depuis 2003) sur la scène intérieure. Disposant d'un faible soutien de la part d'une opinion publique déçue par les promesses de réformes non

tenues et préoccupée par le ralentissement économique, le président Roh a tenté, fin juillet 2005, de reprendre l'initiative en proposant une alliance avec l'opposition conservatrice afin de mettre un terme aux rivalités régionales anciennes qui agitent la vie politique, sans succès. Une nouvelle défaite aux législatives partielles du 26 octobre 2005, lors desquelles les candidats du principal parti d'opposition (Grand Parti national, GPN) ont remporté les quatre sièges en jeu, a conduit à la démission du chef du parti Uri, Moon Hee-sang. Le remaniement ministériel partiel effectué en janvier 2006 et la démission en mars du Premier ministre Lee Hae-chan – critiqué pour avoir joué au golf le jour d'une grève nationale des chemins

🌐 République de Corée

Capitale : Séoul.
Superficie : 99 260 km².
Population : 47 817 000.
Langue : coréen.
Monnaie : won (1 000 wons = 0,85 € au 30.4.06).
Nature de l'État : république.
Nature du régime : démocratie présidentielle.
Président de la République : Roh Moo-hyun (depuis le 25.2.03).
Premier ministre : Han Myung-sook, qui a remplacé Lee Hai-chan (démissionnaire) le 19.4.06.
Ministre des Finances et de l'Économie : Han Duck-soo (depuis le 14.3.05).
Ministre de la Réunification : Lee Jong-seok (depuis le 10.2.06).
Ministre des Affaires étrangères et du Commerce : Ban Ki-moon (depuis le 16.1.04).
Principaux partis politiques : Uri (Notre parti de l'ouverture) ; Grand parti national (Park Geun-hye) ; Parti démocrate du travail ; Parti démocrate (Han Hwa-gap).
Echéances institutionnelles : élection présidentielle (déc. 07).
Contestation territoriale : îlots de Tokto-Takeshima également revendiqué par le Japon.

Corée du Sud/Bibliographie

C. Chatelain (dossier dir. par), « Corée du Sud. Le nouveau souffle », *Geo*, n° 280, Paris, juin 2002.

Corée, Études économiques de l'OCDE, Paris, 2005.

A. Delissen, « La péninsule frontière de l'histoire coréenne ? », *in* M. Foucher (sous la dir. de), *Asies nouvelles*, Belin, Paris, 2002.

V. Gelézeau, *Séoul, ville géante, cités radieuses*, CNRS-Éditions, Paris, 2003.

« La Corée en miettes : régions et territoires », *Géographie et culture*, n° spéc., Paris, 2004.

Y. M. Kihl, *Transforming Korean Politics : Democracy, Reform and Culture*, M. E. Sharpe, 2004.

Korea Focus (bimestriel), The Korea Foundation, Séoul.

H. J. Park, « After Dirigisme : Globalization, Democratization. The still Faulted State and its Social Discontent in Korea », *The Pacific Review*, n° 1, vol. 15, 2002.

K. Postel-Vinay, *Corée, au cœur de la nouvelle Asie*, Flammarion, Paris, 2002.

Revue de Corée (semestriel), Commission nationale coréenne pour l'UNESCO.

de fer –, ainsi que son remplacement par l'avocate et ancienne ministre de l'Environnement Han Myung-sook, n'ont pas empêché Uri d'essuyer un important revers lors des élections locales du 31 mai 2006. L'opposition y a remporté quinze des seize postes de maires (dont celui de Séoul) et de gouverneurs de provinces à renouveler.

Cet affaiblissement progressif du parti présidentiel s'inscrit dans un contexte national troublé par la révélation de nouveaux scandales. Les grands groupes industriels (*chaebol*), symboles du « miracle coréen », ont été rattrapés par leurs pratiques peu transparentes du passé. Au cours de l'été 2005, le président de Samsung a été accusé d'avoir transmis à son fils, en 1996, des obligations convertibles de la maison mère du groupe à 9 % de leur valeur lui octroyant le contrôle du conglomérat. Un enregistrement des services secrets sud-coréens a par ailleurs montré l'implication de Samsung dans le financement des « caisses noires » du candidat conservateur à la présidentielle de 1997. En avril 2006, le président de Hyundai Motor, premier constructeur automobile coréen et septième mondial, a été arrêté pour détournement de fonds et abus de confiance. Quant à l'ex-P-

DG de Daewoo, Kim Woo-choong, revenu au pays après avoir fui la justice pendant six ans, il a été condamné à dix ans de prison en mai 2006 pour avoir détourné vingt milliards de dollars et entraîné la faillite de son groupe.

Dans un autre registre, le scandale de la fraude scientifique en matière de clonage thérapeutique et la disgrâce du professeur Hwang Woo-suk ont été vécus comme un drame national. Celui qui apparaissait comme un futur prix Nobel a été inculpé en mai 2006 pour fraude, détournement de fonds (près de 3 millions de dollars) et violations des lois bioéthiques.

Une croissance alimentée par la demande intérieure

Sur le plan macroéconomique, la croissance de l'économie a été plus équilibrée en 2005 (+ 4 %) qu'en 2004 (+ 4,6 %), grâce à la poursuite du redressement de la demande intérieure. La consommation des ménages, après deux années de contraction suite à l'éclatement de la « bulle des cartes de crédit » en 2003, a progressé de + 3,2 % en 2005. La solvabilité des ménages s'améliore mais le nombre important d'emprunteurs défaillants – 3,6 millions, soit près d'un dixième de la population d'âge actif – demeure un frein à la consommation privée. Les exportations, après une progression record en 2004 (+ 31 %), ont connu un ralentissement sensible en 2005 (+ 12 %) en raison notamment du fléchissement des commandes de la Chine, premier partenaire commercial de la Corée du Sud. La croissance des importations a également ralenti (+ 16 % au lieu de + 25 % en 2004), permettant de dégager un excédent commercial de 23 milliards de dollars (près de 3 % du PIB). En revanche, l'investissement domestique, freiné par la récession dans le secteur de la construction, peinait à redémarrer malgré une amélioration de la trésorerie des entreprises. L'accumulation d'excédents courants alimentait les pressions à l'appréciation du won et inquiétait le gouvernement, même si cela permettait par ailleurs de contenir les tensions inflationnistes (2 % en mars 2006) nées de la flambée des cours du pétrole.

La société sud-coréenne, dont le taux de fécondité a baissé par rapport à 2004 et constitue déjà le plus faible des pays de l'OCDE (Organisation de coopération et de développement économiques) à 1,08 enfant par femme en 2005, doit faire face au défi majeur du vieillissement démographique, posant le problème du financement des régimes de retraite. La baisse continue du nombre des naissances révèle le poids croissant des femmes dans la population active, l'inadéquation des structures actuelles de la petite enfance mais aussi le coût élevé de l'éducation compte tenu de l'investissement important des familles dans les cours privés.

Négociations bloquées sur le nucléaire nord-coréen

Une des priorités de la politique étrangère sud-coréenne a été la résolution de la crise nucléaire nord-coréenne, mais les divergences entre Washington et Séoul se sont accentuées et les négociations sont restées dans l'impasse. Séoul a annoncé,

en juillet 2005, être prêt à fournir une aide économique à Pyongyang (500 000 tonnes d'aide alimentaire, fourniture de 2 000 mégawatts d'électricité par an). Lors des « pourparlers à six » (deux Corées, Chine, États-Unis, Japon, Russie) du 19 septembre 2005, la Corée du Nord a accepté le principe de renoncer à ses programmes nucléaires en échange d'une assistance économique et de garanties de sécurité. Mais sa demande de réacteurs à eau légère, en préalable au démantèlement de ses installations, a été rejetée par Washington. Séoul a néanmoins poursuivi sa politique graduelle de rapprochement Nord-Sud (ouverture en octobre 2005 d'un bureau conjoint à Kaesong et construction d'un complexe industriel pour les entreprises du Sud, projet de réouverture des chemins de fer intercoréens) avec le soutien notable de Pékin. La Chine émerge comme un allié important pour la Corée du Sud, alors que le Japon, dont les relations avec Séoul sont toujours tendues en raison du contentieux territorial sur les îlots de Tokto-Takeshima, s'est aligné sur la position de fermeté américaine.

La diplomatie sud-coréenne s'est engagée dans une politique active de négociation d'accords de libre-échange. Après l'accord avec le Chili en 2004, la Corée du Sud a conclu un accord de libre-échange avec Singapour (juillet 2005), l'Association européenne de libre-échange – AELE – (décembre 2005) et l'Association des nations du Sud-Est asiatique (ANSEA), excepté la Thaïlande (mai 2006). L'annonce, en janvier 2006, de la réduction des quotas de programmation nationale dans le cinéma coréen, à 73 jours par an au lieu de 146, a ouvert la voie à une négociation avec les États-Unis. Cet accord devrait stimuler l'ensemble des exportations de la péninsule vers son troisième partenaire commercial et bénéficier également aux consommateurs sud-coréens, au détriment toutefois du secteur agricole.

L'Afrique a suscité un regain d'intérêt de la part de la diplomatie sud-coréenne, motivée, comme la Chine, par l'accès à des ressources énergétiques et la recherche de nouveaux débouchés. Après la visite du Premier ministre sud-coréen au Sénégal et en Afrique du Sud en février 2006, la première sur le continent à ce niveau depuis 1999, le président Roh Moo-hyun s'est rendu en Égypte, au Nigéria et en Algérie, en mars 2006, pour promouvoir les intérêts économiques coréens et conclure des accords de coopération technologique. - **Serge Perrin** ■

Inde

De la difficulté de gouverner en coalition

La scène politique intérieure indienne a été marquée, tout au long de l'année 2005, par l'intensification des tensions touchant les deux principaux partis, le parti du Congrès-I (à la tête de la coalition gouvernant au Centre) et le Bharatiya Janata Party (BJP, « Parti du peuple indien », d'idéologie nationaliste hindoue). Le Congrès, un an après sa victoire aux élections anticipées de mai 2004, à la tête de la United Progressive Alliance (UPA, « Alliance progressive unie », composée de 17 partis), a été exposé à de nombreuses turbulences, marquant une crise de crédibilité. Arrivé au pouvoir pour partie en réaction au programme libéral du BJP et des partis qui formaient la coalition que ce dernier dirigeait, la National Democratic Alliance (NDA, « Alliance démocratique nationale »), le Congrès a paru avoir déçu cette partie de son électorat en ne s'engageant pas rapidement sur la voie de réformes de gauche. Par ailleurs, des tensions se sont manifestées avec certains de ses partenaires de pouvoir dans certains États. Ainsi en est-il allé en Uttar Pradesh avec le Samajwadi Party (SP, « Parti socialiste », reposant sur une entente entre les basses castes et des musulmans), sur fond de détérioration de la sécurité. En

Andhra Pradesh, l'un des partis régionaux, représentés au Centre par le ministre du Travail, a menacé, début 2006, de quitter la coalition si le Congrès ne tenait pas la promesse faite, lors de la campagne électorale de 2004, de créer un nouvel État, le Telengana, par une division de l'Andhra Pradesh.

Au Bihar, le Rashtriya Janata Dal (RJD, « Parti national du peuple »), allié du Congrès au Centre et, depuis quinze ans, à la tête de cet État (dirigé par Laloo Prasad Yadav), a perdu les élections organisées en novembre 2005, au profit de la NDA, menée par le parti régional Janata Party-United (JD-U, « Parti du peuple-uni »).

Fortes turbulences au sein des partis

Outre ces difficultés, liées à la première expérience de pouvoir en coalition pour un parti jusque-là habitué à gouverner seul, le Congrès a dû faire face à la démission de deux de ses ministres au Centre, le ministre des Indiens non résidents Jagdish Tyler, en août 2005, et le ministre des Affaires étrangères K. Natwar Singh, en décembre 2005. Représentants de l'ancienne classe politique congressiste (nés avant l'indépendance et anciens ministres d'Indira Gandhi), les deux hommes ont fait l'objet d'accusations ciblées, le premier de la part de la commission Volcker des Nations unies, enquêtant sur l'affaire « pétrole contre nourriture » en Irak, le second pour son implication supposée dans les émeutes qui avaient frappé la communauté sikhe en 1984 à New Delhi, après l'assassinat d'Indira Gandhi par son garde du corps (sikh).

Dans l'opposition depuis 2004, le BJP n'a pas été épargné par les troubles internes, opposant partisans de la ligne nationaliste hindoue dure, l'Hindutva, qui l'avait mené au pouvoir sur fond d'émeutes antimusulmanes en 2001, et défenseurs d'un assouplissement de cette position. Lors d'une visite au Pakistan, en juin 2005, le président du BJP, ancien ministre de l'Intérieur de la NDA au profil de « faucon », Lal Kishenchand Advani, a ainsi cherché à se distancier du passé. Il s'est recueilli sur la tombe de Mohammed Ali Jinnah, le fondateur du Pakistan, et a déploré la destruction de la mosquée Babri à Ayodhya en décembre 1992 – crise dans laquelle son rôle est pourtant connu – et est allé jusqu'à reconnaître la création du Pakistan. Ces propos ont provoqué une fronde interne de plusieurs mois et, finalement, abouti au désaveu de L. K. Advani, contraint à démissionner en décembre 2006, au profit d'un dirigeant plus jeune, Rajnath Singh. Durant cette même période, un scandale de corruption a touché six parlementaires du BJP, « achetés » pour soulever certaines questions au Parlement. L'expulsion de l'ancien chef du gouvernement de l'État de Madhya Pradesh, Uma Bharti, l'un des tenants de l'Hindutva, qui s'était opposé à la nomination de son successeur, a également provoqué une grave crise interne, U. Bharti recevant le soutien des piliers idéologiques du BJP, la Rashtriya Swaymsevak Sangh et la Vishwa Hindu Parishad.

Ces tensions internes au BJP comme au Congrès dénotaient une usure du pouvoir, mais aussi une crise de générations. S'opposent ainsi les élites montantes ayant fait leurs preuves au niveau des États, et l'ancienne élite, arrivée au pouvoir des années 1970 à 1990 et, dans le cas du Congrès, fréquemment par proximité avec la famille Gandhi. La montée, au sein de ce parti, du fils de Rajiv et Sonia Gandhi, Rahul, élu au Parlement en 2004, illustrait le contrôle que continuait d'exercer la dynastie fondatrice.

Consolidation de l'économie

Pour l'année fiscale 2005-2006, le taux de croissance de l'économie indienne a été évalué à 7,8 %, s'appuyant sur la croissance des services et du commerce et bénéficiant d'une bonne mousson. La consommation des ménages (autour de 8 % en 2005-2006) continuait de stimuler cette tendance. Les dépenses de l'État central demeuraient une source d'inquiétude sur le moyen terme,

en particulier face à l'étroitesse de l'assiette fiscale – seuls deux millions d'Indiens paient des impôts sur le revenu. Le déficit fiscal total (déficit du gouvernement central plus celui des États) représentait 8,5 % du PIB. L'introduction d'une taxe sur la valeur ajoutée (TVA) devait cependant contribuer à une imposition plus large et permettre de résorber le déficit des finances publiques, situé autour de 4,5 % du PIB.

Si la consolidation de l'économie et le développement du secteur tertiaire ont élevé le niveau de vie de la classe moyenne, un rapport du Bureau international du travail (BIT) rappelait, fin 2005, que la vaste majo-

Union indienne

Capitale : New Delhi.
Superficie : 3 287 260 km².
Population : 1 103 371 000.
Langues : outre l'anglais, langue véhiculaire, 15 langues officielles (assamais, bengali, gujarati, hindi, kannada, cachemiri, malayalam, marathi, oriya, pendjabi, sanscrit, sindhi, tamoul, telugu et ourdou).
Monnaie : roupie indienne (au taux officiel, 100 roupies = 1,77 € au 30.4.06).
Nature de l'État : république fédérale (28 États, 7 territoires de l'Union).
Nature du régime : démocratie parlementaire.
Chef de l'État : Abdul Kalam (depuis le 25.7.02).
Chef du gouvernement : Manmohan Singh (depuis le 22.5.04), également en charge des Affaires étrangères.
Ministre de l'Intérieur : Shivraj V. Patil (depuis le 25.5.04).
Ministre de la Défense : Pranab Mukherjee (depuis le 25.5.04).
Principaux partis politiques : Congrès-I ; Bharatiya Janata Party (BJP, nationaliste hindou) ; CPI-M (Parti communiste de l'Inde-marxiste) ; Samajwadi Party ; Rashtriya Janata Dal ; Bahujan Samaj Party ; Parti communiste de l'Inde ; DMK (Dravida Munetra Kazhagam, parti régionaliste tamoul).
Contestation territoriale : Azad-Cachemire, administré par le Pakistan.

Inde/Bibliographie

J. Assayag, *Inde, désirs de nations,* Odile Jacob, Paris, 2001.

J. Assayag, *Sept clés pour comprendre l'Inde,* Odile Jacob, Paris, 2000.

J.-A. Bernard, *De l'empire des Indes à la République indienne : de 1935 à nos jours,* Imprimerie nationale, Paris, 1994.

M. Carrin, C. Jaffrelot (sous la dir. de), « Tribus et basses castes. Résistance et autonomie dans la société indienne », *Purusharta,* nº 27, EHESS, Paris, 2003.

F. Grare, *Les Ambitions internationales de l'Inde à l'épreuve de la relation indo-pakistanaise,* Les Études du CERI, nº 83, Paris, févr. 2002.

C. Jaffrelot, *La Démocratie en Inde. Religion, caste et politique,* Fayard, Paris, 1998.

C. Jaffrelot, *Les Nationalistes hindous. Idéologies, implantation et mobilisation des années 1920 aux années 1990,* Presses de Sciences Po, Paris, 1993.

C. Jaffrelot (sous la dir. de), *L'Inde contemporaine de 1950 à nos jours,* Fayard, Paris, 2006 (nouv. éd.).

C. Markovits (sous la dir. de), *Histoire de l'Inde moderne, 1480-1950,* Fayard, Paris, 1994.

M.-C. Saglio-Yatzimirsky, *Population et développement en Inde,* Ellipses, Paris, 2002.

A. Vaugier-Chatterjee, *Histoire politique du Pendjab de 1947 à nos jours,* L'Harmattan, Paris, 2000.

A. Virmani, « L'Inde, une puissance en mutation », *Problèmes politiques et sociaux,* nº 866, La Documentation française, Paris, nov. 2001.

rité des travailleurs indiens demeurait en situation précaire. Selon le BIT, les travailleurs du secteur informel (représentant 45 % du PIB avec une main-d'œuvre estimée à 90 % du total national) n'ont pas perçu d'amélioration de leurs conditions de travail et de vie.

Le maintien d'un fossé entre les classes ouvrières, une vaste partie du monde agricole et les classes moyennes urbaines, en dépit de certains engagements du gouvernement comme celui d'élever les dépenses en faveur de l'éducation à hauteur de 6 % du PIB, paraissait trouver un écho dans la violence du mouvement naxalite (du nom du village de Naxalbari), actif dans le centre du pays (Bihar, Chhattisgarh, Jharkhand, Orissa et Andhra Pradesh) depuis les années 1960 mais dont l'ampleur s'est considérablement accrue en 2005-2006. Qualifié, en avril 2006, par le Premier ministre de « principale menace en terme de sécurité intérieure », le mouvement extrémiste maoïste a, en effet, accru le nombre et l'audace de ses offensives, allant jusqu'à atta-

quer en plein jour une prison du Bihar et en libérer 300 détenus, en novembre 2005.

Outre ces violences reposant sur des divisions de caste et de classe, le nord de l'Inde a été frappé, courant 2005-2006, par de violents attentats terroristes, imputables, selon les autorités indiennes à des cellules du mouvement terroriste pakistanais Lashkar-e-Tayyeba (le T). Ainsi, deux lieux symboliques des tensions communautaires entre hindous et musulmans, le temple dédié à Ram construit après la démolition de la mosquée Babri à Ayodhya, et la ville de Bénarès (la gare et un temple de la vieille ville) ont-ils fait l'objet d'attaques, respectivement en juillet 2005 et en mars 2006. La volonté des terroristes de provoquer un maximum de victimes civiles s'est manifestée également dans les attentats qui ont frappé plusieurs marchés de New Delhi à la veille de la fête hindoue de Divali (octobre 2005), faisant une soixantaine de morts. Laissant redouter une escalade des violences communautaires, un attentat a visé, peu après la prière du vendredi, la grande mosquée de Delhi, Jama Masjid, blessant une quinzaine de personnes, en avril 2006. Au Jammu et Cachemire également, les violences se sont poursuivies de manière régulière, faisant de nombreuses victimes tant chez les civils que parmi les forces de sécurité et les politiciens locaux.

Le gouvernement central a néanmoins persisté dans sa volonté de dialogue avec toutes les composantes de la scène politique cachemirie, y compris avec la All Party Hurriet Conference (APHC, regroupement de plusieurs partis cachemiris, y compris sécessionnistes). Toutefois, ces démarches n'ont donné lieu à aucune avancée notable. La détente des relations indo-pakistanaises s'est également poursuivie, sans résultats concrets, achoppant notamment sur la reconnaissance et la délimitation des lignes de contrôle et la démilitarisation du glacier du Siachen, où stationnent des troupes de manière permanente, à plus de 6 000 mètres d'altitude. Pourtant, du côté de la société civile, des progrès ont été enregistrés : des autocars traversant la ligne de contrôle (entre Srinagar et Muzaffarabad), depuis avril 2005, ainsi que la création de deux nouvelles lignes laissaient espérer la reprise du commerce transfrontalier par voie terrestre. Le tremblement de terre qui a touché le Cachemire, particulièrement du côté pakistanais, en octobre 2005 n'a pas rapproché les deux pays, en dépit de l'offre d'assistance des autorités indiennes, autorisée avec parcimonie. Si certaines petites villes du Jammu et Cachemire en ont souffert massivement, les victimes se chiffraient à 1 300 dans cette zone, contre plus de 80 000 côté pakistanais.

Accord indo-américain de coopération nucléaire

Le rapprochement entre New Delhi et Washington s'est poursuivi, culminant lors de la visite du président américain George W. Bush à New Delhi, en mars 2006. Qualifiée de « partenaire naturel » des États-Unis,

l'Inde s'est vu reconnaître par Washington le statut de puissance nucléaire *de facto*, à travers la décision de l'administration Bush de signer un accord autorisant la coopération au profit de l'Inde dans le domaine du nucléaire civil. Défendu par les membres de l'Administration américaine devant un Congrès américain plutôt réticent, l'accord sur le nucléaire civil devait consacrer une « seconde lune de miel » indo-américaine, après celle connue sous l'administration Clinton. En février 2006, le vote du représentant indien au conseil de l'Agence internationale de l'énergie atomique (AIEA) en faveur d'une résolution destinée au Conseil de sécurité des Nations unies pour appeler l'Iran à une plus grande collaboration sur la « question nucléaire » pouvait être interprété comme un signe politique de cette proximité nouvelle, New Delhi ayant choisi de s'aligner sur les positions occidentales concernant le dossier iranien.

Dans son environnement régional, New Delhi a maintenu une distance pouvant parfois apparaître comme artificielle. Cherchant à relancer avec le Népal des relations gelées depuis le début 2004 (à la suite du durcissement du régime népalais) et à contrer l'influence grandissante de la Chine dans le royaume, les autorités indiennes, inquiètes des répercussions du mouvement maoïste népalais sur leur territoire, ont tout d'abord adopté une position favorable au roi du Népal, Gyanendra Singh, face aux revendications croissantes des partis politiques démocratiques. Ce n'est qu'au cœur de la crise, fin avril 2006, que le Premier ministre indien, Manmohan Singh, a pris le parti des manifestants, en demandant la remise des pouvoirs exécutifs à un gouvernement multipartite. Les relations avec le Bangladesh sont demeurées à un niveau très bas, en dépit d'une série de visites bilatérales, dont celle du Premier ministre bangladais, la begum Khaleda Zia, à New Delhi en mars 2006. L'immigration clandestine et le risque terroriste qu'elle générerait selon les auto-

Indonésie

rités indiennes, sur fond de multiplication des attentats terroristes au Bangladesh, restaient la principale pomme de discorde entre les deux pays. Alors même que se déroulait la visite, des échanges de tirs ont eu lieu entre les forces frontalières indiennes et bangladaises. - **Jacques Trémière** ■

Indonésie

Vers une plus grande stabilité ?

Malgré les contraintes de diriger une coalition gouvernementale fragile, qui l'a soutenu depuis le début de son mandat en septembre 2004, le président Susilo Bambang Yudhoyono (« SBY » en Indonésie) a surpris l'électorat par sa détermination et son habileté. De façon indirecte, la tragédie du tsunami qui avait frappé l'île de Sumatra le 26 décembre 2004, a permis de parvenir à un accord négocié avec la province rebelle d'Aceh. Le président, crédité de cette réussite, n'a pas hésité à prendre des décisions difficiles, comme celle d'augmenter le prix des carburants et celle de procéder à un remaniement ministériel souhaité par les investisseurs. Depuis la nomination du vice-président Jusuf Kalla, comme chef du plus grand parti politique en septembre 2004, le Golkar, la population observait avec un intérêt soutenu la rivalité entre les deux personnages les plus importants du pouvoir exécutif. SBY et J. Kalla cohabitaient grâce à des compromis permanents, démontrant un certain succès de la greffe démocratique. Le ralliement des principaux partis politiques au pouvoir n'était toutefois pas exempt d'arrière-pensées, parmi lesquelles les intérêts particuliers – souvent financiers – l'emportaient souvent sur ceux des électeurs. L'armée demeurait, par ailleurs, une force politique massive, dont la soumission au pouvoir civil n'était pas totalement acquise. Dans cet apprentissage de la démocratie, l'opposition représentée par le Parti démocra-

tique indonésien-Combat (PDI-P de l'ancienne présidente Megawati Sukarnoputri) se trouvait souvent marginalisée un peu cavalièrement par la coalition au pouvoir.

Malgré un climat de stabilité, Jakarta ne parvient pas à attirer les investisseurs, à maîtriser le taux d'inflation et à enrayer une corruption omniprésente. La pauvreté et le chômage n'ont pas régressé et le remaniement ministériel de décembre 2005 n'a pas concerné le ministre de l'Emploi et du Travail, Erman Suparno. En revanche, les nominations de Boediono et Sri Mulyani Indrawati, respectivement comme ministre coordinateur de l'Économie et ministre des Finances, ont été fort bien accueillies. On a noté la compétence des deux nouveaux ministres mais aussi les pressions exercées par le vice-président Kalla afin que le prédécesseur de Boediono, Aburizal Bakrie, soit transféré au nouveau ministère de la Coordination des affaires sociales, écartant ainsi Alwi Shihah (du Parti national de l'éveil). A. Bakrie est resté très proche du vice-président et ce dernier a également fait nommer deux personnalités du Golkar au Cabinet, Fahmi Idris à l'Industrie et Suzette Paskat à la Planification du développement national.

Malgré une avancée notable dans le règlement du conflit d'Aceh, la scène politique indonésienne est demeurée marquée par des conflits ethnico-religieux, avec notamment de nouveaux attentats aux Moluques et à Sulawesi, en mai 2005. L'apprentissage de la démocratie se poursuivait donc dans un climat d'insécurité ponctué d'actes terroristes. Comme en 2002, trois bombes ont coûté la vie à 14 Indonésiens et 6 étrangers sur l'île de Bali, le 1er octobre 2005. L'un des organisateurs présumés de l'attentat, Asahari Husin, a été tué en novembre 2005, lors d'une opération de police, et son complice, Noordin Mohammed Top, a échappé de peu aux forces de l'ordre, le 26 avril 2006. Les attentats les plus notables depuis 2002 sont généralement attribués à l'organisation islamiste Jemaah Islamiyah, mais ce mouvement, comme d'autres, tend à se fractionner comme s'éparpillent les idéologies de plus en plus complexes qui animent ces groupes. Le 27 mai 2006, un tremblement de terre a secoué l'île de Java, faisant plus de 6 300 morts, chiffre à lui seul évocateur d'innombrables autres tragédies et dommages.

Économie : défis et déceptions

Le tremblement de terre survenu le 28 mars 2005 sur l'île de Nias, au nord de Sumatra, a aggravé les retards dans l'effort de reconstruction de la province d'Aceh après le tsunami. Les progrès sont lents et l'agence gouvernementale de reconstruction estime que, sur les 4,4 milliards de dollars promis, seulement 775 millions ont été versés par la communauté internationale. Sur 110 000 maisons détruites, 16 000 ont été reconstruites et 335 écoles ont rouvert pour 2 000 anéanties. Le gouvernement indonésien intervient dans un climat de risques permanents dans l'ensemble du pays. Aux menaces du terrorisme est venue s'ajouter celle de la grippe aviaire, obligeant les autorités à faire procéder – là où elles sont en mesure d'intervenir – à de massifs abattages de volailles.

En octobre 2005, le gouvernement a imposé des ajustements aux prix des carburants, qui n'avaient pas été modifiés depuis 2002. Les prix de l'essence ont été augmentés de 88 %, ceux du fuel de 105 % et ceux du kérosène de 186 %. Malgré ces hausses spectaculaires, le tarif moyen des carburants ne représente encore que 75 % de celui du marché international. Cette augmentation se traduisait pas à une « économie budgétaire » de l'équivalent de 0,5 % du PIB (2,5 % prévus pour 2006). Afin de contrer les effets dévastateurs de cette mesure sur les populations, le gouvernement a annoncé un programme de versement de 300 000 roupies à chacune des 15,5 millions de familles pauvres, soit plus de 60 millions de personnes. Des exemptions fiscales devaient également être accordées à d'autres groupes aux revenus un peu plus

élevés. Quant au taux d'inflation, il se situait à 17,1 % à la fin 2005 (9,5 % hors prix des carburants). Le taux de croissance atteignait, quant à lui, 5,6 % fin 2005.

Ces résultats étaient particulièrement décevants pour le gouvernement, qui ne parvenait pas à restaurer un climat de confiance et à atténuer les pressions exercées sur la monnaie nationale. Les deux der-

République d'Indonésie

Capitale : Jakarta.
Superficie : 1 904 570 km².
Population : 222 781 000.
Langues : bahasa Indonesia (off.) ; 200 langues et dialectes régionaux.
Monnaie : roupie indonésienne (au taux officiel, 10 000 roupies = 0,90 € au 30.4.06).
Nature de l'État : république.
Nature du régime : présidentiel.
Chef de l'État : Susilo Bambamg Yudhoyono, président de la République (depuis le 20.10.04).
Vice-président : Jusuf Kalla.
Ministre coordinateur des Affaires politiques, de la Justice et de la Sécurité : Widodo A.S.
Ministre coordinateur du Bien-Être du Peuple : Aburizal Bakrie.
Ministre coordinateur de l'Économie : M. Boediono.
Ministre de l'Intérieur : Muh Ma'aruf.
Ministre de la Défense : Juwono Sudarsono.
Ministre des Affaires étrangères : Hassan Wirayuda.
Principaux partis politiques : Parti démocratique indonésien-Combat (PDI-P) ; Golkar (Golongan Karya, fédération de « groupes fonctionnels ») ; Parti de l'éveil national (PKB, musulman conservateur) ; Partai Persatuan Pembangunan (PPP, Parti unité développement, coalition musulmane) ; Parti du mandat national (PAN, musulman réformiste).
Contestations de souveraineté : mouvements sécessionnistes papou (OPM, Organisi Papua Merdeka) et acehnais (GAM, Gerakan Aceh Merdeka à Sumatra nord).

Indonésie/Bibliographie

B. Anderson, « Indonesian nationalism today and the future », *New Left Review,* n° 235, Verso, Londres, mai-juin 1999.

E. Aspinall, H. Feith et G. Van Klinken (sous la dir. de), *The Last Days of President Suharto,* Monash University, Clayton, 1999.

J. Bertrand, *Nationalism and Ethic Conflict in Indonesia,* Cambridge University Press, Cambridge, 2004.

R. Bertrand, *Indonésie, retour sur la crise,* Archipel, Paris, 2002.

J. R. Bowen, *Islam, Law and Equality in Indonesia. An Anthropology of Public Reasoning,* Cambridge University Press, Cambridge, 2003.

F. Cayrac-Blanchard, S. Dovert, F. Durand, *L'Indonésie, un demi-siècle de construction nationale,* L'Harmattan, Paris, 2000.

A. Feillard, *Islam et armée dans l'Indonésie contemporaine : les pionniers de la tradition,* L'Harmattan, Paris, 1995.

W. R. Hefner, *Civil Islam : Muslims and Democratization in Indonesia,* Princeton University Press, Princeton, 2000.

R. Lowry, *The Armed Forces of Indonesia,* Allen & Unwin, Crows Nest, 1996.

J.-L. Maurer, « Corruption, développement économique et changement politique : le facteur KKN dans la crise indonésienne », *Nouveaux cahiers de l'Institut universitaire d'études du développement,* n° 9, Genève, 2000.

F. Michel, *L'Indonésie éclatée mais libre : de la dictature à la démocratie, 1998-2000,* L'Harmattan, Paris, 2000.

G. Robinson, « Rawan Is as Rawan Does : The Origins of Disorder in New Order Aceh », *Indonesia,* n° 66, Ithaca (NY), oct. 1998.

A. Schwarz, *A Nation in Waiting : Indonesia's Search for Stability,* Westview Press, Boulder (CO), 2000 (2ᵉ éd.).

A. Schwarz, J. Paris, *The Politics of post-Suharto Indonesia,* Council on Foreign Relations Press, New York, 1999.

niers trimestres de l'année 2005 ont enregistré des chutes des investissements directs respectivement de 9 % et de 2 %. Le nombre de chômeurs se situait officiellement aux alentours de 11 millions, apparaissant grandement sous-estimé.

Les mesures de réforme et d'allégements fiscaux promises tardaient à être mises en place, tout comme celles attendues concernant la législation du travail. Les avancées de la démocratie en Indonésie ont, par ailleurs, suscité des espoirs importants pour éradiquer une corruption omniprésente. Une Commission pour l'éradication de la corruption et une Équipe de coordination pour l'élimination des crimes de corruption on été instaurées. Les défis de ces agences sont considérables, puisqu'un grand nombre de cas impliquent des fonctionnaires de province, district et municipalité. La presse dénonçait aussi régulièrement des actes de corruption au sein de l'appareil judiciaire. Ainsi, un fonctionnaire, membre du Golkar, qui détournait de façon répétée d'importantes quantités de denrées alimentaires, a récemment été acquitté pour vice de procédure.

Aceh : un accord de paix durable ?

Après trente ans de conflit entre les forces de l'ordre et le mouvement séparatiste musulman GAM (Gerakan Aceh Merdeka), un accord a été conclu le 15 août 2005. Les négociations ont été entamées dès janvier 2005, sous les auspices du gouvernement finlandais, et ont, par la suite, été soutenues par l'Union européenne (UE). À l'évidence, la tragédie du tsunami dans la province d'Aceh a contribué à mieux faire connaître les revendications de ses groupes armés, trop facilement étiquetés « terroristes », surtout depuis 2001. L'accord demeurait fragile et, à la mi-2006, la loi promulguant le nouveau statut de la province n'avait pas encore été votée par la Chambre des représentants. Jakarta s'employait à atténuer les termes de l'accord en écartant le mot d'« autonomie », mais concédait à Aceh l'autorité de gérer ses propres affaires dans tous les secteurs publics, sauf en matière de politique étrangère, de défense, de sécurité, de justice, ni concernant les questions monétaires et fiscales nationales et certains domaines liés à la religion. La partie la plus complexe de l'accord était cependant celle de la réintégration des combattants du GAM, dont il fallait toujours chiffrer le nombre et le montant des compensations prévues. Peu d'incidents graves sont intervenus depuis la signature de l'accord.

Des élections devaient se tenir le 26 avril 2006 et ont été repoussées à l'été 2006, et l'on ne savait si l'AMM (Aceh Monitoring Mission, supervisant le processus de paix sous l'égide de l'UE) sera encore présente. La question électorale butait sur plusieurs interrogations. Des candidats indépendants du GAM pouvaient-ils se présenter ou devaient-ils rallier les partis nationaux ? Quelle autre formule était-elle envisageable ? La population d'Aceh semblait, elle-même, divisée sur ces questions. Un autre sujet sensible était celui d'un versement compensatoire à la province qui s'ajouterait au montant déjà alloué statutairement à toutes les provinces. Le gouvernement indonésien hésitait, ne souhaitant pas créer un précédent.

Différents mouvements à Aceh souhaitaient également scinder la province en deux afin de ne pas subir la gouverne du GAM dont ils n'avaient pas soutenu antérieurement les revendications. Le président SBY a rejeté cette option. La population d'Aceh demeurait résolument optimiste, mais on ne pouvait être certain de la détermination des dirigeants militaires indonésiens et du GAM à faire aboutir un projet encore plombé par plusieurs malentendus et questions litigieuses. **- Gérard Hervouet** ■

Japon

Passation politique annoncée

Ayant annoncé qu'il ne briguerait pas un troisième mandat, le Premier ministre Koizumi Junichiro (au pouvoir depuis 2001 et devant demeurer en poste jusqu'en septembre 2006) a commencé ce qui devait être sa dernière année à la tête du gouvernement sur le même ton que les quatre précédentes : fermeté et séduction, réformes de l'État, transformation sociétale, envolées nationalistes, détermination face à la Chine et autonomie dans la relation avec les États-Unis. Incontestablement aux commandes après sa nouvelle victoire aux élections législatives anticipées de septembre 2005 (dont il avait provoqué la tenue), Koizumi a cédé peu de terrain à l'opposition politique, en lente recomposition.

La sortie du tunnel

L'éclipse économique du Japon aura duré un peu plus d'une décennie. Elle peut sembler relative : l'archipel a su conserver son rang de deuxième puissance économique mondiale par le PIB, ainsi que son image de puissance innovatrice. Tant le succès de l'exposition universelle Aichi avec ses robots humanoïdes (mars-septembre 2005) que la rencontre programmée depuis 2003 de la sonde *Hayabusa* avec l'astéroïde Itokawa, en septembre 2005, ont confirmé l'avancée technologique du Japon dans des domaines phares pour les industries du futur. Même au plus fort de la crise économique et financière, les investissements en R&D (recherche-développement) étaient restés constants (3 % du PIB). Avec un taux de croissance de 2,8 % annoncé pour 2006, la sortie de crise était confirmée.

Mais celle-ci s'est construite au détriment d'une dette publique colossale (683 milliards de dollars), mettant en danger la bonne santé de l'économie : le cabinet Koizumi de 2006 devait prendre des mesures budgétaires drastiques, difficiles à mettre en œuvre au vu des résistances corporatistes. La reprise s'est également faite au détriment d'un modèle de société que seul l'archipel était parvenu à inscrire dans la durée. Les disparités sociales étaient de plus en plus perceptibles. La politique d'inspiration reaganienne de dérégulation, de privatisation ou de réduction des impôts pour les plus riches favorisée par Koizumi a certes contribué au redémarrage de l'économie, mais de nombreux Japonais ont dû puiser dans leur épargne pour faire face à la crise : en 2005, près de 25 % des foyers japonais n'avaient plus d'épargne, (contre 4 % des familles à la fin des années 1980). Le mythe de la forte épargne privée des ménages japonais a fondu et le modèle de l'État-providence, tel que développé au Japon, s'essoufflait. Avec une politique sociale et économique favorisant la division de la société en « gagnants » et « perdants », le Japon a rejoint le club des pays confrontés aux défis sociétaux, lorsqu'il formait une exception avec une société de classe moyenne et égalitaire.

En janvier 2006, le « scandale Livedoor », société vitrine de la nouvelle génération d'entrepreneurs et de la nouvelle économie, a remis temporairement en question les orientations choisies. Son jeune P-DG, Horie Takafumi (33 ans), était le symbole même de la classe des « gagnants » encouragée par Koizumi. La révélation de pratiques financières frauduleuses et l'arrestation de Horie ont conduit à la chute record de l'indice Nikkei (– 5,8 points le 17 janvier 2006), depuis la reprise économique. Ce qui devait être un modèle de régénération économique a ravivé le souvenir de pratiques financières douteuses largement en vogue quelques années plus tôt.

En outre, avec plus de 128 millions d'habitants et le vieillissement installé de sa population, le Japon continuait de rejeter le recours à l'immigration, optant pour le soutien à l'emploi des « seniors », par ailleurs désireux de conserver une activité professionnelle.

Une politique nationaliste à l'épreuve

Sur le plan politique, les grandes orientations ont été consolidées. En provoquant et remportant en septembre 2005 des élections anticipées à la Chambre des représentants (Chambre basse) après le rejet en août par la Chambre des conseillers (Chambre haute) de la privatisation de la Poste – son grand chantier depuis 2001 –, le Premier ministre s'est assuré une nouvelle légitimité politique, imposant une défaite humiliante au Parti démocrate du Japon (PDJ) qui a perdu 64 sièges. Il a, en outre, constitué son troisième cabinet autour d'une garde rapprochée, appelée à lui succéder. En remplaçant le trop modéré Fukuda Yasuo par Abe Shinzo au secrétariat général du Cabinet, en nommant Aso Taro aux Affaires étrangères et Tanigaki Sadakazu aux Finances, Koizumi a réuni la nouvelle génération des libéraux-conservateurs. Tous trois étaient en outre en bonne position pour briguer la présidence du Parti libéral-démocrate (PLD) en septembre 2006 et éventuellement le poste de Premier ministre.

À l'hiver 2005-2006, Koizumi et son clan sortaient quasiment intacts du « scandale Livedoor », alors même que le jeune Horie avait été encouragé à se présenter aux élections de 2005 avec le soutien du PLD. Leurs positions étaient en outre confortées par les errements du PDJ et la démission de son jeune président Maehara Seiji après qu'une tentative de déstabilisation du PLD sur la base de correspondances électroniques aux sources douteuses avait échoué. Mais une nouvelle épreuve les attendait, au printemps 2006, avec le retour sur la scène politique d'Ozawa Ichiro. Issu des mêmes rangs que Koizumi et fin connaisseur d'un parti dont il fut le secrétaire général avant de le quitter, Ozawa a pris la présidence du PDJ en avril 2006. Avec Ozawa aux commandes du PDJ, le risque augmentait que passent dans l'opposition certains libéraux-démocrates anti-Koizumi : la contestation intra-PLD avait été vigoureuse, tant sur la privatisation de la Poste que sur la politique étrangère. Baron de la politique, Ozawa avait déjà provoqué en 1993 une vague de défection fatale pour le PLD, qui avait été mis en minorité pour la première fois de son histoire.

Ce mouvement au sein de l'opposition obligeait le Premier ministre et son équipe à la plus grande prudence. D'autant plus qu'avec Abe et Aso l'orientation nationaliste du cabinet Koizumi s'est renforcée. Leurs appuis réitérés à la poursuite de visites officielles au temple shinto Yasukuni en furent certainement l'indicateur le plus visible. Construit en 1869 pour recueillir les mânes des loyalistes à l'empereur Meiji, puis celles des combattants de différentes guerres, le sanctuaire est aussi devenu le symbole du militarisme nippon des années 1930-1945 depuis qu'un musée de la guerre y a été érigé et qu'y ont été transférés quatorze criminels de guerre de classe A dans les années 1970.

La question du Yasukuni, délicate puisqu'elle mêle des considérations liées à la construction nationale, à la pratique du culte shinto, à la guerre et à la paix, à la séparation constitutionnelle entre l'État et la religion, mais aussi à la figure impériale, continuait d'embarrasser les Japonais. Au-delà du débat essentiel sur le travail de mémoire des Japonais et sur la réconciliation asiatique autour d'une approche commune de l'expansionnisme nippon, c'est aussi le possible retour des vieux démons japonais que soulignait le Yasukuni. Pourtant, la polémique autour de ce sanctuaire, historiquement lié à la restauration du système impérial de Meiji, ne remettait pas en question

l'institution impériale qui recueillait toujours respect et sympathie, seuls 10 % à 15 % des Japonais en souhaitant l'abolition en décembre 2005. Preuve que sa fonction de « symbole de l'unité et de la cohésion sociale du peuple japonais », qui lui avait été reconnue par les forces d'occupation amé-

Japon

Capitale : Tokyo.
Superficie : 377 800 km².
Population : 128 085 000.
Langue : japonais.
Monnaie : yen (100 yens = 0,68 € et 0,86 $ au 29.6.06).
Nature de l'État : monarchie constitutionnelle (l'empereur n'a qu'un pouvoir symbolique ; il est le garant de la continuité et de l'unité de la nation).
Nature du régime : parlementaire. Le pouvoir exécutif est détenu par un gouvernement investi par la Diète.
Empereur : Akihito (depuis le 7.1.89).
Chef du gouvernement : Koizumi Junichiro (depuis le 26.4.01, reconduit le 9.11.03).
Ministre des Finances : Tanigaki Sadakazu (depuis le 22.9.03).
Ministre de l'Économie, du Commerce et de l'Industrie (METI) : Nikai Toshihiro (depuis le 31.10.05).
Ministre des Affaires étrangères : Aso Taro (depuis le 31.10.05).
Ministre délégué, directeur général de l'Agence de Défense : Nukaga Fukushiro (depuis le 31.10.05).
Secrétaire général du gouvernement : Abe Shinzo (depuis le 31.10.05).
Principaux partis politiques : Gouvernement : Jiminto (Parti libéral-démocrate, PLD, conservateur) ; Shin-Komeito (Nouveau Parti de la justice) ; Hoshuto (Parti conservateur) ; Opposition : Kyosanto (Parti communiste) ; Minshuto (Parti démocratique, réformateur) ; Shaminto (Parti social-démocrate, ex-Parti socialiste).
Contestation territoriale : « Territoires du Nord », c'est-à-dire les quatre îles Kouriles (en japonais : Kunashiri, Habomai, Shikotan et Eterofu) annexées par l'URSS en 1945.

Japon/Bibliographie

J.-M. Bouissou, *Quand les sumos apprennent à danser. La fin du modèle japonais,* Fayard, Paris, 2003.

R. Boyer, P. Souyri (sous la dir. de), *Mondialisations et régulations. Europe et Japon face à la singularité américaine,* La Découverte, Paris, 2001.

E. Dourille-Feer (sous la dir. de), *Japon. Le renouveau ?,* Les Études de La Documentation française, Paris, 2002.

F. Hérail (sous la dir. de), *Histoire du Japon,* Horvath, Le Coteau, 1990.

O. Hideo, *Power Shuffles and Policy Processes : Coalition Government in Japan in the 1990s,* Japan Foundation Center, Tokyo, 2000.

R. J. Hrebenar *et alii, Japan's New Party System,* Westview Press, Boulder (CO), 2000.

C. Hughes, *Japan's Re-mergence as a « Normal » Military Power,* Adephi Paper 368-69, IISS/Oxford University Press, Londres, nov. 2004.

Inoguchi T. (sous la dir. de), *Japan's Asian Policy : Revival and Reponse,* Palgrave Macmillan, 2002.

M. Jolivet, *Homo Japonicus,* Picquier, Arles, 2000.

H. Okamura, *Corporate Capitalism in Japan,* St. Martin's Press, Oxford, 2000.

P. Pelletier, *Japon : crise d'une autre modernité,* Belin, Paris, 2003.

K. Postel-Vinay, *Le Japon et la nouvelle Asie,* Presses de Sciences Po, Paris, 1997.

J.-F. Sabouret (sous la dir. de), *Japon, peuple et civilisation,* La Découverte, coll. « La Découverte/Poche », Paris, 2004.

J.-F. Sabouret (sous la dir. de), *La Dynamique du Japon,* Saint-Simon, Paris, 2005.

J.-F. Sabouret (sous la dir. de), *L'état du Japon,* La Découverte, coll. « L'état du monde », Paris, 1995 (nouv. éd.).

E. Seizelet, *Justice et magistrature au Japon,* PUF, Paris, 2002.

K. Yoshihara, *Globalization and National Identity : the Japanese Alternative to the American Model,* Falcon Press, Kuala Lumpur, 2002.

ricaines et avait été inscrite à l'article 1 de la Constitution japonaise, restait solide.

La réforme de la succession impériale, qui devait être le dernier legs politique de Koizumi, était cependant reportée à l'automne 2006. Elle devait ouvrir la voie à une descendance féminine, aujourd'hui exclue par la Loi impériale. L'annonce d'un possible héritier de sexe masculin est venu bouleverser l'agenda politique du Premier ministre, qui s'était engagé sur un chantier très périlleux, au vu de l'hostilité affichée de l'aile ultraconservatrice de son parti, dont Abe Shinzo, et de la communauté influente des prêtres shinto. Cette réforme posait aussi la question de la parité des genres, encore très faible au Japon bien qu'en progrès. Lar-

gement soutenue par l'opinion publique même après l'annonce de la grossesse de la princesse Kiko (épouse du fils cadet de l'empereur), la réforme de la succession impériale aurait conforté Koizumi auprès de son important électorat féminin.

Isolement diplomatique

Les incidences néfastes de l'affaire Yasukuni au niveau régional ne semblaient pas inciter le gouvernement à changer de position, même si le Premier ministre Koizumi semblait opter pour un calendrier de visites moins polémique. La publication, en juin 2005, d'un manuel d'histoire rédigé par des historiens japonais, chinois et sud-coréens restait une initiative privée et isolée – alors que, dans le même temps, le gouvernement japonais autorisait la réédition d'un manuel révisionniste déjà publié en 2001 et dont l'usage restait limité à 0,4 % des élèves japonais ; elle soulignait l'absence criante d'initiative publique réconciliatrice, d'autant plus difficile que les régimes politiques dans cette région restaient divers. Le Japon a ainsi subi au cours de l'année 2005-2006 une série d'avertissements de la part de ses voisins : manifestations publiques antijaponaises ; réactivation de conflits de souveraineté territoriale. Les îles Senkaku-Diaoyutai et le tracé maritime des zones économiques exclusives ont fait l'objet de nouvelles tensions sino-japonaises en vue de la prospection des fonds gaziers et pétroliers ; de même, les îles Takeshima-Tokto et les prospections scientifiques japonaises redevenaient un point de discorde avec la Corée du Sud. Nourries par l'histoire, les tensions n'en sont pas moins le résultat d'un rééquilibrage des puissances régionales rendu nécessaire par l'émergence de la Chine, tant sur le plan économique, que diplomatique et militaire.

L'isolement asiatique du Japon a été tout aussi vif à l'occasion du cinquantième anniversaire de l'ONU, alors que le Japon espérait un siège permanent au Conseil de sécurité. Appuyé par quatre États asiatiques seulement (Inde, Afghanistan, Bhoutan et Maldives), le choc en a été d'autant plus violent que la stratégie adoptée d'une entrée à quatre (avec le Brésil, l'Allemagne et l'Inde), couplée à un engagement plus visible sur la scène internationale pour les missions de reconstruction et de maintien de la paix, semblait bien engagée.

La leçon onusienne de 2005, tout comme la leçon irakienne de 1991, ne man-quera pas de nourrir les prochaines orientations diplomatiques du Japon. Et notamment sa relation aux États-Unis, qui déclaraient en juin 2005 que le Japon avait toute légitimité pour rejoindre le club restreint du Conseil de sécurité mais que le moment n'était pas venu. Après l'alignement prôné par Koizumi depuis 2001, dont l'engagement du Japon dans la reconstruction de l'Irak demeurait la meilleure vitrine, le Japon est revenu, à l'automne 2005, à une politique plus prudente vis-à-vis de l'allié américain. L'embargo sur le bœuf américain a été réactivé, accompagné de déclarations officielles de nouveaux cas de victimes de la maladie de Creutzfeldt-Jakob (« vache folle »). Le Japon a aussi obtenu gain de cause concernant la contribution financière japonaise au redéploiement de 8 000 marines américains vers Guam (participation à hauteur de 59 % des coûts – dont environ 50 % sous forme d'investissements et de prêts – au lieu des 75 % demandés pas Washington) ; Tokyo a en outre annoncé le retrait d'Irak des troupes japonaises en 2006 si la situation locale n'était pas stabilisée.

Enfin, la perspective d'une levée de l'embargo européen sur la vente d'armes à la Chine – imposé aux lendemains de la répression militaire du mouvement étudiant de Tian An Men en 1989 –, débattue en Europe en 2005, avait été ressentie comme un camouflet, l'Union européenne (UE) ignorant ou minimisant les inquiétudes japonaises face à la Chine. Un nouveau mouvement de discussions s'était engagé en direction de l'UE, permettant de renouer un dialogue plus politique et stratégique avec l'archipel, fin 2005. - **Régine Serra** ∎

Par **Élise Huffer**
Université du Pacifique sud

Mers du Sud, Pacifique sud, Océanie ou *Moana Nui a Kiwa* ? Cette question d'appellation, en apparence anodine, est au contraire révélatrice des luttes d'influence qu'a connues ce continent aquatique. Dernière région du monde à avoir été peuplée, l'Océanie n'a cessé d'échapper aux Océaniens eux-mêmes. Objet de convoitises et de fantasmes, d'abord de la part des grandes puissances occidentales, rivales au temps des empires, puis alliées durant la Seconde Guerre mondiale et la Guerre froide, et désormais vouées au dogme sécuritaire. Et, plus récemment, de la part des puissances asiatiques dont la présence dans la région s'accroît en ce début de millénaire. Les appétits de la mondialisation, ancienne et actuelle, n'ont guère épargné la région à travers l'exploitation de matières premières, de loisirs et de main-d'œuvre bon marché.

Ce n'est pourtant que tardivement que le monde a « découvert » le Pacifique, bien après la colonisation d'origine. Entre – 40 000 et – 30 000 ans avant notre ère, les premiers voyageurs pré-austronésiens ne dépassent pas la Papouasie-Nouvelle-Guinée. De 7 000 à 1 000 ans avant J.-C., les Austronésiens, navigateurs experts, seront les premiers à conquérir l'ensemble des îles du Pacifique en traversant le Grand Océan d'est en ouest, de la Papouasie-Nouvelle-Guinée jusqu'à Rapa Nui (l'île de Pâques), atteignant Hawaii il y a environ 2 000 ans puis, enfin, Aotearoa (la Nouvelle-Zélande) il y a quelque 1 400 ans.

L'irruption des *papalagi* (les Blancs) dans le monde insulaire fut tardive mais déterminante, et porteuse d'épidémies, d'évangélisation, de répression, puis de colonisation. Le navigateur Jules Dumont d'Urville (1832) divisa le monde océanien en catégories ethnologiques : ainsi naquit le mythe des peuplades distinctes, les Polynésiens (plutôt « nobles »), les Mélanésiens (plutôt « sauvages ») et les Micronésiens (« indéterminés »). Ces « sous-régions », bien que nées d'une vision européenne, gardent une résonance culturelle et politique, mais ce partage a contribué à masquer la cohérence culturelle du Pacifique en effaçant la mémoire des relations et échanges entre archipels lointains, que l'on redécouvre peu à peu à travers l'archéologie et l'étude des traditions orales.

Avec l'ère coloniale, les « indigènes » ont été cloisonnés au sein de nouvelles frontières et enrôlés dans des économies de plantation et de comptoir. Les colonies, françaises, allemandes, britanniques et américaines, devaient être autosuffisantes. La première grande division (pas toujours amicale) remonte au XIXᵉ siècle : à la France reviennent les deux extrémités de l'océan (la Nouvelle-Calédonie et la Polynésie) avec Wallis et Futuna au centre ; à la Grande-Bretagne revient le cœur de l'océan (Salomon, Nouvelles-Hébrides [actuel Vanuatu] en condominium avec la France, îles Ellice et Gilbert, Fidji et Tonga) ; les Allemands s'arrogent les Samoa occidentales (aujourd'hui Samoa), les îles Marshall et les Carolines (actuels États fédérés de Micronésie et Palau), la Nouvelle-Guinée et Nauru ; les Américains prenant pour leur part Guam et les Samoa orientales.

La Première Guerre mondiale vient bousculer l'ordre établi : les Allemands sont contraints de quitter la région et les Japonais les remplacent dans les territoires micronésiens ; les Australiens en Nouvelle-Guinée et à Nauru (conjointement avec la Grande-Bretagne et la Nouvelle-Zélande) ; et les Néo-Zélandais aux Samoa occidentales. La Seconde Guerre mondiale marque le début de la seconde phase de globalisation dans le Pacifique. L'armée américaine, omniprésente, fait construire des infrastructures durables et emploie les populations locales qu'elle rémunère généreusement. Des liens d'amitié et même de complicité se forment entre les soldats américains et leurs hôtes, aux dépens des colons et planteurs souvent mesquins et autoritaires. Les populations locales découvrent que les soldats noirs et blancs sont traités, du moins en apparence, sur un pied d'égalité par les officiers américains. Cette guerre a déclenché dans le Pacifique comme ailleurs une rupture avec le passé. Les populations associées à l'effort de guerre ont entrevu un avenir plus prometteur et plus prospère. La fin de la guerre approchant, les administrateurs et colons (britanniques, australiens, néo-zélandais et français) ont été contestés. Des mouvements dissidents se sont formés dans plusieurs territoires : certains (à Wallis, par exemple) voulaient passer sous tutelle américaine ; d'autres (îles Salomon et Nouvelles-Hébrides) parlaient déjà d'autonomie. Mais ces mouvements locaux, trop restreints, furent ignorés, voire réprimés par les autorités coloniales.

Les puissances occidentales ont, quant à elles, pris conscience de la vulnérabilité du Pacifique face à leurs ennemis. Le Japon l'a amplement démontré, et la nouvelle menace soviétique guettait. L'Océanie est devenue un enjeu de la Guerre froide, et, de ce nouveau régionalisme, dicté par l'Occident, naît la Commission du Pacifique sud (CPS) en 1947. Déjà, l'objectif des puissances se veut sécuritaire : il s'agit d'écarter toute influence néfaste (c'est-à-dire soviétique) de la région et de contrôler l'évolution politique des territoires océaniens. La CPS – Communauté du Pacifique sud (rebaptisée «Communauté du Pacifique» en 2000) – regroupe institutionnellement tous les territoires du Pacifique et facilite une politique de concertation pour le développement social et économique de la région. Les jeunes dirigeants des pays insulaires en voie de décolonisation s'emparent de l'idée régionale qui met un terme au cloisonnement des territoires. Ils fondent, avec l'Australie et la Nouvelle-Zélande (dont l'influence devient déterminante dans la région), le Forum du Pacifique sud en 1971. Rebaptisée Forum des îles du Pacifique en 2003, cette organisation régionale distincte de la Communauté du Pacifique écarte les puissances métropolitaines et les territoires non souverains. Aujourd'hui, le Forum rassemble les seize pays indépendants du Pacifique, et sa réunion annuelle attire, en tant que «partenaires de dialogue» tous les pays européens et asiatiques qui ont un pied dans la région. L'élaboration d'un nouveau « plan du Pacifique », censé mener à une plus grande intégration régionale institutionnelle (inspiré du modèle européen), a été engagée, dirigée par l'Australie et la Nouvelle-Zélande. Les pays insulaires peinent toujours à marquer le Grand Océan de leur empreinte. ∎

L'ÉLABORATION D'UN NOUVEAU «PLAN DU PACIFIQUE», CENSÉ MENER À UNE PLUS GRANDE INTÉGRATION RÉGIONALE INSTITUTIONNELLE, A ÉTÉ ENGAGÉE, SOUS L'ÉGIDE DE L'AUSTRALIE ET DE LA NOUVELLE-ZÉLANDE.

*Par **Patrick Antoine Decloitre***
Journaliste, Agence Flash d'Océanie

2005-2006 / Journal de l'année

2005

30 juin. Papouasie-Nouvelle-Guinée. La petite quinzaine de soldats de la Mission d'observation des Nations unies à Bougainville (Monub) quitte définitivement cette île de Papouasie-Nouvelle-Guinée, où elle avait été déployée en 1998 dans le cadre de la surveillance d'un processus de paix et d'autonomie.

10 juillet. Nouvelle-Zélande. Vingt ans après l'attentat contre le bateau de Greenpeace *Rainbow Warrior* dans le port d'Auckland, le 10 juillet 1985, qui avait provoqué la mort d'un de ses militants, l'organisation écologiste organise une série de manifestations à Auckland et à Paris.

25 juillet. Salomon (îles). La mission régionale d'assistance aux îles Salomon (RAMSI), placée depuis le 24 juillet 2003 sous commandement australien, fête ses deux ans de présence dans cet archipel mélanésien où elle a rétabli un ordre précaire après cinq années de guerre civile.

1er septembre. Australie. L'Australie est classée au quatrième rang mondial en matière de performances dans l'aide au développement selon le groupe de réflexion américain Centre for Global Development.

8 septembre. Tonga. Après plus de six semaines de grève des fonctionnaires, les débats gagnent l'hémicycle de ce royaume océanien, où plusieurs députés se font une nouvelle fois les avocats de réformes démocratiques.

17 septembre. Nouvelle-Zélande. Le Parti travailliste d'Helen Clark remporte une nouvelle fois les législatives. Élue Premier ministre pour la première fois en 1999, réélue en 2002, H. Clark entame ainsi sa troisième mandature.

5 octobre. Fidji (îles). Le Forum des îles du Pacifique sud (FIP) entérine le principe de la création d'un nouveau statut de « membre associé » principalement conçu pour les collectivités françaises du Pacifique.

11 octobre. Nouvelle-Calédonie. Les deux sociétés canadiennes Inco et Falconbridge, exploitant le nickel de la Nouvelle-Calédonie, annoncent un projet de fusion amicale.

27 octobre. Papouasie-Nouvelle-Guinée. Les dirigeants des pays membres du Forum des îles du Pacifique, réunis à Port Moresby, entérinent un « Plan Pacifique » censé

tracer la voie d'une plus grande intégration régionale selon quatre axes : bonne gouvernance, sécurité, développement durable et croissance économique.

14 décembre. Australie. Affrontements entre communautés blanche et d'origine moyen-orientale dans la banlieue sud de Sydney. À l'origine de ces violences, l'agression à l'arme blanche de deux surveillants de plage par un groupe de jeunes décrits comme d'origine « libanaise et moyen-orientale ».

2006

5 janvier. Australie-Pacifique. L'opposition australienne (à majorité travailliste) lance un plaidoyer en faveur d'un « droit d'asile environnemental » pour les populations des petits États insulaires océaniens, dont les atolls sont menacés par la montée des eaux du Pacifique, liée au réchauffement climatique.

17 février. Tokelau. Échec d'un référendum d'autodétermination portant sur un nouveau statut pour la petite île de Tokelau, sous tutelle néo-zélandaise depuis quatre-vingts ans.

2 mars. Pêche. Greenpeace applaudit la signature à Canberra d'une déclaration tripartite entre la France, l'Australie et la Nouvelle-Zélande, en vue de créer un dispositif de surveillance et de police des pêches dans le Pacifique sud.

9 mars. Marshall (îles). Les vétérans des essais nucléaires américains effectués sur l'atoll de Bikini annoncent leur intention d'entamer des poursuites judiciaires contre Washington, afin d'obtenir de nouveaux dédommagements pour les maladies occasionnées par ces expériences militaires.

31 mars. Tonga. Fred Sevele, ministre du Travail, du Commerce et de l'Industrie, qui assurait l'intérim du poste de Premier ministre depuis la mi-février et la démission du prince 'Ulukalala Lavaka Ata, est confirmé dans ses fonctions.

5 avril. Fidji (îles). Wen Jiabao, chef de l'exécutif de la République populaire de Chine, en visite aux îles Fidji, annonce l'octroi par Pékin de quelque 370 millions de dollars pour les pays du Pacifique adeptes de la politique de la Chine unique.

21 avril. Salomon-Australie. Le Premier mi-

Pacifique sud

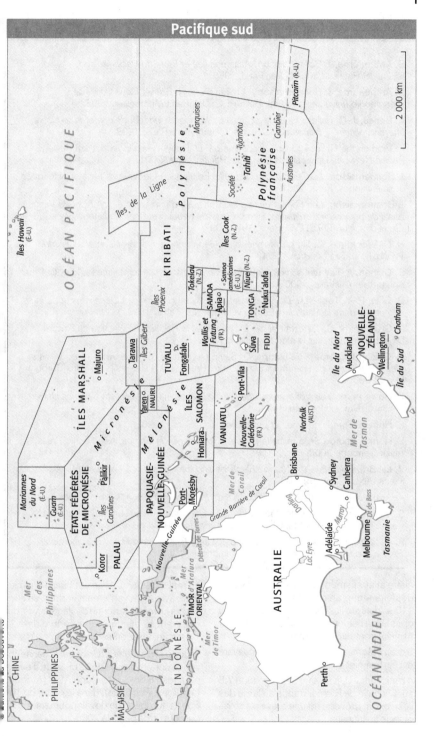

2 000 km

OCÉAN PACIFIQUE

Îles Hawaii (É.-U.)

Polynésie

Marquises

Tuamotu

Tahiti

Société

Polynésie française

Australes

Gambier

Pitcairn (R.-U.)

Îles de la Ligne

KIRIBATI

Îles Cook (N.-Z.)

Tokelau (N.-Z.)

Samoa américaines (É.-U.)

Îles Phoenix

Îles Gilbert

SAMOA

Apia

Niue (N.-Z.)

Nuku'alofa

TONGA

Wallis et Futuna (FR.)

Tarawa

TUVALU

Fongafale

Suva

FIDJI

ÎLES MARSHALL

Majuro

Micronésie

Yaren

NAURU

Mélanésie

ÎLES SALOMON

Honiara

VANUATU

Port-Vila

Nouvelle-Calédonie (FR.)

Île du Nord

Auckland

NOUVELLE-ZÉLANDE

Wellington

Chatham

Île du Sud

Marianes du Nord (É.-U.)

Guam (É.-U.)

ÉTATS FÉDÉRÉS DE MICRONÉSIE

Îles Carolines

Palikir

PAPOUASIE-NOUVELLE-GUINÉE

Port-Moresby

Koror

PALAU

Nouvelle-Guinée

Détroit de Torres

Mer d'Arafura

INDONÉSIE

TIMOR ORIENTAL

Mer de Timor

Norfolk (AUST.)

Mer de Tasman

Brisbane

Mer de Corail

Grande Barrière de Corail

Darling

Sydney

Canberra

AUSTRALIE

Lac Eyre

Adélaïde

Murray

Melbourne

Dét. de Bass

Tasmanie

Perth

OCÉAN INDIEN

Mer des Philippines

CHINE

PHILIPPINES

MALAISIE

Pacifique sud/Bibliographie sélective

B. Antheaume, J. Bonnemaison, *Atlas des îles et États du Pacifique sud*, RECLUS/Publisud, Montpellier/Paris, 1988.

B. Antheaume, J. Bonnemaison, « Océanie », *in* R. Brunet (sous la dir. de), *Géographie universelle*, vol. VII, Belin/RECLUS, Paris/Montpellier, 1995.

A. Bensa, J.-C. Rivière (sous la dir. de), *Le Pacifique : un monde épars. Introduction interdisciplinaire à l'étude de l'Océanie*, L'Harmattan, Paris, 1998.

« Blood on the Cross » (dossier constitué par D. Robie), *Pacific Journalism Review*, Asia Pacific Network, University of the South Pacific, Suva, 2001.

J. Bonnemaison, *La Géographie culturelle*, Éditions du Comité des travaux historiques et scientifiques, Paris, 2001.

J. Bonnemaison, *Les Fondements géographiques d'une identité, l'archipel de Vanuatu, essai de géographie culturelle* ; livre I, *Gens de pirogue et gens de la terre* ; livre II, *Les Gens des lieux*, ORSTOM, Paris, 1996-1997.

H. C. Brookfield, D. Hardt, *Melanesia : a Geographical Interpretation of an Island World*, Methuen, Londres, 1971.

S. Dinnen, A. Ley (sous la dir. de), *Reflections on Violence in Melanesia*, Hawkin Press, Annandale, Australie, 2000.

B. Gille, P.-Y. Toullelan, *De la conquête à l'exode. Histoire des Océaniens et de leurs migrations dans le Pacifique*, Éd. Au vent des îles, Tahiti, 1999.

P. Grundmann, J.-J. Portail *et alii*, *L'Océanie et le Pacifique*. Sélection du Reader's Digest, « Regards sur le monde », Paris, 1999.

D. Guillaud, C. Huetz de Lemps, O. Sevin (sous la dir. de), *Îles rêvées, territoires et identités en crise dans le Pacifique insulaire*, Presses de l'Université de Paris-Sorbonne, Paris, 2003.

K. Howe *et alii*, *Tides of History : the Pacific Islands in the Twentieth Century*, University of Hawaii Press, Honolulu, 1994.

E. Huffer, *Grands hommes et petites îles*, IRD, Paris, 1998.

E. Huffer, Asofou So'o (sous la dir. de), *Governance in Samoa*, Asia Pacific Press, ANU, Canbera, 2000.

V. Lal Brij, *Fiji before the Storm : Elections and the Politics of Development*, Asia Pacific Press, ANU, Canberra, 2000.

« Pacific Islands Yearbook », *Pacific Islands Monthly*, PO Box 1167 Suva, Fidji.

S. Tcherkézoff, F. Douaire-Marsaudon, *Le Pacifique-Sud aujourd'hui. Identités et transformations culturelles*, CNRS-Éditions, Paris, 1997.

R. G. Ward, E. Kingdom (sous la dir. de), *Land, Custom and Practice in the South Pacific*, Cambridge University Press, Cambridge, 1995.

nistre australien, John Howard, annonce le déploiement d'un nouveau contingent de 110 soldats aux îles Salomon, où des troubles civils liés à l'élection d'un nouveau Premier ministre contesté ont éclaté.

5 mai. Salomon (îles). Manasseh Sogavare est élu Premier ministre.

4 mai. Tonga. Un séisme de magnitude 7,8 sur l'échelle de Richter frappe au large des îles Tonga, provoquant une brève alerte régionale au tsunami.

18 mai. Fidji (îles). Laisenia Qarase, Premier ministre du gouvernement sortant, se succède à lui-même au terme des législatives, qui octroient la majorité à sa formation à la Chambre des représentants.

2 juin. UE-Pacifique. L'Union européenne annonce une enveloppe de 22 milliards d'euros pour les 78 pays du groupe ACP (Afrique, Caraïbes, Pacifique), dans le cadre du 10e Fonds européen de développement (FED) qui couvrira la période 2008-2013. ■

Australie

Le gendarme du Pacifique

En matière de relations internationales, l'Australie oscillait plus que jamais, entre un pro-américanisme notoire et le développement des relations avec une Asie en pleine expansion.

L'axe Canberra-Washington, qui, après l'alliance américano-britannique, constituait l'une des clés de voûte de l'intervention militaire en Irak (2003), mais aussi de la « guerre contre le terrorisme », est demeuré robuste. L'armée australienne conservait près de 900 soldats en Irak.

Au plan régional, de nouveaux renforts militaires et policiers ont été envoyés aux îles Salomon, après les émeutes d'avril 2006. Ces effectifs ont consolidé la Mission d'assistance régionale aux îles Salomon (RAMSI, de fait une force armée), déployée depuis juillet 2003. Par ailleurs, l'armée australienne participait régulièrement à des exercices régionaux, dont l'opération *Croix du Sud*, organisée sur le territoire français de Nouvelle-Calédonie.

Concernant l'aide au développement de toute la région riveraine mais aussi de l'Asie, Canberra prône désormais un engagement renforcé, insistant sur la lutte contre la corruption et la bonne gouvernance, avec, en corollaire, un contrôle plus serré des résultats des programmes ainsi financés.

Canberra a aussi martelé sa théorie de l'« arc mélanésien d'instabilité », qui présente sa façade orientale comme une suite de petits pays insulaires « fragiles » et « en faillite » pouvant constituer autant de « cibles faciles » pour des éléments criminels ou terroristes.

Gros contrats avec la Chine

Concernant l'Asie, l'interlocuteur stratégique restait la Chine : lors de sa visite officielle en Australie de la fin mars 2006, le Premier ministre chinois Wen Jiabao a signé toute une série de contrats, dont un énorme portant sur la fourniture par l'Australie de quelque 20 000 tonnes d'uranium aux centrales nucléaires chinoises, avec engagement de Pékin de n'utiliser cet uranium qu'à des fins civiles et « pacifiques ». Par ailleurs, Canberra et Pékin mettaient la dernière main à un accord de libre-échange qui pourrait être conclu courant 2007.

Les relations de l'Australie avec son plus grand voisin immédiat, mais aussi le plus grand pays musulman au monde, l'Indonésie, restaient tendues en raison de l'arrivée de réfugiés en provenance de Papouasie occidentale (île de Nouvelle-Guinée), auxquels Canberra a, dans un premier temps, octroyé des visas « de protection ». Jakarta

🌐 Commonwealth d'Australie

Capitale : Canberra.
Superficie : 7 741 220 km².
Population : 20 155 000.
Langue : anglais (off.).
Monnaie : dollar australien (1 dollar australien = 0,59 € et 0,73 dollar des États-Unis au 29.6.06).
Nature de l'État : fédération de six États et deux territoires.
Nature du régime : démocratie parlementaire de type britannique.
Chef de l'État (nominal) : reine Elisabeth II, représenté par un gouverneur général, Michael Jefferey (depuis le 11.8.03).
Chef du gouvernement : John Howard (depuis le 11.3.96).
Ministre des Affaires étrangères : Alexander Downer.
Ministre de la Défense : Robert Hill.
Ministre des Finances : Peter Costello.
Principaux partis politiques : *Gouvernement (coalition) :* Parti libéral ; Parti national d'Australie. *Opposition :* Parti travailliste australien (ALP) ; Parti des démocrates australiens ; Verts ; One Nation.
Territoires externes et sous administration : île de Norfolk, Territoire des îles de la mer de Corail, Lord Howe [Océanie] ; îles Cocos, îles Christmas [océan Indien] ; îles Heard et MacDonald ; île Macquarie [Antarctique].

Australie/Bibliographie

S. Bambrick (sous la dir. de), *The Cambridge Encyclopedia of Australia*, Cambridge University Press, Cambridge, 1996.

P. Grimshaw *et alii*, *Creating a Nation 1788-1990*, McPhee Gribble, Ringwood, 1994.

P. Grundmann, *Australie*, Hachette, « Guide bleu Évasion », Paris, 2000 (nouv. éd.).

G.-G. Le Cam, *Australie, naissance d'une nation*, Presses universitaires de Rennes, Rennes, 2000.

G.-G. Le Cam, *L'Australie et la Nouvelle-Zélande*, Presses universitaires de Rennes, Rennes, 1996.

X. Pons, *L'Australie entre Occident et Orient*, Les Études de La Documentation française, n° 5107, Paris, févr. 2000.

X. Pons, *Le Multiculturalisme en Australie*, L'Harmattan, Paris, 1996.

X. Pons, C. Smit (sous la dir. de), *Le Débat républicain en Australie*, Ellipses, Paris, 1997.

J.-C. Redonnet, *L'Australie*, PUF, coll. « Que sais-je ? », Paris, 1994.

a interprété ce geste comme une reconnaissance de la cause indépendantiste de cette province mélanésienne d'Indonésie et, depuis, les deux pays tentent de rétablir des relations diplomatiques normales. En attendant, l'Australie a voulu donner des signes d'apaisement en introduisant des mesures plus strictes à l'égard des réfugiés provenant de cette région.

Un autre litige opposait les deux États : la pêche illicite de bateaux clandestins indonésiens dans les eaux territoriales du nord-ouest de l'Australie. Canberra a sérieusement renforcé son dispositif de surveillance maritime, au moyen de patrouilleurs de sa marine nationale.

Sur ce dossier, le ministre des Affaires étrangères australien Alexander Downer et le ministre français de l'Outre-mer, François Baroin, ont signé un accord en mars 2006, visant à mettre en place une police maritime régionale pour mieux protéger les ressources halieutiques de toute la zone Pacifique sud et lutter contre la pêche « non signalée ». La Nouvelle-Zélande s'y est associée le mois suivant.

En annonçant le budget 2006-2007, début mai 2006, Peter Costello, trésorier du gouvernement fédéral (ministre des Finances), a invoqué la bonne santé générale de l'économie, marquée par une croissance quasi ininterrompue depuis quinze ans et qui devait, selon les prévisions, se prolonger au cours des mois à venir (2,5 % en 2005). Selon les prévisions de mai 2006, l'inflation devait se situer à 2,75 % et le taux de chômage à 5 %. Le trésorier a également confirmé la hausse du budget de la défense, avec une provision de 7,6 milliards de dollars australiens (4,6 milliards d'euros), soit une augmentation de plus d'un milliard de dollars (666 millions d'euros) par rapport à l'année précédente.

Des efforts supplémentaires ont également été consentis pour les services fédéraux de renseignement et de lutte contre le terrorisme, en particulier dans les régions de l'Asie et du Pacifique proches de l'Australie.

Enfin, Canberra a décidé de réserver quelque 2,95 milliards de dollars du budget (1,785 milliard d'euros) à l'aide internationale au développement, soit 455 millions de dollars (275,6 millions d'euros) de plus que l'année précédente. Peu auparavant, A. Downer avait annoncé les grandes lignes de la politique étrangère, associant étroitement aide au développement, croissance économique et promotion de la stabilité dans les pays destinataires. L'objectif est d'élever cet effort annuel à 4 milliards de dollars (2,42 milliards d'euros) à l'horizon 2010.

Scandale autour du blé australien

Au plan intérieur, le Premier ministre John Howard, qui fêtait début 2006 ses dix ans de présence au pouvoir, s'est trouvé confronté, à partir de février 2006, à un scandale impliquant la société australienne exportatrice de blé AWB (Australian Wheat Board), dans le cadre du programme « pétrole contre nourriture » qui, à partir du milieu des années 1990, limitait les échanges commerciaux avec l'Irak de Saddam Hussein. AWB était soupçonné d'avoir « gonflé » ses factures (par le biais notamment de « frais de transport » reversés à une société jordanienne) et d'avoir versé la différence (quelque 220 millions de dollars É-U) au gouvernement irakien.

J. Howard a lui-même comparu devant la commission parlementaire « Cole » en avril 2006 après avoir nié avoir eu connaissance d'une série de télégrammes diplomatiques alertant Canberra de ces pots-de-vin. Deux ministres de premier plan de M. Howard, Mark Vaile (vice-premier ministre et ministre du Commerce), ainsi que A. Downer, avaient également été entendus.

Concernant l'immigration et la sécurité, P. Costello a déclaré, en février 2006,

que les valeurs australiennes (que J. Howard définissait récemment comme dominées par la culture anglo-saxonne et judéo-chrétienne) n'étaient « pas optionnelles » et que la citoyenneté devait être refusée aux immigrants qui ne les partageaient pas. Pour sa part, A. Downer a annoncé l'intention du gouvernement de recourir à une technique déjà utilisée en Europe, au Moyen-Orient et en Indonésie pour « dé-radicaliser » les individus jugés politiquement ou socialement « radicaux ». Mick Keelty, chef de la police fédérale, a précisé que ces méthodes de « déprogrammation » et de « retournement », largement fondées sur la psychologie et la persuasion, avaient déjà fait leurs preuves ailleurs, notamment auprès d'extrémistes et de terroristes incarcérés. Toutefois, leur utilisation nécessiterait des révisions de la législation.

Depuis 2005, plusieurs messages provenant d'organisations terroristes islamiques ont nommément désigné l'Australie, et en premier lieu Sydney et Melbourne, comme les cibles de prochains attentats.

En mars 2006, le passage sur le Queensland (côte nord-est de l'Australie) du cyclone *Larry*, avec des vents dépassant parfois les 250 km/h, a causé d'énormes dommages aux exploitations agricoles de canne à sucre et de banane, ainsi qu'aux infrastructures.

- Patrick Antoine Decloitre ■

230 | *Par* **Alain Noël**
Science politique, Université de Montréal

D'un point de vue géographique, l'identité de l'Amérique du Nord est ambiguë. D'abord, bien sûr, on peut considérer toutes les Amériques comme un seul continent, dont l'Amérique du Nord serait la partie septentrionale. La continuité du territoire, l'histoire précolombienne, de même que la séquence des découvertes, des conquêtes, des immigrations et des constructions nationales militent en faveur d'une telle interprétation, tout comme l'idée d'une destinée commune à tout le continent. En même temps, les contrastes entre un Sud latin, catholique et souvent métissé et un Nord plus anglo-saxon, protestant et riche, lesquels se trouveraient tout juste reliés par une mince bande de terre, donnent aussi un sens à l'idée de deux entités distinctes.

Mais là encore, rien n'est simple. La plupart des géographes, en effet, incluent dans l'Amérique du Nord non seulement le Canada, les États-Unis et le Mexique, mais aussi l'Amérique centrale, les Antilles et le Groenland. Si l'on fait exception du Groenland, plus tourné vers l'Europe du Nord, cette perspective se défend également, tant en termes de continuité géographique que d'histoire, d'échanges ou de mouvements de population. Ce n'est pourtant pas celle que l'histoire récente a imposée. Avec l'entrée en vigueur de l'Accord de libre-échange nord-américain (ALENA), en janvier 1994, le Canada, les États-Unis et le Mexique donnaient en effet des frontières économiques et géopolitiques tangibles au continent et poussaient symboliquement les pays d'Amérique centrale et des Antilles vers l'Amérique du Sud.

C'est dans cette optique géopolitique contemporaine que l'Amérique du Nord est ici comprise. Le sort des petits pays de la région demeure toutefois intimement lié à celui des trois partenaires de l'ALENA. En août 2004, les États-Unis signaient d'ailleurs une entente de libre-échange avec le Costa Rica, le Guatémala, le Honduras, le Nicaragua, le Salvador et la République dominicaine (CAFTA-DR – Accord de libre-échange entre les États-Unis, l'Amérique centrale et la République dominicaine), et le Canada continuait de négocier un accord semblable avec le Guatémala, le Honduras, le Nicaragua et le Salvador. Dans un autre registre, des pays comme Cuba et Haïti comptent d'importantes communautés aux États-Unis et au Canada, et occupent une place unique dans la politique étrangère de ces deux pays. Un peu comme pour l'Europe, ce qui apparaît tranché aujourd'hui pourrait ne pas l'être demain. L'Amérique centrale, notamment, risque de retrouver graduellement la place sur le continent que la géographie lui assigne.

L'histoire du continent a d'abord été constituée de conflits. Guerres ancestrales entre peuples autochtones, guerres de conquête et guerres entre

DOUZE ANS APRÈS SON ENTRÉE EN VIGUEUR, L'ALENA (ACCORD DE LIBRE-ÉCHANGE NORD-AMÉRICAIN) EST DEVENU UNE DONNÉE FONDAMENTALE DE LA VIE DES TROIS PAYS.

puissances impériales, mais aussi guerres entre les nouvelles nations qui ont pris forme à partir du XVIIIe siècle. Dès 1812, les États-Unis s'attaquaient aux colonies de l'Amérique du Nord britannique, pour protester contre des affronts de Londres à leur propre souveraineté voire pour s'emparer de ces territoires (en vain). Entre 1846 et 1848, une guerre plus dure opposa le Mexique et la fédération américaine, se terminant par l'acquisition par les États-Unis de près de la moitié du territoire initial du Mexique, incluant le Texas, la Californie et presque tout le sud-ouest actuel des États-Unis. Cette guerre allait marquer pour longtemps les relations entre les deux nouvelles nations.

Nourris par l'idée d'une « destinée manifeste » sur le continent et par la doctrine Monroe (1823), qui refusait de laisser les puissances européennes créer des colonies ou intervenir dans les Amériques, les Américains allaient repousser les nations autochtones sur leur territoire, et étendre celui-ci jusque dans le Pacifique, avec notamment l'annexion d'Hawaii en 1898. Ils interviendraient également de façon répétée, aux XIXe et XXe siècles, dans presque tous les pays de l'Amérique centrale, pour soutenir ou renverser des régimes, élus ou non, et pour défendre leurs intérêts économiques ou stratégiques.

C'est d'ailleurs en partie pour faire face à cet expansionnisme que les colonies de l'Amérique du Nord britannique se sont regroupées pour former la fédération canadienne en 1867. En 1879, le gouvernement conservateur de John A. Macdonald axait sa « politique nationale » sur la consolidation du marché interne, protégé par des tarifs douaniers élevés et stimulé par la construction de chemins de fer, le développement de l'ouest du pays et l'immigration. Pour plusieurs décennies, le développement de l'économie canadienne allait donc se définir en retrait de celui de l'économie américaine.

Au Mexique, la véritable rupture a été le fruit de la Révolution. Au début du XXe siècle, après près d'un siècle d'indépendance (1821), l'absence d'alternance politique et la montée des inégalités et de la pauvreté ont créé les conditions d'une vaste révolution politique et sociale qui, à partir de 1910, a engendré deux décennies de conflits et des reculs économiques importants, mais a également jeté les bases d'un nouveau modèle politique et économique. Dans les années 1930, notamment, la présidence de Lazaro Cardenas a fortement accéléré la réforme agraire, nationalisé l'industrie pétrolière et amorcé le développement industriel par substitution des importations, sous la gouverne du Parti révolutionnaire institutionnel (PRI). Culturellement, ces années ont également consolidé la reconnaissance de la part autochtone dans l'héritage mexicain. À sa façon, le Mexique s'est lui aussi défini en grande partie en opposition avec le voisin américain.

Ces grandes orientations politiques n'ont pas empêché des interactions étroites entre les trois pays. De 1840 à 1930, près d'un million de Québécois ont quitté la province pour s'établir aux États-Unis. Plus récemment, les Mexicains ont massivement abandonné leur pays pour les États-Unis, à hauteur d'environ 600 000 personnes par an depuis 1990. En parallèle, les investissements ont également franchi les frontières, pour contourner les barrières commerciales ou pour tirer parti des ressources ou de la main-d'œuvre locales. Des mécanismes formels ont gouverné ce processus : Pacte de l'automobile entre les États-Unis et le Canada (1965) et programme mexicain des *maquiladoras* (1965). Les

AU-DELÀ
DE SON IMPACT
ÉCONOMIQUE,
L'ALENA,
RÉALITÉ DÉSORMAIS
INCONTOURNABLE,
CONTRIBUE À FAIRE
AVANCER L'IDÉE
D'UNE CERTAINE
COMMUNAUTÉ
DE DESTIN ENTRE
LES TROIS PAYS
DE L'AMÉRIQUE
DU NORD.

échanges ont également progressé par le biais d'ententes commerciales multilatérales. La signature et l'entrée en vigueur de l'Accord de libre-échange Canada/États-Unis (ALE) en 1989, puis celles de l'ALENA, incluant le Mexique, n'en représentaient pas moins des ruptures fondamentales. Ces accords mettaient fin officiellement à des décennies de méfiance et de quête d'autonomie et marquaient des virages stratégiques pour chaque pays. Pour le Canada et le Mexique, il s'agissait de confirmer et d'institutionnaliser des réformes structurelles favorisant la compétition et les mécanismes de marché. Pour les États-Unis, l'ALENA représentait aussi la première étape d'un projet plus large de libéralisation économique internationale.

Douze ans après son entrée en vigueur, l'ALENA est devenu une donnée fondamentale de la vie des trois pays. En plus de libéraliser les échanges de biens et de services, l'accord réglemente les investissements, la propriété intellectuelle, les barrières non tarifaires et les marchés publics. Dans la plupart des domaines, la discrimination en faveur des firmes nationales n'est plus possible. Il s'agit en quelque sorte d'une « Constitution économique » établissant les droits du capital sur tout le continent. L'ALENA est également accompagné de deux accords de coopération dans les domaines de l'environnement et du travail.

Sur le plan strictement commercial, l'intégration entre les trois pays est certainement un succès. De 1989 à 2004, les exportations du Canada vers les États-Unis ont presque triplé, augmentant en moyenne de 12,7 % par an, et les importations du Canada en provenance des États-Unis ont à peu près suivi, au rythme de 9,3 % par an. Le Mexique a connu une évolution semblable, sur une période encore plus courte. De 1994 à 2004, ses échanges avec le Canada et les États-Unis ont plus que doublé. Pour les États-Unis, dont l'économie dépend moins du commerce extérieur, l'impact a été moins remarquable.

En termes de croissance, de productivité et de revenus, les bilans demeurent difficiles à établir faute de pouvoir isoler l'effet spécifique de l'intégration continentale. Dans les trois pays, le début des années 1990 a été marqué par une croissance lente et un niveau élevé de chômage. Au Mexique, en particulier, la crise économique de décembre 1994 a entraîné une très importante dévaluation du peso et une chute brutale de la production nationale et des salaires réels. À la fin de la décennie et dans les années 2000, en revanche, la forte croissance de l'économie américaine a entraîné celles de ses voisins. Les effets de la croissance sur les revenus demeuraient toutefois inégaux. La progression des échanges n'a pas amené une réduction de la pauvreté ni une convergence des niveaux de vie. Le sud du Mexique est resté largement à l'écart d'une croissance qui a surtout bénéficié aux États du Nord.

L'ALENA ne concerne cependant pas seulement le commerce. Les mécanismes de résolution des conflits commerciaux sont en fait relativement faibles. En signant cet accord, les trois partenaires renonçaient surtout à certaines de leurs traditions interventionnistes, pour accorder un rôle accru au marché. À court

Amérique du Nord/Bibliographie sélective

K. Banting, G. Hoberg, R. Simeon (sous la dir. de), *Degrees of Freedom : Canada and the United States in a Changing World*, McGill/Queen's University Press, Montréal, 1997.

D. Brunelle, C. Deblock (sous la dir. de), *L'ALENA : le libre-échange en défaut*, Fides, Montréal, 2004.

B. Campbell, M. T. Gutierrez Haces, A. Jackson, M. Larudee, *Pulling Apart : The Deterioration of Employment and Income in North America Under Free Trade*, Canadian Centre of Policy Alternatives, Ottawa, 1999.

S. Clarkson, *Uncle Sam and Us : Globalization, Neoconservatism and the Canadian State*, University of Toronto Press, Toronto, 2002.

T. J. Courchene, D. Savoie, D. Schwanen (sous la dir. de), *The Art of the State, Vol. II : Thinking North America*, IRPP, Montréal, 2005 (www.irpp.org).

C. Deblock, S. F. Turcotte (sous la dir. de), « Le projet des Amériques sept années plus tard », *Études internationales*, vol. XXXII, n° 4, Institut québécois des hautes études internationales, Québec, déc. 2001.

C. Deblock, S. F. Turcotte (sous la dir. de), *Suivre les États-Unis ou prendre une autre voie ? Diplomatie commerciale et dynamiques régionales au temps de la mondialisation*, Bruylant, Bruxelles, 2003.

A. Estevadeordal, D. Rodrik, A. M. Taylor, A. Velasco (sous la dir. de), *Integrating the Americas : FTAA and Beyond*, Harvard University Press, Cambridge, 2004.

G. Hoberg (sous la dir. de), *La Capacité de choisir. Le Canada dans une nouvelle Amérique du Nord*, Presses de l'Université de Montréal, Montréal, 2002.

G. C. Hufbauer, J. J. Schott, *NAFTA Revisited : Achievements and Challenges*, Institute for International Economics, Washington, D. C., 2005.

J. R. MacArthur, *The Selling of Free Trade : Nafta, Washington and the Subversion of American Democracy*, Hill & Wang, New York, 2000.

R. Pastor, *Toward a North American Community. Lessons from the Old World for the New*, Institute for International Economics, Washington D.C., 2001.

S. F. Turcotte (sous la dir. de), *L'Intégration des Amériques. Pleins feux sur la ZLEA, ses acteurs, ses enjeux*, Fides/La Presse, Montréal, 2001.

S. Weintraub (sous la dir. de), *NAFTA's Impact on North America : The First Decade*, Center for Strategic and International Studies, Washington, D. C., 2004.

terme, cette réorientation politique n'a pas provoqué le nivellement social que craignaient certains. Mais les pressions en faveur de la privatisation, de la déréglementation et d'une remise en cause de certaines politiques sociales sont réelles.

Au fil des ans, l'ALENA est devenu une réalité incontournable. Au-delà de son impact économique, il contribue à faire avancer l'idée d'une certaine communauté de destin entre les trois pays de l'Amérique du Nord. Sans effacer l'histoire, l'intégration continentale multiplie les points de contact. Les accords de coopération dans le domaine du travail et de l'environnement, même limités, ont permis de tisser des liens institutionnels entre les syndicats et les mouvements sociaux des trois pays. L'idée d'une intégration plus sociale et plus démocratique, au profit des citoyens autant que des entreprises, fait son chemin. ■

Par **Alain Noël**
Science politique, Université de Montréal

2005-2006 / Journal de l'année

2005

4 juillet. Mexique. Le Parti révolutionnaire institutionnel (PRI) gagne avec une forte avance les élections dans l'État de Mexico et remporte aussi l'État de Nayarit, auparavant aux mains du Parti d'action nationale (PAN, droite).

16 août. États-Unis/Mexique. L'Arizona décrète l'état d'urgence dans quatre comtés proches du Mexique et débloque des fonds pour combattre l'immigration illégale et le trafic de drogues.

29 août. États-Unis. L'ouragan *Katrina* inonde des quartiers entiers de La Nouvelle-Orléans, faisant plus de 1 000 morts et environ un million de sans-abri, et ternit l'image de l'administration Bush, accusée d'avoir mal planifié la prévention et les secours.

27 septembre. Mexique. Le procureur Miguel Angel Esquivel, spécialisé dans la lutte contre le trafic de stupéfiants, est abattu par des inconnus en banlieue de Monterrey.

Début octobre. Mexique. L'ouragan *Stan* frappe le sud-est du Mexique et le Guatémala, faisant d'importants dégâts et plus de 1 000 morts.

20 octobre. Canada. La Cour suprême rejette la requête du Québec, qui contestait la constitutionnalité du régime fédéral de congés parentaux.

1er novembre. Canada/États-Unis. Ottawa demande à Washington de revoir sa décision d'imposer, dès janvier 2008, un passeport aux Américains et aux Canadiens franchissant la frontière entre les deux pays.

4-5 novembre. États-Unis/Mexique/Canada. À Mar del Plata (Argentine), le Sommet des Amériques se termine sur un désaccord, le communiqué commun du lendemain énonçant à la fois l'appui de 29 pays à la création d'une Zone de libre-échange des Amériques (ZLEA) et les sérieuses réserves des quatre pays du Mercosur (Argentine, Brésil, Paraguay, Uruguay) ainsi que du Vénézuela.

15 novembre. Canada. André Boisclair est élu chef du Parti québécois.

23 novembre. Mexique. L'Armée zapatiste de libération nationale (AZLN) annonce qu'elle formera désormais une organisation politique, afin de fédérer la gauche en vue de la présidentielle de 2006.

28 novembre. Canada. Une motion de censure appuyée par les trois partis d'opposition à la Chambre des communes fait tomber le gouvernement minoritaire de Paul Martin.

15 décembre. Canada. Le gouvernement du Québec met fin par une loi d'exception aux négociations dans le secteur public et impose un contrat de travail à durée limitée à ses 500 000 employés.

16 décembre. États-Unis. Selon le *New York Times*, le président George Bush aurait autorisé, sans l'aval de la justice, l'interception d'appels et de courriels de centaines de personnes résidant sur le sol américain.

2006

23 janvier. Canada. Le Parti conservateur de Stephen Harper gagne les élections fédérales (36 % des voix). Avec 124 des 308 sièges à la Chambre des communes, les conservateurs forment un gouvernement minoritaire.

5 février. Canada. Naissance d'un nouveau parti de gauche indépendantiste au Québec, Québec Solidaire, dirigé par Françoise David et Amir Khadir.

6 février. États-Unis. L'économiste Ben Bernanke devient président de la Réserve fédérale, en remplacement d'Alan Greenspan en poste depuis dix-huit ans.

16 février. États-Unis. Un rapport de la Commission des droits de l'homme de l'ONU demande au gouvernement américain de fermer le centre de détention de Guantanamo Bay et de s'abstenir de toute pratique inhumaine ou dégradante, notamment.

19 février. Mexique. Une explosion dans une mine du Nord fait plus de soixante disparus.

25 mars. États-Unis. Plus de 500 000 personnes manifestent à Los Angeles contre un projet de loi fédéral sur l'immigration.

30-31 mars. Mexique/États-Unis/Canada. Deuxième « sommet » annuel des dirigeants de l'Amérique du Nord, à Cancun (Mexique). Le nouveau Premier ministre canadien et le président américain s'entendent pour régler le différend sur le bois d'œuvre. Une entente sera signée le 27 avril.

20 avril. Mexique. Une intervention policière contre des grévistes occupant le plus grand complexe sidérurgique du pays fait 2 morts et 112 blessés.

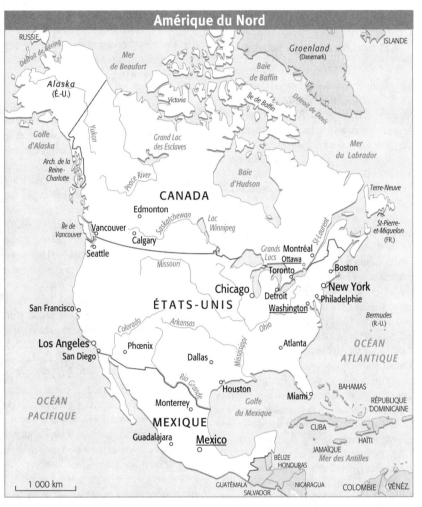

Amérique du Nord

RUSSIE
Détroit de Béring
Mer de Beaufort
Groenland (Danemark)
ISLANDE
Alaska (É.-U.)
Baie de Baffin
Victoria
Île de Baffin
Détroit de Davis
Golfe d'Alaska
Grand Lac des Esclaves
Mer du Labrador
Arch. de la Reine-Charlotte
Yukon
Peace River
Baie d'Hudson
Terre-Neuve
CANADA
Edmonton
Saskatchewan
Lac Winnipeg
St-Pierre-et-Miquelon (FR.)
Île de Vancouver
Vancouver
Calgary
Seattle
Missouri
Grands Lacs
Montréal
Ottawa
Toronto
Boston
San Francisco
Colorado
Arkansas
Chicago
Detroit
Washington
Ohio
New York
Philadelphie
ÉTATS-UNIS
Bermudes (R.-U.)
Los Angeles
San Diego
Phœnix
Dallas
Mississippi
Atlanta
OCÉAN ATLANTIQUE
OCÉAN PACIFIQUE
Monterrey
Houston
Golfe du Mexique
Miami
BAHAMAS
RÉPUBLIQUE DOMINICAINE
MEXIQUE
Guadalajara
Mexico
CUBA
JAMAÏQUE
HAÏTI
BÉLIZE
HONDURAS
Mer des Antilles
1 000 km
GUATÉMALA
SALVADOR
NICARAGUA
COLOMBIE
VÉNÉZ.

1er mai. États-Unis. Plus d'un million de personnes manifestent à l'occasion d'une « journée sans immigrants », organisée pour dénoncer le durcissement des lois américaines sur l'immigration illégale.

5 mai. Canada. Entente entre le gouvernement fédéral et celui du Québec sur la participation de celui-ci au sein de la délégation permanente du Canada à l'UNESCO.

18 mai. Mexique/États-Unis. Mexico dénonce la décision de l'administration Bush de déployer 6 000 membres de la Garde nationale afin de contrôler l'immigration illégale à la frontière.

13 juin. Canada. En Nouvelle-Écosse, les conservateurs de Rodney MacDonald sont réélus pour former encore une fois un gouvernement minoritaire.

29 juin. États-Unis. La Cour suprême se prononce contre les tribunaux d'exception constitués pour juger les prisonniers détenus à Guantanamo, estimant ceux-ci contraires à la justice militaire américaine et à la convention de Genève.

2 juillet. Mexique. L'élection présidentielle se solde par un coude-à-coude entre Felipe Calderon (PAN) et A. M Lopez Obrador. Le premier est finalement proclamé vainqueur tandis que son rival conteste ce résultat. ■

Canada

Les conservateurs au pouvoir

Le 23 janvier 2006, le Parti conservateur dirigé par Stephen Harper a défait le gouvernement libéral de Paul Martin, en place depuis le 28 juin 2004. Avant les élections, le gouvernement Martin se trouvait en position précaire, puisque les libéraux ne contrôlaient que 133 des 308 sièges de la Chambre des communes et assumaient l'héritage politique de plus de douze ans au pouvoir.

Malgré ses efforts pour se démarquer de son prédécesseur, Jean Chrétien (en poste de 1993 à 2003), P. Martin n'a jamais réussi à faire oublier le scandale des « commandites », lié aux activités de communication du gouvernement fédéral à la fin des années 1990. La commission d'enquête, mise sur pied par P. Martin lui-même, a déposé un rapport très attendu le 1er novembre 2005, mettant directement en cause J. Chrétien et son entourage mais non P. Martin, ministre des Finances à l'époque. Mais, pour l'opinion publique, il n'en dirigeait pas moins désormais un parti « déshonoré ».

C'est d'ailleurs pour dénoncer ce scandale que les trois partis d'opposition – le Parti conservateur, le Bloc québécois (souverainiste), et le Nouveau parti démocratique (social-démocrate) – se sont associés, le 28 novembre 2005, pour faire tomber le gouvernement, provoquant le lancement d'une campagne électorale, qui, fait inusité, allait se dérouler au moment des fêtes de fin d'année.

Premières initiatives conformes aux promesses électorales

Au départ, les partis conservaient à peu près leurs positions des élections de 2004. Une majorité d'électeurs estimait toutefois que les libéraux ne méritaient pas d'être réélus. Les conservateurs rendaient public un élément de leur programme chaque jour, alors que les libéraux démarraient lentement

et de façon confuse. En quelques semaines, le Parti conservateur, souvent perçu comme trop à droite et trop ancré dans les provinces de l'Ouest, a réussi à convaincre de sa capacité à former un gouvernement compétent et modéré. Même au Québec, où il était absent du paysage politique, il a réussi une percée en s'engageant à gouverner honnêtement et à pratiquer un « fédéralisme d'ouverture », sensible aux attentes des Québécois.

Le 23 janvier, le Parti conservateur remportait donc 36 % des suffrages et 124 sièges à la Chambre des communes, contre 30 % pour les libéraux (103 élus), 17,5 % pour le Nouveau parti démocratique (29 députés) et 10,5 % pour le Bloc québécois (51 sièges). Déjà puissant dans l'ouest du pays, le parti de S. Harper a progressé en Ontario et obtenu 10 sièges au Québec, où il a fini en deuxième place en termes de suffrages (24,6 %), derrière le Bloc québécois de Gilles Duceppe (42 %). Avec moins de la moitié des sièges, le nouveau gouvernement se trouvait en position minoritaire, mais les autres partis n'apparaissaient guère disposés à provoquer de nouvelles élections. Le Parti libéral, notamment, se retrouvait singulièrement affaibli et sans chef, après la démission de P. Martin annoncée le soir même des élections.

Les premiers mois du gouvernement ont commencé sous des auspices favorables ; S. Harper s'est rapidement attaqué aux priorités annoncées, un rapprochement est intervenu avec les États-Unis tandis que l'économie continuait de bien se porter.

Comme promis, la première initiative d'importance du gouvernement a été l'introduction d'un projet de loi sur l'imputabilité (attribution des responsabilités) visant à assainir les mœurs politiques à Ottawa. Déposé le 11 avril 2006, ce vaste projet de loi comportait une centaine de mesures sur le financement des partis politiques et les pratiques des lobbyistes, le contrôle des processus administratifs et budgétaires, et l'amélioration de la Loi sur l'accès à l'information.

Trois semaines plus tard, le gouvernement déposait son premier budget, réalisant trois autres de ses engagements électoraux : accorder un allégement fiscal en réduisant la taxe sur les produits et services (TPS) de 1 % ; venir en aide aux parents de jeunes enfants (forfait de 1 200 dollars canadiens pour les frais de garde) ; et résorber les listes d'attente dans les services de santé en corrigeant le déséquilibre fiscal entre le gouvernement fédéral et les provinces. Les deux premières mesures, visant directement les citoyens, ont été bien accueillies. Par la troisième, le gouvernement fédéral reconnaissait, pour la première fois, l'existence d'un déséquilibre fiscal dans la fédération.

Enfin, le 4 mai, des projets de lois ont été présentés, visant à rendre plus sévères les peines pour les infractions graves et violentes (dont celles avec armes à feu). Deux semaines plus tard, le registre des armes à feu pour les fusils de chasse était supprimé.

Rapprochement avec Washington

Parallèlement, le gouvernement conservateur amorçait un virage majeur en politique étrangère en amorçant un rapprochement avec les États-Unis. À court terme, les bonnes relations entre S. Harper et G. Bush ont permis le règlement rapide du contentieux sur le bois d'œuvre, qui opposait les deux pays depuis plus de cinq ans. Sans permettre un véritable retour au libre-échange, l'entente constituait un compromis acceptable.

Ce virage a également donné lieu à un engagement ferme du Premier ministre concernant l'implication du Canada dans les opérations de maintien de la paix en Afghanistan. En mars 2006, S. Harper s'est rendu sur place pour manifester son appui au président Hamid Karzaï et aux troupes canadiennes à Kandahar, et, le 17 mai, il a obtenu de justesse l'approbation de la Chambre des communes pour une exten-sion et une prolongation de la mission canadienne dans ce pays.

De façon encore plus controversée, le Canada, qui avait joué un rôle de premier plan pour arriver à un accord lors de la Conférence des Nations Unies sur les changements climatiques, qui s'est tenue à Montréal en novembre-décembre 2005, est passé du côté des adversaires du protocole de Kyoto. Sceptique face à cette démarche

Canada

Capitale : Ottawa.
Superficie : 9 970 610 km^2.
Population : 32 268 000.
Langues : anglais et français (off.).
Monnaie : dollar canadien (1 dollar canadien = 0,71 € et 0,89 dollar des États-Unis au 29.6.06).
Nature de l'État : fédération (10 provinces et 3 territoires). Les deux provinces les plus importantes, l'Ontario et le Québec, regroupent 63 % de la population canadienne. En 1999 est entré en fonction le gouvernement d'un nouveau territoire, le Nunavut (« Notre terre » en inuktitut), à majorité inuit.
Nature du régime : démocratie parlementaire.
Chef de l'État (nominal) : reine Elizabeth II, représentée par une gouverneure générale, Michaëlle Jean (désignée le 4.8.05). Le pouvoir exécutif est assuré par le Premier ministre.
Premier ministre : Stephen Harper, qui a succédé à Paul Martin le 23.1.06.
Ministre des Finances : James Michael Flaherty.
Ministre des Affaires étrangères : Peter Gordon MacKay.
Principaux partis politiques :
Au niveau fédéral et provincial : Parti libéral ; Parti conservateur ; Nouveau parti démocratique (social-démocrate).
Au niveau fédéral seulement : Bloc québécois, présent au Québec seulement (souverainiste). *Au niveau provincial seulement :* Parti libéral du Québec, Parti québécois, Action démocratique du Québec, Québec solidaire.

Canada/Bibliographie

G. **Bouchard**, *Genèse des nations et cultures du nouveau monde*, Le Boréal, Montréal, 2000.

K. **Coates**, *Peace, The Marshall Decision and Native Rights*, McGill/Queens University Press, Montréal/Kingston, 2000.

G. B. **Doern** (sous la dir. de), *How Ottawa Spends 2005-2006 : Managing the Minority*, McGill/Queen's University Press, Montréal/Kingston, 2005.

F. **Dumont**, *Genèse de la société québécoise*, Le Boréal, Montréal, 1993.

S. **Fortin**, A. **Noël**, F. **St-Hilaire** (sous la dir. de), *Forging the Canadian Social Union : SUFA and Beyond*, McGill/Queen's University Press, Montréal/Kingston, 2003.

A.-G. **Gagnon** (sous la dir. de), *Le Fédéralisme canadien au xxɪᵉ siècle : fondements, traditions et institutions*, Presses de l'Université de Montréal, Montréal, 2006.

A.-G. **Gagnon** (sous la dir. de), *Québec : État et société* , Québec/Amérique, Montréal, 2003 (2ᵉ éd.).

W. **Kymlicka**, *La Voie canadienne*, Le Boréal, Montréal, 2003.

M. V. **Levine**, *La Reconquête de Montréal*, VLB éditeur, Montréal, 1997.

K. **McRoberts**, *Un pays à refaire. L'échec des politiques constitutionnelles*, Le Boréal, Montréal, 1999.

M. **Venne** (sous la dir. de), *L'Annuaire du Québec* (annuel), Fides/Institut du Nouveau Monde, Montréal.

R. **Young**, C. **Leuprecht** (sous la dir. de), *Canada : The State of the Federation 2004 ; Municipal-Federal-Provincial Relations*, McGill/Queen's University Press, Montréal/Kingston, 2005.

multilatérale, le gouvernement Harper a été accusé de renier les engagements canadiens et de saboter le processus, lors de la Conférence de Bonn en mai 2006. Sur toutes ces questions, l'opinion publique apparaissait plus sceptique face aux orientations conservatrices.

Le contexte restait toutefois globalement favorable et le nouveau gouvernement pouvait envisager, dans un avenir rapproché, des élections permettant la formation d'un gouvernement majoritaire. La situation économique du pays demeurait en effet au beau fixe, avec une quinzième année consécutive de croissance du PIB (2,9 % en 2005), un taux de chômage à son plus bas niveau depuis 1974 (6,4 % en avril 2006), et un indice des prix à la consommation assez stable compte tenu de la hausse du coût de l'énergie (2,4 % en avril 2006). Le dernier budget fédéral faisait état d'un excédent de 8 milliards de dollars pour l'exercice 2005-2006, et de la possibilité de ramener la dette fédé-

rale à 25 % du PIB d'ici 2013-2014. Soutenu par ces tendances positives et par l'essor de la demande de matières premières, le dollar canadien a atteint en mai 2006 un niveau inégalé en vingt-huit ans (plus de 0,91 dollar É-U).

Vers de nouveaux équilibres avec les provinces ?

En acceptant de discuter du déséquilibre fiscal et en faisant preuve d'ouverture envers les provinces, le gouvernement Harper inaugurait aussi un nouveau cycle pour la fédération, qui a notamment permis la signature, en mai 2006, d'un accord prévoyant une représentation du gouvernement du Québec au sein de la délégation canadienne à l'UNESCO (Organisation des Nations unies pour l'éducation, la science et la culture). Des tensions demeuraient cependant, qui ne permettaient pas d'envisager une résolution rapide des dossiers les plus épineux. La question du partage des ressources notamment inquiétait les provinces les plus riches. Le gouvernement ontarien, dirigé par le libéral Dalton McGuinty, apparaissait particulièrement réticent. L'Alberta posait aussi un défi particulier : dotée d'importants revenus pétroliers, cette province a entièrement remboursé sa dette en 2004.

Avec le départ annoncé du Premier ministre Ralph Klein, en poste depuis 1992, l'Alberta engageait de nouveaux débats sur la façon d'utiliser ses excédents budgétaires récurrents, ainsi que sur sa place et son rôle dans une fédération composée de provinces inégalement dotées.

Au Québec, le paysage politique était aussi en évolution. À la veille d'une échéance électorale (automne 2006 ou printemps 2007), le gouvernement libéral de Jean Charest suscitait toujours beaucoup d'insatisfaction, le Premier ministre étant perçu comme manquant de *leadership* et se trouvant empêtré dans plusieurs controverses, dont une sur la privatisation d'une partie du parc national du Mont-Orford. Mais le Parti québécois peinait à en tirer profit, même doté d'un nouveau chef, André Boisclair, élu en novembre 2005. La naissance, en février 2006, d'un nouveau parti de gauche, Québec solidaire, venait aussi compliquer la situation pour le Parti québécois. En parallèle, un nouveau courant de droite a rendu public, en octobre 2005, un manifeste « Pour un Québec lucide ». Évoquant la mondialisation et le déclin démographique de la province, les signataires – dont l'ancien Premier ministre Lucien Bouchard – prônaient la remise en question de plusieurs programmes sociaux et une action déterminée afin de réduire la dette publique. - **Alain Noël** ■

Un président en perte de crédit

L'ouragan *Katrina*, qui a frappé le sud des États-Unis le 29 août 2005, faisant plus de 1 000 morts et environ 1 million de sans-abri, aura marqué un tournant dans la présidence de George W. Bush. Le spectacle de destruction et de désolation qu'il a engendré a produit un choc au sein de l'opinion publique – tout comme le fait que, quarante-huit heures après le début de l'ouragan, le président n'avait toujours pas jugé bon d'interrompre ses vacances dans son ranch texan de Crawford.

G. W. Bush a certes essayé de se rattraper depuis. Il a multiplié les déplacements dans les zones les plus touchées, ainsi que les promesses d'aide, dont 200 milliards de dollars pour secourir les réfugiés et « rebâtir La Nouvelle-Orléans, mais en plus grand et en mieux ». Il a également tenu des propos inhabituels, rappelant par exemple que « la pauvreté [de la région] prend ses racines dans l'histoire de la discrimination raciale, qui a coupé des générations de l'opportunité offerte par l'Amérique ». Mais rien ne semblait pouvoir enrayer sa chute dans les sondages.

L'opinion publique semblait avoir établi un lien direct entre la catastrophe naturelle et la guerre d'Irak. Le fait que seuls 7 000 gardes nationaux aient pu être déployés pour maintenir l'ordre et secourir des populations en détresse était la conséquence directe de l'envoi de plusieurs milliers d'autres en Irak. Dans cet État occupé par les troupes américaines, comme dans le sud profond de l'Amérique, le problème pouvait se résumer à un déficit de compétence et de « leadership ». G. W. Bush apparaissait désormais comme à la traîne d'événements le dépassant.

Pourtant, moins d'un an auparavant, le président affichait les objectifs les plus ambitieux. Réélu en novembre 2004 et disposant d'une solide majorité républicaine à la Chambre des représentants et au Sénat, il disait vouloir dépenser son « capital politique » au service de grandes initiatives (privatisation du système des pensions, pérennisation des allégements fiscaux, exportation de la démocratie à travers la planète). Mais la détérioration constante de la situation en Irak avait déjà provoqué un retournement de situation. En effet, peu après le début de son second mandat, une majorité d'Américains considéraient que l'invasion de ce pays avait été une erreur.

Scandales en série

L'impact de *Katrina* se faisait encore sentir lorsque de nouveaux scandales sont venus ternir davantage l'image du président. Le 28 octobre 2005, Lewis Libby, chef de cabinet du vice-président Dick Cheney et figure de proue du mouvement néoconservateur, a été inculpé pour faux témoignage, parjure et entrave à la justice dans l'« affaire Plamegate ». En effet, L. Libby était l'un des hauts responsables qui ont révélé à la presse l'identité d'un agent secret, Valerie Plame, pour « punir » son mari, l'ambassadeur Joseph Wilson, qui avait mis en doute l'existence d'armes de destruction massive en Irak. L'affaire risquait par ailleurs d'atteindre le vice-président, voire le président lui-même, puisqu'à en croire le témoignage de l'inculpé les ordres étaient venus de « ses supérieurs ».

Longtemps dociles, les médias sont devenus de plus en plus virulents, chaque jour apportant son lot de révélations sur les privilèges arbitraires que s'était arrogés l'exécutif au nom de la « guerre contre le terrorisme ». Deux affaires ont particulièrement troublé l'opinion publique. L'une d'elles a révélé qu'au défi de la loi la National Security Agency (NSA), agence chargée du renseignement électronique, collectait en secret et sans mandat judiciaire les relevés d'appels téléphoniques passés par des millions d'Américains. L'autre concernait les massacres de Haditha, localité irakienne où les *marines* auraient tué, à titre de représailles, 24 civils (dont sept femmes et trois enfants), en novembre 2005. De faux témoignages en rapports truqués, la vérité avait été étouffée avec la complicité de la hiérarchie militaire.

À de telles révélations s'est ajoutée une grande affaire de corruption dont le personnage central était le lobbyiste Jack Abramoff, soupçonné d'avoir soutiré 82,5 millions de dollars à des tribus indiennes et généreusement arrosé plusieurs membres du Congrès. Accusé d'escroquerie, de fraude fiscale et de corruption active de « responsables publics », J. Abramoff a plaidé coupable le 3 janvier 2006. Ses révélations promettaient d'éclabousser plusieurs responsables importants du Parti républicain ainsi que certains démocrates. L'une des premières victimes collatérales de l'affaire fut le représentant du Texas et ancien chef de la majorité républicaine à la Chambre, Tom Delay, qui a démissionné et renoncé à participer aux élections parlementaires de novembre 2006.

Une majorité désolidarisée du président

La perspective d'une débâcle électorale lors de ces élections de mi-parcours du mandat présidentiel (*mid-term*) a, par ailleurs, provoqué une véritable fronde au sein du parti. Les élus républicains craignaient en effet par-dessus tout de faire les frais de l'impopularité du président et cherchaient à prendre leurs distances vis-à-vis de l'occupant de la Maison-Blanche.

À l'initiative de l'influent sénateur John McCain, qui fut longtemps prisonnier de guerre au Vietnam, le Sénat s'est prononcé par 90 voix (sur 100) contre les traitements inhumains infligés aux détenus soupçonnés de terrorisme. Le Congrès a également obtenu un droit de regard plus grand sur la conduite de la guerre en Irak, et c'est au forceps que la loi *USA PATRIOT*, votée à la suite des attentats du 11 septembre 2001 et qui accordait des pouvoirs accrus à l'exécutif, s'est vue renouvelée. Des « faucons » de premier plan ont en effet changé de camp, et l'on a même vu six généraux à la retraite réclamer la démission du secrétaire à la Défense, Donald Rumsfeld, auquel le

États-Unis

président n'a cessé de réaffirmer son soutien. À ceux qui réclamaient avec insistance le retour des troupes américaines d'Irak, la position officielle de l'Administration consistait à répéter que toute fixation artificielle d'un calendrier de retrait ne ferait qu'encourager l'insurrection et compromettre la stratégie de « victoire complète ».

L'opposition républicaine a même bravé la menace d'un veto présidentiel (qui aurait été le premier en cinq ans) dans l'« affaire Dubai Ports World », la compagnie appartenant au gouvernement de Dubaï, qui, *via* le projet d'acquisition de la compagnie britannique P&O, aurait géré l'exploitation des terminaux commerciaux de six ports américains. La commission des finances de la Chambre des représentants a réussi à faire échouer l'opération par un vote écrasant de 62 voix contre 2.

Même en politique intérieure, le président n'était plus en phase avec sa base conservatrice. Sur le sujet explosif de l'immigration clandestine, la Chambre des représentants a pris le risque de provoquer l'antagonisme des électeurs hispaniques en votant un texte punitif criminalisant les « sans-papiers », et prévoyait l'érection d'une palissade métallique sur un tiers de la frontière avec le Mexique. Le 1er mai 2006, une « journée sans immigrants » a mobilisé plus d'un million de personnes. Le président, lui, s'est prononcé en faveur d'une solution de compromis : régularisation des sans-papiers mais contrôles plus stricts pour les futurs immigrants.

Le président a également eu maille à partir avec sa base lors des nominations à la Cour suprême. Le soutien à la candidature de Harriet Miers, qui fut son avocate personnelle avant de devenir chef des services juridiques de la Maison-Blanche, a soulevé un tollé, car elle était jugée inexpérimentée et trop peu marquée idéologiquement. La Maison-Blanche rectifia le tir en proposant le juge conservateur Samuel Alito. Avec la nomination à vie de John Roberts, un autre conservateur, à la présidence de la Cour

suprême, l'ancrage à droite du pouvoir judiciaire était garanti.

Pour tenter de reprendre l'initiative, G. W. Bush a renouvelé son équipe. Il a remplacé son chef de cabinet Andrew Card par Joshua Bolten, ancien directeur du Budget, tandis que Henry Paulson, patron de Goldman Sachs, l'une des grandes banques d'affaires de Wall Street, succédait à John Snow au poste de secrétaire au Trésor. Dans la communauté du renseignement, les luttes de pouvoir se sont intensifiées, entraînant la démission du directeur de la CIA (Central Intelligence Agency), nommé dix-huit mois auparavant pour mettre de l'ordre

États-Unis d'Amérique

Capitale : Washington.
Superficie : 9 629 090 km^2.
Population : 298 218 000.
Langue : anglais (off.).
Monnaie : dollar des États-Unis (1 dollar = 0,80 € au 29.6.06).
Nature de l'État : république fédérale (50 États et District of Columbia).
Nature du régime : démocratie présidentielle.
Chef de l'État : George W. Bush, président (depuis le 20.1.01, réélu le 2.11.04).
Vice-président : Richard (Dick) Cheney.
Secrétaire d'État : Condoleezza Rice.
Président de la Chambre des représentants : Dennis Hastert (républicain).
Chef de la majorité au Sénat : Bill Frist (républicain).
Principaux partis politiques : Parti républicain et Parti démocrate.
Echéances institutionnelles : élections de milieu de mandature (« mid-term ») : renouvellement du tiers du Sénat et de l'ensemble de la Chambre des représentants (7.11.06).
Possessions, États associés et territoires sous tutelle : Porto Rico, îles Vierges américaines [Caraïbes], îles Mariannes du Nord, Guam, Samoa américaines, Midway, Wake, Johnston [Pacifique].

États-Unis/Bibliographie

Anonyme, *Imperial Hubris : How the West Is Losing the War on Terror,* Brassey's, Washington D.C., 2002.

R. Byrd, *Losing America : Confronting a Reckless and Arrogant Presidency,* W. W. Norton, New York 2004.

Collectif, *États-Unis, peuple et culture,* La Découverte, coll. « La Découverte/Poches », Paris, 2004.

M.-A. Combesque, I. Warde, *Mythologies américaines,* Éd. du Félin, Paris, 2002.

M. Fouet, H. Baudchon, *L'Économie des États-Unis,* La Découverte, coll. « Repères », Paris, 2002.

M. Gordon, B. Trainor, *Cobra II : The Inside Story of the Invasion and Occupation of Iraq,* Pantheon, New York, 2006.

S. Halper, J. Clarke, *America Alone : The Neo-Conservatives and Global Order,* Cambridge University Press 2004.

P. Hassner, J. Vaïsse, *Washington et le Monde : dilemnes d'une superpuissance,* Autrement, coll. « CERI-Autrement », Paris, 2003.

R. Khalidi, *Resurrecting Empire : Western Footprints and America's Perilous Path in the Middle East,* Beacon Press, Boston, 2004.

C. Johnson, *The Sorrows of Empire. Militarism, Secrecy and the End of the Republic,* Metropolitan Books, New York, 2004.

D. Lacorne, *La Crise de l'identité américaine. Du melting pot au multiculturalisme,* Fayard, Paris, 1997.

J. Mann, *Rise of the Vulcans : The History of Bush's War Cabinet,* Penguin Books, New York, 2004.

P. Mélandri, J. Vaïsse, *L'Empire du Milieu. Les États-Unis et le monde depuis la fin de la Guerre froide,* Odile Jacob, Paris, 2001.

K. Phillips, *American Theocracy : The Peril and Politics of Radical Religion, Oil, and Borrowed Money in the 21st Century,* Viking, New York, 2006.

J. Risen, *State of War : The Secret History of the C.I.A. and the Bush Administration,* Free Press, New York, 2006.

I. Warde, R. Farnetti, *Le Modèle anglo-saxon en question,* Économica, Paris, 1997.

dans la maison. Son successeur, le général Michael Hayden, n'était autre que l'homme qui avait mis en place le système de surveillance évoqué plus haut lorsqu'il dirigeait la NSA, entre 1999 et 2005.

Une diplomatie moins unilatérale

En politique étrangère, l'unilatéralisme systématique du premier mandat Bush a accordé davantage de place à la diplomatie. Le grand thème était toujours la promotion de la démocratie à travers le monde, mais il sonnait creux. L'exemple palestinien fut particulièrement révélateur : après avoir exigé des élections « libres et justes », Washington rejeta le verdict des urnes. Pour avoir choisi d'élire le Hamas, considéré comme un groupe terroriste, les Palestiniens se sont vus frappés de nouvelles sanctions.

Sur la question de la prolifération nucléaire, les dossiers indien et iranien ont connu des changements significatifs. Lors d'une visite en Inde (1er au 3 mars 2006), le président Bush a annoncé un accord « historique » faisant entrer le pays dans le club des puissances nucléaires reconnues. L'accord a ouvert la voie à des exportations de technologie et de matériel nucléaires américains vers l'Inde, en soutien à son programme nucléaire civil. En échange, l'Inde, qui n'avait jamais signé le Traité de non-prolifération (TNP), a promis l'ouverture d'une partie de ses centrales aux inspections internationales.

En ce qui concerne l'Iran, considéré depuis 2003 comme la première menace contre l'ordre international, les positions s'étaient d'abord durcies, en particulier après l'annonce par le président Mahmoud Ahmadinedjad que son pays avait franchi le cap de l'enrichissement de l'uranium. La presse évoquait même la possibilité de frappes militaires contre les sites nucléaires iraniens. Mais, le 31 mai 2006, l'Administration américaine effectuait un virage à 180 degrés. Pour la première fois depuis la révolution de 1979 en Iran, les dirigeants américains se disaient prêts à dialoguer avec leurs homologues iraniens, à condition qu'ils abandonnent l'enrichissement de l'uranium. Selon la secrétaire d'État Condoleezza Rice, l'objectif n'était plus le « changement de régime » mais simplement le « changement de comportement » de la République islamique.

Sur le plan économique, G. W. Bush a cherché sans grand succès à faire valoir la bonne tenue de l'économie. S'il est vrai que le chômage a baissé (passant de 5,5 % fin 2004 à 5,1 % fin 2005) et que le premier trimestre 2006 a connu une forte croissance du PIB (4,3 % en rythme annuel), c'est la hausse record des prix de l'essence qui semble avoir retenu l'attention du public.

Par ailleurs, même en ne tenant pas compte des dépenses liées à l'Irak et à l'Afghanistan, le budget de la Défense devait atteindre en 2006 le niveau sans précédent de 439 milliards de dollars, soit près de 50 % de plus qu'en 2001. Le président a malgré tout réaffirmé son engagement de réduire de moitié, en 2009, le déficit budgétaire en le ramenant à moins de 2 % du PIB.

Face à la flambée des prix du pétrole, le président s'est départi sans grande conviction du laisser-faire qui avait jusque-là dominé sa politique énergétique. Jugeant son pays « accro à l'essence », il a fixé comme objectif une réduction de 75 % des importations du Moyen-Orient d'ici à 2025, et promis la relance de la construction de centrales nucléaires (interrompue depuis près de trente ans) ainsi que l'accroissement de 22 % des fonds pour la recherche concernant les sources d'énergie alternative, y compris nucléaire et renouvelable.

- **Ibrahim Warde** ■

Mexique

Haute tension électorale

Le second semestre de 2005 et le premier de 2006 ont été marqués avant toute chose par les campagnes électorales. En effet, l'agenda public était largement dominé par la perspective des élections générales – présidentielle et législatives – mais aussi des élections locales – gouverneurs, députés locaux et autorités municipales – dans le District fédéral (Mexico) et dans trois autres États fédérés (Guanajuato, Jalisco et Morelos). Avant même que les candidats des principaux partis (Parti action nationale, PAN, droite ; Parti de la révolution démocratique, PRD, gauche ; Parti révolutionnaire institutionnel, PRI, centre) n'aient été formellement désignés, les campagnes ont envahi les médias. Très vite, Andrés Manuel Lopez Obrador (PRD) et Felipe Calderon (PAN) se sont imposés comme les deux principaux rivaux, séparés par quelques points de sondage, tantôt en faveur de A. M. Lopez Obrador (favori jusqu'en avril 2006) tantôt de F. Calderon (en tête en avril et mai 2006, selon certains sondages), avant d'aboutir à un parfait ex æquo, la veille des élections du 2 juillet 2006. Roberto Madrazo, candidat du PRI, accusait quant à lui une différence de dix points face à ses deux adversaires. Deux autres candidats portés par deux nouveaux partis (Roberto Campa pour le Parti Nouvelle Alliance, dissident du PRI, soutenu par le syndicat national des enseignants, et Patricia Mercado, militante féministe au long cours, portée par l'Alternative social-démocrate et paysanne) ont à peine réussi à se faire entendre, mais avaient de sérieuses chances de réussir à maintenir leur accréditation officielle auprès de l'autorité électorale fédérale (celle-ci étant attribuée lorsque le parti obtient au moins 2 % du total des suffrages exprimés).

Les campagnes ont été marquées par une tension croissante, voire une polarisation extrême entre F. Calderon et A. M. Lopez Obrador, qui ont utilisé tous les moyens à leur portée pour se disqualifier mutuellement : affaires de corruption, insultes, menaces, etc. La télévision est devenue l'espace de cet affrontement belliqueux, où tous les coups semblaient permis. Les campagnes ont adopté un style bien connu aux États-Unis, où l'attaque et le dénigrement de l'adversaire ne laissent aucune place à la présentation de programmes de gouvernement. De ce point de vue, le candidat du PAN s'est montré particulièrement habile pour donner de son rival A. M. Lopez Obrador l'image d'un populiste, démagogue et tyranneau en puissance, semblable au président vénézuélien Hugo Chavez. Mais le candidat du PRD n'a pas hésité non plus à dénoncer son rival comme étant au service des grands groupes économiques et financiers, apôtre inconditionnel d'un néolibéralisme sans frein et bénéficiant du soutien de l'État. Les deux se sont accusés de corruption : A. M. Lopez Obrador aurait bénéficié des pots-de-vin du chef d'entreprise Carlos Ahumada, en échange de juteux contrats de travaux publics ; F. Calderon aurait, quant à lui, favorisé l'entreprise de son beau-frère, dans l'attribution de marchés dans le secteur énergétique, lorsqu'il était ministre de l'Énergie (2003-2004).

Stabilité économique, mais crise sociale

Cette tragi-comédie électorale s'est déroulée sur fond de crise sociale, alors que la conjoncture économique était pourtant favorable : croissance du PIB de 3 % en moyenne, sur les deux semestres 2005-2006 ; taux d'inflation en légère baisse (4 % en 2005-2006) ; taux de chômage stable (3,3 %) et, enfin, investissements directs étrangers en légère progression, passant de 17,4 millions de dollars en 2004 à 17,8 millions en 2005.

La situation sociale n'a cessé de se dégrader à partir de l'accident survenu dans les mines de charbon de Pasta de Conchos (État de Coahuila), le 19 février 2006, qui a provoqué la mort de 62 mineurs. Les familles des victimes ont accusé l'entreprise concessionnaire et le gouvernement de ne pas avoir

États-Unis du Mexique

Capitale : Mexico.
Superficie : 1 958 200 km².
Population : 107 029 000.
Langues : espagnol (off.), 56 langues indiennes (nahuatl, otomi, maya, zapotèque, mixtèque, etc.).
Monnaie : nouveau peso (au taux officiel, 100 pesos = 7,15 € au 30.4.06).
Nature de l'État : république fédérale (31 États et un district fédéral, la Ville de Mexico).
Nature du régime : présidentiel.
Chef de l'État et du gouvernement (au 6.7.06) : Vicente Fox, président de la République (fin de mandat le 30.11.06).
Ministre des Finances (au 6.7.06) : Francisco Gil.
Ministre de l'Intérieur (au 6.7.06) : Carlos Abascal.
Ministre des Affaires étrangères (au 6.7.06) : Luis Ernesto Derbez.
Principaux partis politiques : Parti action nationale (PAN, droite libérale ; Parti révolutionnaire institutionnel (PRI) ; Parti de la révolution démocratique (PRD, gauche nationaliste) ; Alternative social-démocrate et paysanne (PASC) ; Parti Nouvelle Alliance (PANAL) ; Convergence pour la démocratie ; Parti vert (PVEM, écologiste) ; Parti des travailleurs (PT gauche).
Territoires outre-mer : îles Revillagigedo [Pacifique].

Mexique/Bibliographie

I. Bízberg, « Succès et limites du nouveau régime politique mexicain », *Problèmes d'Amérique latine*, n° 50, Institut Choiseul, Paris, 2003.

H. Combes, « Élections internes et transition démocratique. Le cas du Parti de la révolution démocratique au Mexique », *Problèmes d'Amérique latine*, n° 54, Institut Choiseul, Paris, 2004.

P. Gondard, J. Revel-Mouroz, *La Frontière États-Unis/Mexique. Mutations économiques, sociales et territoriales*, IHEAL, Paris, 1995.

S. Gruzinski, *Histoire de la ville de Mexico*, Fayard, Paris, 1996.

Y. Le Bot, *Le Rêve zapatiste*, Seuil, Paris, 1997.

E. Le Texier, *Latino Power ? L'accès au politique des Latinos aux États-Unis*, Les études du CERI, n° 94, Paris, mai 2003.

S. Loaeza, « Mexique », *in* P. Perrineau, D. Reynié (sous la dir. de), *Dictionnaire du vote*, PUF, Paris, 2001.

M. Modoux, *Démocratie et fédéralisme au Mexique (1989-2000)*, Karthala, Paris, 2006.

A. Musset, *Le Mexique*, Armand Colin, Paris, 1996.

J.-F. Prud'homme, « Le Parti de la révolution démocratique : une institutionnalisation difficile », *Problèmes d'Amérique latine*, n° 55, Institut Choiseul, Paris, hiv. 2004-2005.

D. Recondo, « Mexique : multiculturalisme et démocratisation dans l'Oaxaca », *Problèmes d'Amérique latine*, n° 41, Institut Choiseul, Paris, 2001.

assuré la sécurité des travailleurs. Certains ont également réclamé la démission du dirigeant national du syndicat des mineurs. Le gouvernement fédéral en a profité pour destituer ce dernier, provoquant la réaction immédiate du syndicat qui a lancé une grève générale pour exiger la réhabilitation de son responsable.

Deux autres conflits sociaux sont venus s'ajouter à celui-ci. Tout d'abord, le 3 mai 2006, dans la ville de San Salvador Atenco (État de Mexico), des habitants, membres du Front pour la défense de la terre, ont affronté la police de l'État venue expulser des vendeurs de fleurs ambulants. L'incident a provoqué la mort d'un adolescent. Le lendemain, la police est revenue en force pour réprimer le mouvement de protestation, faisant des dizaines de blessés, dont plusieurs femmes victimes de violences sexuelles. La « bavure » a eu un écho international, en partie grâce à l'intervention du sous-commandant Marcos (porte-parole de l'Armée zapatiste de libération nationale, surgie au Chiapas en janvier 1994) dont l'« autre cam-

pagne », lancée en janvier 2006, a semblé, pour un temps, regagner du terrain dans les médias. Les organisations mobilisées ont menacé d'empêcher l'installation des urnes le 2 juillet, si les policiers impliqués n'étaient pas sanctionnés et les « prisonniers politiques » libérés. Elles se sont finalement contentées de manifester dans les rues de Mexico, en appelant à ne pas voter.

Par ailleurs, le 14 juin, les instituteurs de l'État d'Oaxaca, en grève depuis le 13 mai, ont essuyé, eux aussi, une violente répression qui a fait une centaine de blessés. Le gouverneur Ulises Ruiz, bras droit du candidat du PRI, R. Madrazo, a fait intervenir la police à grand renfort de gaz lacrymogènes, afin d'expulser les grévistes du centre de la capitale de l'État, que ceux-ci occupaient depuis près d'un mois. La répression a provoqué une radicalisation du mouvement qui a réussi à refouler les policiers et a exigé la démission du gouverneur en organisant des manifestations massives (plus de 30 000 personnes). La médiation du gouvernement fédéral et d'une commission de personnalités (membres de l'Église catholique et artistes) a échoué. Après avoir menacé d'empêcher l'installation des urnes, le 2 juillet, les instituteurs se sont finalement retirés, non sans promettre de revenir en force.

Coude à coude historique

Face à un tel panorama d'agitation sociale et de polarisation politique, on pouvait s'attendre au pire pour les élections du 2 juillet. La journée électorale s'est toutefois déroulée dans le calme, avec un taux de participation bien au-dessus de la moyenne (autour de 60 %) et l'absence d'incidents violents. Une seule ombre au tableau : pour la première fois dans l'histoire du pays, les Mexicains n'ont pas pu connaître le nom de leur prochain président le soir des élections, tant les résultats étaient serrés. Cela n'a pas empêché F. Calderon et A. M. Lopez Obrador d'autoproclamer chacun leur victoire,

avant même que les résultats définitifs ne soient connus. F. Calderon a été déclaré vainqueur par l'Institut fédéral électoral, quelques jours plus tard, tandis que A. M. Lopez Obrador récusait ce résultat.

Sur le plan international, les relations diplomatiques avec Washington se sont tendues sur la question du statut des migrants mexicains résidant aux États-Unis et sur celle de la régulation de la migration. Le projet de loi soumis au Congrès par James Sensenbrenner, prévoyant la construction d'un mur le long de la frontière avec le Mexique, ainsi que des sanctions pénales contre les immigrés illégaux, a provoqué la mobilisation de centaine de milliers de migrants mexicains sur le territoire étatsunien, le 10 mars 2006. Le gouvernement mexicain a intensifié le lobbying auprès du Congrès étatsunien sans obtenir le moindre résultat. - **David Recondo** ■

Par **Alain Musset**
Géographe, EHESS

Dès le XVIe siècle, la conquête ibérique a donné une profonde unité culturelle et religieuse à des territoires marqués par l'extrême diversité des paysages et des populations. Deux langues latines (l'espagnol et le portugais) et une religion (le catholicisme) dominent un espace qui va du rio Grande à la Terre de Feu. Cependant, les guerres d'indépendance (1810-début des années 1820) n'ont pas réussi à forger une nation latino-américaine. En outre, le Brésil (42 % du territoire et 35 % de la population de l'Amérique latine) forme un monde à part, même s'il joue désormais un rôle moteur dans les organisations régionales comme le Mercosur (Marché commun du sud de l'Amérique).

Le métissage biologique ou culturel, conséquence directe de l'époque coloniale, touche très inégalement les différents pays de la région. Alors que les États du Cône sud (Argentine, Chili, Uruguay) se distinguent par une population majoritairement d'origine européenne, le Brésil et les Antilles révèlent d'importants apports africains (descendants d'esclaves). En revanche, en Amérique centrale et dans les pays andins (Bolivie, Colombie, Équateur, Pérou), les communautés indiennes sont restées importantes : en Bolivie ou au Guatémala, elles représentent la moitié de la population. Longtemps tenues à l'écart du pouvoir par les élites urbaines d'origine hispanique, elles commencent à faire valoir leurs droits. La question de la terre est toujours d'actualité dans des pays largement dominés par de grands propriétaires (*hacendados*) d'ascendance européenne ou par de grandes sociétés étrangères. Les richesses sont très inégalement réparties et les populations indiennes occupent systématiquement le bas de l'échelle sociale.

Au cours des années 1990, la disparition progressive des régimes militaires n'a pas atténué les tensions sociales. Ces tensions économiques, culturelles et identitaires se manifestent par la montée en puissance des Églises et des sectes protestantes et par une augmentation alarmante de la criminalité. En outre, les catastrophes naturelles qui touchent les pays sud-américains (cyclone *Mitch*, phénomène climatique *El Niño*, tremblement de terre au Salvador, etc.) révèlent périodiquement les fractures sociales et les carences des États.

Les disparités socioéconomiques qui caractérisent le sous-continent s'inscrivent dans un contexte de forte pression démographique, malgré une baisse générale des taux de natalité. L'exode rural a fait gonfler les villes (plus de 70 % des Latino-Américains sont urbains) et accentué la métropolisation : parmi les cent premières villes du monde, douze sont situées en Amérique du Sud (dont six au Brésil). Les quartiers sous-intégrés et les bidonvilles se sont développés dans les périphéries urbaines et dans les centres historiques dégradés.

La faiblesse du tissu indus-

LES GUERRES D'INDÉPENDANCE DU XIXE SIÈCLE N'ONT PAS RÉUSSI À FORGER UNE NATION LATINO-AMÉRICAINE, ET LE BRÉSIL FORME UN MONDE À PART.

MÊME DANS LES PAYS CONSIDÉRÉS COMME DES MODÈLES PAR LE FMI, LA QUESTION SOCIALE MENACE L'AVENIR DES POLITIQUES ÉCONOMIQUES LIBÉRALES ET DES TENTATIVES D'INTÉGRATION RÉGIONALE MENÉES PAR LES GOUVERNEMENTS POUR SORTIR L'AMÉRIQUE CENTRALE ET DU SUD DU MAL-DÉVELOPPEMENT.

triel, héritage de l'époque coloniale où les produits manufacturés étaient importés de la métropole, est particulièrement sensible dans le monde andin, en Amérique centrale et dans les Antilles. Elle n'a pas été compensée par les politiques économiques mises en œuvre au cours du XIXᵉ et du XXᵉ siècle pour développer les produits d'exportation : minerais bruts (cuivre et étain de Bolivie), pétrole du Vénézuela, café de Colombie, bananes du Honduras. Les cultures de plantation continuent à peser dans les balances commerciales, notamment dans les anciennes « îles à sucre » des Antilles, même si de nouvelles productions agricoles ont été développées pour répondre à la demande occidentale (viande de bœuf, soja, agrumes).

En ville, le sous-emploi et le chômage ont favorisé la croissance d'un important secteur informel qui permet à une large part de la population de survivre, tandis que, dans les campagnes mal contrôlées par les militaires (notamment au Pérou et en Colombie, mais aussi au Mexique et en Amérique centrale), la culture du chanvre ou de la coca remplace souvent des produits moins rémunérateurs (maïs ou café).

Ces disparités socioéconomiques et culturelles se traduisent par de forts contrastes à l'intérieur des États et entre les grands ensembles régionaux. Alors que le Brésil et le Mexique font désormais partie des grandes puissances économiques mondiales, l'Amérique centrale, les pays andins et les Antilles sont toujours confrontés au problème de la misère et du sous-développement, y compris dans les territoires qui dépendent encore d'une métropole européenne.

Dans cet ensemble, Cuba tente de préserver son image révolutionnaire, malgré les doutes liés à la succession à terme de Fidel Castro.

Les guerres civiles qui ont bouleversé la région centraméricaine pendant presque trente ans ont appauvri des nations déjà caractérisées par des revenus faibles et un fort endettement, même si le retour à la paix a permis de réactiver divers projets de coopération (entre autres, le Marché commun centraméricain, MCCA).

Mais les programmes d'intégration régionale qui tentent de se mettre en place ou de se développer, malgré des situations économiques difficiles (c'est le cas du Mercosur, fragilisé par les crises à répétition de l'Argentine), apparaissent plus concurrents que complémentaires.

À bien des égards, la question sociale menace l'avenir des politiques économiques libérales engagées par les gouvernements pour sortir l'Amérique latine du mal-développement. En outre, elle fragilise les processus de démocratisation engagés au cours des années 1990 qui, après la « décennie perdue » des années 1980, sont considérées par certains comme la « décennie des chimères ».

En ce sens, le projet de Zone de libre-échange des Amériques (ZLEA) proposé par Washington apparaît de plus en plus comme une nouvelle expression de la fameuse « doctrine Monroe » qui, en 1823, établissait un protectorat de fait des États-Unis sur l'ensemble de ce que les Nord-Américains appellent désormais l'« hémisphère occidental ». ∎

Par **Olivier Dabène**
Politologue, CERI-Sciences Po

*E*n votant massivement pour Luis Inacio da Silva, dit « Lula », le 27 octobre 2002, les Brésiliens ont fait bien plus que permettre à un ancien ouvrier d'accéder à la présidence de la République de la dixième puissance industrielle du monde. Ils ont suscité un immense espoir dans tout le continent. L'arrivée au pouvoir du Parti de travailleurs (PT) au Brésil a marqué un tournant politique important. Vingt ans après les transitions vers la démocratie des années 1980, l'Amérique latine errait entre l'application sans retenue des politiques inspirées par le fameux « consensus de Washington » (celles du FMI et de la Banque mondiale) et leur rejet radical par des figures populistes. L'une et l'autre de ces voies ont montré leurs limites. La première, représentée par l'Argentine de Carlos Menem (1989-1999), comme la seconde, avec pour figure emblématique le président vénézuélien Hugo Chavez (au pouvoir depuis 1999), ont débouché sur de graves crises.

Le PT, qui, avant l'élection de Lula, gouvernait déjà de nombreuses villes et États du Brésil, incarne une « troisième voie », certes pas tout à fait exempte de toute démagogie, mais consciente de l'étroitesse des marges de manœuvre qu'impose la mondialisation, et fermement décidée à traiter les problèmes sociaux chroniques du Brésil, en n'hésitant pas à porter le combat contre les inégalités et la faim au plan mondial, comme en a témoigné la participation de Lula au Forum de Davos (février 2003) et au « sommet » du G-8 d'Évian (juin 2003), et surtout son activisme au sein de l'Organisation mondiale du commerce (OMC), où il est parvenu à rallier de nombreux pays à son combat contre les subventions agricoles de l'Union européenne et des États-Unis.

En 2006, au moment de terminer son mandat entamé en 2002, Lula présentait un bilan mitigé au plan social, mais plutôt flatteur dans les domaines économique et diplomatique. Quoi qu'il en soit, son élection aura déclenché une vague de victoires de la gauche dans le continent, avec Nestor Kirchner en Argentine en 2003, puis Tabaré Vazquez en Uruguay en 2004, Evo Morales en Bolivie en 2005 et, enfin, Michelle Bachelet au Chili en 2006.

Ces nouveaux dirigeants de gauche ont trouvé, au moment de leur entrée en fonction, une conjoncture économique plutôt favorable. L'Amérique latine semble de fait avoir tourné le dos à une période de crises et de morosité.

La fin des années 1990 avait en effet été marquée par l'entrée de l'Amérique latine dans l'ère des turbulences financières. La crise asiatique (été 1997) avait d'abord limité la croissance en 1998 à 2,3 %, puis la crise brésilienne l'avait totalement paralysée en 1999 (0,2 %). En 2000, la relance a été vigoureuse (4,1 %), avant que la crise argentine ne vienne de nouveau plonger le continent dans la récession. La croissance a été limitée à 0,5 % en 2001 puis a enregistré une baisse de 0,5 % en 2002. Le PIB par habitant était en 2002 inférieur à celui de 1997, incitant la Commission économique pour l'Amérique latine et les Caraïbes (CEPALC) à évoquer une « demi-décennie perdue ». En 2003-2004, la reprise économique (1,5 % puis 5,5 %) et le

L'ÉLECTION DE LUIS INACIO DA SILVA, DIT «LULA», EN 2002, AURA DÉCLENCHÉ UNE VAGUE DE VICTOIRES DE LA GAUCHE DANS LE CONTINENT.

LA FORTE
DEMANDE
MONDIALE
DE MATIÈRES
PREMIÈRES ET
LA HAUSSE
DES COURS
DU PÉTROLE
PERMETTENT
À CERTAINS PAYS
COMME LE
VÉNÉZUELA,
LE CHILI,
L'ÉQUATEUR,
LE PÉROU OU
LA BOLIVIE
D'ENVISAGER
UNE POURSUITE
DE LA CROISSANCE.

contrôle de l'inflation (8,5 % puis 7 %) incitaient de nouveau à l'optimisme. En 2005, l'Amérique latine connaissait sa troisième année consécutive de croissance, avec 4,3 %.

Surtout, les progrès de ses exportations, portées par une conjoncture mondiale dynamique, et le maintien de sa discipline budgétaire lui permettent d'enregistrer d'exceptionnels excédents budgétaires. La préoccupation liée au remboursement de la dette semblait lointaine.

La forte demande mondiale de matières premières et la hausse des cours du pétrole permettent à certains pays comme le Vénézuela, le Chili, l'Équateur, le Pérou ou la Bolivie d'envisager une poursuite de la croissance.

Au plan social, la période de développement économique de la première moitié des années 1990 n'avait guère contribué à réduire les inégalités, mais, dans de nombreux pays, la misère avait reculé. Ces progrès sociaux ont été brutalement interrompus à compter de 1997. Le chômage et la misère ont partout progressé. Certains pays, comme l'Argentine et le Vénézuela, se sont appauvris dans des proportions considérables. Mais leur récupération a été tout aussi rapide et spectaculaire à partir de 2003. Pour l'ensemble du continent, les années 2003-2006 marquent une exception. Le PIB par habitant a augmenté de 11 % sur la période, et même dans un pays comme le Brésil, les inégalités ont reculé.

Mais au total, selon la Banque mondiale, au cours des quinze dernières années, la pauvreté a légèrement reculé en Amérique centrale (de 30 % à 29 % de la population), elle a augmenté dans les pays andins (de 25 % à 31 %) et plus nettement diminué dans le Cône sud (de 24 % à 19 %). L'Amérique latine est bien enfermée dans un cercle vicieux, car la pauvreté handicape sa croissance et, avec une croissance médiocre, elle ne peut faire substantiellement reculer la pauvreté.

Il n'est donc pas surprenant que le continent connaisse des taux de croissance inférieurs à ceux d'autres régions en développement (Asie) et même à certains pays développés. La lenteur des progrès explique que la région conserve un certain état de désespérance sociale, dont les expressions sont chroniques : mobilisation sociale fréquente dans les catégories moyennes, notamment dans la fonction publique ; délinquance et violence criminelle. Certaines capitales latino-américaines affichent ainsi des taux de violence records. Le tissu social se trouve fragmenté par les logiques d'affrontement qui prévalent dans les grandes concentrations urbaines, de Mexico à São Paulo, de Bogota à Buenos Aires. L'extension de l'économie informelle, qui peut absorber plus de 60 % de la main-d'œuvre des pays, et la prolifération des trafics sont d'autres manifestations des dérèglements sociaux.

Dire que les Latino-Américains étaient globalement déçus par le régime démocratique était donc un euphémisme. Le soutien à la démocratie, qui était de 61 %

Amérique du Sud – Les tendances de la période

en 1996, a baissé jusqu'à 48 % en 2001, avant de remonter à 53 % en 2003, 2004 et 2005. Des différences notables existent entre les pays : au Costa Rica ou en Uruguay, la démocratie jouit traditionnellement d'un soutien robuste, alors qu'au Guatémala 32 % seulement de la population croyait encore en 2005 en la valeur de ce régime. Mais partout dominent la désillusion et le scepticisme quant à la capacité de la démocratie à mettre en œuvre des politiques publiques efficaces et à « résoudre les problèmes ».

Dans ce contexte de désenchantement, la mobilisation sociale a engendré un retour de l'instabilité politique. À compter de 2000, un président a été destitué « par la rue » chaque année (Équateur en 2000, Argentine en 2001, Vénézuela en 2002 [avec rapide rétablissement du président renversé], Bolivie en 2003, Haïti en 2004 et Équateur et Bolivie à nouveau en 2005). Les mouvements sociaux, surtout dans les Andes, n'hésitent pas à réclamer la démission des présidents, et l'obtiennent souvent. Les motifs de mécontentement sont liés à la situation économique ou aux lenteurs des réformes agraires (Brésil, Équateur). Au Brésil, le Mouvement des sans-terre (MST) s'est montré déçu de la politique de redistribution de terres de Lula et a relancé les occupations illégales. Fait nouveau, les mobilisations sociales étaient de plus en plus souvent liées à la délicate question du contrôle des ressources naturelles. Les guerres de l'eau et du gaz en Bolivie en sont l'illustration, provoquant le renversement de trois présidents en neuf ans. À chaque fois (en 2000 à Cochabamba en Bolivie et en 2004 à El Alto en Bolivie encore, ou en 2002 à Arequipa au Pérou), des soulèvements populaires ont exigé l'annulation des privatisations ayant entraîné une forte hausse des tarifs et ont obtenu gain de cause.

Enfin, les négociations pour des traités de libre commerce (TLC) avec les États-Unis suscitaient aussi la colère des mouvements sociaux, notamment au Costa Rica ou en Équateur.

Mais dans l'ensemble, les Latino-Américains ont appris à canaliser leur frustration dans un comportement électoral protestataire : abstention, émergence de candidats hors normes, alternances. Dans de nombreux pays, la logique « personnaliste » de l'élection présidentielle s'oppose à la logique « partisane » des élections législatives, de telle sorte que les présidents se retrouvent très souvent dans une situation de « cohabitation » handicapant leur capacité à gouverner efficacement.

Les alternances et l'émergence d'*outsiders* traduisent la volonté des électorats de sanctionner les gouvernements et les partis politiques en place. Seule l'Argentine, qui a pourtant traversé une très grave crise économique en 2002, a dérogé à cette règle. Le péroniste Nestor Kirchner l'a emporté à l'élection présidentielle de 2003. La Colombie l'a rejointe en 2006, en

PARTOUT DOMINE LA DÉSILLUSION QUANT À LA CAPACITÉ DE LA DÉMOCRATIE À INSTAURER DES POLITIQUES PUBLIQUES EFFICACES ET À « RÉSOUDRE LES PROBLÈMES ».

réélisant facilement Alvaro Uribe, apprécié pour sa politique de « sécurité démocratique ». La gauche, souvent liée aux mouvements sociaux, a largement bénéficié de cette humeur protestataire des électorats.

LES EFFORTS DE GOUVERNANCE LOCALE ET RÉGIONALE QUI SE METTENT EN PLACE SYMBOLISENT BIEN LA PLEINE INTÉGRATION DE L'AMÉRIQUE LATINE À LA MONDIALISATION, AINSI QUE LES DÉBATS CONCERNANT LES MODALITÉS DE CES ÉVOLUTIONS.

La démocratie, qui a engendré de la déception au plan national, a toutefois été revigorée à deux autres niveaux. Au plan local, l'Amérique latine a su innover en matière de démocratie participative à compter des années 1990. La pratique du budget participatif s'est étendue à partir de l'expérience réussie de Porto Alegre (Brésil), et les populations s'investissent dans la gestion des problèmes quotidiens à l'échelle locale. Au plan continental, une « gouvernance régionale » se met progressivement en place. Certes, l'âpreté des négociations commerciales retient l'attention, avec la paralysie du projet de Zone de libre-échange des Amériques (ZLEA) en 2005, due au désintérêt tant du Brésil de Lula que des États-Unis de George W. Bush de la voir aboutir : Lula préférait défendre les intérêts de son pays dans les organisations internationales comme l'OMC, tandis que G. W. Bush optait pour la signature d'accords de libre-échange bilatéraux (avec l'Amérique centrale, la République dominicaine, la Colombie, le Pérou). Mais les quatre « sommets des Amériques » de Miami (1994), Santiago (1998), Québec (2001) et Mar del Plata (2005), ainsi que le « sommet » spécial de Monterrey (2004) ont prévu une série de dispositifs visant à « renforcer la démocratie représentative, promouvoir la saine gestion des affaires publiques et protéger les droits de la personne et les libertés fondamentales ». L'ensemble s'apparentait bien à un vaste et très complexe exercice de concertation et de régulation à l'échelle continentale en vue de stabiliser la démocratie et promouvoir le développement.

La participation des sociétés civiles à ce dispositif de gouvernance n'est toutefois que cosmétique et de nombreux réseaux d'organisations mobilisées se créent pour défendre l'idée selon laquelle « une autre Amérique est possible ». Le président vénézuélien Chavez tâchait de s'inscrire dans la même dynamique en proposant une Alternative bolivarienne pour les Amériques (ALBA), prônant une intégration régionale ne reposant pas sur les logiques de marché. Les contours de cette ALBA demeuraient cependant très flous, et H. Chavez ne parvenait à convaincre que Fidel Castro et le président bolivien E. Morales de le rejoindre dans cette entreprise. En décidant parallèlement de quitter la Communauté andine (CAN, associant le Pérou, l'Équateur, la Colombie, la Bolivie et le Vénézuela) et de rejoindre le Marché commun du sud de l'Amérique (Mercosur, associant l'Argentine, le Brésil, le Paraguay et l'Uruguay) – tout en adoptant un ton agressif à l'égard des États-Unis –, il faisait entrer en crise le régionalisme. Au « sommet » de Vienne entre l'Union européenne et l'Amérique latine (12-13 mai 2006), l'Amérique latine affichait ses divisions et se montrait incapable de négocier collectivement.

Ces efforts de gouvernance locale et régionale n'exonèrent pas les gouvernements de leurs responsabilités, mais symbolisent bien la pleine intégration de l'Amérique latine à la mondialisation et les débats concernant ses modalités. ∎

Amérique centrale et du Sud

Golfe du Mexique

BAHAMAS
Nassau

La Havane

Turks et Caïcos (R.-U.)

CUBA

RÉPUBLIQUE DOMINICAINE

BÉLIZE   JAMAÏQUE   HAÏTI   Porto Rico (É.-U.)
GUATÉMALA   Belmopan
Guatémala   HONDURAS   Kingston   Port-au-Prince   Saint-Domingue
San Salvador   Tegucigalpa
EL SALVADOR   NICARAGUA   Mer des Antilles   ST-VINCENT ET GREN.
Managua   Panama
San José   PANAMA   Caracas
COSTA RICA

Guadeloupe (FR.)
DOMINIQUE
Martinique (FR.)
STE-LUCIE
BARBADE
GRENADE
TRINIDAD ET TOBAGO

OCÉAN ATLANTIQUE

Medellin   VÉNÉZUELA   Georgetown
Bogota   GUYANA   Paramaribo
COLOMBIE   SURINAME   Guyane (FR.)

Galapagos (ÉQUATEUR)

Quito

Équateur   ÉQUATEUR

A m a z o n i e
Amazone

Modeira

BRÉSIL

Fortaleza

Recife

PÉROU

Lima

Lac Titicaca   La Paz

BOLIVIE

Sucre

Brasilia

Belo Horizonte
Rio de Janeiro

Tropique du Capricorne

PARAGUAY
Asunción

São Paulo

Porto Alegre

OCÉAN PACIFIQUE

CHILI
Santiago

URUGUAY

Buenos Aires   Montevideo

ARGENTINE

Îles Falkland (R.-U.)

Terre de Feu

Géorgie du Sud (R.-U.)

Cap Horn

1 000 km

Amérique centrale et du Sud

Par **David Garibay**
Science politique, Université Lyon-II

2005-2006 / Journal de l'année

2005

Début octobre. Amérique centrale. L'ouragan *Stan* dévaste l'Amérique centrale et le sud du Mexique, en faisant plus d'un millier de morts, dont la très grande partie au Guatémala, et près de 500 000 réfugiés. Les pertes matérielles sont estimées à plus de 2 millions de dollars.

14-15 octobre. Sommet ibéro-américain. Le 15ᵉ Sommet ibéro-américain réunit à Salamanque (Espagne) les pays de la péninsule Ibérique (dont désormais Andorre) et 19 États latino-américains de langue espagnole ou portugaise (y compris Cuba). La déclaration finale insiste sur le respect du multilatéralisme et de la démocratie et met en place un secrétariat permanent de l'organisation.

23 octobre. Argentine. Victoire des candidats soutenant la politique du président Nestor Kirchner aux élections législatives.

4 novembre. Uruguay/États-Unis. La signature d'un accord bilatéral de protection des investissements illustre le rapprochement entre les deux pays ; l'accord est ratifié en décembre par le Parlement uruguayen. Lors de la visite d'État du président uruguayen, Tabaré Vazquez, à Washington en mai 2006, la possibilité de négocier un accord de libre-échange est évoquée. Ce rapprochement révèle les difficultés de l'Uruguay à se faire entendre, au sein du Mercosur, par l'Argentine et le Brésil.

4-5 novembre. Sommet des Amériques. Le 4ᵉ Sommet des Amériques organisé à Mar del Plata (Argentine) réunit tous les États du continent, sauf Cuba. Les tensions sont telles entre, d'une part, les pays du Mercosur (Marché commun du sud de l'Amérique), renforcé par le Vénézuela, et, d'autre part, les États-Unis, soutenus par le Mexique, l'Amérique centrale et les pays andins, que la perspective d'une relance des négociations pour une Zone de libre-échange des Amériques (ZLEA) apparaît très compromise. Une manifestation altermondialiste de protestation face au « sommet » reçoit le concours du président vénézuelien Hugo Chavez.

27 novembre. Honduras. Manuel Zelaya du Parti libéral remporte l'élection présidentielle avec 49,9 % des voix face à Porfirio Lobo du Parti national, au pouvoir (46,2 %)

4 décembre. Vénézuela. Les principaux partis d'opposition boycottent les élections législatives une semaine avant le scrutin ; dans le contexte d'une abstention de 75 %, les partis qui soutiennent H. Chavez obtiennent la totalité des sièges, dont 114 sur 167 pour le seul Mouvement Vᵉ République.

9 décembre. Mercosur. Le Vénézuela signe son acte d'adhésion au Mercosur ; l'intégration effective interviendra au terme des négociations d'usage concernant l'adoption des normes commerciales et douanières de la zone.

11 décembre. Chili. Au terme du premier tour de l'élection présidentielle, Michelle Bachelet, candidate de la Concertation, obtient 46,0 %, contre 25,5 % à Sebastian Piñera (Rénovation nationale, RN) et 23,2 % à Joaquin Lavin (Union démocrate indépendante, UDI). La Concertation obtient, par ailleurs, la majorité à l'Assemblée et au Sénat aux parlementaires organisées le même jour. M. Bachelet remporte le second tour de la présidentielle le 15 janvier 2006 avec 53,5 % des voix.

18 décembre. Bolivie. Evo Morales (Mouvement vers le socialisme, MAS) l'emporte dès le premier tour de l'élection présidentielle avec 53,8 % des voix devant Jorge Quiroga (28,6 %). Au terme des parlementaires, le MAS obtient également la majorité à l'Assemblée législative et au Sénat.

2006

24-29 janvier. Forum social mondial. Le 5ᵉ Forum social mondial se tient à Caracas et rassemble des milliers d'altermondialistes venus principalement d'Amérique latine et d'Europe. Le contenu des débats est nettement plus politique que ceux des trois premiers forums tenus à Porto Alegre.

5 février. Costa Rica. Oscar Arias (Parti de libération nationale, social-démocrate), déjà chef de l'État de 1986 à 1990, remporte l'élection présidentielle avec 40,9 % des voix, devançant de peu Otton Solis (39,8 %). Le PLN n'obtient néanmoins que 25 sièges sur 57 à l'Assemblée législative.

7 février. Haïti. René Préval (au pouvoir de 1996 à 2000) remporte l'élection présidentielle avec 51,2 % des voix ; son parti n'obtient néanmoins qu'un tiers des sièges à l'Assemblée, à l'issue du second tour des législatives organisé le 21 avril.

15 février. Haïti-Nations unies. Le mandat de la Mission des nations unies pour la stabilisation en Haïti (Minustah) est prolongé jusqu'au 15 août 2006.

27 février. Colombie/États-Unis. La signature d'un accord de libre-échange entre la Colombie et les États-Unis permet la levée immédiate des droits de douane pour 80 % des exportations des États-Unis vers son partenaire, puis pour 7 % restants d'ici cinq ans. L'accord étend à l'ensemble des exportations colombiennes le traitement préférentiel dont la plus grande partie bénéficie déjà au titre de l'Accord des préférences andines.

12 mars. Colombie. Lors des élections législatives, les cinq partis conservateurs et indépendants qui appuient le président Alvaro Uribe obtiennent une confortable majorité parlementaire, ce qui conforte la place de grand favori de ce dernier à l'élection présidentielle de 2006.

12 mars. El Salvador. Aux élections législatives, les deux partis principaux (Alliance républicaine nationaliste – Arena, au pouvoir –, et le Front Farabundo Marti de libération nationale – FMLN) arrivent à égalité avec 39 % des voix chacun ; au terme des municipales, le FMLN conserve la capitale.

4 avril. Amérique centrale. Des représentants des pays d'Amérique centrale, des États-Unis et du Mexique se réunissent à San Salvador (Salvador) pour renforcer la coopération policière, de justice et de contrôle aux frontières, dans le cadre de la lutte contre les « maras » (bandes criminelles).

9 avril. Pérou. Au premier tour de l'élection présidentielle, le candidat nationaliste Ollanta Humala arrive en tête avec 25,7 % des voix, devant Alan Garcia (APRA – Alliance populaire révolutionnaire américaine –), au pouvoir de 1985 à 1990, (20,4 %) et la candidate de la droite Lourdes Flores (20,0 %). À l'Assemblée, le parti d'O. Humala obtient 45 sièges, l'APRA 36 et celui de L. Flores 17. Le second tour est fixé au 4 juin.

12 avril. Pérou/États-Unis. Signature d'un accord de libre-échange entre le Pérou et les États-Unis sur les mêmes bases que celui négocié entre la Colombie et les États-Unis [voir 27 février].

19 avril. Communauté andine. Caracas annonce son retrait de la Communauté andine,

en protestation contre la signature d'accords de libre-échange bilatéraux de la Colombie et du Pérou avec Washington.

29 avril. Cuba-Vénézuela-Bolivie. Signature à La Havane d'un « accord de commerce des peuples ». Davantage que d'une entente commerciale, il s'agit d'un rapprochement politique pour contrer les tentatives d'intégration commerciale venant des États-Unis.

1er mai. Bolivie. E. Morales annonce la nationalisation des productions pétrolière et gazière boliviennes, entraînant une augmentation des « royalties » et des prix à l'exportation. La décision suscite l'indignation du Brésil, dont l'entreprise pétrolière publique, Petrobras, est le principal investisseur en Bolivie.

4 mai. Bolivie-Brésil. Les présidents de l'Argentine, du Brésil, de la Bolivie et du Vénézuela se réunissent à Puerto Iguazu (Argentine) pour trouver un compromis sur la question énergétique : les livraisons de gaz bolivien au Brésil sont garanties, avec des augmentations tarifaires progressives et concertées.

5 mai. Argentine-Uruguay. Le gouvernement argentin annonce le dépôt d'une plainte contre l'Uruguay auprès de la Cour internationale de justice à propos de l'installation d'usines de fabrication de papier, dangereuses pour l'environnement, sur le fleuve frontière Uruguay.

11-13 mai. Union européenne-ALC. Le 4e « sommet » Union européenne-Amérique latine et Caraïbes réunit à Vienne 33 États d'Amérique latine et des Caraïbes (sauf Cuba) et les 25 États de l'UE, plus la Roumanie et la Bulgarie ; les participant confirment leur volonté de renforcer leur partenariat stratégique mais sans engagement concret.

12-15 mai. Brésil. Des émeutes émanant de gangs de la criminalité organisée font près de 120 morts à São Paulo ; protestant contre des transferts vers des prisons de haute sécurité, les émeutiers ont pris pour cible des prisons (avec prise d'otages), des centres de police, ainsi que des transports publics.

28 mai. Colombie. Alvaro Uribe est réélu avec 62,2 % des voix dès le premier tour de la présidentielle ; le candidat de la gauche, Carlos Gaviria, obtient 22,0 %, celui du Parti libéral, Horacio Serpa, 11,8 %.

4 juin. Pérou. Au second tour de la présidentielle, A. Garcia l'emporte avec 52,5 % des voix contre 47,5 % à O. Humala. ∎

Amérique centrale et du Sud/Bibliographie sélective

C. Bataillon, J.-P. Deler, H. Théry, « Amérique latine », *in* R. Brunet (sous la dir. de), *Géographie universelle,* vol. III, Belin/RECLUS, Paris/Montpellier, 1994.

C. Bataillon, J. Gilard (sous la dir. de), *La Grande Ville en Amérique latine,* CNRS-Éditions, Paris, 1988.

Cahier des Amériques latines (semestriel), CNRS-IHEAL, Paris.

Caravelle (semestriel), IPEALT, Université de Toulouse-Le Mirail.

CEPAL (Commission des Nations unies pour l'Amérique latine), *Rapport annuel,* Santiago du Chili.

F. Chevallier, *L'Amérique latine de l'indépendance à nos jours,* PUF, Paris, 1993.

G. Couffignal, *Amérique latine. Tournant de siècle,* La Découverte, coll. « Les Dossiers de l'état du monde », Paris, 1997.

G. Couffignal (sous la dir. de), *Amérique latine 2002,* La Documentation française, Paris, 2002.

O. Dabène, *Amérique latine, la démocratie dégradée,* Complexe, coll. « Espace international », Bruxelles, 1997.

O. Dabène, *L'Amérique latine à l'époque contemporaine,* Armand Colin, Paris, 2003.

O. Dabène, *La Région Amérique latine. Interdépendance et changement politique,* Presses de Sciences Po, Paris, 1997.

DIAL (Diffusion de l'information sur l'Amérique latine, bimensuel), Lyon.

Espaces latinos (revue, 10 numéros par an), Lyon.

D. van Eeuwen (sous la dir. de), *L'Europe et l'Amérique latine à l'heure de la mondialisation,* Karthala, Paris, 2002.

Y. Le Bot, *Violence de la modernité en Amérique latine,* Karthala, Paris, 1994.

L'Ordinaire latinoaméricain (trimestriel), GRAL-CNRS/IPEALT, Université de Toulouse-Le Mirail.

S. Marti y Puig, « L'Amérique latine des années 1990 : la décennie des opportunités ou celle des chimères ? », *Cahier des Amériques latines,* n° 35, IHEAL-CREDAL, Paris, 2000.

A. Musset, *L'Amérique centrale et les Antilles,* Armand Colin, Paris, 1998 (2ᵉ éd.).

A. Musset, J. Santiso, H. Théry, S. Velut, *Les Puissances émergentes d'Amérique latine : Argentine, Brésil, Chili, Mexique,* Armand Colin, Paris, 1999.

A. Musset, V. M. Soria (sous la dir. de), *Alena et Mercosur : enjeux et limites de l'intégration américaine,* IHEAL, Paris, 2001.

M.-F. Prévot-Schapira, H. Rivière d'Arc (sous la dir. de), *Les Territoires de l'État-nation en Amérique latine,* Institut des hautes études de l'Amérique latine (IHEAL), Paris, 2001.

Problèmes d'Amérique latine, La Documentation française, Paris (jusqu'au n° 43, fin 2001) ; Éditions Choiseul, Paris (à partir de 2002).

J. Santiso, *Amérique latine. Révolutionnaire, libérale, pragmatique,* Autrement, coll. « CERI-Autrement », Paris, 2005.

South America, Central America and the Caribbean (annuel), Europa Publications, Londres.

A. Touraine, *La Parole et le Sang : politique et sociétés en Amérique latine,* Odile Jacob, Paris, 1988.

P. Vaissière, *Les Révolutions d'Amérique latine,* Seuil, Paris, 1991.

Brésil

Un an après le scandale du « mensalão »

Les années passent et ne se ressemblent pas pour le président Luis Inacio « Lula » da Silva (au pouvoir depuis 2003). Après avoir commencé l'année 2005 dans un climat d'embellie économique et avec une cote de popularité élevée, celui-ci a dû affronter une crise politique sans précédent depuis le scandale qui avait entraîné la destitution du président Fernando Collor de Mello en 1992. À partir du mois de mai, une série de révélations a alimenté l'actualité sans discontinuer pour devenir le scandale du « mensalão », du nom de l'enveloppe mensuelle que recevaient des parlementaires pour soutenir le gouvernement au Congrès. La formation du président, le Parti des travailleurs (PT), en a été particulièrement affectée. En juin 2005, José Dirceu, qui occupait depuis l'élection de Lula le poste de chef de la Maison civile (équivalent à celui de Premier ministre), a dû démissionner. Les malheurs de cet homme lige du président ne faisaient que commencer. Après un long processus parlementaire, les députés ont voté la cassation de son mandat de député, le 1er décembre. Depuis son déclenchement, le scandale a atteint, à des degrés divers, les principales formations politiques, et près d'une vingtaine de parlementaires de tous horizons ont perdu leur mandat ou risqué de le perdre. Le PT était néanmoins la principale victime de cette crise.

Son président, son secrétaire général et son trésorier ont dû renoncer à leurs fonctions en 2005. En mars 2006, ce fut au tour du ministre de l'Économie, Antonio Palocci, mis en cause dans plusieurs affaires, de quitter son poste. Beaucoup de militants du parti, et parmi eux certaines de ses figures historiques, l'ont quitté, déçus des compromissions de l'équipe gouvernementale. L'image d'entrepreneur moral sur lequel le PT avait construit sa réputation a été passablement écornée par les révélations sur son mode de financement et sa gestion de la chose publique. Lula lui-même n'en est pas sorti indemne. Si sa participation à ce système occulte n'a jamais pu être établie et si ses opposants ont renoncé à la procédure d'empêchement un temps envisagée, sa crédibilité était entachée. Sa popularité a chuté dans l'opinion et sa capacité à peser sur la politique du pays a diminué. Toutefois, l'élection de Tarso Genro, l'ancien maire de Porto Alegre, à la présidence du PT semblait avoir permis au président de limiter les dégâts et de reprendre en main la formation dont il est issu.

Bilan économique en demi-teinte

La crise politique n'a pas pesé sur l'économie, comme cela avait été le cas en d'autres périodes de turbulence politique.

République fédérative du Brésil

Capitale : Brasilia.
Superficie : 8 547 400 km^2.
Population : 186 405 000.
Langue : portugais du Brésil.
Monnaie : real (1 real = 0,36 € au 29.6.06).
Nature de l'État : république fédérale (26 États et le district fédéral de Brasilia).
Nature du régime : démocratie présidentielle.
Chef de l'État : Luis Inacio da Silva, dit « Lula », président de la République (depuis le 1.1.03).
Chef de cabinet de la Présidence : Dilma Rousseff.
Ministre des Finances : Guido Mantega.
Président du Sénat : Renan Calheiros (PMDB).
Principaux partis politiques : Parti des travailleurs (PT) ; Parti du mouvement démocratique brésilien (PMDB) ; Parti de la social-démocratie brésilienne (PSDB) ; Parti du front libéral (PFL).
Echéances institutionnelles : élections municipales (oct. 06).

Brésil/Bibliographie

« Brésil : Lula, l'alternance » (dossier), *Problèmes d'Amérique latine,* Éd. Choiseul, nᵒˢ 46-47, Paris, 2002.

M. Droulers, *Brésil, une géo-histoire,* PUF, Paris, 2001.

M. Gret, Y. Sintomer, *Porto Alegre : l'espoir d'une autre démocratie,* La Découverte, Paris, 2002.

B. Lautier, J. Marques-Pereira (sous la dir. de), *Brésil/Méxique. Deux trajectoires dans la mondialisation,* Karthala, Paris 2004.

S. Monclaire, « Indicateurs et tendances », *Infos-Brésil,* (chronique mensuelle depuis 1999), Paris.

J. Picard (sous la dir. de), *Le Brésil de Lula. Les défis d'un socialisme démocratique à la périphérie du capitalisme,* Karthala, coll. « Livres Lusotopie », Paris, 2003.

J. Sgard, « Pauvreté, inégalités et politiques sociales au Brésil », *La lettre du CEPII,* nᵒ 229, Paris, déc. 2003.

H. Théry, *Le Brésil,* Masson, Paris, 2000 (nouv. éd.).

H. Théry, N. A. de Mello, *Atlas du Brésil,* La Documentation française, Paris, 2004.

Les marchés financiers ont certes connu des soubresauts à chaque épisode du scandale, mais, sur le fond, le scandale a fait apparaître une déconnexion des sphères politique et économique. Beaucoup d'analystes y ont vu un signe évident de la stabilisation de l'économie brésilienne. Le gouvernement a d'ailleurs annoncé, au mois de mars 2005, qu'il se passerait à l'avenir d'accords avec le FMI et a remboursé avant terme certaines sommes dues. L'afflux de devises est à l'origine de ce choix. En 2005, le Brésil a affiché un excédent historique de sa balance commerciale pour la troisième année consécutive : le solde des échanges a atteint la somme de 40,73 milliards de dollars. Signe de la compétitivité croissante de l'industrie, les produits manufacturés représentaient désormais 55 % des exportations brésiliennes, le reste relevant de l'extraction minière et de l'agriculture (et, notamment, des productions de l'« agrobusiness »). Tombé très bas en 2004, le real a également connu une valorisation graduelle, aboutissant, à partir de novembre 2005, à une relative stabilisation autour de 2,6 reals pour un euro. Quant à l'inflation, elle restait sous contrôle (6,9 % en 2005).

Le bilan économique de l'année apparaissait pourtant en demi-teinte. La croissance économique a été moins forte que prévue (2,3 % en 2005 au lieu des 3,5 % annoncés et des 5,2 % enregistrés en 2004). Selon les données des premiers mois de l'année, elle s'annonçait limitée pour 2006, toujours en dessous de celle des grands pays d'Amérique latine. Avec des taux d'intérêt réels volatils et parmi les plus élevés du monde (de l'ordre de 13 % en moyenne pour 2005), l'investissement restait difficile, et la consommation a fléchi. La vulnérabilité extérieure de l'économie brésilienne demeure importante. La dette interne est toujours un fardeau et des variations fortes du taux de change n'étaient pas à exclure. De plus, le Brésil est loin d'avoir achevé son insertion dans une économie globalisée : il n'est toujours pas parvenu à gagner suffisamment de parts de marché dans les pays du Nord et certains secteurs de son industrie se trouvent exposés à la concurrence croissante des produits chinois, notamment dans le domaine de la fabrication de chaussures.

Veille d'élections générales

Au mois d'octobre 2006, les Brésiliens étaient appelés à élire le président de la République, les gouverneurs des États de la fédération, les députés fédéraux, un tiers des sénateurs et les députés des assemblées législatives régionales. Comme à l'accoutumée, la perspective de ces élections générales constituait la toile de fond de la vie politique depuis le dernier trimestre de l'année les précédant. Bien qu'il n'ait toujours pas annoncé sa candidature fin mai 2006, il ne faisait guère de doute que Lula briguerait un second mandat. Après avoir été affaibli par le scandale du *mensalão*, il bénéficiait, à cinq mois du scrutin, d'intentions de vote qui pouvaient lui laisser espérer une réélection confortable. Les divisions de l'opposition facilitaient son ambition. Le Parti de la sociale-démocratie brésilienne (PSDB) s'est déchiré pour désigner son candidat, Geraldo Alckmin, le gouverneur de l'État de São Paulo, préféré à José Serra, le maire de la ville de São Paulo, battu au second tour de l'élection présidentielle de 2002.

La campagne électorale s'annonçait plus tendue que la précédente. Lula avait désormais un bilan à défendre, et ses adversaires ne manquaient pas de faire ressortir les promesses non tenues et les pratiques de corruption du gouvernement. Le président sortant comptait capitaliser la poursuite de la stabilité économique et les fruits de la croissance, dont les couches populaires ont bénéficié. En mars 2006, le salaire minimum a été porté à 350 réaux, une augmentation considérable longtemps différée et destinée à produire des retombées électorales. Les 15 milliards d'euros prévus au budget pour des dépenses d'investissement devaient susciter les ralliements d'acteurs ayant besoin des ressources publiques pour assurer leur légitimité et montrer que le gouvernement n'est pas tombé dans l'immobilisme, comme le disaient ses détracteurs. Beaucoup dépendrait aussi des accords électoraux entre les différents partis. L'impossibilité de maintenir en 2006, à l'échelon local, les alliances passées à l'échelon national conférait moins de fluidité aux jeux habituels de la politique brésilienne, accordant une importance centrale au Parti du mouvement démocratique brésilien (PMDB), qui a toujours su participer aux alliances gouvernementales et compte de nombreux élus sur l'ensemble du territoire.

Le bilan du mandat de Lula

Il y a un « avant » et un « après » *mensalão* pour Lula et le PT. Au pouvoir, le président et son parti ne sont pas parvenus à échapper au style politique brésilien, fait de marchandages en tous genres. La gauche a connu l'épreuve du pouvoir et apparaît moins que jamais capable de mettre en œuvre un changement en profondeur. L'action du gouvernement n'est pourtant pas insignifiante. Bien que de portée limitée, des mesures importantes ont été prises dans le domaine de l'accès à la santé et à l'enseignement supérieur des populations défavorisées. La place du Brésil dans les relations internationales s'est aussi encore accrue, tant en raison de l'aura du président que de l'efficacité de sa diplomatie. Le pays s'impose de plus en plus comme un des chefs de file des pays du Sud dans les organisations internationales, et sa présence croît en Afrique.

Toutefois, le Brésil apparaît tel qu'en lui-même, semblable au visage qu'il présente depuis la fin du régime militaire en 1985. D'un côté, les institutions fonctionnent, et, comme le montre la crise qui a dominé l'année 2005, les investigations policières ont abouti à la chute de personnalités de premier plan. D'un autre côté, les élus sont toujours largement discrédités, et la majorité des Brésiliens se préoccupent avant tout de problèmes de vie quotidienne. La violence ne diminue pas non plus. Une religieuse nord-américaine a été assassinée en Amazonie par des tueurs à gages à la solde de propriétaires terriens. Le trafic de stupéfiants est à l'origine de nombreux homicides. L'insécurité reste une préoccupation majeure sur laquelle les pouvoirs publics paraissent n'avoir aucune prise. En

Vénézuela

octobre 2003, les électeurs l'ont manifesté en votant très majoritairement contre le projet du gouvernement qui prévoyait de limiter la commercialisation des armes à feu.

En mai 2006, une semaine de violences meurtrières, dirigées depuis les prisons de l'État de São Paulo, a fourni une nouvelle illustration de l'incapacité des pouvoirs publics à maîtriser la criminalité. C'est peut-être un Brésil ordinaire qui se dessinera au terme du mandat de Lula. **- Dominique Vidal** ■

Vénézuela

Opérations de séduction tous azimuts

L'année 2005-2006 a confirmé les grandes tendances observées au Vénézuela depuis 2002. Les élections municipales du 4 août 2005 et les élections parlementaires du 4 décembre suivant, remportées par le parti au pouvoir (Mouvement Ve République, MVR), se sont tenues sur fond de polarisation de l'opinion publique et d'abstention des votants si ce n'est des partis d'opposition eux-mêmes. Invoquant le manque de transparence du scrutin voire les fraudes orchestrées par les autorités, la plupart de ces partis (Accion Democratica, COPEI – Comité d'organisation politique indépendant –, Primero Justicia – « Justice d'abord » –, Proyecto Venezuela – « Projet Vénézuela ») ont en effet renoncé à participer au scrutin de décembre, ouvrant la voie à une majorité absolue des chavistes à l'Assemblée nationale. Grâce aux coalitions électorales Bloque de Cambio (Bloc pour le changement) et MVR-UVE (Union Vencedores Electorales, « Union des vainqueurs des élections »), l'« officialisme » a ainsi obtenu 167 sièges à l'Assemblée nationale, 12 au Parlement latino-américain et 5 au Parlement andin. Malgré des contestations internes au MVR, le président Hugo Cha-

vez (au pouvoir depuis 1999) a su mobiliser ses partisans, à la différence de l'opposition, toujours dépourvue de leader représentatif. S'appuyant sur d'ambitieux programmes sociaux destinés aux 70 % de Vénézuéliens vivant en dessous du seuil de pauvreté, il a également tiré parti des hauts revenus du pétrole : l'entreprise pétrolière nationale PDVSA a en effet financé ces « missions » à hauteur de 4,4 milliards de dollars (en plus des 22,7 milliards versés à l'État, dont 75 % des ressources proviennent du pétrole).

Les sondages du dernier trimestre 2005 s'accordaient sur ce phénomène de polarisation de l'opinion publique, avec 59 % d'opinions favorables pour H. Chavez (dont 30 % inconditionnelles). Les institutions censées superviser les processus électoraux et l'exercice de la démocratie, ainsi le Tribunal suprême de justice (TSJ) et, surtout, le Conseil national électoral (CNE), sans compter les forces armées, se trouvaient désormais sous contrôle « révolutionnaire » participant à ce « socialisme du XXIe siècle » prôné par le président Chavez.

Poursuite de la révolution « bolivarienne »

La radicalisation du régime et l'application de lois restreignant la liberté d'expression, notamment dans les médias, s'accompagnaient, dans les faits, d'arrestations et de procès intentés aux opposants. La militarisation s'est poursuivie dans l'administration publique, mais aussi au niveau des citoyens : un contingent de 500 000 réservistes, recrutés pour l'essentiel au sein des classes populaires et des chômeurs, était prévu, fin 2005, dans le cadre de la « défense populaire intégrale », sans compter la création de milices placées sous la tutelle de l'armée (l'« union civico-militaire » revendiquée de longue date par H. Chavez). L'année 2005 devait être celle de la mise en œuvre d'un « nouveau programme stratégique » fondé sur la poursuite de la « révolution » : développement de la démocratie participative, d'un modèle économique alternatif au capitalisme, de l'alliance civils-militaires et d'un nouvel ordre international multipolaire. La réponse de l'électorat pouvait s'apprécier dans le taux d'abstention relevé en décembre 2005 (près de 75 %, contre 69,19 % lors des élections municipales du 7 août 2005, également remportées par le MVR).

Devenue hégémonique sur une scène politique intérieure biaisée ou désertée, la « révolution bolivarienne » s'est trouvée confortée, sur le plan extérieur, par l'affirmation électorale des « nouvelles gauches latino-américaines », le dernier exemple en étant la victoire du leader indigéniste Evo Morales en Bolivie (ouvertement soutenu par Caracas). Le référendum d'août 2004 consacrant son maintien au pouvoir avait, en effet, marqué le début du « projet de transition bolivarien », destiné à créer les conditions d'application du Projet national Simon Bolivar et de réactivation de l'« espace bolivarien ». Il y a certes des différences sensibles entre ces gauches, d'inspiration démocratique ou plus ouvertement autoritaire.

Il reste que des projets économiques fondés sur une intégration régionale (Mercosur – Marché commun du sud de l'Amérique –, au sein duquel le Vénézuela a été admis le 9 décembre 2005, et en l'absence de résultats concrets de l'ALBA – Alternative bolivarienne pour les Amériques – signée à La Havane en décembre 2004 afin de contrecarrer la ZLEA – Zone de libre-échange des Amériques – d'inspiration nord-américaine), des aides financières (rachat de la dette argentine par le Vénézuela) ou des réalisations médiatiques (*Telesur*, l'« anti-*CNN* ») unissent divers gouvernements du continent face l'« ennemi » commun : les États-Unis, accusés par H. Chavez de menacer sa stabilité, et régulièrement menacés d'une interruption de leur approvisionnement en pétrole (3,2 millions de barils par jour produits par le Vénézuela, dont 1,5 million exporté vers les États-Unis).

Porte-parole de l'anti-impérialisme voire de l'altermondialisme sur le continent latino-américain, Caracas trouve dans la dénonciation d'une « guerre asymétrique » notamment un facteur conjoncturel d'union continentale, que renforce la donne énergétique, à savoir les hauts prix du pétrole, et la tentative de création d'une compagnie pétrolière latino-américaine, Petroamerica, sans compter le projet de « gazoduc du Sud », destiné à fournir en gaz le Brésil et l'Argentine. Le président vénézuélien a offert du pétrole à bas prix à de nombreux pays du continent ou des Caraïbes et soutenu nombre d'économies nationales tout en signifiant, dans le cadre de l'OPEP (Organisation des pays exportateurs de pétrole), la fin du pétrole bon marché. L'opération séduction tous azimuts destinée à assurer des appuis à la « révolution » aurait bénéficié à

République bolivarienne du Vénézuela

Capitale : Caracas.
Superficie : 910 050 km^2.
Population : 26 749 000.
Langue : espagnol.
Monnaie : bolivar (au cours officiel, 10 000 bolivars = 3,71 € au 30.4.06).
Nature de l'État : république fédérale.
Nature du régime : démocratie présidentielle.
Chef de l'État et du gouvernement : Hugo Chavez Frias (depuis le 2.2.99).
Vice-président : José Vicente Rangel (depuis mai 02).
Ministre de la Défense : général en chef Raul Baduel (depuis le 24.6.06).
Ministre de l'Énergie et des Mines : Rafael Ramirez (depuis août 02).
Ministre des Affaires étrangères : Ali Rodriguez Araque (depuis déc. 04).
Ministre de l'Intérieur et de la Justice : Jesse Chacon (depuis août 04).
Echéances institutionnelles : élection présidentielle (3.12.06).
Contestations territoriales : Essequibo (région guyanaise ; différend avec le Guyana) et golfe du Vénézuela (frontière maritime avec la Colombie).

Vénézuela

Vénézuela/Bibliographie

N. Arenas, « El gobierno de Hugo Chavez : populismo de otrora y de ahora », *Nueva Sociedad,* 200, Caracas, nov.-déc. 2005.

D. Boersner, « Venezuela : polarizacion, abstencion y elecciones », *Nueva Sociedad,* n° spéc., Caracas, mars 2006.

D. Irwin, L. A. Butto, « "Bolivarianismos" y Fuerza Armada en Venezuela », *Nuevo Mundo, Mundos Nuevos,* n° 6, 2006.

J. Kelly, C. A. Romero, *Venezuela y Estados Unidos. Coincidencias y conflictos,* Ediciones IESA-Los libres de El Nacional, Caracas, 2005.

R. O. Lalander, *Suicide of the Elephants ? Venezuela Decentralization between Partyarchy and Chavismo,* Renvall Institute Publications/University of Helsinki, Institute of Latin American Studies Monograph/Stockholm University, Helsinki-Stockholm, 2004.

F. Langue, *Histoire du Vénézuela de la conquête à nos jours,* L'Harmattan, Paris, 1999.

F. Langue, *Hugo Chavez et le Vénézuela. Une action politique au pays de Bolívar,* L'Harmattan, Paris, 2002.

F. Langue (dossier coord. par), « Venezuela : Hugo Chavez, un stratège pour quelle révolution ? », *L'Ordinaire Latino-Américain,* n° 202, oct.-déc. 2005.

J. McCoy, D. J. Myers (sous la dir. de), *The Unraveling of Representative Democracy in Venezuela,* The Johns Hopkins University Press, Baltimore/Londres, 2004.

une trentaine de pays. Le Vénézuela s'est aussi rapproché de l'Inde et de la Chine.

La radicalisation de la « révolution bolivarienne » en politique extérieure s'est exprimée dès le premier semestre 2006 par la réaffirmation de la solidarité avec Cuba et avec la Bolivie, notamment lors de la « guerre du gaz » (déclenchée notamment avec les États voisins comme le Brésil, à la suite de la nationalisation décrétée par E. Morales), par le retrait du Vénézuela de la CAN (Communauté andine) et par la menace de retrait du G-3 (constitué avec le Mexique et la Colombie).

Limitations à l'activité des « majors » étrangères

Mais la radicalisation du processus a un prix : les diverses expropriations de terres dans le cadre de la réforme agraire (l'un des fronts de la guerre intérieure menée par le président Chavez) ou les taxes réclamées à des entreprises internationales ont eu pour effet de décourager des investisseurs étran-

gers. Ainsi, Total ou la firme italienne ENI ont décidé de ne plus poursuivre leurs opérations au Vénézuela après l'entrée en vigueur d'un nouveau schéma d'exploitation des ressources pétrolières qui rendait caducs les contrats signés au cours des dernières années. La nouvelle donne les contraint en effet à verser des royalties élevées (50 % des recettes), mais aussi à s'associer à l'entreprise nationale PDVSA (majoritaire à hauteur d'au moins 60 % dans les sociétés créées pour l'occasion) : des entreprises « mixtes », dérivées de la loi sur les hydrocarbures de 2001 et dont la création a été approuvée le 30 mars 2005 par l'Assemblée nationale, remplacent désormais les accords signés par 22 multinationales dans le cadre de l'« ouverture pétrolière » ; seules 16 d'entre elles étaient restées en lice pour l'exploitation contrôlée de l'or noir. En 2005, la croissance du PIB a été de 9,3 %, le taux de chômage diminuant légèrement par rapport à l'année précédente selon les statistiques officielles (12,4 %). - **Frédérique Langue** ∎

Par **Gilles Lepesant**
Géographe, CNRS (TIDE-Bordeaux)

L'Europe, ce continent dit « vieux », met en œuvre le projet d'intégration politique le plus novateur qui soit. Il s'agit d'organiser un espace caractérisé par une forte diversité sur les plans démographique (les densités oscillent entre 70 et 381 hab./km^2) et économique, mais attaché au mythe de l'unité. Largement ouverte, l'économie européenne représente 40 % de la production marchande mondiale et les États membres effectuent près des deux tiers de leur commerce extérieur au sein du marché commun. Un mode de gouvernance associant relations intergouvernementales, dynamique communautaire et contrôle parlementaire structure l'ensemble. Il doit sans cesse être renouvelé pour satisfaire les États comme les peuples, pour leur permettre de peser dans le monde sans heurter les aspirations régionalistes et souverainistes.

Les flux humains, économiques et les nouveaux moyens de transport s'ajoutent à l'unification monétaire pour esquisser des coopérations et des synergies au-delà des frontières. L'espace de la Baltique renoue avec l'héritage de la Ligue hanséatique. Un espace centre-européen se dessine autour de la Bavière, l'Autriche, la Pologne, la République tchèque et la Slovaquie, même si le Danube peine à retrouver sa vocation d'axe structurant. L'Europe du Sud-Est peut compter sur le soutien de l'Italie et de la Grèce pour développer à son tour une intégration économique, malgré une fragmentation politique extrême. De manière générale, les mers qui bordent l'Europe (mer de Barents, mer Baltique, mer Noire, mer Méditerranée) sont à la fois des espaces de transit (pour les ressources énergétiques notamment), des lieux de coopération régionale et des défis environnementaux.

À l'échelle mondiale, l'espace européen apparaît comme un territoire politiquement morcelé, densément peuplé, maillé d'un réseau de villes moyennes (45 agglomérations de plus d'un million d'habitants, sur un total de 294 dans le monde). Sur le plan démographique, si l'Europe médiane comptait une forte proportion de jeunes à la fin du xxe siècle, les faibles taux de fécondité avanceront à 2015 une décroissance de la population initialement prévue pour 2023 à l'échelle de l'ancienne Union européenne (UE) des Quinze.

La disparition du « rideau de fer » n'a pas déplacé le centre de gravité de l'Europe. Certes, les marchés centre-européens continuent d'attirer les exportateurs et les investisseurs ouest-européens. Les flux de personnes, de marchandises, davantage orientés selon un axe est-ouest que nord-sud, ont été démultipliés et l'Europe médiane, avant même qu'elle soit représentée au sein des institutions européennes, était déjà insérée dans les réseaux énergétiques, commerciaux et financiers européens.

La mobilité des usines de production ne saurait néanmoins faire oublier l'inertie propre à la géographie économique, et notamment à la concentration des

LA MOBILITÉ DES USINES NE SAURAIT OBLITÉRER LA CONCENTRATION DES ACTIVITÉS À FORTE VALEUR AJOUTÉE DANS UN ESPACE ENTRE LONDRES, PARIS, MILAN, MUNICH ET HAMBOURG.

Europe occidentale & médiane

activités à forte valeur ajoutée sur un espace délimité par Londres, Paris, Milan, Munich et Hambourg. Prague est l'unique aéroport de l'Europe centrale dépassant cinq millions de passagers (23 millions pour Munich). Le trafic portuaire de Gdansk-Gdynia s'élève à peine à plus de 20 millions de tonnes, quand celui de Rotterdam atteint 303 millions de tonnes. À l'échelle des capitales du centre de l'Europe, le rattrapage est néanmoins déjà engagé. Budapest (1,8 million d'habitants) se classe au 9e rang des villes de congrès. La Russie, qui produit 10 % du pétrole mondial et 23 % du gaz naturel, a le PNB des Pays-Bas et un commerce extérieur d'un volume égal à celui du Danemark.

Si l'UE, cet objet politique qui ne se revendique ni État ni confédération, n'absorbe que 3 % des dépenses publiques des États membres, elle engendre environ 60 % de leurs nouvelles règles de droit. Réputée inefficace en matière de politique étrangère, elle représente le principal donateur – devant les États-Unis – en Ukraine, en Russie, en Afrique et dans de nombreuses autres régions du monde. Privée de compétence financière, l'UE joue avant tout de son seul pouvoir normatif. Elle est influente là où les États membres lui ont délégué leurs compétences, à savoir en matière d'environnement et de commerce.

Paradoxalement, au moment où les Européens célèbrent leur unité retrouvée, ils s'interrogent sur ce qui leur est commun et ce qui les distingue des autres continents. Dès que l'on s'efforce de préciser l'énoncé de valeurs, des lignes de partage apparaissent, notamment entre le nord et le sud de l'Europe. Le référent religieux, s'il n'est écarté avec force que par une minorité d'États, n'est pas davantage pertinent pour caractériser l'Europe. L'islam est la deuxième religion en France, en Belgique, au Royaume-Uni et dans plusieurs pays des Balkans. Le rapport au passé sous-tend l'aspiration à l'unité européenne mais la controverse surgit dès qu'il s'agit de fixer la part respective de la chrétienté, de l'héritage antique et du siècle des Lumières dans son identité. Cette quête de la source n'est-elle pas illusoire, l'Europe s'étant distinguée par sa capacité à opérer une synthèse entre différents emprunts et à transmettre cet héritage ?

Le mot Europe est source de fierté au sein du continent. L'Europe fut désirée lors de l'adoption de l'euro par les pays qui ne croyaient plus en leur monnaie, elle l'est aussi par l'Allemagne qui en attend sa «rédemption» (selon l'expression du stratégiste américain Zbigniew Brzezinski), par la France qui la considère comme un nouveau vecteur pour ses ambitions universelles, par l'Europe médiane qui voit en elle l'opportunité de ne plus être un objet de convoitises mais un acteur de l'histoire européenne.

Le projet européen n'est pas tout entier rassemblé dans les 70 000 pages de l'acquis communautaire. Il se manifeste dans une culture du compromis qui aboutit à d'interminables négociations mais qui constitue le véritable moteur d'une intégration fondée sur le libre arbitre. Cette culture s'exporte. L'OMC (Organisation mondiale du commerce) est née de la volonté des Européens, tout comme le protocole de Kyoto relatif à l'effet de serre.

PARADOXALEMENT, AU MOMENT OÙ LES EUROPÉENS CÉLÈBRENT LEUR UNITÉ RETROUVÉE, ILS S'INTERROGENT SUR CE QUI LEUR EST COMMUN ET CE QUI LES DISTINGUE DES AUTRES CONTINENTS. CETTE QUÊTE DE LA SOURCE N'EST-ELLE PAS ILLUSOIRE, L'EUROPE S'ÉTANT DISTINGUÉE PAR SA CAPACITÉ DE SYNTHÈSE ENTRE DIFFÉRENTS EMPRUNTS ?

Europe occidentale et médiane/Bibliographie sélective

J.-J. Boillot, *L'Union européenne élargie : un défi économique pour tous,* La Documentation française, Paris, 2003.

R. Brunet (sous la dir. de), *Géographie universelle,* Belin/RECLUS, Paris/Montpellier : voir **D. Pumain, T. Saint-Julien, R. Ferras,** « France, Europe du Sud » (vol. II, 1994) ; **J.-P. Marchand, P. Riquet** (sous la dir. de), « Europe médiane, Europe du Nord » (vol. IX, 1996) ; **V. Rey,** « Europes orientales » (vol. X, 1996).

D. Colas (sous la dir. de), *L'Europe post-communiste,* PUF, Paris, 2000.

G. Courty, G. Devin, *La Construction européenne,* La Découverte, coll. « Repères », Paris, 2001.

M. Dehove (sous la dir. de), *Le nouvel état de l'Europe. Les idées-forces pour comprendre les nouveaux enjeux de l'Union,* La Découverte, coll. « L'état du monde », Paris, 2004.

J.-F. Drevet, *L'Élargissement de l'Union européenne, jusqu'où ?,* L'Harmattan, Paris, 2004.

L. Fèbvre, *L'Europe. Genèse d'une civilisation,* Perrin, Paris, 1999.

M. Foucher (sous la dir. de), *Fragments d'Europe, atlas de l'Europe médiane et orientale,* Fayard, Paris, 1998 (3e éd.).

C. Hen, J. Léonard, *L'Union européenne,* La Découverte, coll. « Repères », Paris, 2003 (nouv. éd.).

C. Lequesne, J. Rupnik, *L'Europe à Vingt-Cinq,* Autrement, coll. « CERI-Autrement », Paris, 2004.

P. Magnette, *Contrôler l'Europe : pouvoirs et responsabilité dans l'Union européenne,* Éd. de l'Université de Bruxelles, 2003.

J.-L. Quermonne, *Le Système politique de l'Union européenne : des Communautés économiques à l'Union politique,* Montchrestien, Paris, 2005 (6e éd.).?

A. et J. Sellier, *Atlas des peuples d'Europe centrale,* La Découverte, Paris, 2002 (nouv. éd.).

J. et A. Sellier, *Atlas des peuples d'Europe occidentale,* La Découverte, Paris, 2006 (nouv. éd.).

Cette aspiration au dialogue, qu'inspire le rejet de la force hérité des guerres passées et qu'impose le respect formel des souverainetés étatiques, n'est pas sans contradiction avec le désir de se concilier les grâces de l'unique puissance capable d'unilatéralisme, les États-Unis. D'où ces divisions, ces fractures entre dirigeants européens (plus qu'entre leurs peuples) lorsque Washington n'offre à ses alliés que le choix entre suivisme et opposition frontale.

Le différend est également inévitable en matière commerciale, tant ce qui est en jeu renvoie moins aux marchandises elles-mêmes qu'aux conditions sociales et environnementales de leur production et à leurs implications pour la santé humaine. Au-delà du seul modèle social auquel les États européens demeurent attachés, malgré les remises en cause suscitées par le vieillissement démographique et la mondialisation, l'Europe élabore son projet, ses règles de vie commune et, du même coup, son identité et ses limites, nullement prédéfinies. ■

Par **Gilles Lepesant**
Géographe, CNRS (TIDE-Bordeaux)

Deux ans après les adhésions de dix nouveaux États à l'Union européenne (UE) en mai 2004, on pouvait dresser un premier bilan plaidant en faveur d'autres élargissements. Les pays d'Europe centrale ont connu une phase de forte croissance, soutenue par des investissements étrangers massifs. Les États membres plus anciens ont investi sur place, non seulement pour satisfaire la demande locale et organiser une division du travail renforçant leur compétitivité face à la Chine, mais aussi pour exporter, comme en témoignait le déficit commercial persistant des nouveaux membres vis-à-vis de l'UE-Quinze. Sur le plan institutionnel, l'élargissement n'a en rien paralysé l'Union. Seule une crise est intervenue, portant sur la dérogation en matière de TVA demandée par certains États membres plus anciens. La Pologne a manifesté son souhait de voir la règle commune s'appliquer, d'autant que tout traitement de faveur en la matière lui avait été refusé lors des négociations d'adhésion.

Ce succès de l'élargissement contraste avec la situation politique au sein de l'Union. En Europe centrale, la plupart des élections tenues depuis 1990 ont consacré la chute des équipes en place. En 2005, en Bulgarie, la coalition conduite par le Mouvement national Siméon II (centre droit) a ainsi été défaite aux législatives de juin 2005. Une nouvelle coalition lui a succédé, conduite par le Premier ministre socialiste Sergueï Stanichev.

Cette règle de l'alternance a pris la forme d'une rupture en Pologne. Dans ce pays, l'élection présidentielle d'octobre 2005 a vu la victoire d'un président (Lech Kaczynski) stigmatisant l'« établissement », qu'il soit post-communiste ou libéral, et soucieux d'ordre moral. Ne disposant pas d'une majorité à la suite des élections législatives de septembre 2005, PiS (Droit et justice) a conclu, en mai 2006, une alliance avec deux partis populistes : la LPR (Ligue des familles polonaises) et Samoobrona (Autodéfense). La jonction entre un courant d'extrême droite ultracatholique et les représentants des perdants de la transition a ainsi pu s'établir, fût-ce provisoirement, à la faveur d'une forte abstention lors des élections. Les partenaires européens n'ont pas réagi par des sanctions, comme cela avait été le cas lors de l'entrée dans le gouvernement autrichien du Parti libéral d'Autriche (FPÖ) de Jörg Haider en 2000. Ils se sont contentés de ne plus consulter Varsovie et de réduire les déplacements officiels en Pologne. La proposition polonaise d'une « OTAN de l'énergie », en 2005, n'a reçu aucun soutien.

Si les équipes au pouvoir en Europe centrale peinaient à se succéder à elles-mêmes, en 2006, la Hongrie a vu, pour la première fois depuis 1990, une coalition (de centre gauche) se maintenir à la tête de l'État (sous la direction du Premier ministre Ferenc Gyurcsany). À l'échelle de l'Union, le contexte politique est toutefois devenu en 2005-2006 moins favorable à la construction européenne. Au Royaume-Uni, les élections locales du 4 mai 2006 ont consacré l'affaiblissement de Tony Blair. Son gouvernement a dû être remanié à la suite de la perte par le Parti travailliste de 319 des 1 439 sièges qu'il détenait. Dans la rivalité qui a été relancée par cette défaite entre son dauphin désigné, Gordon Brown, et le conservateur David Cameron, les thèses

À L'ÉCHELLE DE L'UNION, LE CONTEXTE POLITIQUE EST DEVENU EN 2005-2006 MOINS FAVORABLE À LA CONSTRUCTION EUROPÉENNE.

eurosceptiques ont prévalu, du moins dans un premier temps.

En Allemagne, lors de la campagne pour les élections au Bundestag, la candidate CDU (Union chrétienne démocrate) Angela Merkel annonçait des réformes d'inspiration libérale. Néanmoins, la coalition avec le SPD (Parti social-démocrate) imposée par le résultat des scrutins du 18 septembre 2005 a réduit sa marge de manœuvre au risque d'affaiblir la présidence allemande de l'UE (premier semestre 2007).

En Italie, le succès de l'ancien président de la Commission européenne, Romano Prodi, aux élections législatives d'avril 2006 a été suivi par l'élection, à la présidence de la République, de Giorgio Napolitano, lui-même pro-européen et impliqué dans le projet de Constitution. La législature de R. Prodi s'annonçait néanmoins difficile, compte tenu de la majorité fragile obtenue face à son adversaire Silvio Berlusconi, moins sensible aux vertus de la construction européenne.

LE REJET PAR RÉFÉRENDUM DU TCE (TRAITÉ CONSTITUTIONNEL EUROPÉEN) EN FRANCE ET AUX PAYS-BAS N'A PAS PROVOQUÉ L'ABANDON IMMÉDIAT DU TEXTE. SIX PAYS ONT SUSPENDU LA PROCÉDURE DE RATIFICATION, LES AUTRES L'ONT MAINTENUE.

Le rejet par référendum du TCE (Traité constitutionnel européen) en France et aux Pays-Bas (mai et juin 2005) n'a toutefois pas provoqué l'abandon immédiat du texte. Certes, six pays ont suspendu la procédure de ratification (Danemark, Irlande, Royaume-Uni, Pologne, Portugal, République tchèque) mais les autres États membres l'ont maintenue. En mai 2006, 15 des 25 pays de l'UE avaient ratifié le Traité et la Finlande s'apprêtait à lancer la procédure. Lors du Conseil européen de juin 2005, une phase de réflexion a été décidée. Les Vingt-Cinq sont convenus de procéder en 2006 à « une appréciation d'ensemble des débats nationaux et de convenir de la suite du processus ».

Au cours de cette période de réflexion, la France a soumis des propositions reprenant certaines dispositions institutionnelles du TCE. Les nouvelles autorités polonaises militaient, quant à elles, pour une renégociation du Traité, dans l'espoir de préserver les avantages obtenus à travers le traité de Nice. D'autres pays, comme l'Allemagne, n'entendaient pas renoncer au Traité dans sa globalité, quitte à patienter pour retrouver des conditions favorables à sa mise en œuvre. La Commission européenne souhaitait que l'attention se focalise d'abord sur la « crise de résultats » que connaît l'Union, imputable, selon elle, à l'incapacité de certains États membres à appliquer et à expliquer les décisions prises en commun.

Le processus d'élargissement n'a pas été affecté par l'échec du TCE. Les négociations d'adhésion avec la Turquie ont commencé le 3 octobre 2005, le Conseil européen précisant toutefois que l'adhésion n'était pas garantie et qu'elle dépendrait non seulement des efforts déployés par Ankara, mais aussi de la capacité d'absorption de l'Union. Comment évaluer cette dernière ? En mars 2006, le Parlement européen a demandé à la Commission une étude précise en la matière pour la fin de l'année. Surtout, la Turquie ne pourra participer à la définition du budget avant 2021 et le bénéfice de la Politique agricole commune (PAC), de la politique régionale, de la liberté de circulation des personnes ne lui était pas assuré. Ce compromis n'a pas clos le débat sur les frontières de l'Europe.

Par ailleurs, l'idée que les pays ayant rejoint l'Union en 2004 puissent bénéficier de tous les avantages du marché unique rencontre des résistances, dans les gouvernements et dans les opinions publiques, comme en a témoigné le débat autour de la directive Services (dite « Bolkestein », portant sur la liberté d'établissement des prestataires de service et la libre circulation des services dans le marché intérieur), projet finalement largement amendé. Dans les échanges concernant l'ouverture des marchés du travail, les nouveaux États membres sont également apparus comme des concurrents déloyaux.

Ainsi la question de l'élargissement se trouvait-elle mêlée aux difficultés économiques et identitaires de certains États fondateurs. Les opinions publiques les plus rétives à de nouveaux élargissements sont aussi celles qui s'inquiètent le plus de la mondialisation, comme si chaque nouvelle adhésion affaiblissait l'Union et la privait de ressources accordées à des pays plus démunis et concurrents. L'Union n'a toutefois pas perdu la maîtrise de ces élargissements. Ainsi la Roumanie et la Bulgarie ont-elles signé, le 25 avril 2005, leur traité d'adhésion pour une entrée dans l'UE au 1er janvier 2007, mais avec obligation de résultat d'ici là. La Croatie a entamé son processus d'adhésion le 3 octobre 2005. La Macédoine bénéficiait, elle, du statut encourageant de « pays candidat ». Enfin, la Bosnie visait, dans un premier temps, la signature d'un accord de stabilisation et d'association (ASA). Concernant la Serbie, le Kosovo et la Macédoine, de nombreuses questions institutionnelles restaient à régler, ainsi que celle de la coopération des autorités locales avec le Tribunal pénal international pour l'ex-Yougoslavie (TPIY) pour l'arrestation des criminels de guerre en fuite depuis la fin du conflit yougoslave.

Initiée en 2003, la PEV (Politique européenne de voisinage) complétait le dispositif. En intégrant dans un cadre commun tous les États limitrophes sur la base de « plans d'action » détaillés et agréés conjointement par l'Union et ses interlocuteurs, la politique de voisinage participe ainsi d'une extension du champ d'application des valeurs et des normes européennes. La Russie entendait bénéficier d'un régime particulier, centré sur « quatre cercles communs » (économie, sécurité intérieure, diplomatie et culture).

Ainsi s'esquisse un vaste espace européen (455 millions d'habitants et un PIB similaire à celui des États-Unis, soit 10 000 milliards d'euros environ, pour la seule UE) composé d'appartenances multiples. L'espace Schengen (qui permet la libre circulation des personnes entre les États membres) comptait 15 pays en 2006 (l'adhésion de 10 nouveaux États était envisagée pour 2007), dont deux États associés, l'Islande et la Norvège, n'appartenant pas à l'UE. La Suisse est devenue un État associé au terme du référendum organisé dans le pays le 5 juin 2005. La Zone euro est, elle aussi, moins étendue que l'UE-25 (le Royaume-Uni, le Danemark, la Suède n'en font pas partie), mais son élargissement à l'Europe centrale pouvait débuter officiellement le 1er mai 2006. À l'exception de la Pologne, tous les

LA QUESTION DE L'ÉLARGISSEMENT SE TROUVE MÊLÉE AUX DIFFICULTÉS ÉCONOMIQUES ET IDENTITAIRES DE CERTAINS ÉTATS FONDATEURS.

nouveaux États membres (qui ont obligation d'adhérer à la monnaie unique) ont fixé des dates butoirs s'échelonnant entre janvier 2007 (Slovénie, Lituanie) et 2010 (Hongrie, République tchèque). Dans le contexte de la forte hausse des prix du pétrole, du contentieux russo-ukrainien sur les tarifs du gaz survenu à l'hiver 2005-2006, des prises de participation de Gazprom dans des groupes de distribution européens, le secteur énergétique requérait une stratégie interne et externe à l'UE. À l'intérieur, l'ouverture des marchés et une amélioration des interconnexions entre les réseaux ont contribué à l'émergence d'un espace énergétique européen. À l'extérieur, le *Livre vert*, publié par la Commission en mars 2006 (*Stratégie européenne pour une énergie sûre, compétitive et durable*), comprenait une vingtaine de propositions visant à conjurer le spectre d'éventuelles ruptures d'approvisionnement. La Russie (dont l'Union dépend pour un tiers de ses importations de pétrole et la moitié de ses importations de gaz) s'impose comme un acteur majeur à mesure que s'épuisent

AVEC LA FLAMBÉE DES PRIX DU PÉTROLE, LE CONTENTIEUX RUSSO-UKRAINIEN SUR LE GAZ, LES PARTICIPATIONS DE GAZPROM DANS LA DISTRIBUTION EUROPÉENNE, LE SECTEUR ÉNERGÉTIQUE REQUIERT UNE STRATÉGIE INTERNE ET EXTERNE À L'UE.

les réserves de la mer du Nord. Le « sommet » UE-Russie d'octobre 2005 a accouché de nouvelles mesures pour intensifier la coopération énergétique, mais Moscou a réitéré son refus de signer la Charte énergétique. Or celle-ci prévoit notamment de meilleures conditions pour les investisseurs étrangers, qui pourraient assurer à la Russie la capacité technique de répondre à la demande croissante de l'UE.

L'enjeu énergétique explique également en partie la stratégie américaine sur les marches orientales de l'Union. Dans le courant de l'année 2005, George W. Bush, Dick Cheney et Condoleezza Rice se sont rendus dans plusieurs pays situés sur la façade orientale et méridionale de la Russie (Slovaquie, Géorgie, Ukraine, Kazakhstan). Outre le transfert amorcé en 2005 des bases américaines stationnées en Allemagne vers la Bulgarie et la Roumanie, ces déplacements ont témoigné d'une volonté américaine de disposer sur l'espace mer Noire-mer Caspienne d'un point d'appui permettant à la fois de surveiller l'Asie centrale et d'influer sur la valorisation des richesses en hydrocarbures de la région. Dans la même logique, une extension de l'OTAN (Organisation du traité de l'Atlantique nord) à l'Ukraine et à la Géorgie était envisagée à moyen terme.

Au préalable, l'Alliance atlantique devrait toutefois intégrer la Croatie, la Macédoine et l'Albanie. Dans les Balkans, l'OTAN et l'UE œuvraient de concert au Kosovo, ainsi qu'en Bosnie où, depuis février 2005, la mission *Althea* de l'UE a remplacé la Sfor (Force de stabilisation) de l'OTAN. Sur l'ensemble du voisinage européen, l'UE tend d'ailleurs à renforcer sa présence par l'envoi de missions de justice (Géorgie), de police (dans les Territoires palestiniens), d'assistance aux frontières (à Rafah – bande de Gaza – et à la frontière ukraino-moldave), ou encore par l'action de ses représentants spéciaux (en Moldavie, au Sud-Caucase, au Moyen-Orient). ∎

Par **Anne Bazin**
Sciences politiques, Fondation Robert-Schuman

2005

6 juillet. Malte. Ratification parlementaire à l'unanimité du Traité constitutionnel européen (TCE).

7 juillet. Royaume-Uni. Attentats terroristes dans les transports publics londoniens. La Commission européenne accélère la mise en œuvre de mesures antiterroristes.

10 juillet. Luxembourg. Ratification du TCE par voie référendaire (56,52 % de « oui » contre 43,48 % de « non »).

28 juillet. Irlande du Nord. L'Armée républicaine irlandaise (IRA) annonce renoncer à la lutte armée.

18 septembre. Allemagne. Lors des élections législatives, la CDU-CSU (Union chrétienne démocrate-Union chrétienne sociale) obtient 35,2 % des voix, le Parti social-démocrate (SPD) 34,2 %, le Parti libéral démocrate (FDP) 9,8 % et Alliance 90-Les Verts (B'90-Die Grünen) 8,1 %.

23 septembre. Turquie. Lors d'une conférence sur le génocide arménien à Istanbul, une soixantaine d'intellectuels et d'historiens turcs remettent publiquement en question la version officielle turque qui nie le génocide.

25 septembre. Pologne. Victoire du parti conservateur Droit et justice (PiS) aux élections législatives et sénatoriales.

3 octobre. Turquie et Croatie. Début des négociations d'adhésion à l'Union européenne.

5 octobre. UE-Immigration. Affrontements mortels entre les forces de l'ordre hispano-marocaines et des candidats à l'immigration à la frontière entre le Maroc et les enclaves espagnoles de Ceuta et Melilla.

10 octobre. Serbie-Monténégro. Ouverture des négociations de l'Accord de stabilisation et d'association (ASA) avec l'UE.

23 octobre. Pologne. Victoire de Lech Kaczynski, candidat de Droit et justice à l'élection présidentielle avec 54 % des suffrages. Son rival, Donald Tusk (Plate-forme civique, PO) obtient 45 % des voix.

27 octobre-17 novembre. France. Émeutes dans les banlieues françaises après la mort dans un transformateur électrique de deux adolescents fuyant un contrôle policier à Clichy-sous-Bois.

22 novembre. Allemagne. Angela Merkel (CDU-CSU) est élue chancelière du pays et constitue un gouvernement de grande coalition (CDU-CSU, SPD).

27-28 novembre. UE-Méditerranée. Dixième anniversaire du partenariat euro-méditerranéen (Euromed) et adoption d'un programme de travail sur cinq ans pour relancer le processus de Barcelone.

1er décembre. BCE. Augmentation d'un quart de point, à 2,25 %, du taux directeur de la Banque centrale européenne.

7 décembre. Croatie. Arrestation de l'ancien officier de l'armée croate Ante Gotovina, inculpé pour crimes de guerre par le Tribunal pénal international pour l'ex-Yougoslavie (TPIY).

17 décembre. Macédoine. Le Conseil européen accorde le statut de « pays candidat » à la Macédoine.

2006

21 janvier. Kosovo. Décès des suites d'un cancer du président Ibrahim Rugova.

22 janvier. Portugal. Élection à la présidence de la République du social-démocrate (PSD) Anibal Cavaco Silva, avec 50,59 % des suffrages.

29 janvier. Finlande. Réélection à la présidence de la République de la sociale-démocrate (SPD) Tarja Halonen avec 51,8 % des suffrages contre 48,2 % pour Sauli Niinistö, candidat du Parti de la coalition nationale (KOK, conservateur).

31 janvier. France. Début des manifestations et des grèves étudiantes et syndicales après l'annonce de la création d'un contrat première embauche (CPE), destiné aux moins de 26 ans et prévoyant une période d'essai de deux ans durant laquelle le contrat de travail peut être rompu sans motif.

1er février. Danemark. Après les violentes réactions suscitées par la publication dans la presse danoise puis internationale de caricatures du prophète Mohammed, les chefs d'État et de gouvernement de l'UE invoquent la liberté d'expression tout en appelant au respect des religions.

8 février. Belgique. Ratification du projet de TCE par les deux chambres du Parlement fédéral ainsi que par les assemblées parlementaires des régions et des communautés.

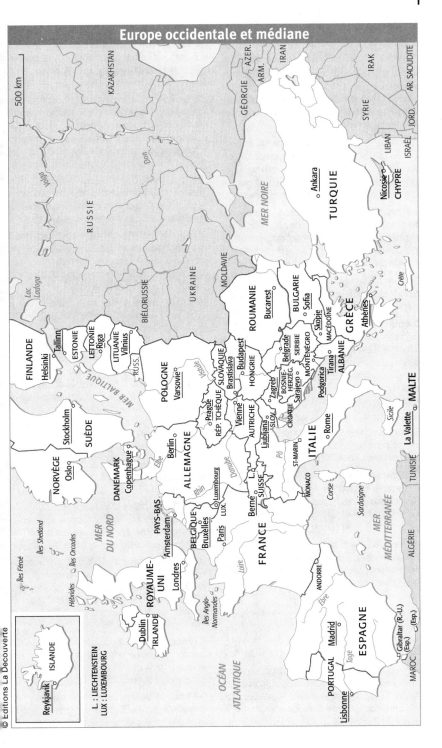

Europe occidentale et médiane

20-21 février. Kosovo. Début des négociations sur le statut futur de la province du Kosovo, sous l'égide de l'ONU.

8 mars. Commission européenne. Publication du Livre vert *Une stratégie européenne pour une énergie sûre, compétitive et durable*, et lancement d'une consultation publique sur les questions énergétiques en Europe.

11 mars. Serbie. Décès de l'ancien président de Serbie, Slobodan Milosevic, en détention au TPIY de La Haye, où son procès pour génocide, crimes contre l'humanité et de guerre venait d'entrer dans sa cinquième année.

23 mars. UE-Biélorussie. L'UE dénonce la nature non démocratique du scrutin présidentiel du 19 mars et décide l'interdiction de visa et le gel des avoirs d'une trentaine de dignitaires dont le président Alexandre Loukachenko.

24 mars. Espagne. L'organisation séparatiste basque ETA décide un « cessez-le-feu permanent ».

24 mars. UE-Méditerranée. Ouverture des négociations avec six pays méditerranéens (Tunisie, Égypte, Israël, Jordanie, Liban, Autorité palestinienne) sur la libéralisation des services, dans la perspective de la création d'une zone de libre-échange euro-méditerranéenne à l'horizon 2010.

4 avril. UE. Accord entre le Conseil et le Parlement européens sur les perspectives financières pour la période 2007-2013, avec une révision prévue en 2009.

9-10 avril. Italie. Élections législatives et sénatoriales remportées par la coalition des forces de gauche. Romano Prodi devient président du Conseil. Giorgio Napolitano est élu président de la République le 15 mai.

10 avril. UE-Territoires palestiniens. Suspension par l'UE de son aide directe au gouvernement palestinien dirigé par le Hamas, mais maintien de son aide humanitaire destinée à la population.

19 avril. « Directive Bolkestein ». Adoption par le Parlement européen de la directive sur la libre circulation des services dans une version remaniée. Le Conseil l'adopte le 30 mai.

23 avril. Hongrie. Élections législatives remportées par le Parti socialiste hongrois avec 48,19 % des suffrages contre 4,49 % pour l'Alliance des jeunes démocrates-Union civique (FIDESz-MPP).

24 avril. Parlement européen. Publication d'un projet de rapport intermédiaire sur les allégations de transport et de détention illégale de prisonniers par la CIA américaine dans des pays européens.

29 avril. PESC. Adoption par le Conseil d'une action commune concernant le déploiement de forces européennes (opération Eufor RD-Congo) en République démocratique du Congo pendant la période électorale, en soutien à la mission des Nations unies (Monuc).

1er mai. UE. L'Espagne, le Portugal, la Finlande et la Grèce lèvent toutes les restrictions à la libre-circulation des travailleurs originaires des nouveaux États membres de l'UE.

3 mai. Serbie-Monténégro. L'UE suspend ses négociations avec la Serbie-Monténégro en vue d'un Accord de stabilisation et d'association, sanctionnant ainsi la coopération insuffisante de ce pays avec le TPIY.

4-7 mai. Grèce. 4e Forum social européen (FSE) à Athènes qui accueille près de 30 000 altermondialistes.

6 mai. Pologne. La Ligue des familles polonaises (LPR, extrême droite) et le parti populiste Samoobrona (Autodéfense) entrent dans le gouvernement de Kazimierz Marcinkiewicz. La coalition gouvernementale dispose de la majorité au Parlement. Après la démission de K. Marcinkiewicz début juillet, le président Lech Kaczynski nommera Premier ministre son frère jumeau Jaroslaw.

9 mai. Estonie. Par 73 voix contre 1, Le Parlement estonien adopte le projet de loi sur la ratification du TCE.

16 mai. Roumanie et Bulgarie. La Commission reporte au mois d'octobre 2006 sa décision concernant la date prévue d'entrée de la Bulgarie et de la Roumanie dans l'UE.

21 mai. Monténégro. 55,5 % des électeurs approuvent par référendum le projet de séparation de la République du Monténégro de la République de Serbie. L'indépendance est proclamée officiellement par le Parlement monténégrin le 3 juin.

21 mai. Chypre. La coalition des forces de gauche est réélue lors d'élections législatives avec 31,16 % des suffrages contre 30,33 % pour le parti libéral DISY.

31 mai. Lituanie. Démission du Premier ministre Algirdas Brazauskas, qui entraîne la chute du gouvernement social-démocrate. ∎

Allemagne

La grande coalition à l'épreuve du pouvoir

L'année 2005-2006 a été marquée par la campagne pour les élections anticipées au Bundestag (Chambre basse du Parlement) et par les premiers mois d'exercice du gouvernement de grande coalition entre les partis de l'Union CDU-CSU (Union chrétienne démocrate-Union chrétienne sociale) et le Parti social démocrate (SPD). Cette alliance gouvernementale, la seconde de l'histoire de la RFA, a succédé à la coalition SPD/Verts qui gouvernait le pays depuis 1998.

Contrairement aux premières attentes et en dépit d'une campagne intense, les élections anticipées au Bundestag, organisées le 18 septembre 2005, n'ont pas permis de départager clairement les forces politiques en présence. Les deux principaux partis ont perdu des suffrages en proportions équivalentes par rapport aux précédentes législatives (– 4,3 % pour le SPD et – 3,3 % pour la CDU-CSU) et se sont retrouvés au coude à coude avec un très court avantage pour l'Union (35,2 % des voix contre 34,2 % pour le SPD). Le Parti libéral (FDP), bénéficiant de la désaffection à l'égard de la CDU-CSU, est arrivé en troisième position avec 9,8 % des suffrages. Il était suivi par le Parti de gauche (Linkspartei), alliance électorale réunissant pour l'occasion le Parti du socialisme démocratique (PDS, héritier de l'ancien Parti communiste au pouvoir en RDA) et des déçus du SPD rassemblés autour d'Oskar Lafontaine au sein de l'Alternative électorale Travail et justice sociale (WASG). Grande surprise de ce scrutin, la percée du Linkspartei (8,7 %), aux dépens du SPD, a inquiété les partis traditionnels et nourri chez les militants de l'ancien PDS l'espoir d'une extension à l'Ouest, même si l'ensemble des partis représentés au Bundestag continuait d'exclure toute coopération à l'échelon national avec cette formation issue de

l'ancien parti dirigeant est-allemand. Enfin, les Verts (Die Grünen-Bündnis 90) restaient stables avec 8,1 % des voix.

Accord de gouvernement équilibré

La manœuvre risquée et contestée du chancelier Gerhard Schröder (SPD) d'appeler à des élections anticipées, après les revers enregistrés par son parti lors des récentes élections régionales s'est révélée relativement payante en permettant au SPD

République fédérale d'Allemagne

Capitale : Berlin.
Superficie : 357 030 km².
Population : 82 689 000.
Langue : allemand.
Monnaie : euro (1 € = 1,25 dollar au 29.6.06). L'Allemagne fait partie de la Zone euro. Le 1.1.02, le mark a disparu au profit de l'euro (sur la base de 1 € = 1,95583 mark).
Nature de l'État : république fédérale (16 *Länder*). Les deux États issus de la Seconde Guerre mondiale ont été réunifiés politiquement le 3.10.90.
Nature du régime : démocratie parlementaire.
Chef de l'État : Horst Köhler (SPD), président de la République (depuis le 23.5.99).
Chef du gouvernement : Angela Merkel (CDU), qui a succédé le 22.11.05 à Gerhard Schröder.
Ministre des Finances : Peer Steinbrück, SPD (depuis le 22.11.05).
Ministre des Affaires étrangères : Frank-Walter Steinmeier (depuis le 22.11.05).
Principaux partis politiques : Union chrétiennne démocrate (CDU) ; Union chrétienne sociale (CSU) ; Parti social-démocrate (SPD) ; Parti libéral (FDP) ; Parti du socialisme démocratique (PDS, ex-Parti communiste de RDA) ; Die Grünen/Bündnis 90 (Verts/Alliance 90) ; Parti de l'offensive pour l'État de droit (« Parti du juge Schill ») ; Deutsche Volksunion (Union du peuple allemand – DVU –, extrême droite, non représentée au Bundestag).

Allemagne/Bibliographie

I. Bourgeois (sous la dir. de), *Le Modèle social allemand en mutation*, CIRAC, Paris, 2005.

J.-P. Depecker, S. Milano, *Économie et société allemandes, l'après-réunification*, Nathan, Paris, 1995.

J.-P. Gougeon, *Où va l'Allemagne ?*, Flammarion, Paris, 1997.

E. Husson, *Une autre Allemagne*, Gallimard, Paris, 2005.

« L'Allemagne de Gerhard Schröder » (dossier constitué par S. Lemasson), *Problèmes politiques et sociaux*, n° 837, La Documentation française, Paris, avr. 2000.

A.-M. Le Gloannec (sous la dir. de), *Allemagne, peuple et culture*, La Découverte, coll. « Poches », Paris, 2005.

A.-M. Le Gloannec (sous la dir. de), *L'état de l'Allemagne*, La Découverte, coll. « L'état du monde », Paris, 1995.

A.-M. Le Gloannec (sous la dir. de), *L'État en Allemagne. La République fédérale après la réunification*, Presses de Sciences Po, Paris, 2001.

R. Liedtke, *Wem gehört die Republik ?*, Eichborn, Francfort-sur-le-Main, 2004.

D. Marsh, *Germany and Europe, the Crisis of Unity*, Heinemann, Londres, 1994.

J. Rovan, *Histoire de l'Allemagne, des origines à nos jours*, Seuil, Paris, 1994.

Sachverständigenrat zur Begutachtung der gesamtwirtschaftlichen Entwicklung, « Die Chance nutzen – Reformen mutig voranbringen », *in Jahresgutachten : 2005/06*, Metzler-Poeschel, Stuttgart, 2005.

H. W. Sinn, *Ist Deutschland noch zu retten ?*, Econ, Munich, 2003.

W. Streeck, M. Höpner, *Alle Macht dem Markt ? Fallstudien zur Abwicklung der Deutschland AG*, Campus, Francfort-sur-le-Main, 2003.

D. Vernet, *La Renaissance allemande*, Flammarion, Paris, 1992.

de participer substantiellement au nouveau gouvernement. L'arrivée à la Chancellerie d'Angela Merkel, première femme et première Allemande de l'Est élue à cette fonction le 22 novembre 2005, a marqué la fin de carrière politique de G. Schröder. La négociation de l'accord de coalition entre la CDU-CSU et le SPD s'est conclue sur une répartition équilibrée et cohérente des portefeuilles ministériels entre les deux principales formations : sept ministères pour la CDU-CSU, huit pour le SPD. L'ancien président du SPD, Franz Müntefering, s'est ainsi vu confier les postes de vice-chancelier et de ministre du Travail et des Affaires sociales.

Le nouveau gouvernement entendait infléchir les réformes lancées par G. Schröder (Agenda 2010) en recentrant son action sur la lutte contre le chômage et la réforme du système de santé. La popularité rapidement acquise par la nouvelle équipe et plus précisément par A. Merkel a limité les dissensions entre les deux partenaires gouvernementaux et a pesé sur les trois élections régionales organisées le 26 mars 2006. Les scrutins de Bade-Wurtemberg et de Saxe-Anhalt ont vu une nette victoire de la CDU. En revanche, le SPD a remporté la majorité absolue en Rhénanie-Palatinat, pouvant, dès lors, y gouverner sans le FDP. Kurt Beck, vainqueur de l'élection, a été élu à la présidence du SPD, le 10 avril 2006, en remplacement de Matthias Platzeck, démissionnaire pour raison de santé après cinq mois d'activité.

Dans ce contexte d'élections, la grande coalition a pu faire aboutir une réforme très attendue sur les relations entre la Fédération et les *Länder*. Dans le cadre de la loi votée le 12 mars 2006, les *Länder* ont accepté de voir réduites leurs prérogatives législatives au niveau fédéral en échange d'un renforcement de leurs compétences régionales dans l'éducation, la recherche et l'environnement.

Économie : le retour de la confiance ?

L'arrivée au pouvoir d'A. Merkel a entraîné un regain d'optimisme, notamment concernant l'économie. Avec un dernier trimestre assez mauvais, la croissance du PIB a été évaluée à + 0,9 % pour 2005, soit une progression presque équivalente à celle de 2004 (+ 1,7 %). La croissance de 2005 a été principalement tirée par les exportations (à hauteur de 0,7 %, selon l'Office fédéral des statistiques). Pour 2006, la prévision se situait entre 1,5 % et 2 %. Malgré un début d'année difficile lié aux fortes intempéries qui ont frappé le pays, l'indice de conjoncture Ifo rendait compte d'un moral des industriels au plus haut depuis l'unification allemande (1991). Les économistes anticipaient un maintien des exportations, un relèvement de l'investissement et surtout une croissance de la consommation liée à la hausse prévue de la TVA début 2007.

Cette hausse de la TVA constituait l'un des points importants du programme de coalition finalisé en début d'année 2006. Celui-ci visait à respecter, dès 2007, l'objectif d'un déficit public n'excédant pas 3 %, en conformité avec les critères de convergence du traité de Maastricht relatif à l'union monétaire (contre 3,4 % prévus en 2006), tout en poursuivant un ambitieux programme d'investissement de 25 milliards d'euros au bénéfice des nouvelles technologies et de la politique de l'emploi.

Sur ce dernier front, on recensait, fin avril 2006, 4,790 millions de chômeurs contre 4,968 millions en avril 2005, soit une baisse de 3,6 %. Pourtant, le débat a resurgi sur la nécessité d'un assouplissement des règles du marché du travail. Fin février 2006, Michael Glos, ministre de l'Économie (conservateur) a ainsi plaidé pour un assouplissement du droit de licenciement. Cette mesure s'ajouterait à la réforme prévue dans le contrat de coalition gouvernementale faisant passer la période d'essai de six mois à deux ans.

Un autre sujet de préoccupation a resurgi : l'approvisionnement énergétique du pays. L'entrée de G. Schröder, dès la fin de son mandat politique, au conseil de surveillance du « géant » de l'énergie Gazprom (dont l'État russe est l'actionnaire majoritaire) a été perçue par l'opinion publique comme un signe de connivence avec le président russe Vladimir Poutine, cette suspicion ternissant quelque peu l'image du chancelier. Mais elle a surtout rappelé au pays que 60 % de sa consommation énergétique est importée (plus de 80 % pour le gaz). Dans ce contexte, la fermeture prévue, dans le cadre de l'accord rouge-vert (SPD-écologistes) conclu sous le chancelier Schröder, de centrales nucléaires assurant 30 % de la production nationale commençait à être remise en question.

L'actualité sociale a été principalement marquée par un mouvement de grève dans la fonction publique et un conflit dans la métallurgie. En réponse à la proposition des *Länder* et des communes de faire passer le temps de travail hebdomadaire de 38,5 à 40 heures, le syndicat Ver.di (Vereinte Dienstleistungsgewerkschaft, services et fonction publique) a déclenché, le 6 février 2006, en Bade-Wurtemberg une grève qui s'est étendue progressivement à d'autres *Länder* et qui aura duré près de deux mois. En définitive, la durée hebdomadaire de travail est passée à 39 heures.

Dans la métallurgie, le syndicat IG Metall avait revendiqué, en février également, une hausse des salaires de 5 % destinée en partie à anticiper sur l'augmentation prévue de la TVA. Un accord a été trouvé avec le syndicat du patronat Gesamtmetall, le 22 avril 2006, autour d'une augmentation de 3 %.

Poursuite du fort engagement vers l'Europe

En matière de politique étrangère, le retour attendu à la discipline atlantiste rom-

Espagne

pant avec la stratégie pragmatique privilégiée par G. Schröder a été limité. D'une part, dans un souci de continuité, le portefeuille des Affaires étrangères a été confié une nouvelle fois à un social-démocrate et, d'autre part, A. Merkel a adopté une attitude de fermeté à l'égard du partenaire américain au moment de la révélation des vols aériens secrets organisés par la CIA pour transférer à fin de les interroger des personnes soupçonnées de terrorisme. De même, le fait que l'Allemagne accepte de prendre en charge la direction stratégique d'une opération militaire autonome de l'Union européenne (UE) pour la sécurisation des élections en République démocratique du Congo (printemps 2006) a été perçu très favorablement à Paris comme le signe d'une évolution majeure de la position allemande sur les opérations autonomes de l'UE (sans recours aux moyens et capacités de l'OTAN) et sur les intérêts géostratégiques de l'Allemagne (engagement sur un théâtre africain). Cette implication, s'ajoutant au renforcement de l'engagement militaire allemand en Afghanistan, venait confirmer, malgré des restrictions budgétaires, la transformation de la Bundeswehr en « armée de projection ».

S'agissant des affaires européennes et des partenariats privilégiés, la chancelière n'a pas dérogé à la tradition en se rendant à Paris au lendemain de son élection. Par son attitude conciliatrice dans un contexte de forte opposition franco-britannique sur le budget européen, A. Merkel a passé avec succès son « baptême du feu » lors du Conseil européen de décembre 2005.

- Pierre-Yves Boissy, Jean-Daniel Weisz ■

Espagne

Réforme du statut des communautés autonomes

Le 31 octobre 2005 est née Leonor, fille du prince des Asturies Felipe de Bourbon, et petite-fille du roi d'Espagne Juan Carlos Ier de Bourbon, posant le problème de l'accession à la Couronne d'un héritier de sexe féminin et imposant une réforme constitutionnelle, qui semblait recueillir l'accord de l'ensemble des forces politiques. La lourdeur de mise en œuvre de la procédure explique qu'elle ait été reportée à une date ultérieure.

Au-delà de cet heureux événement, l'actualité politique de l'année 2005-2006 a été dominée par le débat sur la réforme du statut des communautés autonomes, en particulier celui de la Catalogne. Le Parlement catalan a approuvé, en septembre 2005, la proposition de nouveau statut avec l'appui des partis du gouvernement régional : PSC (Parti des socialistes de Catalogne), ERC (Esquerra Republicana de Catalunya, « Gauche républicaine de Catalogne ») et ICV (Iniciativa per Catalunya-Verds, « Initiative pour la Catalogne-Verts »). Le PP (Parti populaire) ne s'est pas associé à cet accord, rendant impossible le consensus. À partir de novembre 2005, un processus de négociation complexe a été amorcé entre le gouvernement tripartite catalan et le gouvernement central de José Luis Rodriguez Zapatero. Les désaccords les plus notables ont porté sur la définition de la Catalogne comme nation, le financement et la gestion fiscale, la justice, la gestion de l'aéroport de Barcelone (El Prat) et les compétences régionales exclusives. Le 31 mars 2006, le Congrès approuvait un texte passablement modifié par la Commission constitutionnelle. Dans le préambule du nouveau statut, la Catalogne est reconnue comme nation. La région a également obtenu un nouveau mode de financement plus autonome. La création de l'Agence fiscale de Catalogne a pour objectif de gérer les impôts de la Generalitat (gouvernement catalan) ; par ailleurs, celle-ci augmente sa participation concernant les impôts levés conjointement avec le gouvernement central, comme la TVA, les impôts sur le revenu, les impôts sur les produits tels que l'alcool, le tabac ou les hydrocarbures.

Espagne

Le renouvellement du statut de la Catalogne, fort médiatisé, est toutefois intervenu après celui de la Communauté valencienne (mai 2005), approuvé par le Congrès et le Sénat entre février et mars 2006. Ces débats sur le statut des autonomies ont repoussé pour un temps la question du terrorisme au second plan.

Annonce d'une trêve par ETA

Mais la « question basque » a réintégré l'actualité avec l'annonce, le 22 mars 2006, par l'organisation indépendantiste ETA (Euskadi ta Askatasuna) d'un cessez-le-feu définitif, qui pourrait constituer un pas décisif vers une résolution politique du conflit. Cette annonce semble avoir été précédée de prises de contacts entre le gouvernement et ETA (dénoncées par le PP), auxquelles auraient participé des membres du PSE (Partido Socialista de Euskadi) et des intermédiaires étrangers ex-membres de l'IRA (Armée républicaine irlandaise) et du Sinn Féin. Mariano Rajoy (président du PP), profondément hostile à toute négociation avec ETA, s'est montré toutefois disposé à collaborer avec le gouvernement afin de ne pas compromettre la lueur d'espoir que représente cette trêve. Celle-ci fournissait également l'occasion aux partis *arbetzales* (gauche nationaliste appuyant ETA) comme Batasuna (déclaré illégal) de retrouver une place dans le dialogue. Deux instances de négociations étaient envisagées : la première, entre le gouvernement et ETA, traiterait de la question des prisonniers politiques ; la seconde intégrerait les différents partis politiques dont Batasuna, à condition que le groupe condamne la violence d'ETA. La marge de négociation demeurait, à la mi-2006, bien faible puisque ETA posait comme préalable implicite à toute discussion le droit à l'autodétermination du Pays basque (intégrant les provinces françaises et la Navarre), alors que pour J. L. Zapatero ce point n'était pas négociable. Concernant les attentats du 11 mars 2004 à Madrid, le juge Luis del Olmo a conclu l'instruction du dossier en avril 2006. Seule la piste islamiste a été retenue, écartant toute implication d'ETA. Ces actes de violence auraient été perpétrés par trois groupes de combattants, majoritairement

Royaume d'Espagne

Capitale : Madrid.
Superficie : 505 990 km².
Population : 43 064 000.
Langues : officielle nationale : espagnol (ou castillan) ; officielles régionales : basque (euskera) ; catalan ; galicien ; valencien.
Monnaie : euro (1 € = 1,25 dollar au 29.6.06). L'Espagne fait partie de la Zone euro. Le 1.1.02, la peseta a disparu au profit de l'euro (sur la base de 1 € = 166,386 pesetas).
Nature de l'État : monarchie constitutionnelle. 17 communautés autonomes et deux villes autonomes (Ceuta et Melilla) dans une Espagne « unie et indissoluble ».
Nature du régime : parlementaire.
Chef de l'État : roi Juan Carlos Ier de Bourbon (depuis le 22.11.75).
Chef du gouvernement : José Luis Rodriguez Zapatero (depuis le 18.4.04).
Ministre de l'Économie : Pedro Solbes Mira.
Ministre des Affaires étrangères : Miguel Angel Moratinos (depuis le 18.4.04).
Ministre de la Défense : José Antonio Alonso (depuis le 18.4.04).
Principaux partis politiques : *Audience nationale :* Parti socialiste ouvrier espagnol (PSOE, gauche) ; Parti populaire (PP, centre droit) ; Gauche unie (IU, coalition à majorité communiste). *Audience dans les autonomies :* Convergence et Union (CiU, conservateur) ; Parti nationaliste basque (PNV, conservateur) ; Coalition canarienne (CC, nationaliste) ; Bloc nationaliste galicien (BNG, gauche). *Interdit :* Batasuna (anciennement « Herri Batasuna », HB, coalition séparatiste basque, considérée comme la vitrine politique de l'ETA.
Contestation territoriale : Gibraltar, dépendant du Royaume-Uni.

Espagne

Espagne/Bibliographie

A. **Angoustures**, *Histoire de l'Espagne au xxᵉ siècle*, Complexe, Bruxelles, 1993.

A. **Broder**, *Histoire économique de l'Espagne contemporaine*, Économica, Paris, 1998.

J. **Chalvidant**, *L'Espagne de Franco à Zapatero*, Atlantica, Biarritz, 2006.

A. **Dulphy**, *Histoire de l'Espagne de 1814 à nos jours. Le défi de la modernisation*, Armand Colin, 2005 (3ᵉ éd.).

C. **Domingues**, *Identité régionale et médias. Le cas de la Galice*, L'Harmattan, Paris, 2005.

A. **Elorza** (sous la dir. de), *ETA, une histoire*, Denoël, Paris, 2002.

A. **Humbert**, *L'Espagne*, Nathan Université, coll. « Géographie d'aujourd'hui », Paris, 1992.

J.-M. **Izquierdo**, *La Question basque*, Complexe, Bruxelles, 2000.

« La question d'Espagne », *Hérodote*, nᵒ 91, La Découverte, Paris, 4ᵉ trim. 1998.

« L'Espagne du politique », *Pôle Sud, Revue de science politique de l'Europe méridionale*, nᵒ 16, Climats, Castelnau-le-Lez, mai 2002.

B. **Loyer**, *Géopolitique de l'Espagne*, Armand Colin, Paris, 1997.

F. **Moderne**, P. **Bon**, *Espagne : les années Aznar*, Les Études de La Documentation française, nᵒ 5192, Paris, juin 2004.

marocains, en réaction à l'intervention de l'Espagne dans la guerre en Irak. La loi de Défense nationale promulguée en novembre 2005 stipule l'obligation, désormais, d'obtenir l'aval du Congrès des députés pour envoyer des troupes hors du pays.

Pour la première fois depuis le retour à la démocratie, l'année 2005 s'est terminée avec un excédent dans les comptes de l'administration. Les soldes positifs enregistrés par la Sécurité sociale (1,06 % du PIB) et par l'administration centrale (0,39 % du PIB) ont compensé les déficits des administrations autonomiques (– 0,22 %) et des communes (– 0,14 %). Par ailleurs, les revenus fiscaux ont augmenté de plus de 14 %, taux record depuis 1989. La croissance s'est élevée à 3,4 %, soit le meilleur résultat enregistré depuis 2001. Le maintien de la demande interne et la baisse du taux de chômage (passé de 10,3 % en 2004 à 8,5 % en 2005) contribuaient à la bonne santé de l'économie. Des problèmes structurels demeuraient, qui concernaient le chômage des jeunes (18,4 % pour les moins de 25 ans), l'endettement des mé-

nages, la faible productivité associée à un faible investissement dans la recherche, l'inflation (4,2 % en janvier 2006, soit plus du double du taux prévu) et la part excessive du secteur immobilier dans le PIB. Le déséquilibre des comptes extérieurs s'accentuait encore (7 % de croissance pour les exportations, contre 15 % pour les importations).

L'une des conséquences de ce dynamisme économique est la forte attractivité de l'Espagne dans les flux d'immigration vers l'Europe. Avec 625 300 entrants en 2005, elle a détrôné l'Italie. Cette immigration se révèle particulièrement problématique concernant les populations originaires du Maroc ou de Mauritanie. Les Marocains exercent une forte pression sur la frontière entre le Maroc et les villes espagnoles de Ceuta et Melilla (enclaves espagnoles en terre nord-africaine), suscitant un renforcement des barrières frontalières et de la surveillance policière. Les immigrants mauritaniens, quant à eux, cherchent à atteindre les côtes espagnoles depuis les îles Canaries sur des embarcations de fortune. Ainsi, près de 1 700 personnes auraient péri entre novembre et décembre 2005 au cours de ces impossibles traversées.

Des relations extérieures apaisées

Le rétablissement de relations harmonieuses avec l'Allemagne et la France s'est confirmé. L'Espagne souhaite également développer sa présence diplomatique hors de l'Europe. Tout d'abord, en Amérique latine, traditionnellement proche et dont le glissement à gauche d'un grand nombre de pays a renforcé le sentiment de proximité. Par ailleurs, un plan « Asie-Pacifique » (2005) mentionne l'ouverture d'ambassades espagnoles en Nouvelle-Zélande et en Afghanistan. Ce climat d'ouverture s'étend au Maroc, avec l'amorce d'une coopération en matière d'immigration.

Bien qu'une détente notable ait été enregistrée entre Madrid et Washington, des tensions se sont manifestées à propos de la vente d'avions espagnols au Vénézuela. Les États-Unis, opposés au régime d'Hugo Chavez, ont refusé de concéder une licence de vente à l'Espagne au prétexte que les avions concernés intégraient des pièces de technologie nord-américaine. Pour résoudre ce blocage, l'Espagne a décidé de substituer les composants nord-américains par d'autres. - **Mayté Banzo, José Luis López** ∎

France

Parcours d'obstacles

Le 30 mai 2005, au lendemain du référendum sur le projet de Traité constitutionnel européen (TCE), la France s'est réveillée tourneboulée. Le « non » l'avait emporté, par 54,64 % des voix. Pour tous ceux qui, à gauche comme à droite, avaient fait de cette consultation le socle de leurs ambitions, tout était à reconstruire, à moins de deux ans des pro-

République française

Capitale : Paris.
Superficie : 551 500 km².
Population : 60 496 000.
Langues : français (off.), breton, catalan, corse, occitan, basque, alsacien, flamand.
Monnaie : euro (1 € = 1,25 dollar au 29.6.06). La France fait partie de la Zone euro. Le 1.1.02, le franc a disparu au profit de l'euro (sur la base de 1 € = 6,55957 FF).
Nature de l'État : république unitaire avec une faible décentralisation.
Nature du régime : démocratie parlementaire combinée à un pouvoir présidentiel.
Chef de l'État : Jacques Chirac, président de la République (depuis le 17.5.95, réélu le 5.5.02).
Premier ministre : Dominique de Villepin, qui a été nommé le 31.5.05 en remplacement de Jean-Pierre Raffarin.
Ministre de l'Économie, des Finances et de l'Industrie : Thierry Breton (depuis le 2.6.05).
Ministre d'État, ministre de l'Intérieur et de l'Aménagement du territoire : Nicolas Sarkozy (depuis le 2.6.05).
Ministre de l'Emploi, de la Cohésion sociale et du Logement : Jean-Louis Borloo (depuis le 31.3.04).
Principaux partis politiques : *Gouvernement :* Union pour une majorité populaire (UMP), regroupant, depuis nov. 02, les anciens partis de droite RPR (Rassemblement pour la République), DL (Démocratie libérale) et une partie de l'UDF (Union pour la démocratie française), ce parti démocrate-chrétien conservant un appareil autonome. *Opposition :* Parti socialiste (PS, social-démocrate) ; Parti communiste français (PCF) ; Parti radical de gauche (PRG) ; Les Verts ; Front national (FN, extrême droite).
Echéances institutionnelles : élections présidentielle et législatives (2007).
DOM-TOM, POM et CT : *Départements d'outre-mer* (DOM) : Guadeloupe, Martinique, Guyane, Réunion. *Territoires d'outre-mer* (TOM) : Wallis et Futuna, Terres australes et antarctiques françaises (TAAF). *« Entité territoriale » :* Nouvelle-Calédonie ; *Pays d'outre-mer* (POM) : Polynésie française. *Collectivités territoriales* (CT) : Saint-Pierre-et-Miquelon, Mayotte.

France

France/Bibliographie

R. **Castel**, *Les Métamorphoses de la question sociale. Une chronique du salariat*, Gallimard, « Folio », Paris, 1999.

O. **Duhamel**, *Vive la VIe République*, Seuil, Paris, 2002.

« Émeutes et après ? », *Mouvements*, La Découverte, Paris, mars 2006.

R. **Faligot, J. Guisnel**, *Histoire secrète de la Ve République*, La Découverte, Paris (à paraître).

V. **Le Goaziou, L. Mucchielli**, *Quand les banlieues brûlent. Retour sur les émeutes de novembre 2005*, La Découverte, coll. « Sur le vif », Paris, 2006.

L'état de la France 2005-2006, La Découverte, Paris, 2005. (Cet ouvrage collectif traite à la fois des mutations de la société, de l'économie, de la politique, de la culture et de l'Europe.)

L'état des régions françaises. Édition 2004, La Découverte, Paris, 2004.

OFCE, *L'Économie française 2006*, La Découverte, coll. « Repères », Paris, 2005.

H. **Rey**, *La Gauche et les Classes populaires. Histoire et actualité d'une mésentente*, La Découverte, Paris, 2004.

J. **Sellier**, *Atlas historique des provinces et régions de France, Genèse d'un peuple*, La Découverte, Paris, 1997.

chaines élections présidentielle et législatives (printemps 2007).

Le président de la République, tout d'abord, avait espéré tirer de ce scrutin une légitimité nouvelle lui permettant de redorer son blason, voire de briguer un troisième mandat en 2007. Le premier secrétaire du Parti socialiste, François Hollande, tablait également sur la victoire du « oui » à l'Europe pour consolider son rôle de chef de l'opposition et aborder en position de force la désignation du candidat socialiste.

Le chamboulement n'était pas moindre pour les opposants au Traité. Battu lors du référendum interne au PS six mois plus tôt, l'un des ténors du parti, Laurent Fabius, a inversé le cours des choses, avec une ténacité qui semblait le replacer en première ligne dans la course aux présidentiables. Quant à la « gauche de la gauche » – communiste, trotskiste ou altermondialiste –, elle souhaitait utiliser le vote du 29 mai comme un tremplin pour 2007. À l'extrême droite enfin, ni Jean-Marie Le Pen ni Philippe de Villiers ne cachaient leurs espoirs après cet échec cinglant pour les « partis de gouvernement ».

Formation d'un nouveau gouvernement

Dès lors, pour faire oublier le maigre bilan de ses dix années de présidence, Jacques Chirac entendait faire de 2005-2006 une « année utile », tout au moins sur la scène intérieure – tant le rejet du TCE avait décrédibilisé la France en Europe. Seule façon également de calmer les ardeurs de ceux qui se seraient déjà voulus en campagne, comme Nicolas Sarkozy, président du parti majoritaire, l'UMP (Union pour une majorité populaire) et candidat autoproclamé de la droite.

J. Chirac a donc immédiatement remercié Jean-Pierre Raffarin et nommé comme nouveau Premier ministre son plus proche conseiller depuis 1995, Dominique de Villepin. Déjouant bien des pronostics, celui-ci a réussi son entrée à Matignon. Aux antipodes de ses emballements habituels, le nouveau chef du gouvernement a affiché avec sobriété sa volonté de « remettre la France en marche » et multiplié les initiatives : création de 67 pôles de compétitivité réunissant entreprises et centres de recherche, afin de lutter contre les délocalisations et le chômage (12 juillet 2005) ; appel au « patriotisme économique » face aux menaces d'OPA hostile contre Danone (27 juillet) ; adoption par le Conseil des ministres des six ordonnances du « plan pour l'emploi », dont celle instituant le contrat de nouvelle embauche (CNE), qui assouplit les conditions d'embauche et de licenciement pour les entreprises de moins de vingt salariés pendant les deux premières années (2 août) ; réforme fiscale sur les revenus 2006 prévoyant de ramener, dès 2007, de 7 à 5 le nombre des tranches de l'impôt sur le revenu, avec un taux maximum de 40 % (13 septembre). En l'espace d'un été, D. de Villepin a donc marqué des points, se posant dès septembre en rival de N. Sarkozy, qui avait certes accepté de rejoindre la nouvelle équipe gouvernementale au ministère de l'Intérieur, mais prônait sans ciller une « stratégie de rupture avec la politique des trente dernières années ». Le Premier ministre s'imposait d'autant mieux que J. Chirac, âgé de 72 ans, était victime d'un accident vasculaire le 3 septembre. L'hypothèse d'une nouvelle candidature du chef de l'État s'éloignait ainsi singulièrement.

Trois saisons plus tard, pourtant, le paysage s'est modifié du tout au tout et l'exécutif apparaissait enlisé et discrédité. Le Premier ministre – comme le président de la République, plus absent que jamais du débat public – battait des records d'impopularité : en juin 2006, il ne se trouvait plus que 17 % de Français pour lui faire confiance, selon la Sofres. Quant à la majorité parlementaire, affaiblie par la dissidence de François Bayrou, chef de l'UDF (Union pour la démocratie française) et obsédée par la perspective des législatives de juin 2007, elle se montrait rétive à toute initiative gouvernementale intempestive.

Il est vrai qu'entre-temps, en confondant détermination et entêtement, D. de Villepin a accumulé les faux pas et les échecs. Loin de réduire les fractures de la société française, il les a, au contraire, accentuées. Fracture urbaine et sociale, tout d'abord.

Fracture sociale, des banlieues au CPE

Dès le 27 octobre, ce sont les banlieues qui s'embrasent, après la mort dramatique de deux adolescents à Clichy-sous-Bois. En quelques jours, les violences urbaines tournent à l'émeute dans la région parisienne, puis en province, des milliers de voitures sont brûlées, des centaines de bâtiments publics vandalisés. Au point que, le 7 novembre, le Premier ministre décide de recourir à la loi d'état d'urgence datant de 1955 et permettant d'instaurer un couvre-feu « partout où cela est nécessaire ». Cette mesure de choc permet peu à peu d'éteindre l'incendie mais, en aucun cas, de répondre à la « crise d'identité » de banlieues rongées par le « poison » de la pauvreté et des discriminations, selon les termes du chef de l'État.

Le malaise est d'autant plus profond qu'une violente controverse sur le passé colonial, déclenchée par une loi enjoignant notamment aux enseignants d'histoire de mettre en valeur le « rôle positif » de la colonisation (article 4 de la loi du 23 février 2005), réveille la mémoire de cette période sombre de l'histoire de France et incite des associations de Noirs et d'Antillais en particulier à s'organiser, y compris en vue de 2007.

La fracture avec les jeunes, inquiets de leur avenir, n'était pas moins profonde. Elle naît de l'annonce faite par le Premier ministre, le 16 janvier 2006, de la création d'un contrat première embauche (CPE), destiné aux jeunes âgés de moins de 26 ans et prévoyant une période d'essai de deux ans, au cours de laquelle ceux-ci pourraient, à tout moment, être licenciés sans motif. La réforme est votée « à la hussarde », en février, mais la protestation s'amplifie : dix, vingt, cinquante universités se mettent en grève, avec le soutien de leurs présidents ; les syndicats font, pour la première fois depuis longtemps, front commun contre un projet gouvernemental. Le 28 mars 2006, deux à trois millions de jeunes et de salariés sont dans la rue ; la majorité, enfin, s'affole et se divise, N. Sarkozy prêchant le « compromis » contre l'obstination du Premier ministre. Finalement, J. Chirac bat en retraite sans désavouer D. de Villepin : le 31 mars, il promulgue la loi mais... demande qu'elle ne soit pas appliquée !

Crise de crédibilité des plus hautes institutions

La dernière fracture est civique et morale. Le 1er décembre 2005, au terme du procès en appel de l'affaire de pédophilie dite « d'Outreau », les six derniers accusés sont tous acquittés. Quelques jours plus tard, l'Assemblée nationale vote la création d'une commission d'enquête qui va mettre cruellement à nu les causes de ce désastre judiciaire. De même, l'amnistie par J. Chirac, en mai, de son ami l'ancien sportif Guy Drut, condamné dans l'affaire des marchés publics d'Île-de-France, renforce le sentiment qu'il y aurait, en matière de justice, deux poids et deux mesures. Enfin, la ténébreuse « affaire Clearstream » (scandale ou manipulation prêtant à des hommes politiques comme N. Sarkozy des comptes bancaires secrets à l'étranger ?), au lendemain de la crise du CPE, accentue le discrédit sur le fonctionnement des institutions, au plus haut niveau.

En somme, la droite a si bien œuvré qu'elle a gâché les quelques atouts dont elle pouvait se prévaloir à moins d'un an de la présidentielle, qu'il s'agisse de la décrue du chômage, retombé à 9,1 % en mai 2006, ou du léger regain de croissance (1,4 % en 2005 et 2 % prévus en 2006). Mais, pour l'emporter, la gauche devait se montrer capable de tirer profit de l'affaiblissement de ses adversaires et de répondre aux attentes des Français.

Revenue à ses querelles de chapelle, la « gauche de la gauche » n'y paraissait guère disposée. Quant au Parti socialiste, il est parvenu, sous la houlette de F. Hollande, à restaurer une façade unitaire au congrès du Mans de novembre 2005 et a su présenter, en juin 2006, un projet homo-

gène à défaut d'être toujours convaincant. Mais il lui restait à départager ses nombreux candidats à la candidature. Jouant sur sa forte popularité auprès de l'opinion publique, bousculant sans ménagement les tabous socialistes sur les questions de la sécurité ou de la réduction du temps de travail à 35 heures, Ségolène Royal a pris, à partir de la fin 2005, une avance importante sur ses rivaux et donné un sérieux « coup de vieux » aux caciques L. Fabius, Dominique Strauss-Kahn, Jack Lang voire Lionel Jospin. Avec une droite divisée, des socialistes encore hésitants et une extrême droite en embuscade, le rendez-vous présidentiel de 2007 s'annonçait, pour l'heure, des plus imprévisibles. - **Gérard Courtois** ■

Italie

Victoire à l'arraché du centre gauche

Au printemps 2006, l'Italie a tourné une page : avec l'arrivée au pouvoir de Romano Prodi et l'élection à la présidence de la République d'un ancien communiste, Giorgio Napolitano, a pris fin le long règne de Silvio Berlusconi, président du Conseil de 2001 à 2006 (une longévité record). Tourner la page ne signifie pas nécessairement changer d'époque. Les électeurs n'ont pas tourné le dos à la Maison des libertés (Casa delle libertà, CDL), qui a perdu, devancée de moins de 25 000 voix. Les élections législatives du 9-10 avril 2006 ont donné à voir un pays divisé en deux et l'enracinement de S. Berlusconi et de ses idées sur la scène politique nationale. Malgré les déceptions et parfois la colère contre un gouvernement de centre droit qui n'avait pas tenu ses mirobolantes promesses, les Italiens n'ont pas pour autant donné un blanc-seing à l'Union de centre gauche.

Cette dernière avait paru en mesure de l'emporter aisément. À l'automne, un système de primaires original, auxquelles ont participé 4 millions de sympathisants, avait permis d'asseoir l'autorité de R. Prodi, choisi par 75 % des votants comme chef de file de la coalition. L'ancien président de la Commission européenne, qui avait déjà remporté les élections législatives de 1996, avait ainsi pu réunir sous sa houlette toutes les composantes du centre gauche : des catholiques modérés de la Marguerite jusqu'au parti Refondation communiste, en passant par les Démocrates de gauche (DS), les amis de l'ancien juge Antonio Di Pietro, les radicaux et d'autres encore. Cette coalition apparaissait certes hétéroclite, mais tenue ensemble par la commune volonté de faire tomber S. Berlusconi. En ajoutant à cela le mécontentement du pays face au gouvernement sortant, la victoire de R. Prodi semblait acquise, même si, à quelques mois des élections, le centre droit avait modifié les règles du jeu et réintroduit le scrutin proportionnel, avec une prime pour la coalition gagnante à la Chambre des députés. Or, la réalité a été plus complexe.

Les dernières cartouches de Berlusconi

Si le centre droit semblait, début 2006, résigné à la défaite, S. Berlusconi, lui, ne s'avouait pas vaincu. En occupant constamment la scène médiatique (avec notamment de fréquentes apparitions à la télévision), en imposant les thèmes de la campagne, en insultant parfois ses adversaires, le président du Conseil sortant a été l'homme incontournable de la campagne, faisant chaque jour la « une » de la presse nationale. Oubliées les 300 pages du programme de l'Union, oubliée l'absence de programme de la Maison des libertés, tout s'est résumé à un duel entre deux hommes aussi différents que possible : à gauche, un professeur parlant bas et dont le seul argument était sa compétence ; à droite, un spécialiste de la communication, rompu à toutes les techniques du marketing. La campagne a été rude, violente, franchement peu inté-

ressante. Cela n'a pas empêché une large mobilisation des Italiens avec un taux de participation supérieur à 83 %.

Jamais, dans l'histoire du pays, un score aux législative n'avait été aussi serré. À la Chambre des députés, la différence entre les deux camps était de 0,1 % des suffrages. Au Sénat, le centre gauche a arraché deux sièges de plus grâce aux voix des Italiens de l'étranger, qui ont pu voter pour la première fois. Mauvais perdant, S. Berlusconi a longtemps refusé de reconnaître

République italienne

Capitale : Rome.
Superficie : 301 340 km².
Population : 58 093 000.
Langues : italien (off.) ; allemand, slovène, ladin, français, albanais, occitan.
Monnaie : euro (1 € = 1,25 dollar au 29.6.06). L'Italie fait partie de la Zone euro. Le 1.1.02, la lire a disparu au profit de l'euro (sur la base de 1 € = 1 936,27 lires).
Nature de l'État : république, accordant une certaine autonomie aux régions.
Nature du régime : démocratie parlementaire.
Chef de l'État : Giorgio Napolitano, président de la République, qui a succédé le 15.5.06 à Carlo Azeglio Ciampi.
Chef du gouvernement : Romano Prodi, qui a succédé le 17.5.06 à Silvio Berlusconi.
Ministre de l'Intérieur : Giuliano Amato.
Ministre des Affaires étrangères : Massimo D'Alema.
Ministre de la Défense : Arturo Parisi.
Ministre de l'Économie et des Finances : Tommaso Padoa-Schioppa.
Principaux partis politiques : Majorité : La Marguerite ; Démocrates de gauche (DS) ; Refondation communiste ; Südtiroler Volkspartei (SVP) ; Opposition : Forza Italia ; Alliance nationale (AN) ; Centre des chrétiens démocrates (CDD) ; Chrétiens démocrates unis (UDC) ; Ligue Nord.

Italie/Bibliographie

F. Attal, *Histoire de l'Italie de 1943 à nos jours,* Armand Colin, Paris, 2004.

S. Cassese (sous la dir. de), *Portrait de l'Italie actuelle,* La Documentation française, Paris, 2001.

I. Diamanti, *Bianco, rosso, verde e azzurro. Mappe della nuova Italia politica,* Il Mulino, Bologne 2003.

I. Diamanti, M. Lazar, *Politique à l'italienne,* PUF, Paris, 1997.

J. Georgel, *L'Italie au xxᵉ siècle, 1919-1999,* Les Études de La Documentation française, Paris, 1999 (2ᵉ éd.).

P. Ginsborg, *Storia d'Italia 1943-1996. Famiglia, società, Stato,* Einaudi, Turin, 1998.

Italie, Études économiques de l'OCDE, Paris, 2005.

M. Isnenghi (sous la dir. de), *L'Italie par elle-même. Lieux de mémoire italiens de 1848 à nos jours,* Rue d'Ulm, Paris, 2006.

E. Jozsef, *Main basse sur l'Italie. La résistible ascension de Silvio Berlusconi,* Grasset, Paris, 2001.

M. Lazar, *L'Italie à la dérive. Le moment Berlusconi,* Perrin. Paris, 2006.

G. Manlio (sous la dir. de), *L'Italie aujourd'hui. Situation et perspectives après le séisme des années 90,* L'Harmattan, 2004.

M.-A. Matard-Bonucci, *Histoire de la mafia,* Complexe, Bruxelles, 1999.

P. Milza, *Histoire de l'Italie. Des origines à nos jours,* Fayard, Paris, 2005.

S. Palombarini, *La Rupture du compromis social italien. Un essai de macroéconomie politique,* CNRS-Éditions, Paris, 2001.

E. Polidori, *Via Nazionale. Splendori e miserie della Banca d'Italia,* Longanesi, Milan, 2006.

H. Portelli, *L'Italie de Berlusconi,* Buchet-Chastel, Paris, 2006.

G. Procacci, *Histoire des Italiens,* Fayard, Paris, 1998.

L. Verzichelli, G. Amyot (sous la dir. de), *Politica in Italia. I fatti dell'anno e le interpretazioni,* Il Mulino, Bologne, 2006.

sa défaite, courte mais néanmoins réelle. Seule consolation, son parti, Forza Italia, est demeuré le premier du pays avec 23,7 % des voix, loin devant les DS (17,2 %), ses alliés d'Alliance nationale (12,3 %) et la Marguerite (10,5 %).

L'attitude du président du Conseil sortant a empêché une entente entre les deux camps pour l'élection du nouveau président de la République. En 1999, Carlo Azeglio Ciampi avait été élu avec les suffrages des deux coalitions ; le 11 mai 2006, G. Napolitano n'a été porté que par le camp de la gauche. Cette élection couronne une carrière politique exceptionnelle : membre de l'aile modérée de l'ancien Parti communiste italien (PCI), fervent européen, cet homme de 81 ans avait été, entre 1996 et 1998, le premier ministre de l'Intérieur issu du PCI. Homme de dialogue, il se voit confier une charge *a priori* essentiellement honorifique, mais, avec un Parlement aussi divisé, son rôle politique pouvait devenir très important.

Après son installation au palais du Quirinal, le président a chargé R. Prodi de former son gouvernement. Tommaso Padoa Schioppa, ancien vice-président de la Banque centrale européenne (BCE), a été nommé à l'Économie, et deux anciens présidents du Conseil, Massimo D'Alema et Giuliano Amato respectivement aux Affaires étrangères et à l'Intérieur.

Gouverner ne s'annonçait pas facile, même si l'étroitesse de la majorité devait inciter les partis de la coalition à serrer les rangs par peur d'élections anticipées. R. Prodi allait devoir tenir compte des différences de sensibilité à l'intérieur de son camp, parfois marquées sur des sujets comme la présence des soldats italiens à l'étranger : si le retrait d'Irak a fait l'unanimité dans la nouvelle majorité, le maintien des troupes en Afghanistan était contesté par l'aile gauche de la coalition. Et le président du Conseil ne pouvait ignorer la moitié du pays qui a voté pour le centre droit. Or, ces électeurs correspondent majoritairement à la partie de la population qui joue un rôle déterminant dans l'économie italienne.

Encore une fois, en effet, le nord du pays s'est rangé derrière S. Berlusconi, séduit par un homme promettant toujours moins d'État, incitant à ne pas observer les lois, « comprenant » les gens qui fraudent avec le fisc. Les petits et les très petits entrepreneurs restent attachés à l'idée d'un pays dans lequel la solidarité est réduite au strict minimum et n'aiment pas la gauche, censée augmenter les impôts et surtout tentée de remettre en question les grands projets d'infrastructures (la liaison ferroviaire Lyon-Turin, certaines autoroutes, le pont sur le détroit de Messine). R. Prodi a immédiatement fait un geste en direction de cette partie du pays, en promettant de réduire de 5 % en un an le coût du travail.

L'économie, priorité gouvernementale

La situation économique devait être, d'ailleurs, la principale préoccupation du nouveau gouvernement. Les faiblesses de l'économie italienne sont bien connues : un tissu d'entreprises trop petites, peu innovantes, spécialisées dans les secteurs traditionnels et donc soumises à la concurrence des pays émergents. Et la conjoncture n'arrangeait rien : la stagnation de la consommation et le recul des investissements ont réduit à près de zéro (0,1 %) la croissance en 2005 et les prévisions évoquaient un modeste taux de 1,3 % pour 2006. Par ailleurs, les finances publiques ont connu une nette dégradation : le déficit représentait 3,6 % du PIB en 2005 (contre 2,8 % en 2004) ; la dette a repris son mouvement ascendant, passant de 103,8 % à 106,4 % du PIB. Cette situation pourrait nécessiter, selon le ministre de l'Économie, la mise en place d'un collectif budgétaire destiné à réduire la dérive des comptes publics en 2006 avant la Loi de finances 2007. L'image de l'économie italienne a également été ternie par les manœuvres douteuses de l'ancien gouverneur de la Banque d'Italie, Antonio Fazio, contraint à la démission après avoir favorisé la défense de l'« italianité » de certaines banques en s'appuyant sur des financiers impliqués dans une série de délits.

La tâche du président du Conseil s'annonçait donc difficile, mais celui-ci a consolidé sa position au terme de deux rendez-vous électoraux. Les municipales qui se sont déroulées dans certaines grandes villes ont conforté les maires du centre gauche à Rome, Turin et Naples, alors que le centre droit conservait Milan. Encore plus significatif aura été le « non » au référendum sur la réforme constitutionnelle organisé les 25-26 juin 2006. Il s'agissait d'approuver définitivement ou d'enterrer les nouvelles règles « fédéralistes » introduites par le précédent gouvernement sous la pression de la Ligue Nord (populiste), le plus fidèle allié de S. Berlusconi. N'ayant pas été approuvé par les deux tiers des parlementaires, le projet a été soumis à l'approbation des citoyens, qui l'ont rejeté. Au-delà de sa campagne sur les mérites du renforcement des pouvoirs du chef du gouvernement, de la création d'un Sénat « fédéral » et de l'octroi de nouveaux pouvoirs aux régions, la CDL a abordé cette consultation comme une sorte de second tour des élections législatives, dans l'espoir de déstabiliser le nouveau gouvernement. Un bon angle d'attaque qui a toutefois fait long feu : le pays a rejeté la réforme et R. Prodi est sorti renforcé de cette bataille électorale. - **Giampiero Martinotti** ∎

Pologne

Pologne

À droite toutes !

Les élections législatives organisées en Pologne en septembre 2005 ont donné la majorité aux formations de droite, mais celles-ci ne sont pas parvenues à s'entendre pour former une coalition, plongeant la scène politique dans une instabilité prolongée. Le parti PiS (Droit et justice, conservateur) des frères jumeaux Jaroslaw et Lech Kaczynski a obtenu 26,99 % de suffrages (155 sièges à la Diète sur 460) contre 24,14 % (133 députés) au parti PO (Plateforme civique, libéraux-conservateurs). Lors de la présidentielle du mois suivant, le candidat du PiS, L. Kaczynski, a été élu avec 54,04 % de voix face à Donald Tusk (PO, 45,96 %). Aux clivages idéologiques à l'intérieur de la droite et aux conflits de per-

République de Pologne

Capitale : Varsovie.
Superficie : 323 250 km^2.
Population : 38 530 000.
Langue : polonais.
Monnaie : zloty (au taux officiel, 1 zloty = 0,25 € au 31.3.06).
Nature de l'État : république unitaire.
Nature du régime : démocratie parlementaire.
Chef de l'État : Lech Kaczynski, président de la République, qui a succédé à Aleksander Kwasniewski le 23.12.05.
Premier ministre : Jaroslaw Kaczynski, qui a succédé à Kazimierz Marcinkiewicz le 10.7.06.
Ministre des Affaires étrangères : Anna Fotyga.
Ministre des Finances : Pawel Wojciechowski.
Vice-premier ministre, ministre de l'Éducation nationale : Roman Giertych.
Vice-premier ministre, ministre de l'Agriculture : Andrzej Lepper.
Ministre de la Défense : Radek Sikorski.

sonnes se sont ajoutés les clivages de l'électorat. La carte électorale montre que D. Tusk drainait une population urbaine, jeune, instruite, pro-européenne et satisfaite de la transition, tandis que L. Kaczynski était plébiscité dans les zones rurales, chez les personnes âgées et économiquement faibles, catholiques pratiquants, méfiants vis-à-vis de l'Union européenne. La participation relativement faible aux législatives (40,57 %) est apparue comme un signe de désaffection à l'égard de la vie démocratique. L'arrivée en troisième position du mouvement populiste Samoobrona (« Autodéfense », 11,41 % soit 56 sièges), confirmait le mécontentement vis-à-vis des forces politiques qui ont mis en place le régime démocratique post-communiste. Le poids des anciens communistes du SLD (Alliance de la gauche démocratique) s'est réduit à 11,31 % (55 députés), tandis que le Parti des démocrates (ancienne Union pour la liberté – UW), qui regroupait la plupart des artisans de la fin du communisme, n'a obtenu aucun siège. En revanche, la Ligue des familles polonaises (catholique intégriste) a fait rentrer à la Diète 34 députés.

À la recherche d'une majorité

Les partis qui dominent désormais la vie politique sont récents. PO, PiS et LPR ou Samoobrona ne sont apparus dans les scrutins législatifs qu'en 2001. Le mot d'ordre de ces formations est « En finir avec la IIIe République (1989-2005), construire la IVe! » Dans un premier temps, un gouvernement minoritaire a été composé par Kazimierz Marcinkiewicz (PiS), au sein duquel plusieurs postes clés étaient confiés à des transfuges d'autres courants ou à des experts apolitiques, comme pour rassurer sur la volonté de gouverner dans la continuité. Le ministre des Affaires étrangères, Stefan Meller, pro-européen, devait garantir le respect des engagements européens de la Pologne (il a démissionné le 28 avril 2006), tandis que Zita Gilowska, économiste libérale, devait rassurer les marchés (elle a démis-

Pologne/Bibliographie

D. **Beauvois**, *La Pologne. Historie, société, culture*, La Martinière, Paris, 2004.

B. **Geremek**, M. **Frybes** (sous la dir. de), *Kaléidoscope franco-polonais*, Éd. Noir sur blanc, Paris, 2004.

« La Pologne », *Pouvoirs*, Seuil, Paris, 2006.

M.-C. **Maurel**, M. **Halamska**, *Démocratie et gouvernement local en Pologne*, CNRS-Éditions, Paris, 2006.

H. **Minczeles**, *Une histoire des Juifs de Pologne. Religion, culture, politique*, La Découverte, Paris, 2006.

G. **Mink**, J.-C. **Szurek**, *La Grande Conversion. Le retour des communistes en Europe centrale*, Seuil, Paris, 1999.

L. **Neumayer**, *L'Enjeu européen dans les transformations postcommunistes : Hongrie, Pologne, République tchèque, 1989-2004*, Belin, Paris, 2006.

sionné le 21 juin 2006). Il en allait de même pour le ministère gérant les fonds structurels, qui a échu à Grazyna Gesicka, experte des rouages financiers européens. Ce pragmatisme, destiné à favoriser l'émergence d'une majorité PiS-PO, quitte à débaucher les députés de la PO, a échoué : aucun accord de gouvernement entre les deux formations n'a pu être trouvé.

Dès lors, il ne restait plus au Premier ministre Marcinkiewicz qu'à satisfaire deux impératifs : répondre aux attentes de l'électorat du PiS, qui a voté pour une rupture radicale avec le système politique prévalant depuis 1989, et solder le passé communiste, mais aussi répondre aux injonctions des autres alliés possibles en dehors de la PO, dont le soutien était nécessaire pour atteindre la majorité parlementaire. Ainsi, conformément aux attentes de la LPR, a été mise en place une politique nataliste : allongement du congé maternité, aide forfaitaire à l'enfant né, distribution de nourriture dans les écoles. Pour plaire à l'électorat catholique intégriste, les dirigeants du PiS ont participé aux émissions de médias comme *Radio Maryja* et annonçant sur la chaîne *Trwam* (au lieu de la télévision publique) la signature du « pacte de stabilisation » pour une majorité politique (PiS-LPR-Samoobrona). L'épiscopat polonais lui-même se divisait quant à l'attitude à adopter vis-à-vis de *Radio Maryja* aux ac-

cents anti-européens, populistes et antisémites. Le nonce apostolique a demandé aux évêques polonais, au nom du Vatican, de mettre de l'ordre dans ces médias, certes à vocation religieuse, mais s'immisçant dans la vie politique. Le pouvoir a rassuré les électeurs du PiS en annonçant vouloir relancer l'économie « solidaire » et réduire le chômage grâce aux grands travaux (construction de 3 millions de logements et amélioration du réseau autoroutier). En même temps, pour séduire l'électorat de Samoobrona, les autorités s'en sont prises à l'indépendance du Conseil monétaire et de la Banque centrale, ainsi qu'au président de celle-ci, Leszek Balcerowicz, symbole de la politique économique de la IIIe République.

Le 27 avril 2006, un accord de coalition était signé associant au PiS, Samoobrona (dont le leader, Andrzej Lepper, fraîchement converti au jeu démocratique, a été nommé vice-premier ministre chargé de l'Agriculture) ainsi que la LPR (Ligue des familles polonaises), dont le leader, Roman Giertych, était nommé vice-premier ministre et ministre de l'Éducation. Mais le 7 juillet K. Marcinkiewicz démissionnait, bientôt remplacé par le frère du président.

Moralisation à tout-va

Le trait d'union idéologique qui reliait ces différentes formations était la « moralisation» du système politique, judiciaire et médiatique. Pour cela, le pouvoir s'est acquis une majorité au sein du Conseil supérieur de l'audiovisuel, afin de contrôler les médias et leurs journalistes. Il a proposé de promulguer un «code éthique du journaliste». Ce projet s'est assorti de menaces contre les patrons de presse qui limiteraient l'indépendance de leurs journalistes. L'appareil judiciaire a également été visé. La Cour constitutionnelle, chargée de veiller au respect de la Constitution, a été taxée de partialité pour avoir contesté certaines décisions de l'exécutif ; une autre attaque a été dirigée contre les avocats et les juges. Les services de l'espionnage et du contre-espionnage, considérés comme inféodés aux représentants de l'ancien régime, étaient, quant à eux, en restructuration. Toutes ces mesures ont été justifiées par l'allégation qu'un «réseau» composé d'anciens fonctionnaires qui avaient été communistes et de la mafia économique, toléré par les détenteurs du pouvoir jusqu'en 2005, parasite la démocratie. Ainsi la création d'une Agence anticorruption, l'un des principaux objectifs de la campagne du PiS, a-t-elle été mise en avant par le gouvernement. Une nouvelle loi de lustration, devant durcir les conditions d'embauche dans la police (afin écarter d'éventuels anciens collaborateurs de la police communiste), voire dans le journalisme, dans l'enseignement supérieur et dans la diplomatie, jusqu'aux patrons du secteur privé, était en débat. L'Institut de la mémoire nationale serait seul habilité à exercer l'instruction à charge.

Dans le domaine de la politique étrangère, certains invariants se sont confirmés, comme l'atlantisme (participation aux forces d'occupation en Irak) et l'attachement à une *Ostpolitik* active à travers l'Union européenne (UE). Le Premier ministre s'est battu pour que le budget de l'Union (pour 2006 comme pour 2007-2013) soit le plus favorable possible à la

Pologne, bénéficiant du soutien de la chancelière allemande Angela Merkel, qui a réservé 100 millions d'euros du budget allemand pour aider les régions polonaises. L. Kaczynski souhaitait donner au «triangle de Weimar» un nouveau souffle. Ses premiers voyages à l'étranger ont suivi un ordre hautement symbolique : États-Unis, Ukraine, France, Allemagne. Le chef de l'État entendait aussi améliorer les relations russo-polonaises.

Face aux turbulences de l'échiquier politique, les indicateurs économiques sont demeurés positifs. Une croissance de 3,2 % en 2005, un taux d'inflation bas (2,1 %) et une production industrielle très vigoureuse restaient les principaux atouts de l'économie polonaise. Restait à savoir si le tournant politique amorcé (de plus en plus prononcé) aurait pour effet de décourager les investisseurs étrangers. - **Georges Mink** ■

Début de mandat endeuillé

Le début du troisième mandat consécutif de Tony Blair à la tête du gouvernement (mai 2005) a été marqué par une vague d'attentats terroristes dans la capitale britannique au cours de l'été. La dégradation du climat politique qui s'est ensuivie, accentuée par une série de mesures impopulaires, a jeté le discrédit sur le Premier ministre. En annonçant en 2004 qu'il ne briguerait pas un troisième mandat, T. Blair (au pouvoir depuis 1997) avait donné satisfaction à ses détracteurs et aux partisans de Gordon Brown, son chancelier de l'Échiquier (ministre des Finances), qui voyaient déjà en celui-ci un successeur potentiel. Mais, un an plus tard, le Premier ministre semblait revenir sur sa promesse de retrait politique à moyen terme, malgré le désaveu dont il faisait l'objet.

Antiterrorisme et violences communautaires

Si la perspective du troisième anniversaire de l'invasion de l'Irak (2003) a précipité la question d'un retrait progressif des troupes britanniques, la lutte contre le terrorisme demeurait la priorité du gouvernement, en particulier après les attentats dans les transports en commun survenus à Londres les 7 et 21 juillet 2005, qui ont tué 56 personnes et en ont blessé près de 700. Malgré la bavure policière qui a causé la mort d'un innocent, Jean Charles de Menezes, au prétexte d'un comportement suspect le 22 juillet, T. Blair a annoncé son intention d'introduire un projet de loi visant à prolonger la garde à vue pour les terroristes présumés à 90 jours (contre 14 jours dans le régime commun). Le débat qui s'est ensuivi à la Chambre des communes, le 9 novembre 2005, a marqué une première défaite politique importante pour le Premier ministre, puisque la majorité des députés, dont une quarantaine de travaillistes, a voté contre le projet gouvernemental, limitant l'allongement de la garde à vue à 28 jours.

Cette lutte contre le terrorisme ainsi que le durcissement de la politique sécuritaire ont été mal perçus par une partie de la population, qui a vu dans l'adoption, le 18 octobre 2005, d'une carte d'identité électronique comportant des données biométriques une entrave à la liberté individuelle. Peu après, le 22 octobre, le viol présumé d'une jeune Jamaïcaine de 14 ans déclencha une série d'émeutes urbaines entre bandes rivales des communautés noire et pakistanaise, qui firent un mort et quatre blessés. Assorties d'une politique très stricte de lutte contre l'immigration, ces violences persistaient à donner l'image d'un gouvernement ne parvenant pas toujours à faire la distinction entre immigration et terrorisme. Le 29 mars 2006, celui-ci a ainsi annoncé la mise en place d'un système à points pour la sélection à l'entrée des immigrés extra-communautaires les plus « qualifiés » (entrée en vigueur prévue à l'été 2007).

Un libéralisme de moins en moins populaire

Si, pendant longtemps, le gouvernement a paru hésiter entre l'engagement de l'État dans les affaires économiques et sociales et son retrait progressif, ses mesures so-

Royaume-Uni de Grande-Bretagne et d'Irlande du Nord

Capitale : Londres.
Superficie : 242 910 km².
Population : 59 668 000.
Langues : anglais, gallois et gaélique écossais (off.).
Monnaie : livre sterling (1 livre = 1,45 € au 29.6.06).
Nature de l'État : monarchie constitutionnelle.
Nature du régime : démocratie parlementaire.
Chef de l'État : reine Elizabeth II (depuis le 6.2.52).
Premier ministre : Tony Blair (depuis le 2.5.97).
Premier ministre adjoint : John Prescott.
Chancelier de l'Échiquier (ministre des Finances) : Gordon Brown.
Ministre des Affaires étrangères : Margaret Beckett.
Ministre de l'Intérieur : John Reid.
Principaux partis politiques :
Gouvernement : Parti travailliste.
Opposition : Parti conservateur ; Parti libéral démocrate ; Parti unioniste d'Ulster (UUP, Irlande du Nord) ; Parti unioniste démocrate (DUP, Irlande du Nord) ; Parti social-démocrate et travailliste (SDLP, Irlande du Nord) ; Sinn Féin (Irlande du Nord) ; Parti nationaliste écossais ; Plaid Cymru (nationaliste gallois). Non représentés au Parlement : British National Party (extrême droite) ; les Verts.
Possessions, territoires et États associés : Gibraltar [Europe], îles Anglo-Normandes [Europe], îles Bermudes [Atlantique nord], îles Falkland, Sainte-Hélène [Atlantique sud], Anguilla, Cayman, Montserrat, Turks et Caicos, îles Vierges britanniques [Caraïbes], Pitcairn [Océanie].

Royaume-Uni/Bibliographie

A. Alexandre-Collier (sous la dir. de), *La « relation spéciale » États-Unis/Royaume-Uni entre mythe et réalité (1945-90)*, Éd. du Temps, Nantes, 2002.

T. Blair, *La Nouvelle Grande-Bretagne. Vers une société de partenaires*, Éd. de l'Aube, La Tour-d'Aigues, 1996.

P. Chassaigne, *Histoire de l'Angleterre*, Flammarion, Paris, 2001.

P. Chassaigne, *La Grande-Bretagne et le monde de 1815 à nos jours*, Armand Colin, Paris, 2003.

P. Corre, *Tony Blair : les rendez-vous manqués*, Autrement, Paris, 2004.

J. Crowley, *Sans épines, la rose. Tony Blair, un modèle pour l'Europe ?*, La Découverte, Paris, 1999.

J. Leruez, *Le Système politique britannique. De Winston Churchill à Tony Blair*, Armand Colin, Paris, 2001 (nouv. éd.).

J. Leruez (sous la dir. de), *Londres et le monde. Stratèges et stratégies britanniques*, Autrement, coll. « CERI-Autrement », Paris, 2005.

G. Leydier, *Partis et élections au Royaume-Uni depuis 1945*, Ellipses, Paris, 2004.

P. Lurbe, *Le Royaume-Uni aujourd'hui*, Hachette, Paris, 2000 (nouv. éd.).

R. Marx, P. Chassaigne, *Histoire de la Grande-Bretagne*, Perrin, Paris, 2004.

F.-C. Mougel, *Royaume-Uni : les années Blair*, La Documentation française, Paris, 2005.

F.-C. Mougel, *La Grande-Bretagne contemporaine*, PUF, coll. « Que sais-je ? », Paris, 2006.

ciales ont conféré à la réforme attendue du secteur public une tournure nettement libérale. Ainsi a-t-il introduit, en mars 2006, un projet de loi visant à permettre à toutes les écoles de s'affranchir du giron de l'État (possibilité de ne plus dépendre de la gestion des gouvernements locaux et de bénéficier de financements privés), qui a suscité l'enthousiasme des députés conservateurs mais l'indignation de ses propres partisans, dont 52 ont voté contre le projet de loi. Grâce aux voix de l'opposition, celui-ci a pu être adopté, fragilisant davantage un gouvernement dont les mesures sociales se révèlent impopulaires.

La succession de mouvements sociaux qui a affecté le pays à partir de novembre 2004 témoignait du mécontentement croissant de la population. Cette période d'agitation a culminé avec une grève surprise à British Airways les 11 et 12 août 2005, en signe de solidarité avec 667 salariés de l'en-treprise de restauration aérienne Gate Gourmet UK et aboutissant à l'annulation de tous les vols de la compagnie à l'aéroport d'Heathrow.

Par ailleurs, la grève des fonctionnaires des administrations locales, le 28 mars 2006, à la suite d'un projet de réforme visant à élever l'âge de la retraite à 65 ans (actuellement, 60 ans), a été perçue comme le signe tangible d'une crise du secteur public. Quelques mois après la publication du rapport Turner préconisant le passage progressif de l'âge de la retraite à 69 ans et l'instauration d'un plan national d'épargne retraite, cette nouvelle crise, révélant de profondes disparités entre les secteurs public et privé, a relancé la grogne des syndicats. Pour autant, ces difficultés ne sont pas parvenues à masquer la bonne santé de l'économie britannique, dont le taux de chômage (autour de 5 %) restait l'un des plus faibles d'Europe. Selon les prévisions de l'OCDE (Organisation de coopération et de développement économiques), le raffermissement de la consommation et de l'investissement privés devaient également porter la croissance du PIB, située à 1,8 % en 2005, autour de 2,5 % en 2006 et de 3 % en 2007.

Illustrée notamment par la décision de privatiser le British Nuclear Group (organisme chargé du recyclage des déchets nucléaires) après la mise hors service de 19 sites ou centrales nucléaires d'ici 2023, l'orientation libérale du gouvernement n'apparaît pas seulement économique mais culturelle. Elle se traduit également par une plus grande libéralisation des mœurs : entrée en vigueur, le 5 décembre 2005, de la loi autorisant le mariage homosexuel avec les mêmes droits que ceux des couples hétérosexuels ; ouverture permanente des pubs anglais (par la loi du 24 novembre 2005).

Le renouvellement des élites politiques

La détérioration du climat politique a porté atteinte à la légitimité de la plupart des leaders de partis. Un discrédit général semblait affecter les élites. La démission, le 2 novembre 2005, de David Blunkett, ministre du Travail et des Retraites, accusé de conflit d'intérêts et qui avait déjà quitté le gouvernement en décembre 2004 à la suite de la mise au jour d'une liaison extraconjugale alors qu'il était ministre de l'Intérieur, a directement entaché la réputation du gouvernement. Quant au ministre de l'Intérieur, Charles Clarke, sa légitimité a été mise en cause lorsque a été perdue la trace, en avril 2006, de plus de 1 000 repris de justice d'origine étrangère, qui venaient de sortir de prison après avoir purgé leur peine, et devaient être reconduits à la frontière.

Les élections municipales du 5 mai 2006 ont abouti à la défaite du Parti travailliste (26 % des voix, contre 40 % pour les conservateurs et 27 % pour les libéraux-démocrates) et ont vu la percée du British National Party (extrême droite) dans l'est de

Londres. Lors du remaniement ministériel qui a suivi, C. Clarke a été remplacé par John Reid et le ministre des Affaires étrangères, Jack Straw, a dû céder son titre à Margaret Beckett. Le Premier ministre adjoint, John Prescott, a pu conserver sa fonction mais n'avait plus d'attributions.

Au sein de l'opposition, le renouvellement des cadres dirigeants a révélé la difficulté des principaux partis à se trouver un leader garant de leur cohésion interne. Après avoir confessé son alcoolisme, le leader du Parti libéral-démocrate, Charles Kennedy, a dû ainsi démissionner le 7 janvier 2006, sous la pression des députés de son parti, avant d'être remplacé en mars par Menzies Campbell. Quant à Michael Howard, à la tête du Parti conservateur depuis 2003, il a été remplacé le 6 décembre 2005 par David Cameron (âgé de 39 ans), élu à la majorité et plébiscité par les médias comme le successeur potentiel de T. Blair à la tête du pays.

La fin du conflit nord-irlandais ?

Toutefois, T. Blair semblait avoir réussi à occulter ces dissensions nationales pour diffuser une image relativement favorable de son pays. Son troisième mandat a en effet débuté sur une note optimiste en Irlande du Nord, où le conflit politico-religieux qui a enflammé la région pendant plus de trente ans paraissait en voie de s'achever. Après l'annonce par l'Armée républicaine irlandaise (IRA) de l'abandon de la lutte armée le 28 juillet 2005, Londres a présenté, le 1er août, son projet de calendrier pour le démantèlement des installations militaires et la réduction des effectifs de l'armée britannique stationnée en Ulster. En réponse, l'IRA a confirmé, le 26 septembre, le démantèlement complet de son propre arsenal, malgré une série d'émeutes survenue quinze jours plus tôt à Belfast et faisant une centaine de blessés à l'occasion d'une marche protestante à proximité d'un quartier catholique. Toutefois, le 4 avril 2006, l'assassinat de Dennis Donaldson, ancien membre de

Royaume-Uni

l'IRA devenu agent britannique, dans lequel l'IRA a nié toute responsabilité, pouvait de nouveau compromettre le processus, comme en a témoigné la nouvelle suspension des institutions dévolues d'Irlande du Nord.

Par ailleurs, en assurant la présidence tournante de l'UE (1er juillet-31 décembre 2005), Londres a su faire preuve d'une relative fermeté dans la gestion des différents dossiers, en particulier la lutte contre le terrorisme, la libéralisation des échanges et l'entrée de nouveaux États membres dans l'UE. Mais au terme d'un virulent conflit avec le président français, Jacques Chirac, T. Blair a dû finalement renoncer à préserver la réduction avantageuse dont bénéficiait la contribution britannique au budget communautaire depuis 1984, pour partager les coûts de l'élargissement. Cette décision fut perçue par ses concitoyens comme une capitulation d'autant plus inacceptable que le président français a refusé de lui accorder la moindre concession sur la PAC (Politique agricole commune). En dépit de ces désaccords, l'obtention de la levée de l'embargo sur les exportations britanniques de viande bovine en mars 2006, dix ans après la crise de la « vache folle », montre que T. Blair était toujours déterminé à placer son pays au cœur de l'UE.

- Agnès Alexandre-Collier ■

Espace post-soviétique – Une identité en mutation

Par **Charles Urjewicz**
Historien, Inalco

L a Moscovie avait atteint les rives du Pacifique et les contreforts du Caucase dès le XVIIe siècle. Un siècle plus tard, des frontières de la Prusse à celles de l'empire du Milieu, la nouvelle « puissance européenne » voulue par Pierre le Grand avait dimension d'empire eurasiatique. La « Troisième Rome », qui devait reprendre le glorieux flambeau de Byzance, ne vit jamais le jour. Mais, jusqu'à l'effondrement de l'URSS, cet immense pays d'un seul tenant se distinguait fortement des autres empires. Au XIXe siècle, alors que peuples et ethnies de Russie accédaient à l'idée nationale, l'homme russe, ébloui par ce territoire à l'échelle d'un continent, caressait l'illusion d'un espace littéralement cosmique. Hésitant entre un Occident symbole de progrès et un Orient détenteur de la tradition, il s'engageait dans une quête qu'il n'a toujours pas achevée.

Le « géant aux pieds d'argile » se révéla incapable d'accompagner dans la modernité la multitude de peuples et ethnies qui peuplaient tant ses terres de l'intérieur que ses marches, Babel où cohabitaient cultes animistes et grandes religions révélées : Esquimaux du Grand Nord, Turcs de la Volga, de Sibérie, d'Asie centrale ou du Caucase ; Finno-Ougriens, peuples caucasiens aux langues multiples et singulières, Baltes, Polonais, Ukrainiens ou Juifs. Il laissa bientôt la place à l'ensemble soviétique, qui se voulait alors le premier jalon de la « république mondiale des travailleurs ».

Plusieurs siècles d'administration tsariste avaient profondément marqué régions et populations de l'empire ; les soixante-dix années de système soviétique y provoquèrent un véritable bouleversement. Industrialisation, collectivisation forcée des terres, famines, déportations de peuples entiers transformèrent radicalement l'ensemble soviétique. La société, soumise par une répression systématique, subit un implacable maelström ; brisé, le monde rural en sortit désintégré. En Sibérie, au Kazakhstan, le Goulag imposa un effroyable aménagement du territoire.

En quelques années, la « sixième partie du monde » se couvrit de républiques fédérées, de républiques et de régions autonomes : aux uns, le régime offrait l'illusion d'un renouveau national, aux autres la chance d'accéder au statut de nation. La *perestroïka* , puis l'effondrement de l'URSS (1991) mirent à nu les réalités et les contradictions d'un empire décidément complexe.

Le discours de l'« amitié des peuples » cachait de fortes disparités culturelles et économiques. Engagées aujourd'hui dans un vertigineux processus de recomposition, ses composantes affrontent les réalités d'un monde dont elles avaient été « protégées » par Moscou, présentent enfin un visage plus proche d'une réalité hier encore occultée par les vertus décrétées du « socialisme réel ». Membres de l'Union européenne (UE) et désormais intégrés à l'OTAN (Organisation du traité de l'Atlantique nord), les États baltes ont opéré leur « retour à l'Europe ». Malgré l'importance des minorités russophones, on y proclame une farouche volonté de tourner le dos à l'espace russe, comme pour mieux s'assurer d'une fragile liberté. La région qui fut la plus développée et la plus prospère de l'URSS vit une mutation rapide. L'Asie centrale avait été présentée comme l'exemple de la capacité du régime à sortir peuples et régions de la fatalité du sous-développement. Elle doit faire l'apprentissage d'une indépendance qu'elle n'avait pas réellement souhaitée, gérer le lourd passif légué par un système qui la sacrifia à la monoculture du coton. Aujourd'hui, la région bruisse des échos de la sourde lutte opposant ces États indépendants en quête de puissance et de reconnaissance, alors que l'Afghanistan demeure une zone d'instabilité. La présence militaire américaine en Ouzbékistan et au Kirghizstan répondait aux tentations de trouver des partenaires plus prometteurs, voire d'écarter l'ancienne puissance tutélaire. Aujourd'hui celle-ci y opère un retour spectaculaire sur fond de crise politique et sociale en soutenant activement des pouvoirs autoritaires et corrompus.

Hier encore terre de villégiature, la Transcaucasie est aujourd'hui une région sinistrée par les conflits, les guerres et les nettoyages ethniques. Ses atouts d'hier, une agriculture diversifiée qui trouvait en Russie un marché captif, un climat clément, n'ont pas résisté à l'ouverture des frontières. L'espoir soulevé par la « révolution des Roses » en Géorgie en 2003 laisse place au désenchantement, alors que Moscou tente désormais de s'imposer par de brutales pressions économiques. Les potentialités de la mer Caspienne permettront-elles d'assurer la réserve stratégique d'un Occident en quête de sécurité ?

Détentrices d'une longue histoire et d'une culture communes, les terres slaves constituées par la Biélorussie, la Russie et l'Ukraine restent très intégrées, voire dominées par un « grand frère » qui, après avoir habilement joué de ses atouts énergétiques, semble avoir changé de stratégie en augmentant brutalement le prix du gaz. Cet ensemble vit une évolution rapide. À la recherche d'une improbable identité, la Biélorussie, entre Russie et Union européenne, envoie des signaux contradictoires. L'Ukraine, dont l'émergence a donné à l'Europe centrale le sentiment d'élargir son espace politique, veut imposer la réalité de son existence. Elle tente difficilement de rééquilibrer avec l'Occident des relations trop longtemps exclusives avec une Russie active dans la sphère économique. Rude, mais exaltante tâche que d'établir fermement l'identité européenne dont elle se réclame pour cette « terre des confins », ambivalente et fragile.

Devenue indépendante, la Russie a changé de visage dans sa configuration territoriale. Après des siècles de centralisation, l'importance grandissante des républiques et des régions qui constituent la Fédération de Russie a marqué une véritable rupture avec toutes les traditions de l'État russe et soviétique. Malgré la reprise en main opérée par Vladimir Poutine, l'espace et les représentations russes ont été profondément transformés par cette véritable restructuration à « échelle humaine » du territoire d'une fédération que républiques et régions ont tenté de faire évoluer vers des formes confédératives, donnant une légitimité renouvelée à la dimension impériale de cet espace. Bien que l'économie russe soit fortement stimulée, la guerre se poursuit en Tchéchénie avec son cortège de brutalités et de xénophobie. Le géant russe, tenté par le repli identitaire, voire ethnique, trouvera-t-il, hors d'une politique de force imposée à ses régions, à ses marches et à ses partenaires de la CEI (Communauté d'États indépendants), les ressources pour fonder une nouvelle identité à l'image d'un espace impérial dont il continue à se réclamer ? ■

Par **Charles Urjewicz**
Historien, Inalco

*L*e 11 janvier 2006, à Astana, capitale du Kazakhstan, le faste de la cérémonie d'investiture de Noursultan Nazarbaiev, qui entamait son quatrième mandat présidentiel, a été l'occasion d'un « sommet » informel pour une Communauté d'États indépendants (CEI) à bout de souffle, minée par la « guerre du gaz » que livrait la Russie à l'Ukraine et à la Moldavie. L'accord arraché par Moscou à Kiev au cours du tête-à-tête entre les présidents Victor Iouchtchenko et Vladimir Poutine pointait du doigt l'impuissance de la CEI, alors que Gazprom venait de couper l'approvisionnement de l'Ukraine en gaz après le refus des autorités de Kiev d'accepter le quadruplement des prix imposé par le monopole russe à Kiev et Chisinau. Parallèlement, l'Arménie et la Géorgie, confrontées à une vague de froid sans précédent, étaient privées de gaz à la suite de l'explosion d'origine criminelle qui, le 22 janvier 2006, avait affecté la partie russe du gazoduc alimentant les deux pays, provoquant la colère du président géorgien qui a accusé Moscou d'avoir voulu « punir » son pays pour ses choix pro-occidentaux. Face à une crise majeure provoquée par la volonté de puissance d'une Russie qui, à cette occasion, faisait apparaître ses fragilités dans un Nord-Caucase livré à l'insécurité, la CEI s'est révélée incapable d'offrir le cadre d'une concertation collective, abandonnant la politique énergétique au seul domaine des relations bilatérales.

Le 4 mai 2006, au lendemain de difficiles consultations russo-ukrainiennes sur la question de la flotte russe de la mer Noire mouillant dans le port de Sébastopol, en Crimée, Vladimir Ogryzko, ministre adjoint des Affaires étrangères d'Ukraine, déclarait : « Pour l'Ukraine, la CEI perd de plus en plus de son attractivité ; elle n'est en effet plus capable de prendre en charge les problèmes réels qui se posent à la CEI. Dans ces conditions, l'Ukraine continue à analyser le pour et le contre de sa participation dans la CEI. » Le 2 mai, le président géorgien, Mikhael Saakachvili, avait annoncé l'intention de son pays de « faire ses comptes » afin de déterminer si la Géorgie avait réellement intérêt à rester dans cet espace économique. Le 10 mai 2006, un Vladimir Poutine sur la défensive prenait la défense d'une CEI contestée de tous côtés : « Elle a permis de maintenir un partenariat effectif entre les nouveaux États nés de la fin de l'URSS et a joué un rôle positif en endiguant une série de conflits dans l'espace post-soviétique. [...] C'est pour cela que nous continuerons nos missions de maintien de la paix. Les problèmes que nous réglons ensemble ne peuvent l'être que par nous-mêmes. » Le même mois, les pays membres du GUAM (Géorgie, Ukraine, Azerbaïdjan et Moldavie), né en 1996 de la volonté de contrer l'hégémonie de la Russie, décidaient au « sommet » de Kiev (22-23 mai 2006) sa transformation en GUAM-ODDE (Organisation pour la démocratie et le développement économique), que d'aucuns qualifient ironiquement de « Communauté du choix démocratique ».

L'espace formé par les amis de la Russie au sein de la CEI se contractait de plus en plus, se limitant à un « noyau dur » constitué par les alliés et

LA CEI S'EST RÉVÉLÉE INCAPABLE D'OFFRIR LE CADRE D'UNE CONCERTATION COLLECTIVE, ABANDONNANT LA POLITIQUE ÉNERGÉTIQUE AUX RELATIONS BILATÉRALES.

Espace post-soviétique/Bibliographie sélective

R. Brunet, « Russie, Asie centrale », *in* R. Brunet (sous la dir. de), *Géographie universelle*, vol. X, Belin/RECLUS, Paris/Montpellier, 1995.

R. Brunet, D. Eckert, V. Kolossov, *Atlas de la Russie et des pays proches,* RECLUS/La Documentation française, Montpellier/Paris, 1995.

D. Colas (sous la dir. de), *L'Europe post-communiste,* PUF, Paris, 2000.

M. Ferro (sous la dir. de, avec la collab. de M.-H. Mandrillon), *L'état de toutes les Russies. Les États et les nations de l'ex-URSS,* La Découverte, coll. « L'état du monde », Paris, 1993.

M. Larmelle, *La Question des Russes du proche étranger en Russie (1991-2006),* Les Études du CERI, n° 126, Paris, juin 2006.

La Nouvelle Alternative. Politique et société à l'Est (nouv. série, semestriel), Paris.

Le Courrier des pays de l'Est (6 numéros par an), La Documentation française, Paris. Voir notamment « La Russie et les autres pays de la CEI en 2005 », n° 1053, janv.-févr. 2006 ; « Les nouveaux voisins orientaux de l'Europe élargie », n° 1042, mars- avr. 2004.

M. Lewin, *Le Siècle soviétique,* Fayard/Le Monde diplomatique, Paris, 2003.

B. Nahaylo, V. Swoboda, *Après l'Union soviétique. Les peuples de l'espace post-soviétique,* PUF, Paris, 1994.

D. Piazolo, *The Integration Process between Eastern and Western Europe,* Kieler Studie 310/Springer-Verlag, Berlin/Heidelberg, 2001.

J. Radvanyi (sous la dir. de), *Les États post-soviétiques, identités en construction, transformations politiques, trajectoires économiques,* Armand Colin, Paris, 2004 (nouv. éd).

A. de Tinguy, *La Grande Migration. La Russie et les Russes depuis l'ouverture du rideau de fer,* Plon, Paris, 2004.

les clients de Moscou, la Biélorussie d'Alexandre Loukachenko, l'Arménie et les régimes autoritaires d'Asie centrale, à la notable exception du Turkménistan. Le 23 juin 2006, à Minsk, l'Ouzbékistan d'Islam Karimov, stigmatisé par la communauté internationale à la suite de la répression des manifestations d'Andijan (mi-mai 2005), rejoignait l'Organisation du traité de sécurité collective (OTSC, créée en mai 1992 par l'Arménie, la Biélorussie, le Kazakhstan, le Kirghizstan, la Russie et le Tadjikistan), qu'il avait quittée le 2 avril 1999 en compagnie de l'Azerbaïdjan et de la Géorgie. Tachkent faisait, par ailleurs, état de sa volonté de rejoindre la peu convaincante Communauté économique eurasienne, créée le 10 octobre 2000 à Astana par la Biélorussie, le Kazakhstan, le Kirghizstan, la Russie et le Tadjikistan. Alors qu'en Russie les agressions et les crimes racistes prenaient pour cibles les nombreux « migrants » originaires du Caucase et d'Asie centrale (2 millions d'Azéris, 1 million d'Arméniens, près de 1 million de Géorgiens, environ 600 000 Tadjiks et de nombreux autres ressortissants d'Asie centrale), les élites russes se plaisaient à opposer l'« idée impériale » au « nationalisme vulgaire ».

Grisée par sa nouvelle puissance énergétique et financière, l'ancienne puissance tutélaire a-t-elle la capacité d'être le moteur d'un renouveau ? Moscou semblait hésiter devant la marche à suivre. Céder à ses démons « comptables » en imposant un rapport de force brutal à son « étranger proche », toujours dépendant de l'énergie russe, par l'alignement de ses prix sur ceux du marché mondial, quitte à sacrifier ses alliés les plus proches, désormais réduits à l'état de partenaires « ordinaires » d'un pays qui se veut engagé dans une compétition planétaire ? Ou exploiter la puissance et le dynamisme d'une économie enfin libérée des entraves du système soviétique afin de reconstituer l'espace impérial, non par la violence ou la contrainte, mais sur des bases « équitables » et mutuellement profitables.

SI LA « NOUVELLE RUSSIE » VEUT DEVENIR LA « LOCOMOTIVE DE L'EXPANSION ÉCONOMIQUE DE L'ESPACE COMMUN », LE GARANT DE LA SÉCURITÉ ET DE LA TRANQUILLITÉ, ELLE DOIT CHANGER D'IMAGE.

Plus d'un analyste russe s'interrogeait : la Russie est-elle suffisamment attractive face à la redoutable concurrence des États-Unis, de l'Union européenne (UE) voire de la Chine, partenaire privilégié au sein de l'Organisation de coopération de Shanghaï (OCS – Chine, Kazakhstan, Ouzbékistan, Russie, Tadjikistan) ? Si la « nouvelle Russie » veut devenir la « locomotive de l'expansion économique de l'espace commun », le garant de la sécurité et de la tranquillité de ses voisins, écartant ainsi la menace des « révolutions de couleur », elle doit changer d'image, adopter un autre style dans ses relations avec ses partenaires. Ses forces armées ne doivent pas laisser percer le moindre soupçon de menace pour la souveraineté de ses voisins, notait Andreï Charomov en octobre 2005. Malgré d'indéniables succès dans la « reconquête pacifique » de l'espace post-soviétique, en particulier en Ouzbékistan où Gazprom contrôlait désormais une partie non négligeable du secteur énergétique, les entreprises russes continuaient à se heurter à de fortes résistances en Ukraine et en Géorgie. Moscou a, par ailleurs, multiplié les gestes à l'égard d'un Kazakhstan courtisé par les États-Unis et la Chine, et qui pourrait rapidement exporter son pétrole et son gaz vers l'Europe par les tubes initiés et construits par les Occidentaux, afin de briser le monopole exercé par la Russie : l'oléoduc BTC (Bakou, Tbilissi, Ceyhan), entré en exploitation en 2005, et le gazoduc BTE (Bakou, Tbilissi, Erzurum), qui devait être achevé fin 2006.

Isolé sur le plan international, rendu vulnérable par la profonde crise économique qu'il traverse, l'Ouzbékistan a opéré un impressionnant retour au bercail après s'être éloigné de Moscou pour se rapprocher de Washington. Le Kremlin accordait désormais une importante aide politique et militaire à Tachkent, faisant fi des graves accusations dont est l'objet le régime d'I. Karimov, considéré à Moscou comme un « solide rempart » contre le « terrorisme islamiste ». Au Kazakhstan, la réélection de N. Nazarbaiev s'est opérée dans des conditions douteuses, sans pour autant provoquer les protestations de la communauté internationale. Élu président du Kirghizstan le 10 juillet 2005 à la suite de la fuite d'Askar Akaiev, le 24 mars, Kourmanbek Bakiev s'est trouvé confronté à une situation sociale et politique tendue, marquée par les manifestations de l'opposition qui lui reproche son inaction.

En Moldavie, la Transdniestrie (république russophone et ukrainophone sécessionniste), pion aux mains d'une Russie qui tentait ainsi de garder le

MALGRÉ DES
PERSPECTIVES PEU
ENCOURAGEANTES
D'INTÉGRATION
DE L'UKRAINE
ET DE LA GÉORGIE
DANS L'UE,
CHISINAU, KIEV
ET TBILISSI
AFFICHAIENT
UNE FORTE
VOLONTÉ
D'INTÉGRATION
DANS LES
STRUCTURES
EUROPÉENNES.

contrôle d'un pays désormais aux frontières de l'UE grâce à la présence de la 14e armée russe, continuait de narguer les autorités de Chisinau. Mais les changements intervenus à Kiev ont introduit une nouvelle donne dans les relations régionales. Dès le 3 mars 2006, les autorités ukrainiennes ont imposé de nouvelles règles douanières : les marchandises franchissant la frontière entre l'Ukraine et la Transdniestrie doivent désormais subir obligatoirement les formalités douanières en Moldavie. Malgré la lassitude manifestée par les sociétés arménienne et azérie, et les efforts de la communauté internationale, en particulier l'action du groupe de Minsk de l'OSCE (Organisation pour la sécurité et la coopération en Europe), qui a suscité contacts et rencontres entre les parties, la question du Haut-Karabakh (territoire de l'Azerbaïdjan peuplé majoritairement d'Arméniens, qui a fait l'objet d'un conflit armé) est restée bloquée depuis le cessez-le-feu intervenu en 1994. À l'été 2006, la perspective d'une solution négociée semblait plus éloignée que jamais. En Géorgie, les régions séparatistes d'Abkhazie et d'Ossétie du Sud avaient entamé une timide prise de contact avec Tbilissi. Malgré les ouvertures, la méfiance restait de mise, alors que les troupes russes commençaient l'évacuation graduelle des bases qu'elles occupent, conformément aux accords passés. Tbilissi tentait d'internationaliser ces conflits en impliquant l'OSCE, voire l'UE et l'OTAN (Organisation du traité de l'Atlantique nord), afin d'obtenir le départ des troupes d'interposition russes. Tandis que Moscou, qui avait pris des mesures de rétorsion (interdiction de la vente des vins et des eaux minérales géorgiens), agitait la menace d'une reconnaissance de l'indépendance de l'Abkhazie et de l'Ossétie du Sud au cas où le Kosovo était autorisé par les Occidentaux à proclamer son indépendance.

La présence des contingents originaires de la CEI au sein des troupes de la « coalition » en Irak s'est fortement réduite après le départ des Arméniens et des Ukrainiens. Seule la Géorgie, proclamant sa volonté de rejoindre rapidement l'OTAN, a maintenu quelque 1 000 hommes, se proposant même, aux dires de son président, d'en augmenter le nombre. Malgré des perspectives peu encourageantes d'intégration de l'Ukraine et de la Géorgie dans l'UE, Chisinau, Kiev et Tbilissi affichaient une forte volonté d'intégration dans les structures européennes.

En novembre 2005, en Azerbaïdjan, les élections parlementaires se sont déroulées avec leur cortège habituel d'irrégularités et de brutalités. En Biélorussie l'élection présidentielle a permis à A. Loukachenko de briguer un troisième mandat dans des conditions douteuses. À l'exclusion des États baltes, la liberté de la presse restait partout fragile et aléatoire. En Russie, où la guerre de Tchétchénie s'est poursuivie, avec son cortège de violations des droits de l'homme, ainsi qu'en Asie centrale et en Transcaucasie, les tendances autoritaires ont continué à s'affirmer. ■

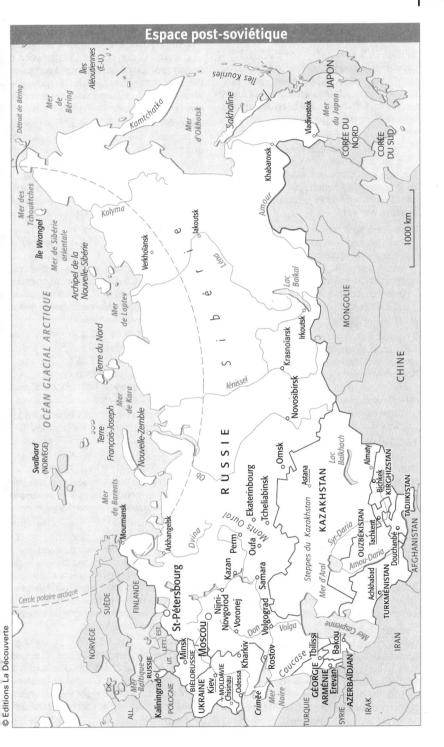

Espace post-soviétique

Par **Céline Bayou**
La Documentation française

2005

5 juillet. OCS. Lors du 5ᵉ « sommet » de l'Organisation de coopération de Shanghaï à Astana (Kazakhstan), les pays membres se prononcent contre toute ingérence sur leurs territoires. L'Inde et le Pakistan deviennent observateurs de l'organisation.

10 juillet. Kirghizstan. Chef de l'État par intérim depuis la révolution qui a suivi les élections législatives contestées du 13 mars 2005, Kourmanbek Bakiev est élu président avec 88,9 % des voix. Il nomme son rival, Félix Koulov, au poste de Premier ministre et reconduit le gouvernement.

30 juillet-5 août. Russie-Géorgie. Conformément à l'accord du 30 mai 2005 prévoyant le démantèlement des bases russes en Géorgie avant la fin 2008, les contingents russes quittent la base située près du port de Batoumi (sud-ouest du pays) et celle d'Akhalkalaki (sud). Les soldats et le matériel sont redéployés à Vladikavkaz (Ossétie du Nord).

31 juillet. Ouzbékistan. Le président donne 180 jours aux États-Unis pour se retirer (avions, troupes et matériels) de la base aérienne de Karshi Khanabad. Cette exigence est motivée par le transfert vers la Roumanie, le 29 juillet, de 450 ressortissants ouzbeks réfugiés au Kirghizstan suite à la révolte d'Andijan en mai, alors que Tachkent réclamait leur extradition.

18-25 août. Russie-Chine. Baptisées *Mission de paix 2005*, les premières manœuvres militaires conjointes russo-chinoises se déroulent à Vladivostok, en mer Jaune et dans la province chinoise du Shandong. Elles révèlent la concrétisation du rapprochement russo-chinois opéré depuis 2001.

5 septembre. Tchernobyl. Un rapport publié par l'ONU évalue à 4 000 les décès liés à l'accident nucléaire de Tchernobyl, le 26 avril 1986. Une polémique s'engage, des spécialistes biélorusses et ukrainiens, ainsi que des ONG écologistes jugeant ce chiffre très sous-évalué (93 000 selon Greenpeace).

7 septembre. Ukraine. Le président Victor Iouchtchenko limoge l'ensemble du gouvernement afin de mettre fin à la polémique qui oppose la Premier ministre Ioulia Timochenko et le secrétaire du Conseil de défense et de sécurité nationale, Petro Porochenko, à propos des privatisations. Iouri Ekhanourov est investi Premier ministre le 22 septembre.

8 septembre. Russie. Le président russe, Vladimir Poutine, et le chancelier allemand, Gerhard Schröder, signent à Berlin l'accord portant création du gazoduc nord-européen (NEGP), destiné à acheminer du gaz russe vers l'Allemagne, *via* un tube sous-marin à travers la mer Baltique.

28 septembre. Russie. Gazprom, le groupe gazier public russe, annonce l'acquisition du groupe pétrolier russe Sibneft, pour 13 milliards de dollars. Cet achat est analysé par les observateurs comme révélateur de la volonté de Moscou de reprendre en main les richesses naturelles du pays.

3 octobre. Ouzbékistan. Adoptant une mesure inédite, l'Union européenne (UE) suspend l'Accord de partenariat et de coopération (APC) qui la lie à l'Ouzbékistan en protestation contre la répression de la révolte d'Andijan. Bruxelles décide en outre de ne plus accorder de visas aux hauts responsables ouzbeks et lance un embargo sur les armes à destination de ce pays.

13 octobre. Russie. Des attaques sont perpétrées contre des bâtiments publics de la capitale de Kabardino-Balkarie (Caucase russe), revendiquées par le chef rebelle tchétchène Chamil Bassaiev. 135 personnes, dont 92 assaillants, sont tuées.

6 novembre. Azerbaïdjan. Le parti au pouvoir du président Ilham Aliev remporte les élections législatives, avec 58 des 125 sièges du Parlement. Il perd la majorité absolue mais devance largement les partis d'opposition.

14 novembre. Russie-Ouzbékistan. Les présidents russe et ouzbek signent un accord d'assistance mutuelle en cas d'agression.

27 novembre. Arménie. Le projet de réforme constitutionnelle est plébiscité par référendum : 93,3 % des électeurs sont favorables à une réduction des pouvoirs du président au profit du Parlement et du gouvernement, et au renforcement de l'indépendance du système judiciaire. Le Conseil de l'Europe dénonce le manque de transparence de cette consultation.

27 novembre. Tchétchénie. Le parti favorable au Kremlin remporte 33 des 58 sièges au Parlement tchétchène lors des élections législatives locales. Le Conseil de l'Europe dénonce le manque de légitimité du scrutin, et celui du pouvoir en place dans la république.

1er décembre. Ukraine-Moldavie. L'UE entame une mission de surveillance le long de la frontière ukraino-moldave, sur un tronçon de 450 km correspondant à la frontière de l'Ukraine avec la république autoproclamée de Transdniestrie.

4 décembre. Kazakhstan. Noursultan Nazarbaiev remporte l'élection présidentielle avec 91,15 % des suffrages et entame son troisième mandat présidentiel. Les observateurs de l'OSCE (Organisation pour la sécurité et la coopération en Europe) dénoncent un processus électoral non conforme aux normes internationales.

21 décembre. Russie. La Douma adopte, en seconde lecture, une loi sur les ONG, plus souple que celle adoptée le 23 novembre et qui avait provoqué l'ire des organisations de défense des droits de l'homme. Les ONG voient ainsi leurs activités limitées et leur financement étroitement contrôlé.

2006

1er-4 janvier. Russie-Ukraine. Face au refus de Kiev d'accepter une hausse rapide et substantielle du prix du gaz, Gazprom suspend ses livraisons à l'Ukraine, faisant peser une menace sur l'approvisionnement de l'Europe.

10 janvier. Ukraine. Les députés votent la destitution du gouvernement, afin de protester contre l'accord gazier du 4 janvier avec la Russie, qu'ils jugent porter atteinte aux intérêts du pays. Le 12 janvier, le président déclare cette décision inconstitutionnelle et maintient I. Ekhanourov au poste de Premier ministre.

9 février. Ouzbékistan. Le Parlement ratifie le protocole d'adhésion du pays à la Communauté économique eurasienne, qui rassemble en outre la Russie, la Biélorussie, le Kazakhstan, le Kirghizstan et le Tadjikistan.

3-5 mars. Russie. À l'invitation du président russe, les dirigeants palestiniens du Hamas se rendent à Moscou. Pour ce parti, ces pourparlers sont les premiers de cette envergure. Ils traduisent la volonté de Moscou de retrouver une influence au Moyen-Orient.

19 mars. Biélorussie. Le président Alexandre Loukachenko est réélu sans surprise, avec 82,6 % des voix. Le principal candidat de l'opposition, Alexandre Milinkevitch, crédité de 6 % des votes, appelle ses partisans à manifester en vue de faire annuler le scrutin. Des villages de tentes envahissent le centre de Minsk à partir du 21 et sont détruits le 24 par les forces de l'ordre qui procèdent à plus de 200 arrestations.

26 mars. Ukraine. Le Parti des régions, de l'ancien Premier ministre Victor Ianoukovitch, arrive en tête des élections législatives avec 31,87 % des voix, suivi du Bloc Timochenko (22,34 %), puis de la coalition Notre Ukraine du président V. Iouchtchenko (14,10 %). Malgré les dissensions du camp « orange », I. Timochenko et V. Iouchtchenko entament des négociations avec les socialistes et créent, le 14 avril, une coalition des forces démocratiques. Celle-ci ne parvient pourtant pas à s'entendre sur la formation du gouvernement.

2 mai. Kirghizstan. Suite à un vote du Parlement critiquant son travail, le gouvernement présente sa démission. Celle-ci est refusée par le président Bakiev.

10 mai. Russie. Lors de son adresse annuelle à la Douma, V. Poutine annonce l'adoption de mesures sociales destinées à enrayer le déclin démographique russe, et la convertibilité totale du rouble à compter du 1er juillet 2006.

10 mai. Russie. Le directeur de l'Agence fédérale russe de l'énergie atomique, Sergueï Kirienko, réitère son offre à l'Iran en vue de créer, conformément à l'accord de principe du 26 février, une coentreprise d'enrichissement d'uranium située sur le territoire russe, solution qui doit permettre de maintenir l'interdiction de la prolifération des technologies nucléaires.

22-23 mai. GUAM. Réunis à Kiev, les chefs des États membres du GUAM (Géorgie, Ukraine, Azerbaïdjan et Moldavie) s'accordent sur une nouvelle stratégie énergétique qui doit affirmer leur indépendance vis-à-vis de Moscou.

25 mai. CEI. Les représentants de la Géorgie et de l'Ukraine au sein de l'organisation critiquent la CEI, qui doit, selon eux, être rapidement réformée et dotée de priorités claires. Ils reprochent notamment à la CEI d'être dominée par la Russie.

25 mai. Russie. Le 17e « sommet » Russie-UE se déroule à Sotchi. Un accord sur la simplification des visas est signé, ainsi qu'un autre sur la réadmission des migrants illégaux, mais ce sont les questions liées au partenariat énergétique qui dominent la rencontre. ∎

Russie

Évolutions politiques et diplomatiques contrastées

Pour la première fois depuis longtemps, la Russie n'a pas connu de grande tragédie nationale en 2005-2006. Les dénouements catastrophiques ont été évités tant à l'occasion d'un incident grave à bord d'un sous-marin que lors d'une attaque de combattants tchétchènes en Kabardino-Balkarie dans le nord du Caucase (octobre 2005). Le président Vladimir Poutine se plaisait à souligner la normalisation à l'œuvre, notamment en choisissant symboliquement la date anniversaire de la Constitution pour venir à Grozny saluer le travail du premier Parlement tchétchène de l'«après-guerre» (élu en novembre 2005).

Aussi, alors que les dérives autoritaires du régime russe étaient la cible des critiques occidentales, le soutien interne au président restait-il indéfectible. Le pouvoir poutinien a continué d'évoluer, de façon certes moins spectaculaire qu'à ses débuts, mais toujours contrastée.

Une démocratie tâtonnante

Les symboles nationaux ont connu un nouveau changement. La «fête de la Concorde» (nouveau nom du jour anniversaire de la révolution d'Octobre) a été remplacée par une «Journée de l'unité nationale», célébrée le 4 novembre et commémorant la fin emblématique du «temps des troubles» en 1612.

Les institutions ont également fait l'objet d'ajustements. La Chambre sociale, instaurée à l'automne 2004 pour représenter la société civile et destinée à faciliter le dialogue entre le pouvoir et les citoyens, s'est réunie pour la première fois en janvier 2006 sans que soient précisées ses relations avec la Douma ni ses champs de compétence. Elle est en principe composée de représentants du monde associatif, mais sa représentativité pose problème car la désigna-

tion de ses membres est très encadrée et les ONG les plus critiques à l'égard du pouvoir en sont absentes.

Ces associations restaient en effet la cible de nombreuses attaques les présentant comme des « agents de l'étranger» (certaines d'entre elles ont été accusées d'espionnage). En décembre 2005, une loi restreignant leur activité a été adoptée.

Même si cette suspicion répondait à l'adoption par le Conseil de l'Europe d'une résolution sur la «Nécessité d'une condamnation internationale des crimes des régimes communistes totalitaires», serait excessif d'évoquer une glaciation des rapports avec le monde occidental. En effet, V. Poutine continuait à veiller aux équilibres subtils régissant l'équipe gouvernementale : en novembre 2005, il a promu au rang de vice-premier ministre respectivement un « étatiste dur» (Sergueï Ivanov, qui a conservé son portefeuille de la Défense) et un « pragmatique européen» (Dmitri Medvedev, ancien chef de son administration, affecté à la mise en œuvre des projets sociaux nationaux). L'un et l'autre étaient considérés comme des dauphins potentiels en vue de l'élection présidentielle de 2008, à laquelle V. Poutine, aux termes de la Constitution, ne peut pas se présenter, alors qu'un sondage d'avril donnait près de 60 % d'opinions favorables à un amendement qui lui permettrait de briguer un troisième mandat.

L'aménagement de la « verticale du pouvoir » s'est poursuivi avec les mêmes oscillations. Alors qu'il était question de supprimer l'élection des maires au suffrage direct (après celle des gouverneurs), une disposition a été adoptée, permettant au parti vainqueur des élections régionales de soumettre au choix du président son candidat à la fonction de chef de l'exécutif régional. Cette réintroduction d'un élément de démocratie représentative apparaissait néanmoins ambiguë, soulignant les similitudes fonctionnelles entre l'ancien PCUS (Parti communiste de l'Union soviétique) et le « parti du pouvoir » (Russie unie).

Ce parti a été le vainqueur incontesté des élections partielles de l'année (à Moscou en décembre 2005, dans 8 régions en mars 2006). Les partis libéraux se sont retrouvés exclus des assemblées représentatives, faute d'avoir franchi la barre des 7 % de suffrages exprimés. Les sempiternelles tentatives pour constituer un parti d'opposition libérale unifié n'arrivaient toujours pas à aboutir, alors que deux anciens membres de l'*establishment* politique prenaient position sur ce front : l'ancien conseiller économique de V. Poutine, Andreï Ilarionov, qui a démissionné en décembre 2005, et l'ancien Premier ministre limogé, Mikhaïl Kassianov, qui a fondé en avril 2006 une Union populaire démocratique et appelé au rassemblement de toutes les oppositions. Quant à Rodina, formé pour grignoter une partie de l'électorat communiste aux élections législatives de 2003, il fléchissait : après avoir connu une scission, il a été éliminé de la course électorale dans plusieurs circonscriptions sous prétexte de non-conformité aux réglementations ; son nouveau leader, Alexandre Babakov, manquait de véritable carrure politique. Le Parti communiste (KPR) et le Parti libéral-démocrate de Russie du nationaliste Vladimir Jirinovski (LDPR) se sont maintenus, mais leurs scores ne leur permettaient pas de se poser en opposition alternative. L'opinion publique s'accommodait de ce paysage politique simplifié et l'idée d'un « conservatisme libéral » semblait désormais faire consensus.

L'économie sous la coupe de l'État ?

Malgré les déclarations d'attachement au libéralisme, le mouvement de renationalisation de l'économie s'est poursuivi. La prise de contrôle des actifs du « géant » pétrolier Ioukos avait été la principale conséquence, voire l'objectif, des poursuites engagées contre son dirigeant l'oligarque Mikhaïl Khodorkovski (condamné en octobre 2005 à neuf ans de détention, actuellement purgés en Sibérie). Mais c'est sans « dommages collatéraux » pour son patron Roman Abramovitch que le groupe Sibneft, quatrième producteur national de pétrole, a été acheté à hauteur de 72 % par le gazier public russe Gazprom, en septembre 2005.

Fédération de Russie

Capitale : Moscou.
Superficie : 17 075 400 km^2.
Population : 143 202 000.
Langues : russe (langue off. d'État), bachkir, tatar, tchétchène, etc.
Monnaie : nouveau rouble russe (au taux officiel, 100 nouveaux roubles = 2,9 € au 30.4.06).
Nature de l'État : république fédérale, comportant 89 « sujets de la Fédération ».
Nature du régime : présidentiel fort.
Chef de l'État : Vladimir Poutine, président par intérim (1999), puis président élu (depuis le 26.3.2000).
Premier ministre : Mikhaïl Fradkov (depuis mars 04).
Ministre du Développement économique et du Commerce : Guerman Gref.
Ministre des Affaires étrangères : Sergueï Lavrov.
Ministre de la Défense : Sergueï Ivanov.
Ministre de l'Intérieur : Boris Gryslov.
Ministre des Finances : Alekseï Koudrine.
Principaux partis politiques : Russie unie (parti du pouvoir) ; Parti communiste de Russie (KPRF, de G. Ziouganov) ; Iabloko (G. Iavlinski) ; Parti libéral-démocrate de Russie (LDPR, V. Jirinovski).
Territoire exclavé : région de Kaliningrad.
Souveraineté contestée : la république de Tchétchénie s'est autoproclamée indépendante le 1.11.91. Les îles Kouriles [Pacifique] sont revendiquées par le Japon.

Russie

Russie/Bibliographie

F. Benaroya, *L'Économie de la Russie,* La Découverte, coll. « Repères », Paris, 2006.

R. Brunet, D. Eckert, V. Kolossov, *Atlas de la Russie et des pays proches,* La Documentation française/RECLUS, Paris/Montpellier, 1995.

Comité Tchétchénie, *Tchétchénie. Dix clés pour comprendre,* La Découverte, « Sur le vif », Paris, 2005 (nouv. éd.).

D. Eckert, *Le Monde russe,* Hachette, coll. « Carré géographie », Paris, 2004.

G. Favarel-Garrigues, K. Rousselet, *La Société russe en quête d'ordre avec Vladimir Poutine ?,* Autrement, coll. « CERI-Autrement », Paris, 2004.

M. Ferro (sous la dir. de, avec la collab. de M.-H. Mandrillon), *L'état de toutes les Russies. Les États et nations de l'ex-URSS,* La Découverte, coll. « L'état du monde », Paris, 1993.

M. Ferro, M.-H. Mandrillon (sous la dir. de), *Russie, peuples et civilisations,* La Découverte, coll. « Poche », Paris, 2005.

« La Russie de Poutine », *Pouvoirs,* Seuil, Paris, 2005.

Le Courrier des pays de l'Est, La Documentation française, Paris. Voir notamment « Russie. Bilan du premier mandat de Vladimir Poutine », n° 1038, sept. 2003 ; « La Russie et les autres pays de la CEI en 2004 », n° 1047, janv.-févr. 2004.

A. Le Huerou et alii, *Tchétchénie : une affaire intérieure ? Russes et Tchétchènes dans l'étau de la guerre,* Autrement, coll. « CERI-Autrement », Paris, 2005.

M. Mendras (sous la dir. de), *Comment fonctionne la Russie ?,* Autrement, coll. « CERI-Autrement », Paris, 2003.

A. Politkovskaïa, *La Russie selon Poutine,* Buchet-Chastel, Paris, 2005.

J. Radvanyi, *La Nouvelle Russie,* Masson/Armand Colin, Paris, 2000 (nouv. éd.).

J. Radvanyi, A. Berelowitch, *Les 100 Portes de la Russie,* L'Atelier, Paris, 1999.

G. Solokoff, *Métamorphose de la Russie, 1984-2004,* Fayard, Paris, 2003.

A. de Tinguy, *L'Effondrement de l'empire soviétique,* Bruylant, Bruxelles, 1998.

A. Vichnevski, *La Faucille et le Rouble : la modernisation conservatrice en Russie,* Gallimard, Paris, 2000.

N. Werth, *L'Histoire de l'Union soviétique. De l'Empire russe à l'Union soviétique 1900-1990,* PUF, Paris, 1991.

Cette tendance à restaurer des secteurs monopolistiques contrôlés par l'État s'observait également dans la production automobile et d'aluminium. Face à ce processus, les élites économiques restaient discrètes, se contentant de réclamer un partenariat avec l'État dans la gestion d'un Fonds d'investissement qui est resté très virtuel, et choisissant de porter à la tête de l'organisation du patronat russe (RSPP) un ancien ministre, Alexandre Chokhine.

Les stratégies économiques étaient soumises aux mêmes balancements que les manœuvres politiques. D'un côté, des zones économiques spéciales ont été créées : quatre sont désignées comme « technologiques », deux comme « zones de production industrielle », celle d'Elabouga étant destinée à produire des pièces détachées automobiles, avec la participation d'investisseurs américains et sud-coréens. De l'autre, V. Poutine a réaffirmé sa volonté de limiter les interventions bancaires étrangères, ne contribuant pas à lever les derniers obstacles à l'entrée de la Russie dans l'OMC (Organisation mondiale du commerce).

Les indicateurs du baromètre économique sont restés contrastés. La croissance est passée de 7,1 % en 2004 à 6,4 % en 2005. Le Fonds de stabilisation est passé de 20 à 43 milliards de dollars en 2005. La dette extérieure publique a été ramenée à 87 milliards de dollars, soit 12 % du PIB (alors qu'elle en représentait 90 % en 1999), tandis que celle des entreprises passait de 570 millions de dollars à 20 milliards entre 2000 et 2005. Celles-ci se tournent en effet vers les marchés financiers étrangers où le loyer de l'argent est moins cher, d'autant plus que le projet de « super-banque » russe vouée à encourager l'investissement productif n'avait toujours pas vu le jour. Cependant, la restructuration du secteur bancaire s'est poursuivie. L'entrée en vigueur, en décembre 2005, de la loi garantissant les dépôts a suscité une guerre des taux de rémunération entre des banques soucieuses d'attirer une épargne désormais sécurisée. Cette concurrence devrait être limitée par la disparition attendue d'un tiers d'entre elles, suite à l'obligation faite aux établissements bancaires d'une capitalisation à hauteur de 5 millions d'euros.

L'inflation (près de 12,6 % en 2005) restait préoccupante. Même si les chiffres officiels faisaient état d'une augmentation des revenus de plus de 10 %, le salaire moyen mensuel ne dépassait guère 200 euros et une réforme prévoyait d'imputer intégralement les charges locatives aux occupants des logements, ce qui expliquait le potentiel contestataire inhabituel attesté dans les sondages.

V. Poutine, soucieux de montrer l'attention qu'il porte aux problèmes sociaux, a annoncé, à l'automne 2005, le lancement de quatre grands « projets nationaux », visant pour trois d'entre eux à moderniser l'offre de santé, d'éducation et de logement, le dernier objectif proclamé étant l'amélioration du secteur agricole, dont le sort suscitait d'autant plus d'inquiétudes que se développait un marché foncier spéculatif. Dans son adresse à la Nation (mai 2006), le président a exigé de son gouvernement un programme de lutte contre les graves problèmes démographiques de la Russie, dont la population décroît de 700 000 personnes par an.

La « diplomatie des hydrocarbures »

La Russie a de plus en plus tendance à recourir aux hydrocarbures comme instrument de sa diplomatie. Elle le fait de façon douce, en plaçant par exemple l'ancien chancelier allemand Gerhard Schröder à la présidence de la North European Gas Pipeline Company. Ce consortium est chargé de la construction du gazoduc qui reliera la région de Saint-Pétersbourg au nord de l'Allemagne, en passant sous la mer Baltique ; Gazprom, qui à terme pourvoira à la moitié de la consommation allemande, en est l'actionnaire majoritaire. C'est aussi à l'occasion de discussions concernant les livraisons de pétrole que la Russie a fait un retour dans les anciens « pays frères » : V. Poutine s'est rendu à Budapest et à Prague en février 2006.

Mais la Russie peut aussi exercer une pression plus musclée sur ceux qui dépendent de son approvisionnement énergétique, comme ce fut le cas lors du « bras de fer » qui a opposé le Kremlin à Kiev au cours de l'hiver 2005-2006, suite à l'alignement du prix du gaz russe sur les tarifs mondiaux. Moscou considérait toujours le nouveau pouvoir ukrainien avec hostilité, alors qu'était réaffirmé le soutien au président biélorusse Alexandre Loukachenko, ostracisé par l'Occident après l'élection présidentielle très contestée de mars 2006, sans que cela mette pour autant Minsk à l'abri des pressions « énergétiques ».

Ces tensions faisaient de la CEI (Communauté d'États indépendants) une entité plus que jamais virtuelle. Le « sommet » de Kazan en août 2005 a été marqué par l'absence du dirigeant turkmène, Separmourad Nyazov souhaitant que son pays ne soit plus que « membre associé ». Des conflits

Ukraine

récurrents envenimaient les relations avec les anciennes « républiques sœurs », notamment dans le nord du Caucase très instable (les tensions ont été vives en Ossétie et en Abkhazie). En revanche, la reconstruction de l'espace soviétique selon un axe économique se poursuivait : en janvier 2006, Saint-Pétersbourg a accueilli le « sommet » de la Communauté économique eurasienne, qu'a rejointe l'Ouzbékistan. Le principe d'une Banque de développement eurasienne y a été adopté.

L'intérêt russe pour la zone asiatique s'est confirmé. À l'occasion du « sommet » de l'ANSEA (Association des nations du Sud-Est asiatique) à Kuala Lumpur en décembre 2005, un accord de coopération a été signé. Les relations avec la Chine se sont développées ; des exercices militaires conjoints ont été organisés en août 2005, mais les accords concernant la construction de nouveaux gazoducs, signés lors de la visite de V. Poutine à Pékin en mars 2006, ont suscité des critiques en Russie, certains déplorant que soit généralisé un type de relations extérieures dominé par les exportations d'énergie.

Le Kremlin a néanmoins développé d'autres lignes diplomatiques. Il s'est appliqué à tirer parti des difficultés américaines au Moyen-Orient, offrant ses bons offices. Il a tenté une médiation, en proposant sa coopération technique, lors de la crise du « nucléaire iranien ». V. Poutine a également invité une délégation du Hamas à Moscou en mars 2006, après la victoire de celui-ci aux législatives palestiniennes. De façon générale, la Russie entretenait des relations étroites avec la Conférence islamique.

Si la volonté d'harmonisation était un thème constant des discours diplomatiques de V. Poutine (qui a mis la sécurité énergétique à l'ordre du jour du « sommet » du G-8 de juillet 2006, présidé par la Russie), il ne s'interdisait pas pour autant d'afficher sa vigilance face au « loup américain » et son souci de moderniser la puissance militaire russe. - **Myriam Désert** ■

Ukraine

Un pouvoir paralysé par les rivalités

La « révolution orange » de décembre 2004 n'aura pas abouti à une transformation radicale de l'Ukraine. Au-delà d'appels répétés au changement, le président Victor Iouchtchenko et son Premier ministre Ioulia Timochenko ne se retrouvaient pas sur un même programme de réformes économiques et sociales. Leurs dissensions apparurent manifestes lorsque I. Timochenko suggéra la « reprivatisation » (et donc la renationalisation préalable) de 3 000 entreprises, tandis que le président ne voyait la nécessité d'une telle manœuvre que dans le cas de 300 voire de 30 entreprises. Au sein même du gouvernement, les orientations différaient sensiblement selon les ministres et auguraient mal d'une véritable transition. Les divergences de vues au sommet de l'État furent d'ailleurs institutionnalisées par la nomination d'un proche de V. Iouchtchenko, Petro Porochenko, à la tête du Conseil national de défense et de sécurité. En intervenant dans de nombreux dossiers à contre-courant du Premier ministre, P. Porochenko contribua à miner l'autorité de celui-ci, provoquant finalement une crise politique et sa démission. Le contentieux qui scella le renvoi de I. Timochenko portait en outre sur un conflit d'intérêts personnels autour d'une entreprise sidérurgique (Nikipol Ferro-Alloy), alors même que la confusion entre les sphères économique et politique avait été décriée sous le régime précédent. Enfin, les rivalités politiques et l'absence d'une vision réformatrice pour l'Ukraine affectaient d'autant plus la capacité d'action du nouveau pouvoir que l'année qui suivit la « révolution orange » fut une année électorale.

Celle-ci ne fut guère mise à profit par le président Iouchtchenko. Loin de lui assurer un soutien au Parlement, les élections législatives du 26 mars 2006 ont contribué à sa marginalisation. Non seulement le Parti

Ukraine

des régions, la formation prorusse de son rival à l'élection présidentielle de 2004, Victor Ianoukovitch, l'a emporté avec 32,1 % des suffrages, mais, au sein même du camp « orange », le parti se réclamant des idées du président Iouchtchenko – Notre Ukraine – (13,9 %) a réalisé un score inférieur à celui de I. Timochenko (22,2 %). En outre, la réforme institutionnelle que V. Iouchtchenko avait consentie lors de la crise de l'hiver 2004 a réduit les prérogatives de la fonction présidentielle au profit du Premier ministre, de sorte que le capital politique acquis dans le contexte de la « révolution orange » paraissait largement consumé.

Laborieuse mise en place des réformes

Le nouveau pouvoir n'a pu, en outre, s'appuyer sur des succès probants en politique intérieure. Les clarifications promises à propos de l'assassinat d'un journaliste en 2000 (Gueorguy Gongadze) et de la tentative d'empoisonnement dont V. Iouchtchenko avait été l'objet en 2004 n'ont pas été fournies. La mise en place d'un véritable État de droit tardait. Le remplacement de milliers de fonctionnaires s'est davantage apparenté à une purge qu'à une modernisation durable des structures administratives. La réforme des douanes a apporté des améliorations mais la corruption, dans ce domaine comme dans d'autres, continuait de prospérer. L'adhésion à l'OMC (Organisation mondiale du commerce), envisagée lors de la Conférence ministérielle de l'organisation à Hong Kong en décembre 2005, a été reportée, des groupes de pression étant parvenus à bloquer l'adoption par le Parlement de concessions exigées par certains États membres. Les progrès les plus sensibles ont porté sur la vie démocratique du pays. Non seulement les élections de mars 2006 ont été jugées « exemplaires » par le Parlement européen, mais la vitalité de la société civile s'est confirmée, ainsi que la liberté dont jouissaient les médias.

L'Union européenne (UE) a accordé à l'Ukraine le statut d'économie de marché (gratification permettant uniquement de limiter l'impact financier d'éventuelles sanctions antidumping). Des négociations ont été engagées avec l'UE pour la signature d'un accord de réadmission (retour des personnes en séjour irrégulier dans leur pays d'origine), en contrepartie d'une plus grande souplesse dans l'octroi de visas à certaines catégories de la population ukrainienne. L'Ukraine a par ailleurs apporté son soutien à la résolution du conflit de Transdniestrie (territoire de la Moldavie qui a autoproclamé son indépendance) en autorisant l'envoi d'une mission européenne chargée de surveiller la frontière ukraino-moldave et d'interdire l'axe Odessa-Transdniestrie aux trafics suspectés de financer le régime de Tiraspol. L'intégration progressive de l'Ukraine à l'espace énergétique européen, via de nouvelles interconnexions entre les réseaux et une harmonisation des normes, a en outre été amorcée.

Ukraine

Capitale : Kiev.
Superficie : 603 700 km².
Population : 46 481 000.
Langues : ukrainien (off.), russe, turco-tatar, roumain, hongrois, bulgare, polonais, allemand, slovaque, biélorussien, grec.
Monnaie : hrivna (au cours officiel, 1 hrivna = 0,16 € au 30.4.06).
Nature de l'État : république unitaire.
Nature du régime : présidentiel parlementaire.
Chef de l'État : Viktor Iouchtchenko (depuis le 23.1.05).
Chef du gouvernement : Iouri Ekhanourov a démissionné le 15.6.06.
Ministre des Affaires étrangères : Boris Tarasiouk (démission le 15.6.06).
Ministre de l'Intérieur : Youri Lutsenko (démission le 15.6.06).
Ministre de la Défense nationale : Anatoli Grytsenko (démission le 15.6.06).

Ukraine/Bibliographie

A. Dubien, G. Duchêne, « Ukraine. À la veille d'un scrutin présidentiel décisif », *Le Courrier des pays de l'Est*, n° 1041, La Documentation française, Paris, févr. 2004.

A. Goujon, *Les Nouveaux Voisins de l'Union européenne, Stratégies identitaires et politiques en Ukraine, Biélorussie et Moldavie*, Les Études du CERI, n° 109, Paris, sept. 2004.

A Joukovsky, *Histoire de l'Ukraine*, Dauphin, Paris, 2005.

G. Lepesant, *L'Ukraine dans la nouvelle Europe*, CNRS-Éditions, Paris, 2005.

M. Riabtchouk, *De la « petite Russie » à l'Ukraine*, L'Harmattan, Paris, 2003.

A. de Tinguy (sous la dir. de), *L'Ukraine, nouvel acteur du jeu international*, Bruylant, Bruxelles, 2001.

La délicate question énergétique

Ce thème revêtait un intérêt majeur dans le contexte de la crise intervenue à l'hiver 2005-2006, lorsque la Russie a imposé à l'Ukraine une forte hausse des tarifs gaziers. L'accord finalement conclu avec Moscou a permis à l'Ukraine d'éviter la cession d'infrastructures convoitées par Gazprom. Il a également assaini les relations entre les deux pays en mettant un terme aux transactions sous la forme de « troc » et en distinguant clairement les livraisons transitant par l'Ukraine (à destination de l'Europe occidentale notamment) de celles destinées au marché ukrainien. Néanmoins, le rôle précis joué par certaines sociétés intermédiaires demeurait opaque et l'accord ne préservait en rien l'Ukraine de nouvelles hausses importantes à moyen terme.

Le dossier énergétique est symptomatique des défis rencontrés par l'Ukraine. La responsabilité des difficultés du pays est attribuée à un acteur extérieur (ici la Russie) alors même que des réformes internes permettraient de réduire sensiblement la vulnérabilité de celui-ci. En l'espèce, une transparence accrue dans le secteur énergétique et surtout une réduction de la consommation (l'intensité énergétique de l'Ukraine est l'une des plus élevées au monde) renforceraient la marge de manœuvre du pays dans l'harmonisation inévitable des prix du gaz à échelle du continent européen.

Plus largement, la modernisation économique demeure inachevée malgré la croissance ininterrompue qu'a connue le pays depuis 2000 et qui est, pour l'essentiel, imputable à la croissance russe et à la hausse des prix mondiaux de l'acier. Celle-ci résultait notamment de la demande chinoise croissante et a permis de préserver un secteur représentant 28 % de la production industrielle du pays et 40 % de ses exportations, avec une main-d'œuvre concentrée dans quelques *oblast* de l'est du pays. En 2005, l'équipement de la Chine en capacité de production a contribué à réduire la demande mondiale, avec des retombées immédiates sur la croissance ukrainienne, qui n'a pas dépassé 2,6 % (contre 12,1 % en 2004). La vente de l'entreprise sidérurgique Kryvoryzhstal à Mittal Steel fin 2005 a rapporté 4,8 milliards de dollars à l'État et pourrait contribuer à assainir un secteur handicapé par une faible productivité et un sérieux retard technologique. Dans le secteur agricole (15 % du PIB, 25 % de la population active), une restructuration a été esquissée mais la non-conformité des normes sanitaires ukrainiennes aux normes européennes prive le pays des marchés occidentaux.

À défaut d'une perspective d'adhésion à l'UE, l'Ukraine disposait, depuis la signature d'un « plan d'action » avec l'Union en février 2005 dans le cadre de la PEV (Politique européenne de voisinage), d'un cadre de référence pour l'adoption des normes communautaires. Pour l'heure, son intégration économique à l'espace européen demeurait faible (sa part dans les importations de l'UE s'élevait à 0,6 % en 2005 et sa part dans les exportations à 1,2 %). Elle pourrait s'accroître si la négociation d'un accord de libre-échange, évoqué dans l'Accord de partenariat et de coopération (APC) de 1994, débutait dans le contexte du nouveau traité devant remplacer l'APC à compter de 2008. Par ailleurs, l'adhésion de l'Ukraine (ainsi que celle de la Géorgie) à l'OTAN (Organisation du traité de l'Atlantique nord) bénéficiait du soutien des États-Unis. Toutefois, ce projet se heurte à une opinion publique divisée sur le sujet et à l'hostilité de la Russie, même si, juridiquement, la présence de l'armée russe en Crimée n'était pas incompatible avec une adhésion à l'OTAN. - **Gilles Lepesant** ■

Chroniques de l'année

15 rubriques annuelles sur divers thèmes

Tableau de bord de l'économie mondiale ; Marchés des matières premières (énergie, mines et métaux, céréales) ; Marchés financiers ; Entreprises transnationales ; Recherche & développement ; Union européenne ; ALENA ; Organisations régionales sud-américaines ; Organisations régionales asiatiques ; Environnement ; Biotechnologies ; NTIC ; Droits de l'homme.

Conjoncture de l'économie mondiale (2005-2006)

Francisco Vergara
Économiste

Avec une croissance globale de 4,8 % en 2005 (contre 5,3 % en 2004), l'économie mondiale a agréablement surpris les observateurs, démentant les prévisions qui anticipaient un ralentissement bien plus accentué, voire une crise. Au début de 2006, cette croissance était même un peu mieux répartie qu'auparavant.

Elle incluait désormais la Zone euro, qui semblait enfin se réveiller, tandis que l'économie du Japon enregistrait une accélération, entrant dans sa quatrième année de forte croissance, une nouvelle confirmation que le pays du Soleil-Levant est vraiment sorti de la situation de quasi stagnation dans laquelle il s'était embourbé douze ans durant à partir de 1990. L'Afrique aussi a connu pour la quatrième année une croissance de l'ordre de 5 %, après plus de vingt ans de stagnation.

Le spectre d'un « dénouement désordonné »

Les problèmes de l'économie mondiale, qui avaient tant préoccupé les observateurs il y a un an, n'ont pourtant pas disparu. Les grands déséquilibres mondiaux (déficit énorme et croissant du commerce extérieur américain, endettement excessif des ménages, accompagné d'une bulle spéculative dans le marché immobilier de plusieurs pays développés…) se sont aggravés au point d'atteindre, au milieu de 2006, des niveaux sans précédent, rendant d'autant plus actuelle la thèse d'un « dénouement désordonné » (*disorderly unwinding*).

Malgré leur insistance à rappeler qu'une « correction ordonnée » de ces déséquilibres est le scénario le plus probable, les organisations internationales semblaient encore très inquiètes, à la mi-2006. Ainsi, Rodrigo de Rato, directeur général du FMI, a-t-il déclaré, en mai 2006, qu'on risquait d'assister à « une chute brutale du taux de croissance de la consommation aux États-Unis, provoquée peut-être par un ralentissement du marché immobilier… Un ajustement désordonné [pouvait] aussi survenir si, soudain, les investisseurs n'étaient plus disposés à détenir des actifs financiers américains », et de conclure que « ni les variations des taux de change en Asie ni un ajustement budgétaire aux États-Unis ne suffi[raient]… Un effort international coordonné pour rééquilibrer la croissance [était] nécessaire. » [*source 2, p. 147*]. Sur un ton similaire, la presque totalité de la conclusion du *Rapport annuel de la Banque des règlements internationaux* publié fin juin 2006 traite de l'éventualité d'un scénario de crise [*source 3, p. 148-162*]. Les rédacteurs de ce rapport s'inquiètent fortement du fait que les grands acteurs de l'économie mondiale n'ont pas vraiment admis l'idée que les mécanismes habituels du marché puissent être insuffisants pour rétablir les équilibres ni qu'une « solution coopérative » soit requise.

Les divergences, tant dans l'analyse de la situation que dans les mesures concrètes à prendre, rendent néanmoins très difficile la mise en place de la « solution coopérative » souhaitée par certains. Ces divergences se nourrissent, entre autres, de l'ignorance avouée dans laquelle les banques centrales et les institutions internationales se trouvent concernant aussi bien l'étendue des nouveaux marchés financiers que leur fonctionnement, notamment ceux qui permettent aux différents acteurs de « se couvrir » (*hedge*) face aux différents risques.

Ainsi certains considèrent-ils que l'importance prise par ces marchés est de nature à atténuer une future crise financière internationale tandis que d'autres pensent, au contraire, qu'elle l'aggraverait considérablement.

Les experts sont très divisés aussi sur les effets que produira la politique de hausse des taux d'intérêt directeurs dans laquelle les États-Unis se sont lancés depuis deux ans (et l'Europe plus récemment). Certains l'estiment indispensable pour éviter que les déséquilibres ne continuent à s'aggraver.

D'autres craignent qu'il ne soit trop tard pour appliquer une telle politique, considérant que ce sont précisément de telles hausses de taux d'intérêt qui, lorsqu'elles commenceront à se faire sentir sur les taux pratiqués pour les crédits hypothécaires et les prêts à long terme – comme cela fut déjà perceptible début 2006 –, déclencheront les « ajustements désordonnés » redoutés. D'autant plus que le Japon et la Chine entrent aussi dans une période de relèvement de leurs taux d'intérêt.

Des « exercices de simulation » de crises internationales (*war games*) prévoyant différents types d'intervention étatique ont déjà été organisés par plusieurs instances de coopération en Europe. Malheureusement, comme l'a dénoncé la Banque des règlements internationaux dans son rapport, les décisions concernant « qui doit faire quoi et qui doit payer quoi » en cas de crise, traînent : « Que ce soit l'assurance des dépôts, les mécanismes d'octroi de liquidités d'urgence ou la restructuration d'une banque internationale qui s'effondrerait, les coûts risquent d'être substantiels. Sans accord préalable sur la répartition de tels coûts, la gestion de la crise pourrait aisément perdre son efficacité. »

L'Union européenne, malade imaginaire ?

La croissance de l'Union européenne à 15 (UE-15) a ralenti en 2005, tombant à 1,5 % (contre 2,3 % en 2004), mais au premier trimestre 2006 elle a semblé à nouveau s'accélérer. La décélération a eu lieu tant dans la Zone euro (où la croissance est passée de 2,1 % en 2004 à 1,3 % en 2005) qu'au Royaume-Uni, resté en dehors de l'euro (où elle à chuté de 3,1 % en 2004 à 1,8 % en 2005).

Le fait le plus frappant, en Europe, est le contraste existant entre les résultats très honorables de l'économie européenne et le discours pessimiste dominant. L'image d'une Europe « rigide », distancée par une Amérique « flexible », qui décollerait comme une fusée, est très répandue. Pourtant, au vu des chiffres les plus récents d'Eurostat et de l'OCDE (Organisation de coopération et de développement économiques) [*sources 4 et 5*], une autre image se dégage.

L'opinion selon laquelle l'Europe crée moins d'emplois que les États-Unis, par exemple, n'a plus aucun fondement. La création d'emplois s'est remarquablement accélérée en Europe au cours de ces dernières années ; ainsi, entre 1996 et 2006, l'emploi dans la Zone euro a-t-il augmenté de 1,2 % par an, soit autant qu'aux États-Unis. Dans ses *Perspectives économiques* parues en mai 2006, l'OCDE (souvent réticente à relever de bonnes performances ailleurs qu'aux États-Unis) a reconnu que « sur l'ensemble du cycle, la croissance de l'emploi a été plus soutenue dans la Zone euro qu'aux États-Unis. » [*source 5, p. 12*]).

En matière de chômage, l'avancée a été notoire. Entre 1996 et 2006, le taux de chômage de la Zone euro est tombé de 10,7 % à 8,2 %, une baisse du même ordre que celle caractérisant le « miracle » américain sous la présidence de Ronald Reagan.

Quant à l'idée selon laquelle l'Amérique travaillerait de plus en plus tandis que l'Europe en ferait toujours moins, elle doit aussi être nuancée. Depuis 1990, le taux d'activité (nombre d'actifs divisé par la population en âge de travailler) décroît lentement aux États-Unis, tandis qu'il augmente de manière régulière dans la Zone euro. En 2006, ce taux était de 75,5 % aux États-Unis et de

Économie mondiale

Tab. 1

Production mondiale par groupe de pays
(taux de croissance annuel)

	1984-94	1994-2004	2003	2004	2005
Monde	3,3	3,8	4,1	5,3	4,8
Pays industrialisés	3,1	2,7	2,0	3,3	2,7
Pays émergents et en développement[a]	3,7	5,3	6,7	7,6	7,2

a. Y compris pays en transition.
Source : FMI, *The World Economic Outlook* (WEO), Database, mai 2006.

Tab. 2

Pays industrialisés
(taux de croissance annuel)

	1984-94	1994-2004	2003	2004	2005
États-Unis	3,0	3,2	2,7	4,2	3,5
Japon	3,5	1,1	1,8	2,3	2,7
Canada	2,5	3,3	2,0	2,9	2,9
« Quatre tigres »[a]	8,0	4,7	3,2	5,8	4,6
Royaume-Uni	2,5	2,9	2,5	3,1	1,8
Zone euro	2,3	2,2	0,7	2,1	1,3
Allemagne[b]	2,8	1,4	− 0,2	1,6	0,9
France	2,0	2,2	0,9	2,1	1,4
Italie	2,1	1,6	0,1	0,9	0,1

a. Taïwan, Singapour, Hong Kong et Corée du Sud ; b. *Länder* de l'Ouest seulement jusqu'en 1990 ;
Source : FMI, *The World Economic Outlook* (WEO), Database, mai 2006.

Tab. 3

Pays émergents et en développement
(taux de croissance annuel)

	1984-94	1994-2004	2003	2004	2005
Europe centrale et de l'Est	0,4	3,9	4,7	6,5	5,3
CEI	− 2,9	2,9	7,9	8,4	6,5
Afrique[a]	1,8	3,8	4,6	5,5	5,2
Asie	7,6	7,2	8,4	8,8	8,6
Moyen-Orient[b]	2,9	4,3	6,6	5,4	5,9
Amérique latine	3,0	2,5	2,2	5,6	4,3
Nouveaux adhérents de l'UE[c]	• •	4,0	4,6	4,9	4,5

a. Non compris Égypte et Libye ; b. Y compris Égypte et Libye ; c. Dix pays ayant adhéré à l'Union européenne en 2004 et faisant partie, pour la majorité d'entre eux, de l'Europe centrale et de l'Est.
Source : FMI, *The World Economic Outlook* (WEO), Database, mai 2006.

Économie mondiale

Tab. 4

Pays en transition
(taux de croissance annuel)

	1984-94	1994-2004	2003	2004	2005
Europe centrale et de l'Est	0,4	3,9	4,7	6,5	5,3
Bulgarie	- 3,2	1,4	4,5	5,7	5,5
Rép. tchèque	• •	2,6	3,2	4,7	6,0
Hongrie	- 1,1	3,8	3,4	4,6	4,1
Pologne	1,3	4,5	3,8	5,3	3,2
Roumanie	- 2,6	2,5	5,2	8,4	4,1
Slovaquie	• •	4,3	4,5	5,5	6,0
Slovénie	• •	3,9	2,7	4,2	3,9
Pays baltes	• •	5,6	8,2	7,4	8,7
CEI	- 2,9	2,9	7,9	8,4	6,5
Biélorussie	• •	4,8	7,0	11,4	9,2
Russie	• •	2,8	7,3	7,2	6,4
Ukraine	• •	1,1	9,6	12,1	2,6

Source : FMI, *The World Economic Outlook* (WEO), Database, mai 2006.

Tab. 5

Inflation
(taux annuel[a])

	1970-80	1980-90	1990-2000	2003	2004	2005
Pays industrialisés	9,0	5,2	2,6	1,8	2,0	2,3
États-Unis	7,8	4,7	2,8	2,3	2,7	3,4
Japon	9,0	2,1	0,8	- 3,0	0,0	- 0,3
Canada	8,0	5,9	2,0	2,7	1,8	2,2
Union européenne (à 15)	10,1	6,2	2,8	2,0	2,2	2,2
Royaume-Uni	13,7	6,0	2,7	1,4	1,3	2,1
Allemagne[b]	5,1	2,6	2,3	1,0	1,8	1,9
France	9,6	6,3	1,8	2,2	2,3	1,9
Italie	14,0	9,8	3,7	2,8	2,3	2,3
Pays en développement	16,9	34,1	38,0	5,8	5,7	5,4
Afrique[c]	13,6	19,4	27,0	10,8	8,1	8,5
Amérique latine	38,3	167,6	65,8	10,5	6,5	6,3
Asie	10,9	9,6	8,1	2,5	4,2	3,6
Moyen-Orient[d]	12,8	12,7	12,2	7,1	8,4	8,4
Monde	11,2	16,2	15,8	3,6	3,7	3,8

a. Taux officiels de croissance annuels de l'indice des prix à la consommation ; b. *Länder* de l'Ouest seulement jusqu'en 1990 ; c. Non compris Égypte et Libye ; d. Y compris Égypte et Libye.
Source : FMI, *The World Economic Outlook* (WEO), Database, mai 2006.

Tab. 6

Dette extérieure totale
(milliards de dollars)

	1980	1990	2000	2004	2005
Ensemble PED[a]	618,7	1 459,5	2 523,6	3 083,9	3 224,3
Afrique[b]	72,5	184,4	269,9	305,8	282,1
Asie	110,2	332,2	656,5	751,0	828,0
Europe centrale et de l'Est	91,9	160,3	309,9	553,8	604,6
CEI	20,4	89,6	199,2	281,0	331,4
Amérique latine	232,0	449,2	783,4	844,7	808,4
Moyen-Orient	59,9	187,1	304,6	347,4	370,0

a. Pays en développement ; b. Libye et Égypte non compris.
Source : FMI, *The World Economic Outlook* (WEO), Database, mai 2006.

Tab. 7

Produit intérieur brut par habitant[a]
(États-Unis = 100)

	1970	1985	1995	2000	2003	2004
États-Unis	100,0	100,0	100,0	100,0	100,0	100,0
Japon	66,5	74,1	81,9	75,2	74,8	74,4
Canada	85,8	87,4	81,4	81,0	81,1	80,1
Royaume-Uni	72,3	68,7	72,1	74,8	78,9	77,5
Union européenne (à 15)	71,0	70,7	73,4	72,1	73,6	72,3
Zone euro	69,8	70,5	73,3	71,4	72,3	70,9
Allemagne[b]	75,5	75,8	80,2	74,0	73,7	72,0
France	75,5	76,7	76,2	75,1	75,5	74,4
Italie	69,7	73,9	75,4	72,2	70,8	68,7

a. Les PIB sont calculés selon la méthode des taux de change à parité de pouvoir d'achat (PPA) ; b. Les chiffres ont été reconstitués par le Secrétariat de l'OCDE et concernent l'Allemagne dans ses frontières actuelles.
Source : OCDE, *Comptes nationaux des pays de l'OCDE. Principaux agrégats*, 2006.

Tab. 8

Production industrielle
(2000 = 100)

	1980	1990	2000	2004	2005	2006[a]
États-Unis	54,2	66,9	100,0	101,1	104,5	107,0
Japon	66,4	98,0	100,0	100,5	101,7	104,3
Canada	55,8	69,1	100,0	102,5	105,2	105,6
Royaume-Uni	73,7	87,9	100,0	96,1	94,2	94,0
Zone euro	72,8	85,7	100,0	102,0	103,2	105,3
Allemagne	74,9	90,3	100,0	102,6	106,2	109,4
France	86,4	98,6	100,0	102,0	102,2	102,4
Italie	77,0	86,8	100,0	96,3	95,5	97,1

a. Premier trimestre 2006. Source : OCDE.

Économie mondiale

Tab. 9

Emploi (2000 = 100)

	1980	1990	2000	2004	2005	2006[a]
États-Unis	72,4	85,6	100,0	101,7	103,5	104,8
Japon	88,1	96,5	100,0	98,2	98,6	98,8
Canada	73,4	88,4	100,0	108,0	109,5	109,7
Royaume-Uni	91,0	97,6	100,0	103,0	104,6	105,0[b]
Zone euro	87,6	93,8	100,0	103,5	104,2	105,1[b]
Allemagne	90,7	96,0	100,0	99,3	99,1	99,4[b]
France	94,5	96,4	100,0	102,8	103,1	105,1[b]
Italie	93,7	99,1	100,0	106,1	106,9	107,5[b]

a. Avril 2006 ; b. Moyenne 2006, estimation Eurostat. Sources : Eurostat et OCDE.

Tab. 10

Taux de chômage
(% de la population active)[a]

	1980	1990	2000	2004	2005	2006[b]
États-Unis	7,1	5,6	4,0	6,0	5,5	4,7
Japon	2,0	2,1	4,7	5,3	4,7	4,1
Canada	7,5	8,2	6,8	7,6	7,2	6,4
Royaume-Uni	5,6	6,9	5,5	4,9	4,7	5,2
Union européenne (à 15)	6,1	8,2	8,3	8,2	8,3	7,5
Zone euro	5,6	8,8	9,1	9,1	9,2	8,0
Allemagne	2,7	4,8	7,8	9,3	9,9	8,2
France	6,1	9,1	9,6	9,9	10,1	8,9
Italie	7,1	11,5	10,7	8,8	8,1	7,7[c]

a. Taux standardisés calculés par l'OCDE ; b. Mois d'avril ; c. Décembre 2005. Source : OCDE.

Tab. 11

Exportations mondiales

	1980	1990	2000	2003	2004	2005
Total monde (milliard $)	1 882	3 328	6 378	7 465	9 067	10 197
dont (en % du total)						
Pays industrialisés	63,8	70,2	62,8	61,2	59,1	57,0
Amérique du Nord[a]	15,6	15,7	16,6	13,4	12,4	12,4
Japon	6,9	8,6	7,5	6,3	6,2	5,8
Zone euro[b]	32,4	36,8	28,7	31,8	31,1	29,5
Pays en développement	36,2	29,8	37,2	38,8	40,9	43,0
Afrique[c]	4,9	2,5	1,9	2,0	2,1	2,4
Amérique latine	5,6	4,2	5,5	5,0	5,1	5,4
Asie	8,5	13,6	19,9	20,6	21,5	22,2
Europe et Ex-URSS	● ●	4,2	5,3	6,8	7,6	8,2
Moyen-Orient[d]	10,9	4,6	4,5	4,6	4,8	5,9

a. États-Unis et Canada ; b. Somme des exportations des pays membres ; c. Non compris Égypte et Libye ;
d. Y compris Égypte et Libye. Sources : FMI et OMC.

Économie mondiale

Tab. 12

Commerce mondial de marchandises (milliards de dollars courants)

	Exportations				Importations			
	Valeur 2005	Taux de croissance annuel			Valeur 2005	Taux de croissance annuel		
		2000-2005	2004	2005		2000-2005	2004	2005
Monde	10 121	10	21	13	10 481	10	22	13
Amérique du Nord[a]	1 478	4	14	12	2 285	6	16	14
Amérique centrale et du Sud	351	13	29	25	294	7	28	22
Union européenne (à 25)[b]	3 988	10	19	7	4 120	10	20	8
CEI	342	19	36	29	216	21	31	25
Afrique	296	15	30	29	248	14	29	16
Moyen-Orient	529	15	30	36	318	15	26	19
Asie[c]	2 773	11	25	15	2 599	12	27	16

a. États-Unis, Mexique et Canada ; b. Somme des exportations (ou importations) des pays membres ; c. Y compris pays industrialisés d'Asie (Japon, etc.). Source : OMC.

Tab. 13

Commerce mondial de services (milliards de dollars courants)

	Exportations				Importations			
	Valeur 2005	Taux de croissance annuel			Valeur 2005	Taux de croissance annuel		
		2000-2005	2004	2005		2000-2005	2004	2005
Monde	2 415	10	19	11	2 361	10	18	11
Amérique du Nord[a]	420	5	11	10	373	7	15	10
Amérique centrale et du Sud	68	8	16	20	70	5	14	22
Union européenne (à 25)[b]	1 104	11	19	7	1 034	10	16	7
CEI	40	18	23	20	58	20	24	18
Afrique	57	13	20	12	66	12	19	15
Moyen-Orient	54	11	14	12	80	11	20	11
Asie[c]	543	12	26	19	595	10	25	15

a. États-Unis, Mexique et Canada ; b. Somme des exportations (ou importations) des pays membres ; c. Y compris pays industrialisés d'Asie (Japon, etc.). Source : OMC.

72,1 % dans la Zone euro (contre respectivement 76,5 % et 66,7 % en 1990). La différence, initialement de 10 points, s'est réduite à 3 points et s'explique facilement par le taux d'activité plus élevé des lycéens et des étudiants aux États-Unis.

Une autre idée erronée concerne le niveau de vie européen, qui aurait décroché en comparaison de celui des États-Unis. La Commission européenne, par exemple, ne cesse de marteler cette idée, notamment dans ses rapports économiques, alors que, dans des encadrés techniques de ces mêmes rapports, ses statisticiens donnent

souvent à voir le contraire. Ainsi peut-on lire dans un encadré de la *European Economy*, le rapport annuel officiel de la Commission, que « le différentiel apparu depuis 1990 dans les taux de croissance des PIB disparaît lorsqu'on examine les données par habitant. La performance en matière de croissance, ainsi que la hausse des niveaux de vie, a été approximativement la même dans les deux zones. » [*source 6, p. 45*].

Les dernières statistiques sur les PIB par habitant à parité de pouvoir d'achat (PPA) publiées par l'OCDE confortent d'ailleurs cette opinion [*source 7, p. 346-347*].

Économie mondiale

Un discours pessimiste similaire existe lorsque la « rigide » Zone euro est comparée au « flexible » Royaume-Uni, censé avoir « compris ce qu'il faut faire ». La vérité est qu'entre 1990 et 2000, la Zone euro a créé des emplois à un rythme deux fois et demie plus soutenu qu'au Royaume-Uni, et à peu près au même rythme de 2000 à 2006 [*voir Tableau 9*]. Il est vrai que le PIB par habitant a augmenté plus vite au Royaume Uni que dans la Zone euro [*Tableau 7*], mais il convient de s'interroger sur le contenu de cette croissance, dans la mesure où le pays se désindustrialise rapidement. Entre 2000 et 2006, la production industrielle britannique a reculé de 6 % en valeur absolue, contre une augmentation de 5,3 % dans la Zone euro [*Tableau 8*].

États-Unis : une année exceptionnelle ?

Le taux de croissance de l'économie américaine a légèrement ralenti, passant de 4,2 % en 2004 à 3,5 % en 2005. La croissance moyenne annuelle pour 1995-2005 a ainsi atteint 3,1 %, contre 2 % dans la Zone euro. Les opinions diffèrent sur le sens exact de cette performance. La thèse la plus répandue, avancée notamment par l'OCDE, est que les États-Unis enregistrent des « résultats impressionnants » et que « leur croissance devrait rester solide » [*source 5, p. 91*].

D'autres commentateurs sont plus nuancés, remarquant que les deux tiers du différentiel de croissance avec l'Europe tiennent au plus grand dynamisme démographique des États-Unis (la population américaine augmente au rythme de 1,1 % par an contre 0,4 % en Europe), tandis que le tiers restant résulte de la manière différente d'évaluer la croissance en volume [*source 8, p. 39, source 9, p. 11-12*], ce qui explique pourquoi, dans les statistiques de l'OCDE, le PIB américain par habitant ne tend pas à distancer celui de l'Europe lorsqu'il est calculé à parité de pouvoir d'achat.

Concernant l'avenir proche, certains commentateurs semblaient impressionnés par la capacité de résistance (*resilience*) dont a fait preuve la croissance américaine face aux vents contraires de ces dernières années. Celle-ci s'est, en effet, poursuivie malgré une hausse régulière des taux d'intérêt de la Banque centrale depuis deux ans et une augmentation systématique du prix du pétrole depuis trois ans. Cette remarquable capacité de résistance, attribuée à la « flexibilité » de l'économie américaine, était avancée comme un argument permettant de penser que les déséquilibres de cette économie pourraient se résorber graduellement et sans turbulences.

D'autres commentateurs estimaient que la poursuite de la croissance américaine, en 2005 et début 2006, était plutôt due à un ensemble d'événements exceptionnels qui ne se répéteraient pas nécessairement. Ainsi, jusqu'au début 2006, les ménages n'avaient pas encore vraiment senti leur énorme endettement mordre sur leurs revenus, les hausses régulières des taux d'intérêt pratiquées par la Banque centrale américaine ne s'étant pas encore répercutées sur les taux d'intérêt à long terme. Rappelons que la dette des ménages a atteint un niveau sans précédent aux États-Unis (équivalent à 130 % de leurs revenus disponibles). À partir de janvier 2006, les taux d'intérêt à long terme ont commencé à grimper et le prix des logements s'en est rapidement ressenti, amorçant une forte baisse dans les environs de San Francisco et de Miami, où l'investissement immobilier avait été le plus impressionnant.

Un autre événement exceptionnel en 2005 a été le retour d'intérêt de la part des capitaux privés internationaux pour les titres libellés en dollars, au moment providentiel où les banques centrales étrangères (Chine, Japon, Taïwan, etc.) réduisaient leurs achats concernant ces titres. Rappelons que les Américains dépensent beaucoup plus qu'ils ne produisent, l'écart entre les deux ne cessant de croître depuis quinze ans. Il est ainsi passé de 5,7 % du PIB en 2004, à 6,4 % en 2005, atteignant 7,2 % en 2006. Ce dé-

Économie mondiale

Sources

1. F. Vergara, « Conjoncture de l'économie mondiale (2004-2005) », *in L'état du Monde 2006*, La Découverte, Paris, 2005, pp. 53-65.

2. « Une action cordonnée pour résorber les déséquilibres », *FMI Bulletin*, Washington, 5 juin 2006 (http ://www.imf.org/external/pubs/ft/survey/fre/2006/060506F.pdf).

3. BRI, *76ᵉ Rapport annuel*, Bâle, 26 juin 2006 (http ://www.bis.org/publ/arpdf/ar2006f.htm).

4. Eurostat, *AMOCO Database*, actualisée au 24 avril 2006 (http ://ec.europa.eu/economy_finance/indicators/annual_macro_economic_database/a meco_en.htm).

5. OCDE, *Perspectives économiques de l'OCDE*, Paris, mai 2006 (http ://www.oecd.org/publications/, accès payant).

6. Commission européenne, Direction générale des affaires économiques et financières, « Box 1 : Economic performance and policies in the euro area and the USA », *European Economy 2003*, 2004.

7. OCDE, *Comptes nationaux des pays de l'OCDE. Principaux agrégats*, Paris, 2006.

8. « Problems of International Comparisons of Growth - A Supplementary Analysis », *Deutsche Bundesbank Monthly Report*, Francfort-sur-le-Main, mai 2001.

9. M. Estevao, *Why Is Productivity Growth in the Euro-Area So Sluggish*, Working Paper du FMI, oct. 2004.

ficit est financé par des capitaux étrangers publics et privés, qui achètent des obligations d'État américaines et des titres et propriétés américains divers. Plusieurs facteurs jettent une ombre sur la poursuite de ce mouvement de capitaux en direction des États-Unis. Parmi eux, la quasi-certitude que les déséquilibres américains ne sont pas soutenables et que leur correction passe par une dévaluation du dollar (ce qui ne peut que causer de fortes pertes aux détenteurs de titres libellés dans cette monnaie). Un autre facteur inquiétant est l'attitude protectionniste des responsables politiques américains qui « ont montré une vive réticence à laisser des détenteurs de capitaux, de Chine d'abord, et du Moyen-Orient ensuite, acquérir une participation de contrôle dans certaines entreprises américaines » [*source 3, p. 9-10*].

Pays en développement : performances encourageantes

Les pays en développement (PED) ont connu une croissance remarquable de 7,2 % en 2005, performance qui se pour-suivait à la mi-2006. Contrairement à ce qui s'était passé entre 1980 et 2000, cette quatrième année de croissance très rapide concernait tous les continents et non plus seulement l'Asie.

Avec 8,6 % de croissance, l'Asie figurait toutefois, comme d'habitude, en tête du palmarès. Avec un taux de 9,9 %, l'économie chinoise n'a pas ralenti comme on s'y attendait. Quant à l'Inde, elle a dépassé les 8 % pour la deuxième année consécutive, démentant l'opinion des commentateurs qui lui prédisaient des taux de croissance nécessairement décrochés de ceux de la Chine, en raison de ses mauvaises infrastructures, de son faible niveau d'investissement (26 % contre 43 % en Chine) et de son considérable analphabétisme (39 % contre 9 % en Chine).

Avec un taux de 5,2 % en 2005 (qui se maintenait en 2006), l'Afrique entamait sa quatrième année d'une croissance à rythme convenable. Malheureusement le taux d'investissement extrêmement faible de nombreux pays ne permettait pas diagnostiquer un décollage.

Énergie et combustibles

Enfin, les pays du Moyen-Orient, avec une croissance de 5,9 % en 2005, qui se poursuivait en 2006, ont également enregistré une quatrième année de bons résultats. En 2003, avant même que le prix du pétrole ne commence à monter, cette région était déjà sur une côte de croissance de près de 6 %. Grâce à la hausse de l'« or noir », les recettes ont augmenté de 75 % en deux ans, soit un plus à gagner de l'ordre de 260 milliards de dollars en 2005, et cette manne devrait encore augmenter en 2006. Des doutes existent néanmoins concernant la capacité de plusieurs pays de la région à investir ces sommes de manière productive, pour conduire à une croissance soutenable. Pour le moment, les résultats les plus visibles étaient la multiplication par 6 de l'indice des bourses arabes et par 8 de l'indice des prix de l'immobilier.

Avec 4,3 % de croissance en 2005, l'Amérique latine a enregistré la croissance régionale la plus faible, démontrant le caractère exceptionnel de l'année. En effet, ce taux est plus de deux fois plus élevé que celui de la « décennie perdue », entre 1982 et 1992, au cours de laquelle la croissance n'avait été que de 2,1 % par an. ◼

Énergie et combustibles
Conjoncture 2005-2006

Jean-Marie Martin-Amouroux
Économiste de l'énergie, Enerdata-Grenoble

Avec un baril de Brent à 60 dollars en juin 2005, à 75 en mai 2006, et peut-être à 80 en fin d'année, on a atteint en dollars constants le sommet historique de 1981, qui faisait suite au second « choc pétrolier ». La spirale des prix du brut paraît illimitée, et, avec elle, celle des autres sources d'énergie. Indexés en Europe sur ceux du pétrole, les prix du gaz naturel ont augmenté de 30 % depuis le début de 2005, tirant derrière eux ceux de l'électricité dans tous les pays sans nucléaire. Que se passe-t-il sur la scène énergétique mondiale ?

Tout a commencé avec l'accélération imprévue de la croissance de la consommation pétrolière mondiale, passée de 0,3 % en 2002 à 3,8 % en 2004. Ce redressement s'adossait à la bonne santé de l'économie des États-Unis, toujours nourrie de pétrole bon marché, et surtout à l'envolée de la demande chinoise, dont la croissance annuelle a bondi de 2,5 % à 15,4 % au cours de la même période. En cause, le choix d'une modernisation économique basée, entre autres, sur l'essor du transport routier, mais aussi une soif inextinguible d'électricité, que les défaillances du système électrique ont contraint de satisfaire à l'aide de moteurs Diesel. Depuis, la croissance mondiale est revenue au rythme plus raisonnable de 1,2 % en 2005 et vraisemblablement en 2006. Les 6 millions de barils par jour (Mb/j) supplémentaires réclamés par l'économie mondiale de 2002 à 2006 n'auraient cependant pas provoqué une flambée des cours si toute la chaîne de l'offre pétrolière n'avait été tendue à l'extrême.

Pétrole : tensions à l'international et production stagnante

Des accidents, naturels ou politiques, en ont été pour partie responsables. En Amérique du Nord, les cyclones *Katrina* et *Rita* de l'été-automne 2005 ont aggravé le manque chronique de capacité des raffi-

Énergie et combustibles

Tab. 1

Consommation d'énergie primaire dans le monde[a] (2005, Mtep)

	Combust. solides	Pétrole et prod. pétr.	Gaz naturel	Élec./chal. primaires[f]	Biomasse	Total
Amérique du Nord[b]	574,8	1 037,3	582,1	305,6	79,7	2 579,5
Europe	365,9	736,3	482,0	329,4	94,0	2 007,7
Asie-Pacifique[c]	167,5	300,7	93,5	93,6	12,0	667,3
CEI	179,6	196,3	505,0	83,9	7,4	972,1
Amérique latine[d]	28,4	327,9	152,0	71,6	98,7	678,6
Asie[e]	1 466,8	818,6	255,2	136,8	609,9	3 287,4
Afrique	104,9	126,7	70,9	11,7	265,0	579,2
Moyen-Orient	9,4	277,6	213,7	2,6	1,1	504,4
Total 2005	2 897,4	3 821,5	2 354,4	1 035,2	1 167,8	11 276,2

Tab. 2

Consommation d'énergie primaire dans le monde[a] (2005, en %)

	Combust. solides	Pétrole et prod. pétr.	Gaz naturel	Élec./chal. primaires[f]	Biomasse	Total
Amérique du Nord[b]	19,8	27,1	24,7	29,5	6,8	22,9
Europe	12,6	19,3	20,5	31,8	8,0	17,8
Asie - Pacifique[c]	5,8	7,9	4,0	9,0	1,0	5,9
CEI	6,2	5,1	21,4	8,1	0,6	8,6
Amérique latine[d]	1,0	8,6	6,5	6,9	8,5	6,0
Asie[e]	50,6	21,4	10,8	13,2	52,2	29,2
Afrique	3,6	3,3	3,0	1,1	22,7	5,1
Moyen-Orient	0,3	7,3	9,1	0,3	0,1	4,5
Total	100	100	100	100	100	100
% Monde	25,7	33,9	20,9	9,2	10,4	100

a. Ce bilan comporte toutes les sources d'énergie primaires, y compris les usages traditionnels de la biomasse (bois de feu) ; l'électricité primaire comprend l'hydraulique, le nucléaire, la géothermie et les énergies non renouvelables transformées en électricité ; l'équivalent de cette dernière en tep (tonnes équivalent-pétrole) est obtenu sur la base des coefficients retenus par l'AIE (Agence internationale de l'énergie) ; b. États-Unis et Canada ; c. Hors Japon ; d. Mexique inclus ; e. Dont Chine, hors Japon ; f. Électricité et chaleur primaires. Source : Enerdata, mai 2006.

neurs d'outre-Atlantique et contraint à la fermeture de nombreux puits dans le golfe du Mexique. Au Vénézuela, les grèves liées à la reprise en main gouvernementale de la compagnie nationale PDVSA ont maintenu les volumes de production de fin 2005 et début 2006 au-dessous de ceux de 2001. Les sabotages des oléoducs au Nigéria ont diminué les flux exportables. Enfin, la guerre en Irak empêchait toujours de retrouver les niveaux de production d'avant 2003.

Conséquence : en dépit d'une légère augmentation des capacités de production de l'OPEP (Organisation des pays exportateurs de pétrole) d'environ 1 Mb/j en 2005, les excédents disponibles à court terme sont restés très faibles et concentrés dans la seule Arabie saoudite. De plus, le moindre incident (intensification des sabotages en Irak ou montée de la tension entre l'Iran et les États-Unis aboutissant à la fermeture du détroit d'Ormuz) provo-

Énergie et combustibles

Électricité

Pays	Milliards de KWh (TWh)	% du total
États-Unis	4 222,4	23,3
Chine	2 450,7	13,5
Japon	1 067,7	5,9
Russie	952,0	5,2
Inde	691,6	3,8
Total 5 pays	9 384,4	51,7
Canada	616,5	3,4
Allemagne	606,1	3,3
France	575,4	3,2
Brésil	405,2	2,2
Royaume-Uni	399,4	2,2
Corée du Sud	391,7	2,2
Italie	301,8	1,7
Espagne	291,9	1,6
Total monde	18 138,5	100,0

Pétrole brut

Pays	Millions de tonnes	% du total
Arabie saoudite	528,3	13,5
Russie	471,4	12,0
États-Unis	293,4	7,5
Iran	206,5	5,3
Mexique	187,9	4,8
Total 5 pays	1 687,5	43,1
Chine	180,8	4,6
Vénézuela	165,5	4,2
Canada	142,9	3,7
Norvège	139,9	3,6
Koweït	135,1	3,5
Émirats arabes unis	130,3	3,3
Nigéria	128,4	3,3
Algérie	85,7	2,2
Total monde	3 914,4	100,0
dont OPEP	1 653,1	42,2

Énergie hydraulique

Pays	TWh	% du total
Chine	372,0	12,5
Canada	361,0	12,1
Brésil	340,5	11,4
États-Unis	295,3	9,9
Russie	160,7	5,4
Total 5 pays	1 529,5	51,4
Norvège	136,8	4,6
Inde	99,5	3,3
Japon	89,1	3,0
Suède	77,8	2,6
Vénézuela	77,1	2,6
Total monde	2 976,6	100,0

Gaz naturel

Pays	Milliards de m³	% du total
Russie	637,8	22,4
États-Unis	519,6	18,2
Canada	184,8	6,5
Royaume-Uni	93,8	3,3
Algérie	89,2	3,1
Total 5 pays	1 525,2	53,5
Norvège	87,1	3,1
Iran	87,0	3,1
Pays-Bas	79,0	2,8
Indonésie	76,0	2,7
Arabie saoudite	70,0	2,5
Total monde	2 851,1	100,0

Énergie nucléaire

Pays	TWh	% du total
États-Unis	805,1	29,1
France	451,5	16,3
Japon	297,7	10,8
Allemagne	163,3	5,9
Russie	160,3	5,8
Total 5 pays	1 877,9	67,9
Corée du Sud	146,8	5,3
Canada	92,0	3,3
Ukraine	88,7	3,2
Royaume-Uni	81,4	2,9
Suède	71,5	2,6
Total monde	2 764,4	100,0

Charbon et lignite

Pays	Millions de tonnes	% du total
Chine	2 057,5	35,8
États-Unis	1 027,5	17,9
Inde	429,1	7,5
Australie	370,1	6,4
Russie	297,2	5,2
Total 5 pays	4 181,4	72,7
Afrique du Sud	246,0	4,3
Allemagne	206,1	3,6
Pologne	159,4	2,8
Indonésie	151,0	2,6
Kazakhstan	90,0	1,6
Total monde	5 749,1	100,0

Source : Enerdata, mai 2006.

Énergie et combustibles

Références

Agence internationale de l'énergie, *Coal Information, Oil Information, Natural Gas Information, Electricity Information,* OCDE, Paris, annuel.

Agence internationale de l'énergie, *World Energy Outlook,* OCDE, Paris, 2006.

P. Chalmin, *Cyclope 2005. Les marchés mondiaux,* Economica, Paris, 2006.

Energy International Agency – US Department of Energy, *International Energy Outlook,* Washington, 2006.

@ Sites Internet

Agence internationale de l'énergie (statistiques, politiques des États, rapports divers)

http://www.iea.org

Département « énergie et politiques de l'environnement » du Laboratoire d'économie de la production et de l'intégration internationale (LEPII)

http://www.upmf-grenoble.fr/iepe

Enerdata

http://www.enerdata.fr

Energy Information Administration (États-Unis)

http://www.eia.doe.gov

Observatoire de l'énergie (France)

http://www.industrie.gouv.fr/energie

querait une rupture physique des approvisionnements en 2006. C'est ce cauchemar que le marché anticipait par des prix futurs supérieurs aux prix spot du moment (situation de contango). Les risques que redoutent les opérateurs sont couverts par les spéculateurs à hauteur d'environ 20 dollars le baril.

Le marché serait plus serein s'il observait ou prévoyait un accroissement significatif des capacités de production. Or, les pays de l'OPEP continuent à vivre sur leurs réserves, tandis que les multinationales peinent à reconstituer les leurs, à la fois parce qu'elles ont peu investi en exploration-production après l'effondrement des prix de 1998 et parce qu'elles accèdent difficilement aux zones les plus prometteuses de Russie et du Moyen-Orient. Sans perspectives de retrouver des gisements super-géants, du type Ghawar en Arabie saoudite, cela implique une prise de risque. L'énormité des profits réalisés en 2005 les a cependant obli-

gées à relancer l'exploration, mais à un rythme tempéré par le retour en force du nationalisme pétrolier : reprise en main des hydrocarbures par Vladimir Poutine en Russie, renégociation des contrats au Vénézuela (décembre 2005) et en Bolivie (mai 2006), discussions difficiles avec l'Iran. Les seules bonnes nouvelles ont été l'offre, fin 2005, de 41 permis d'exploration par la Libye et l'adoption par l'Algérie d'une nouvelle loi pétrolière rendant plus attractive la prospection de ses ressources.

Cette difficile augmentation des capacités de production ne résulte pas, comme l'affirment certains membres de l'Association for the Study of Peak Oil and Gas (ASPO), d'un pic de production imminent (2007), mais dénote bien l'épuisement progressif des ressources pétrolières de la planète. La croissance de leur exploitation pourrait bien passer par un maximum d'ici quinze à vingt ans, de l'avis même de la compagnie Total.

Énergie et combustibles

Bonnes performances du gaz et du charbon

Les autres sources d'énergie tirent-elles profit des difficultés de l'approvisionnement pétrolier ? Encore relativement abondant à l'échelle mondiale et moins émetteur de CO_2 que les autres sources fossiles, le gaz naturel s'en tire le mieux. De fait, sa consommation mondiale a progressé de 2,7 % en 2004 et de 1,5 % en 2005. Cependant, en Amérique du Nord, l'épuisement des réserves des États-Unis, que ne compensent plus les importations canadiennes, a fait flamber les prix spot, qui ont bondi de 4 à 14 dollars par million de BTU (*British Thermal Unit*) sur le Henry Hub entre 2003 et début 2006. Désormais, pas d'autre issue que d'importer du gaz naturel liquéfié (GNL) de Trinidad et Tobago, d'Algérie, du Nigéria ou du Qatar, qui vient de signer de très gros contrats, notamment avec Shell et ConocoPhillips. Mais les coûts considérables des installations de liquéfaction, de regazéification et d'extension de la flotte de méthaniers (plus de 100 milliards de dollars au cours des dix prochaines années) vont pousser les prix à la hausse. En concurrence avec le Japon, la Corée du Sud et bientôt la Chine, les États-Unis devront s'habituer, au minimum, à un doublement du prix de leurs fournitures.

L'Europe s'en sortira-t-elle mieux ? Approvisionnée par un dense réseau de gazoducs en provenance d'Algérie, de Norvège ou de Russie, elle a moins besoin de GNL que les autres régions du monde. Mais le prix du gaz qu'elle importe est indexé sur le prix du pétrole. En outre, ses fournisseurs semblent peu enclins à partager leur rente avec les pays consommateurs. En témoignent le conflit russo-ukrainien de l'hiver 2005-2006 et la menace russe de chercher des débouchés en Asie si les économies européennes n'associent pas davantage Gazprom à leurs industries.

Dans ce contexte de forte hausse des prix des hydrocarbures, le charbon est le grand gagnant. Pratiquement limités à la production d'électricité, ses débouchés ont continué à croître dans la plupart des régions du monde, d'où une production mondiale en hausse de 5 % en 2005. Le leader incontesté n'est autre que la Chine, qui a extrait plus de 2 milliards de tonnes en 2005, suivie par les États-Unis, l'Inde, l'Australie et la Russie, laquelle reconstitue une puissante industrie dans le Kouznetsk et en Sibérie orientale. Avec un CIF Rotterdam à moins de 60 dollars la tonne, le charbon d'Afrique du Sud, de Colombie ou de Russie est désormais le combustible le meilleur marché. Ce qui ne va pas dans le sens d'une réduction des émissions de gaz à effet de serre.

Les alternatives au « tout-fossile »

Faute d'inflexion significative, la croissance énergétique conduira inexorablement à un doublement des émissions annuelles de CO_2 en 2050. Dans nombre de régions du monde, les initiatives se multiplient autour de la maîtrise des consommations, du développement rapide de sources renouvelables et de la relance de l'énergie nucléaire. Le nouveau *Livre vert sur l'énergie* de l'Union européenne, publié courant 2006, devait reprendre l'objectif très ambitieux d'une division par quatre des émissions de gaz à « effet de serre » au sein de l'OCDE d'ici 2050. Pour y parvenir, l'UE entend amplifier les mesures existantes : mise en place, en février 2005, du Système communautaire d'échange de quotas d'émission (SCEQE) ; obligations pour les fournisseurs d'énergie d'inscrire leurs ventes dans le cadre du dispositif des certificats d'économies d'énergie ; incitation au développement des sources renouvelables.

Hors l'hydroélectricité qui contribue à 16 % de la production mondiale d'électricité, les nouvelles énergies renouvelables prennent partout leur essor. En 2005, l'équivalent de plus de 10 000 MW d'éolien ont

Céréales

été installés dans le monde, soit des croissances de 18 % en Europe, 36 % en Amérique du Nord et 42 % en Inde. La même année, la production mondiale de bioéthanol a augmenté de 15 % et celle de biodiesel de 33 %. En France, 2005 a vu une croissance de 140 % de l'éolien, de 24 % du chauffage au bois et de 92 % du solaire thermique. En outre, sept usines en construction devraient porter à 7 % la part des bio dans la consommation de carburants en 2010. Dès lors, peut-on se passer du nucléaire ? En 2005, la Russie a décidé de construire 40 nouveaux réacteurs d'ici 2030. La Chine et l'Inde ont lancé les premiers appels d'offres pour d'ambitieux programmes. Après avoir vendu un réacteur EPR à la Finlande, la France s'apprêtait à en construire un pour son usage à Flamanville. Les États-Unis, enfin, ont proposé à des pays émergents d'adhérer au Global Nuclear Energy Partnership (GNEP), qui leur garantira technologie et combustible en échange d'un contrôle des risques de prolifération. [*Voir aussi les articles « La dimension géopolitique de la "question pétrolière" » et « Les hydrocarbures de la Caspienne et de la Russie, un potentiel très convoité ».*] ∎

Céréales – Conjoncture 2005-2006

Patricio Mendez del Villar
Économiste, CIRAD-CA

Les récoltes céréalières 2005-2006 ont baissé de 1,5 % par rapport la production record de 2004-2005. Selon l'Organisation des Nations unies pour l'alimentation et l'agriculture (FAO), la production céréalière a atteint 2 034 millions de tonnes [Mt] (y compris le riz usiné), contre 2 065 Mt en 2004-2005. Les céréales secondaires ont connu les plus fortes baisses (– 3,5 %), tandis que le blé ne reculait que de 0,9 %. La production rizicole, en revanche, a augmenté de 2,8 % grâce aux bonnes conditions climatiques dans la plupart des pays producteurs. L'essentiel du recul de la production céréalière concerne les pays développés du Nord (États-Unis et Union européenne – UE), où une météorologie moins propice a affecté les rendements alors que les surfaces étaient restées relativement stables. Concernant les pays en développement (PED), les progressions ont surtout été enregistrées dans les pays à faible revenu et à déficit vivrier.

Avec le recul de la production mondiale, l'utilisation de céréales ne devait progresser que légèrement en 2005-2006 (+ 1,5 %) pour atteindre 2 038 Mt. Selon les estimations, la consommation humaine progresserait de 1,8 % à 982 Mt, tandis que l'utilisation dans l'alimentation animale accuserait un recul de 0,8 % à 476 Mt. En revanche, l'utilisation industrielle des céréales devrait augmenter sensiblement.

La flambée des cours du pétrole a incité de nombreux pays à accroître leur capacité de production d'éthanol à base de céréales. Les stocks mondiaux, après leur redressement en 2005, devraient baisser en 2006 de 1,6 % à 462 Mt. Le recul des réserves céréalières mondiales concerne surtout le blé (– 1,7 %) et les céréales secondaires (– 2,4 %). En revanche, les stocks rizicoles devraient enregistrer une légère hausse (+ 0,4 %), pour la première fois depuis 2000. Le coefficient stocks céréaliers mon-

Céréales (production)		
Pays	Millions tonnes	% du total
Chine	426,6	17,8
États-Unis	364,0	15,2
Inde	234,0	9,8
Russie	76,4	3,2
Indonésie	66,0	2,8
Total 5 pays	1 167,0	48,8
France	63,7	2,7
Brésil	55,7	2,3
Canada	50,4	2,1
Allemagne	45,8	1,9
Bangladesh	41,3	1,7
Argentine	41,0	1,7
Vietnam	39,8	1,7
Ukraine	37,4	1,6
Australie	35,0	1,5
Turquie	34,6	1,4
Total monde	2 393,2	100,0

Céréales (exportations)a		
Pays	Millions tonnes	% du total
États-Unis	88,7	32,2
France	27,4	10,0
Australie	25,9	9,4
Argentine	21,4	7,8
Canada	19,0	6,9
Thaïlande	11,0	4,0
Allemagne	8,2	3,0
Inde	8,1	2,9
Total monde	275,2	100,0

Céréales (importations)a		
Pays	Millions tonnes	% du total
Japon	25,9	9,6
Chine	16,1	6,0
Mexique	13,0	4,8
Corée du Sud	12,1	4,5
Italie	9,9	3,7
Espagne	9,1	3,4
Pays-Bas	7,9	2,9
Malaisie	6,9	2,6
Égypte	6,8	2,5
Arabie saoudite	6,7	2,5
Total monde	269,7	100,0

a. 2004. Source : Faostat, avril 2006.

Riz (paddy)		
Pays	Millions tonnes	% du total
Chine	185,5	30,0
Inde	129,0	20,9
Indonésie	54,0	8,7
Bangladesh	40,1	6,5
Vietnam	36,3	5,9
Thaïlande	27,0	4,4
Myanmar	24,5	4,0
Philippines	14,8	2,4
Total monde	618,5	100,0

Blé		
Pays	Millions tonnes	% du total
Chine	96,3	15,3
Inde	72,0	11,5
États-Unis	57,1	9,1
Russie	47,6	7,6
France	36,9	5,9
Canada	25,5	4,1
Australie	24,1	3,8
Allemagne	23,6	3,8
Total monde	628,1	100,0

Millet et sorgho		
Pays	Milliers tonnes	% du total
Inde	17 000	19,8
Nigéria	14 310	16,6
États-Unis	9 848	11,4
Mexique	6 300	7,3
Chine	4 694	5,5
Soudan	4 229	4,9
Total monde	86 009	100,0

Maïs		
Pays	Millions tonnes	% du total
États-Unis	280,2	40,3
Chine	132,6	19,1
Brésil	34,9	5,0
Mexique	20,5	3,0
Argentine	19,5	2,8
Inde	14,5	2,1
France	13,2	1,9
Indonésie	12,0	1,7
Total monde	694,6	100,0

Céréales

@ Sites Internet

Banque mondiale
http://www.worldbank.org

CIRAD (Centre de coopération internationale en recherche agronomique pour le développement)
http://www.cirad.fr

FAO (Organisation des Nations unies pour l'alimentation et l'agriculture)
http://www.fao.org/giews/french/index.htm

Michigan State University
http://www.aec.msu.edu/agecon/fs2/market_information.htm

Oryza (portail d'information sur l'industrie rizicole)
http://www.oryza.com

USDA (Secrétariat d'État américain à l'Agriculture)
http://www.fas.usda.gov/

diaux/utilisation devrait avoisiner 23 %, soit l'un des plus faibles depuis les années 1970.

Les perspectives mondiales pour 2006-2007 prévoient un nouveau recul de la production céréalière à 2 015 Mt. Cette baisse serait imputable à la réduction des semis aux États-Unis et dans les pays de la CEI (Communauté d'États indépendants). Les bons rendements annoncés dans l'UE et en Afrique du Nord devraient compenser la baisse dans le reste de l'Afrique et dans l'Europe de l'Est. Le commerce mondial des céréales en 2006-2007 se réduirait également de – 1,3 % à 240 Mt contre 244 Mt auparavant. Ce recul tient essentiellement à la réduction du commerce du riz (–3,7 %). Les échanges de blé et des céréales secondaires, pour leur part, ne diminueraient que faiblement en raison de l'intensification de la demande en céréales de l'Irak, de l'Afrique du Nord et du Brésil, compensée toutefois par la diminution des achats de blé de la Chine et de maïs du Canada.

En 2005-2006, la FAO a estimé la production mondiale de blé à 626 Mt contre 534 Mt en 2004-2005, soit une baisse de 1 %. Les projections pour 2006-2007 indiquaient un nouveau recul de la production de blé à 620 Mt. Cette baisse serait sensible aux États-Unis et dans les pays européens de la CEI, à la suite de mauvaises conditions

météorologiques. En revanche, on prévoyait une amélioration des rendements dans l'UE et en Afrique du Nord. En Asie, la situation serait plus contrastée avec un redressement de la production chinoise, grâce à des pluies abondantes, tandis qu'en Inde la production serait en baisse.

Production des céréales secondaires en baisse, mais riz en hausse

La production de céréales secondaires (maïs, orge, seigle, millet, etc.) a connu une forte diminution en 2005 à 989 Mt contre 1 025 million en 2004, soit une baisse de 3,5 %. Ce recul a été surtout sensible dans l'UE, faisant suite à la diminution des surfaces et à la chute des rendements. En Amérique du Nord aussi, la production de céréales secondaires, surtout d'orge et de maïs, a connu une baisse de 7 % par rapport à la récolte record de 2004. En Amérique du Sud, la sécheresse prolongée a durement touché les régions productrices de maïs en Argentine et dans le sud du Brésil. En revanche, dans la plupart des pays du Sahel, les céréales secondaires ont atteint un niveau record grâce aux bonnes conditions climatiques. Les perspectives mondiales pour 2006 prévoyaient une nouvelle baisse de la production à 973 Mt, soit un recul de 1,6 % par rapport à 2005.

La production de riz a connu en 2005 une nouvelle reprise de 2,7 % à 628 Mt de paddy contre 611 Mt en 2004, soit 420 Mt en équivalent riz usiné. Les récoltes ont été abondantes dans la plupart des grands pays producteurs asiatiques. En Chine, la nouvelle politique incitative aux producteurs a permis d'accroître les surfaces rizicoles et d'améliorer les rendements. Dans le reste du monde, la situation a été bien plus contrastée. La production a progressé en Afrique, dépassant, pour la première fois, les 20 Mt grâce à des conditions de culture favorables au moment des semis. En revanche, dans les pays développés du Nord, la production rizicole a globalement reculé suite à la réduction des semis et à la baisse des rendements due à une sécheresse persistante. Les prévisions pour 2006 indiquaient une nouvelle amélioration mondiale, de 1 % à 635 Mt.

La consommation céréalière en 2005-2006 aurait progressé de 1,5 % pour atteindre 2 038 Mt contre 2 009 Mt auparavant. La hausse des cours des céréales a ralenti l'utilisation des céréales fourragères. Selon les prévisions de la FAO, l'utilisation totale pour l'alimentation animale devrait reculer de 1 % par rapport à la campagne précédente. L'essentiel de cette baisse concernerait les pays de la CEI et les États-Unis. En revanche, la consommation humaine des céréales serait en légère progression à 982 Mt, soit 152 kg/hab. contre 151 kg/hab. en 2004. La consommation de blé progresserait de 2 %, notamment dans les pays développés. Tandis que dans les pays à faible revenu, c'est la consommation des céréales secondaires et de riz qui augmenterait, surtout dans les pays d'Afrique de l'Ouest.

Léger recul des stocks mondiaux et des échanges

Après un net redressement en 2005 (+ 15 %), les stocks mondiaux de céréales pour la campagne agricole se finissant en 2006 devraient baisser de 1,6 % à 462 Mt contre 470 Mt en 2005. Ce recul est surtout imputable aux stocks des céréales secondaires (– 2,4 %), avec 189 Mt contre 194 Mt en 2005. Les stocks de blé se seraient aussi réduits (– 1,7 %) à 174 Mt contre 177 Mt auparavant. Les plus fortes baisses concerneraient les pays de l'UE et la Chine. En revanche, les stocks de riz usiné tendent à se stabiliser, pour la première fois depuis 2000, à 100 Mt.

En 2005-2006, les échanges céréaliers ont connu un nouveau recul, de 1,3 % à 241 Mt contre 244 Mt. Seul le commerce de céréales secondaires est resté stable. Le fléchissement du commerce mondial tient surtout à la baisse de la demande d'importation rizicole dans plusieurs pays d'Asie où la production continue à s'améliorer.

Les importations de blé ont reculé en 2005-2006 à 109 Mt contre 110,5 millions en 2004-2005. La baisse des importations chinoises constitue l'essentiel de la réduction des échanges mondiaux. Dans le reste du monde, une relative stabilité des importations a dominé. Du côté des exportateurs, les États-Unis ont, une nouvelle fois, cédé du terrain à 26,5 Mt exportées contre 28,2 Mt en 2004-2005. Tandis que les autres grands exportateurs maintenaient leur volume de vente, sauf l'Argentine qui a vu ses exportations reculer fortement à 7 Mt exportées en 2005-2006 contre 13 Mt en 2004-2005 en raison d'une réduction des disponibilités exportables.

Les échanges de céréales secondaires se sont maintenus stables à 104 Mt en 2004-2005. Les importations dans les PED ont légèrement progressé, tandis que dans les pays développés elles n'évoluaient guère.

Le commerce mondial du riz a atteint un niveau record en 2004-2005 à 29 Mt contre 27 Mt en 2003-2004. Cette hausse tient au recul qu'avait enregistré la production en 2004 dans certains pays d'Asie à la suite de mauvaises conditions climatiques. La demande africaine a été soutenue, surtout au Nigéria et en Afrique du Sud. Ce regain des importations a profité aux exportateurs vietnamiens, pakistanais, indiens et américains, compensant largement le repli des ventes thaïlandaises et chinoises.

Raffermissement des cours

En 2005-2006, les cours mondiaux des céréales ont connu un raffermissement en raison d'une baisse des disponibilités exportables de blé et de maïs, notamment en Argentine. Le blé États-Unis n° 2 (« Hard Winter ») a progressé de 6 %, passant de 156 dollars la tonne Fob à 164 dollars en 2005-2006. Le prix du blé argentin (« Trigo Pan ») a augmenté de 14 %, passant de 121 dollars/t Fob à 138 dollars. Le prix du maïs États-Unis n° 2 (« Yellow ») a aussi augmenté de 6 %, passant de 97 dollars/t Fob en 2004-2005 à 102 dollars en 2005-2006. Les prix mondiaux du riz ont aussi progressé, pour la troisième année consécutive. Le prix du riz thaï 100 % B est passé de 277 dollars/t Fob en 2004-2005 à 295 dollars en 2005-2006. En revanche, les cours des brisures thaï « A1 super » ont reculé de 3 %, du fait de la baisse de la demande de certains pays à faible revenu, à 213 dollars/t Fob en 2005-2006 contre 220 dollars en 2004-2005. Le riz US Grain Long 2/4 % a, pour sa part, augmenté de 3 %, passant de 322 dollars/t Fob en 2004-2005 à 329 dollars/t en 2005-2006.

En 2006-2007, on prévoyait un nouveau recul de la production céréalière. Cette baisse concernerait les pays de l'Amérique du Nord et de l'Europe centrale, où les superficies ensemencées reculeraient du fait des mauvaises conditions climatiques au moment des semis. En revanche, de bons résultats étaient attendus dans les pays de l'UE et en Afrique du Nord. Si ces prévisions se confirment, les stocks mondiaux pourraient baisser de nouveau. Aussi prévoyait-on une hausse des prix mondiaux durant le second trimestre 2006. ∎

Mines et métaux – Conjoncture 2005-2006

Robert Jules
La Tribune

L'année 2005 et le début 2006 ont vu les cours des mines et métaux se hisser à des sommets qui n'avaient pas été atteints depuis des décennies, voire, pour certains, depuis le début de leur cotation. Cela n'a pas pour autant découragé la demande mondiale, toujours soutenue par la Chine et, dans une moindre mesure, par d'autres pays émergents comme l'Inde. La production minière et de métal raffiné peine, en effet, à lui répondre ainsi que l'atteste le faible niveau de stocks de réserve à travers le monde. Phénomène nouveau et d'importance, ces marchés ont suscité l'intérêt des fonds d'investissement, qui considèrent les métaux comme une nouvelle classe d'actifs, en raison du potentiel de hausse dû au sous-investissement dans ce secteur durant des années. Cette tendance haussière s'en trouve amplifiée par spéculation, accentuant la volatilité des cours.

Nouvelle flambée des cours

Parmi les six métaux non ferreux, cuivre et zinc se distinguent. Le « métal rouge » a affiché en 2005 un cours moyen au comptant sur le London Metal Exchange (LME) de 3 684 dollars la tonne, soit 34,9 % de plus qu'en 2004. Entre janvier et mai 2006, il a progressé de 80 %, flirtant avec les

Mines et métaux

9 000 dollars la tonne, un niveau jamais atteint depuis sa cotation officielle en 1877. Pourtant, les besoins mondiaux ont marqué le pas, diminuant à 16,45 millions de tonnes [Mt] (– 1,4 %), mais le marché affichait encore un déficit de 122 000 tonnes, les extractions minières progressant à 14,98 Mt (+ 3,1 %) et la production de métal raffiné à 16,33 Mt (+ 3 %). À elle seule, la Chine a absorbé 22 % de l'offre, ses besoins ayant crû de presque 10 % par rapport à 2004.

Si la balance de l'offre et de la demande redevenait excédentaire en 2006, 2005 aura cependant montré la difficulté des producteurs à atteindre leurs objectifs (manque de personnel qualifié, pénurie de matériel et hausse des coûts de production).

Utilisé dans la galvanisation de l'acier pour lutter contre la corrosion, le zinc a vu son prix moyen au comptant augmenter de 32 % entre 2004 et 2005 (1 382 dollars la tonne en 2005). Entre janvier et mai 2006, il a bondi de 90 %. Début mai 2006, il battait un record historique à 3 990 dollars la tonne, dépassant celui de l'aluminium. Cette performance traduit le creusement du déficit entre l'offre et la demande : 342 000 tonnes manquaient à l'appel fin 2005 (contre 288 000 tonnes en 2004). Les traders s'étaient affolés après le passage des ouragans dans le sud des États-Unis fin août 2005, la majeure partie du zinc détenu par le LME étant stockée à La Nouvelle-Orléans. Or, le métal était simplement enseveli sous la boue. Si la croissance de la demande mondiale a ralenti à 1,6 % pour atteindre 10,64 Mt, la production n'a augmenté que de 1 %, (10,27 Mt). Conséquence, les stocks sont passés de l'équivalent de 3,1 semaines de consommation en 2004 à 1,9 semaine en 2005. Et le déficit pourrait se creuser en 2006.

Le prix moyen de l'aluminium a progressé de 10,6 % en 2005 pour atteindre 1 898 dollars la tonne, soutenu par la persistance d'un déficit de 212 Mt. Ce dernier tendait cependant à se réduire, la production ayant progressé de 6,1 %, à 31,62 Mt,

plus rapidement que les 5,2 % de la consommation mondiale (31,83 Mt). Là encore, le facteur chinois se révélait prépondérant. Le pays a produit 8,4 millions de tonnes, mais reste handicapé par le coût élevé de l'électricité et le manque d'alumine, dont les prix à l'importation ont quasiment triplé en deux ans. Le « métal blanc » a lui aussi battu un record historique en 2006 à 3 310 dollars la tonne.

Le nickel, dépendant de l'acier inoxydable (70 % de son débouché), a vu son prix moyen gagner 6,4 % en 2005, à 14 735 dollars la tonne. Si la production a augmenté de 2,7 % à 1,28 Mt, la consommation mondiale a pratiquement stagné, à 1,25 Mt, permettant au marché de redevenir excédentaire de 32 000 tonnes. Les aciéristes ont, en effet, opéré un déstockage qui a pesé sur les achats du « métal du diable ». Depuis le début 2006, ils sont repassés à l'achat, contribuant à une envolée de 68 % des cours. En mai 2006, un « plus haut » de vingt-deux ans a été atteint à 22 700 dollars la tonne.

Plus discret, le plomb a bénéficié en 2005 d'une bonne progression de la demande mondiale (+ 6,7 %, à 7,54 Mt), liée aux batteries pour automobile, même si le rythme de la production a accéléré (+ 7,6 %, à 7,37 Mt), permettant à son prix moyen au comptant de s'apprécier de 10 %, à 976 dollars la tonne.

Dernier non-ferreux, l'étain faisait figure d'exception. Avec une demande stable en 2005 (+ 0,6 % à 343 000 tonnes), il a pâti d'un niveau de stocks élevé – ceux-ci ont doublé au LME atteignant 17 000 tonnes –, sous l'effet de la hausse de 8,2 % de la production (341 000 tonnes). L'Indonésie, premier exportateur mondial, n'a pas réussi à maîtriser son offre. Cela a pesé sur les prix, qui ont baissé en moyenne de 13,4 %, à 7 370 dollars la tonne au comptant en 2005.

Métal roi, l'or a accumulé les records. À Londres, l'once (31 grammes) s'est affichée au fixage au prix moyen de 444,45 dollars en 2005 (+ 8,6 % par rapport à 2004).

Mines et métaux

Acier				Bauxite[c]		
Pays	Millions tonnes	% du total		Pays	Milliers tonnes	% du total
Chine	333,0	30,6		Australie	59 469	34,0
UE (25)	186,0	17,1		Brésil	21 000	12,0
Japon	113,0	10,4		Guinée	19 237	11,0
États-Unis	92,4	8,5		Chine	18 000	10,3
Russie	64,2	5,9		Jamaïque	14 118	8,1
Total 5 pays	788,6	72,3		Total 5 pays	131 824	75,4
Total monde	1 090,0	100,0		Total monde	174 875	100,0

Aluminium[a]				Cadmium[d]		
Pays	Milliers tonnes	% du total		Pays	Tonnes	% du total
Chine	7 806	24,5		Corée du Sud	2 582	15,8
Russie	3 647	11,4		Japon	2 248	13,7
Canada	2 894	9,1		Chine	2 441	14,9
États-Unis	2 480	7,8		Canada	1 727	10,6
Australie	1 903	6,0		Mexique	1 564	9,6
Total 5 pays	18 730	58,7		Total 5 pays	10 562	64,6
Total monde	31 895	100,0		Total monde	16 361	100,0

Antimoine[b]				Chrome[e]		
Pays	Tonnes	% du total		Pays	Milliers tonnes	% du total
Chine	126 000	85,9		Afrique du Sud	7 503	43,2
Afrique du Sud	6 098	4,2		Inde	3 328	19,2
Tadjikistan	4 073	2,8		Kazakhstan	3 300	19,0
Bolivie	3 886	2,6		Turquie	722	4,2
Russie	3 000	2,0		Zimbabwé	665	3,8
Total 5 pays	143 057	97,5		Total 5 pays	15 518	89,4
Total monde	146 695	100,0		Total monde	17 367	100,0

Argent[b]				Cobalt[f]		
Pays	Tonnes	% du total		Pays	Tonnes	% du total
Pérou	3 193,1	16,5		Chine	12 700	23,7
Mexique	2 870,2	14,8		Finlande	8 170	15,2
Australie	2 407,0	12,4		Zambie	5 422	10,1
Chine	2 000,4	10,3		Norvège	5 021	9,4
Chili	1 379,4	7,1		Canada	4 954	9,2
Total 5 pays	11 850,1	61,2		Total 5 pays	36 267	67,6
Total monde	19 353,6	100,0		Total monde	53 689	100,0

a. Production d'aluminium primaire raffiné ; b. Métal contenu dans les minerais et concentrés ; c. Poids des minerais ; d. Métal produit ; e. Minerais et concentrés produits ; f. Métal produit et métal contenu dans les sels de cobalt.
Source : *World Statistics Yearbook 2006*, mai 2006.

Mines et métaux

Cuivre[a]		
Pays	Milliers tonnes	% du total
Chili	5 320	35,4
États-Unis	1 160	7,7
Indonésie	1 064	7,1
Pérou	1 010	6,7
Australie	921	6,1
Total 5 pays	9 475	63,1
Total monde	15 008	100,0

Magnésium[c]		
Pays	Milliers tonnes	% du total
Chine	467,6	70,3
Canada	58,0	8,7
Russie	40,0	6,0
États-Unis	40,0	6,0
Israël	26,0	3,9
Total 5 pays	631,6	94,9
Total monde	665,5	100,0

Diamants industriels		
Pays	Millions carats	% du total
Australie	22,7	30,7
Congo (Kinshasa)	22,0	29,7
Russie	10,4	14,1
Afrique du Sud	9,0	12,2
Botswana	7,5	10,1
Total 5 pays	71,6	96,8
Total monde	74,0	100,0

Manganèse[b]		
Pays	Milliers tonnes	% du total
Chine	5 300,0	18,1
Afrique du Sud	4 611,7	15,8
Australie	3 910,0	13,4
Brésil	3 143,0	10,8
Gabon	2 859,0	9,8
Total 5 pays	19 823,7	67,8
Total monde	29 230,5	100,0

Étain[a]		
Pays	Milliers tonnes	% du total
Indonésie	120,0	36,3
Chine	119,5	36,2
Pérou	42,1	12,7
Bolivie	18,5	5,6
Brésil	12,6	3,8
Total 5 pays	312,7	94,7
Total monde	330,3	100,0

Mercure[d]		
Pays	Tonnes	% du total
Chine	1 150,0	61,7
Kirghizstan	500,0	26,8
Russie	50,0	2,7
Chili	50,0	2,7
Rép. tchèque	50,0	2,7
Total 5 pays	1 800,0	96,6
Total monde	1 864,3	100,0

Fer[b]		
Pays	Millions tonnes	% du total
Chine	370	24,3
Brésil	300	19,7
Australie	280	18,4
Inde	140	9,2
Russie	95	6,3
Total 5 pays	1 185	78,0
Total monde	1 520	100,0

Molybdène[a]		
Pays	Milliers tonnes	% du total
États-Unis	60,2	33,8
Chili	47,7	26,8
Chine	30,0	16,8
Pérou	17,3	9,7
Canada	7,9	4,4
Total 5 pays	163,1	91,5
Total monde	178,3	100,0

a. Métal contenu dans les minerais et concentrés ; b. Poids des minérais ; c. Magnésium primaire raffiné ;
d. Métal produit.
Source : *World Statistics Yearbook 2006*, mai 2006.

Mines et métaux

Nickel[a]		
Pays	Milliers tonnes	% du total
Russie	289,2	21,8
Canada	198,4	15,0
Australie	190,0	14,3
Nlle-Calédonie	111,9	8,4
Indonésie	96,7	7,3
Total 5 pays	886,2	66,9
Total monde	1 325,0	100,0

Or[a]		
Pays	Tonnes	% du total
Afrique du Sud	296,3	13,2
États-Unis	262,4	11,7
Australie	262,0	11,7
Pérou	207,8	9,3
Chine	194,4	8,7
Total 5 pays	1 222,9	54,5
Total monde	2 242,7	100,0

Platine[a]		
Pays	Tonnes	% du total
Afrique du Sud	163,7	77,8
Russie	26,8	12,7
Canada	9,0	4,3
Zimbabwé	4,8	2,3
États-Unis	4,2	2,0
Total 5 pays	208,5	99,1
Total monde	210,4	100,0

Plomb[a]		
Pays	Milliers tonnes	% du total
Chine	1 263,0	35,5
Australie	765,0	21,5
États-Unis	446,0	12,5
Pérou	319,3	9,0
Mexique	135,3	3,8
Total 5 pays	2 928,6	82,2
Total monde	3 561,9	100,0

Titane[b]		
Pays	Milliers tonnes	% du total
Australie	1 310,0	31,1
Afrique du Sud	850,0	20,2
Canada	690,0	16,4
Ukraine	365,0	8,7
Norvège	335,0	8,0
Total 5 pays	3 550,0	84,3
Total monde	4 209,8	100,0

Tungstène[a]		
Pays	Tonnes	% du total
Chine	65 000	89,7
Russie	3 000	4,1
Autriche	1 280	1,8
Portugal	735	1,0
Canada	700	1,0
Total 5 pays	70 715	97,6
Total monde	72 469	100,0

Uranium[a]		
Pays	Tonnes	% du total
Canada	11 628	28,4
Australie	9 559	23,3
Kazakhstan	3 970	9,7
Russie	3 325	8,1
Namibie	3 147	7,7
Total 5 pays	31 629	77,2
Total monde	40 992	100,0

Zinc[a]		
Pays	Milliers tonnes	% du total
Chine	1 821,6	19,5
Australie	1 368,0	14,7
Pérou	1 201,5	12,9
États-Unis	762,5	8,2
Canada	666,7	7,2
Total 5 pays	5 820,3	62,5
Total monde	9 319,9	100,0

a. Métal contenu dans les minerais et concentrés ; b. Dioxide de titane contenu dans les minerais et concentrés.
Source : *World Statistics Yearbook 2006*, mai 2006.

Depuis le début de 2006, le cours a progressé de 36,6 % jusqu'à 725 dollars l'once le 12 mai 2006, un « plus haut » depuis 1980. Si l'offre totale a augmenté en 2005 de 16 %, à 3 910,7 tonnes, la production minière enregistrait une hausse de seulement 2 % (2 523 tonnes). L'Afrique du Sud, leader mondial, voit son industrie aurifère décliner inexorablement, avec un recul de 13,3 % par rapport à 2004. En revanche, les ventes des banques centrales ont augmenté de 41 %, à 660,6 tonnes. La consommation mondiale a atteint 3 726,6 tonnes, 7 % de plus qu'en 2004. Premier débouché, la joaillerie a transformé en bijoux 2 711,8 tonnes, soit 4 % de plus qu'en 2004. Les importateurs asiatiques, en particulier indiens, hésitaient à acheter à ces niveaux de cours. En revanche, l'or a suscité une hausse de 26 % des achats des investisseurs, à 594,8 tonnes. Valeur refuge dominante, le « métal jaune » a eu les faveurs des particuliers, qui ont augmenté leurs achats de 57 %, à 208,1 tonnes. Un engouement facilité par des produits financiers comme les Exchange Trade Funds (ETF), proposant des titre adossés à un sous-jacent (l'or) échangeable au cours du jour comme une action.

L'argent a vu son prix moyen en 2005 atteindre 7,31 dollars l'once (+ 9,8 % par rapport à 2004). Depuis le début 2006, son prix a bondi de plus de 65 % pour se percher à 14,94 dollars l'once, un cours inédit depuis 1980, là aussi. Si la production minière a augmenté de 3 % à 19 954 tonnes, la demande des investisseurs a bondi de 23 %, à 1 478 tonnes.

Platine et palladium ont également profité de la tendance, à des degrés divers. Le marché du platine a encore été déficitaire en 2005, de 70 000 onces. L'offre a progressé de 2,1 %, à 6,63 millions d'onces, tandis que la demande mondiale atteignait 6,7 millions d'onces (+ 2,4 %), toujours portée par la demande des constructeurs automobiles (pots catalytiques). De ce fait, le prix moyen a aug-

menté de 6 % en 2005, à 896,41 dollars l'once. En 2006, il a battu un record historique à 1 331 dollars l'once. Le cours du palladium a reculé de 12,7 %, à 201 dollars. Mais en mai 2006, il a dépassé la barre des 400 dollars, pour la première fois depuis quatre ans. Le palladium ne peut être utilisé pour les pots d'échappement à moteur Diesel. Son offre a reculé de 2,2 % en 2005, à 8,39 millions d'onces, mais est restée supérieure aux 7,04 millions de la demande (en progression de 7,3 %). Compétitif par rapport au platine, le palladium a eu les faveurs de la joaillerie, en particulier chinoise, qui a augmenté ses achats de 54 %, à 1,43 million d'onces.

En 2005, la sidérurgie a réussi à enrayer la hausse des prix de l'acier (– 3,5 % selon l'indice général CRU), grâce aux réductions de production consenties par tous les grands groupes. Malgré cela, la production mondiale a crû de 6 %, à 1,13 milliard de tonnes, la Chine ayant à elle seule sorti de ses hauts fourneaux 350 millions de tonnes. Outre la cherté du zinc, le secteur a subi une majoration de 71,5 % du prix du minerai de fer en 2005 – et + 19 % pour le début 2006 –, les prix du charbon coke et des ferrailles s'étant en revanche tassés.

Le retour en grâce de l'énergie nucléaire a continué à soutenir les prix du minerai d'uranium (U3O8). Son cours s'élevait à 25 dollars la livre fin 2004 et à 38 dollars un an plus tard (près de 45 dollars en mai 2006).

OPA tous azimuts

Enfin, la flambée des prix a entraîné une consolidation du secteur. Dans l'acier, les opérations se sont multipliées, la plus emblématique étant l'OPA lancée par le « numéro un » mondial Mittal Steel sur son dauphin, l'européen Arcelor, qui venait à peine d'acquérir le canadien Dofasco. Dans le secteur des non-ferreux, le canadien Inco a lancé une OPA amicale sur son compatriote Falconbridge, deux groupes leaders dans le nickel. Mais, en mai 2006, le premier est devenu la cible d'une OPA hostile

Marchés financiers

de la part d'un autre canadien, Teck Cominco, leader mondial pour le zinc, tandis que le second suscitait une OPA, hostile aussi, du suisse Xstrata. Enfin, Norilsk Nickel a créé une société commune avec le géant australo-britannique Rio Tinto pour prospecter l'un des plus riches sous-sols du monde, celui de la Sibérie. ▨

Marchés financiers
Conjoncture 2005-2006

Christophe Tricaud
La Tribune

Le « conundrum » n'aura pas résisté longtemps au départ de celui qui fut nommé président de la Réserve fédérale américaine (Fed) par le président Ronald Reagan en 1987. Alan Greenspan avait emprunté cette formule au latin pour stigmatiser l'énigme des marchés financiers. En effet, durant de longs mois, le durcissement de la politique monétaire entamé en juin 2004 s'était accompagné d'une détente inattendue du marché obligataire tout comme des « spreads » (écarts de rendements), supportés par les émetteurs privés et devant rémunérer un risque supérieur aux emprunts d'État (qualifiés par les professionnels de « sans risque »). Le nouveau patron de la Fed, Ben Bernanke, a, il est vrai, commis quelques erreurs de communication magistrales. Mais après 16 relèvements d'un quart de point des taux de la banque centrale américaine, et alors que le taux des *Fed funds* porté à 5 % au début du mois de juin 2006 a fait entrer les taux directeurs américains en territoire de neutralité – sans que chacun puisse vraiment définir où cette zone s'arrête –, le marché a pris brutalement conscience que le cycle de resserrement monétaire aux États-Unis n'était pas encore achevé.

Vers un nouveau durcissement monétaire ?

La visibilité attendue de la part des banquiers centraux par les opérateurs s'en est trouvée affectée. D'autant plus que la Fed a laissé entendre que de nouveaux tours de vis monétaires pourraient avoir lieu pour juguler toute dérive inflationniste mais qu'une pause n'était pas non plus inenvisageable, tout en soulignant que ses prochaines décisions seraient très dépendantes de l'évolution de la conjoncture économique. Et, justement, les statistiques de l'emploi de mai 2006 ont semblé montrer des premiers signes d'essoufflement de l'économie américaine, qui jusque-là tournait à plein régime. De sorte que les économistes n'excluaient pas un ralentissement de celle-ci bien visible d'ici la fin 2006. Par la suite, l'examen des minutes du comité monétaire de la Fed (FOMC) a montré que des divergences apparaissaient entre ses membres, rompant une unanimité qui prévalait depuis des années. Le taux des *Fed funds* se situait ainsi à son plus haut niveau depuis avril 2001.

Les marchés sont d'autant plus sensibilisés aux politiques des banques centrales – la Banque centrale européenne (BCE) a pour sa part relevé son taux directeur à trois reprises pour le porter à 2,75 % le 15 juin 2006 – que le différentiel des taux américains, qui avait permis d'enrayer la baisse du dollar, ne semblait plus jouer depuis que le durcissement monétaire était en marche dans toutes les banques centrales. Le « billet vert », qui avait touché un point bas à 1,3465 euro le 3 janvier 2005 mais était parvenu à remonter jusqu'à 1,1670 le 16 novembre suivant, a connu à partir de début 2006 un parcours baissier qui l'a ramené dans la zone des 1,30 euro. Mais l'impact du durcissement monétaire aux États-Unis comme dans la Zone euro n'affectait pas que la parité du dollar. C'est l'ensemble des devises et des bourses des marchés émergents qui en ont fait les frais. Une bonne partie des capitaux qui avaient été investis suivaient le schéma des « *carry trade* », pratique consistant à acheter de la monnaie à taux faible pour la revendre dans une devise à haut rendement. Les devises néo-zélandaise et islandaise ont commencé à en souffrir dès le printemps 2006, avant que la livre turque ne subisse, en raison de la sortie de capitaux, des attaques très violentes aux mois de juin, amenant la Banque centrale turque à pratiquer des « taux de guerre » pour lutter contre les spéculateurs jouant la dévaluation de sa devise. La crise turque de 2000 – dernière en date de la longue série des accidents frappant les marchés émergents – était encore dans tous les esprits...

Pour autant, les turbulences traversées depuis la fin avril 2006 ne devraient pas exposer les marchés à une situation de krach larvé, comme celui consécutif à l'éclatement de la « bulle boursière » à partir de 2001. Le scénario actuel est plus proche de celui de 1995, lorsque la Fed avait relevé ses taux de 3 % à 6 % en un an. La croissance économique américaine en a été sensiblement affectée, mais sans entrer en récession. Certes, cette fois, la flambée des cours pétroliers et de l'ensemble des matières premières, conduite par la montée inextinguible des besoins de la Chine et dans une moindre mesure de l'Inde, crée une forte poussée inflationniste. Mais l'économie mondiale apparaît bien plus saine que cinq ans plus tôt. La croissance est soutenue, notamment aux États-Unis et au Japon – qui sort avec une certaine vigueur des années de déflation. Les entreprises du G-7 affichent une rentabilité record et des bilans assainis (trésoreries positives), alors que les valorisations restent très acceptables avec un multiple de valorisation des bénéfices, prévu pour 2006, de l'ordre de 14 fois contre un multiple de 29 en février 2002, selon l'IBES. D'autant que le consensus des analystes tablait, pour l'exercice 2006, sur une nouvelle croissance à deux chiffres concernant les résultats des 500 groupes composant l'indice Standard & Poor's 500, la référence des marchés américains. Aussi, la crainte d'une chute des indices boursiers, après que les actions cotées sur l'ensemble des principales bourses mondiales avaient rendu, au seuil de l'été 2006, l'intégralité de leur avance acquise depuis le début de l'année, apparaissait à nombre d'observateurs illusoire.

D'autant que l'année 2005 s'était soldée par des avancées mesurées des grandes bourses des pays développés. Ainsi Wall Street s'était-elle fait une nouvelle fois coiffer au poteau par l'Europe boursière car le Dow Jones a terminé l'année en faisant du surplace (– 0,61 %). Le risque de baisse du dollar – déjoué en 2005 puisqu'il avait commencé à 1,36 euro pour remonter à la fin de l'année à 1,18 – a fait l'affaire des bourses européennes. Le Dax allemand était monté sur la plus haute marche du podium avec un gain de 27 %. Suivi de près par le CAC 40 français, en hausse de 23,4 %. Le FTSE londonien s'était adjugé 16,71 % à l'unisson de la Bourse de Madrid (+ 17,2 %). Mais c'est Kabuto-cho à Tokyo, en hausse de 40,2 %, qui affichait le meilleur bilan alors que l'économie nippone, après avoir bénéficié pour ses exportations de sa proximité géographique avec la Chine et d'une bonne spécialisation industrielle, pouvait entrevoir de bénéficier du relais des investissements des entreprises et du redémarrage de la consommation, effectivement acquis début 2006 avec les mises en chantier de nouveaux logements.

Mais Kabuto-cho est aussi la première bourse du G-7 à avoir trébuché en 2006, des scandales à répétition frappant les entreprises et les fonds les plus médiatiques, qui avaient été jusqu'à organiser des offres publiques hostiles et des ententes pas toujours très loyales. À l'orée de l'été 2006, le Nikkei reperdait ainsi plus de 9 % quand les bourses européennes maintenaient l'équilibre et que le Dow Jones restait symboliquement positif (+ 1,3 % le 15 juin).

Normalisation des marchés émergents

Mais le fait le plus saillant des turbulences du début de l'été 2006 sera sans doute la normalisation des marchés émergents. Si ceux-ci ont, comme les autres, reperdu en juin la totalité de leur avance acquise en 2006, ils conservaient leur niveau du 1er janvier. De quoi rompre avec un passé récent qui les voyait toujours amplifier les sautes d'humeur des marchés, quand les grands investisseurs internationaux rapatriaient leurs capitaux à la moindre alerte. Ce nouveau paradigme peut être mis sur le compte de l'assainissement des économies du Sud et de l'Est, se pressant pour rembourser les avances du FMI. Ces pays sont maintenant mieux armés avec un marché de leur dette établi dans leur propre devise. Sans compter que nombre d'entre eux ont bénéficié de la manne de l'envolée des prix des matières premières minérales voire agricoles. De sorte que le surplace de l'indice de référence des pays émergents, calculé par Morgan Stanley (MSCI Free), trouve son contrepoint dans l'indice calculé par la banque JP Morgan (EMBI +) sur les écarts de rendements de la dette émergente par rapport aux emprunts d'État américains. Certes ces *spreads* ont nettement rebondi, passant de 182 points de base (1,82 %), le 1er mai 2006, à 225 points de base, le 8 juin suivant. Mais ils restaient « sages » et à bonne distance de leur moyenne observée depuis le début 2005 (285 points).

La relative bonne tenue des marchés émergents comme des taux obligataires, qui, s'ils ont commencé à remonter, ne dépassaient toujours pas 5 % aux États-Unis et 4 % en Europe, suffisait en tout cas à démontrer que les liquidités demeuraient abondantes. Restait à savoir quelle était la responsabilité des *hedge funds*, qui ont acquis une place de premier plan sur les marchés financiers. C'est vers eux que se tournent les regards accusateurs concernant le retour de la volatilité sur les actions. La décorrélation à l'égard des grands indices mondiaux, affichée par ceux qui ont levé des masses d'argent phénoménales en présentant des stratégies non directionnelles, pourrait bien se révéler aussi illusoire que toutes les autres martingales qui ont ponctué l'histoire de la Bourse. ■

Entreprises transnationales
Conjoncture 2005-2006

Charles-Albert Michalet
Économiste, Université Paris-Dauphine

L'année 2004 a été marquée par une reprise de l'activité des firmes transnationales après le ralentissement qui avait succédé au pic de l'an 2000. Cette activité peut être mesurée par les flux d'investissements directs à l'étranger (IDE). En 2004, d'après le dernier *Rapport sur l'investissement dans le monde* de la CNUCED, paru en 2005, le montant total des IDE s'est élevé à 648 milliards de dollars, soit une augmentation de 2 % par rapport à 2003.

La répartition des IDE dans le monde est

restée marquée par une prédominance des pays les plus développés aussi bien à la sortie qu'à l'entrée. Concernant les destinations d'investissement, la « triade » États-Unis/Canada-Europe élargie-Japon a continué à bénéficier de la préférence des firmes. Néanmoins, l'écart entre la « triade » et le reste du monde tendait à se réduire, n'atteignant plus que de 146 milliards de dollars. En effet, la reprise de 2004 est due à une augmentation des IDE dans les pays en développement (PED) (+ 233 milliards), lesquels attirent désormais à hauteur de 36 % du total, soit le plus haut niveau atteint depuis 1997. Les IDE ne se répartissent pas également dans tous les PED. L'attractivité des économies asiatiques est considérable. Les « quatre tigres » (Hong Kong, Singapour, Thaïlande, Corée du Sud) ont conservé leur importance, mais c'est désormais la Chine qui arrive au premier rang, suivie à bonne distance par l'Inde. Font également partie de la « short list » les PECO (Pays d'Europe centrale et orientale), le Mexique, le Brésil et la Russie.

Objectifs du développement à l'international

Les stratégies des transnationales poursuivent trois grandes finalités. Elles se déploient à l'étranger pour avoir accès aux ressources naturelles, pour avoir accès aux grands marchés et pour augmenter leur efficience. L'accès aux ressources du sol et du sous-sol est sans doute la motivation la plus ancienne. Les compagnies des Indes orientales ou occidentales cherchaient les épices, les pierres précieuses, le sucre. Aujourd'hui, il s'agit de contrôler les réserves pétrolières et les matières premières. Les investisseurs chinois sont actuellement particulièrement actifs, notamment en Afrique [voir l'article « L'Afrique, vaste marché de ressources et d'investissement pour l'Asie »]. Ils cherchent à se faire une place à côté des grandes transnationales européennes et américaines, qui y sont installées depuis longtemps, en tentant éventuellement de les racheter (en 2004, CNOOC a pris pour cible, sans succès, la compagnie pétrolière américaine Unocal).

L'accès aux grands marchés de consommation constitue le premier objectif des transnationales. À l'origine, l'implantation sur place permettait de contourner les barrières protectionnistes. Les choses n'ont guère changé, en dépit du mouvement de « désarmement douanier ». Il est vrai que la baisse des tarifs douaniers a souvent été compensée par une intensification des barrières non tarifaires (réglementations pour la sécurité des consommateurs, de protection de l'environnement, des secrets de fabrication...). En outre, la poussée des IDE dans les services exige de se trouver à proximité des clients.

Enfin, l'expansion transnationale permet d'améliorer l'efficience de la firme en diminuant ses coûts. D'abord, les coûts salariaux incitent les firmes à délocaliser vers des pays où les salaires sont plus bas que dans leurs pays d'origine en conservant une productivité comparable. Une meilleure rentabilité passe aussi par la recherche de coûts de transaction moindres (ils sont particulièrement élevés dans le cas des échanges commerciaux, d'où l'« internalisation »), par l'accès à des terrains industriels meilleur marché ou en jouant sur la fiscalité.

L'Asie et les PECO offrent ainsi, à la fois, des marchés de consommation à forte croissance et des coûts de production modestes. Le niveau de formation et la productivité de la main-d'œuvre sont élevés, tandis que le tissu industriel local se développe rapidement et compte beaucoup de PME compétitives. Ces deux derniers facteurs devraient prendre de plus en plus d'importance à l'avenir avec le développement des stratégies d'externalisation (voir plus bas). Il faut aussi mentionner le rôle attractif des regroupement régionaux comme l'ALENA (Accord de libre-échange nord-américain) ou l'Union européenne (UE) pour les transnationales, car ils fournissent à la fois des zones à bas coûts (Mexique dans le cas de

Entreprises transnationales

Tab. 1

Les 20 plus grandes firmes transnationales en 2000
(en millions de dollars et nombre d'employés)

Rang	Firme	Pays	Secteur	Actifs		Emploi	
				à l'étranger	totaux	à l'étranger	total
1	Vodafone	R-U	télécom	221 238	222 326	24 000	29 465
2	General Electric	É-U	équipement électrique et électronique	159 188	437 006	145 000	313 000
3	Exxon Mobil	É-U	pétrole	101 728	149 000	64 000	97 900
4	Vivendi Universal	France	diversifié	93 260	141 935	210 084	327 380
5	General Motors	É-U	automobile	75 150	303 100	165 300	386 000
6	Dutch/Shell	Pays-Bas	pétrole	74 807	122 498	54 337	95 365
7	BP	R-U	pétrole	57 451	75 173	88 300	107 200
8	Toyota	Japon	automobile	55 974	154 091	••	210 709
9	Teléfonica	Espagne	télécom.	55 968	87 084	71 292	148 707
10	Fiat	Italie	automobile	52 803	95 755	112 224	223 953
11	IBM	É-U	équipement électrique et électronique	43 139	88 349	170 000	316 303
12	Volkswagen	Allemagne	automobile	42 725	75 922	160 274	324 402
13	ChevronTexaco	É-U	pétrole	42 576	77 621	21 693	69 265
14	Hutchinson Whampoa	Hong Kong	diversifié	41 881	56 610	27 165	49 570
15	Suez	France	électricité, gaz, eau	38 251	43 460	117 280	173 200
16	Daimler Chrysler	Allemagne	automobile	••	187 087	83 464	416 501
17	News Corp.	Australie	médias	36 108	39 279	24 500	33 800
18	Nestlé	Suisse	Alimentation et boissons	35 289	39 954	218 112	224 541
19	Total	France	pétrole	33 119	81 700	30 020	123 303
20	Repsol YPF	Espagne	Pétrole	31 944	487 763	16 455	37 387

Source : CNUCED, *Rapport sur l'investissement dans le monde*, 2002.

l'ALENA, PECO dans le cas de l'Europe élargie) et de vastes marchés de consommation (États-Unis et Canada ; UE à 15). Cette tendance devrait favoriser les secteurs qui deviennent les plus multinationaux dans les services et dans la fabrication de composants pour l'industrie électronique, la mécanique et l'automobile.

Des contrats
plutôt que des capitaux

L'IDE ne mesure qu'une partie de l'implantation des transnationales. Cet indica-teur renvoie à la possession d'au moins 10 % du capital d'une entreprise, ce qui confère un droit de regard sur la gestion. Mais il existe d'autres modalités d'expansion des firmes à l'international, dont certaines se développent de plus en plus, reposant moins sur les capitaux : *joint-ventures*, sous-traitance, accords de licence, contrats de gestion, *franchising*. L'offre de technologie tend ainsi à se substituer à l'apport de capitaux. L'expérience de la *Logan* (modèle automobile d'abord destiné aux pays émergents), lancée par Renault en

Entreprises transnationales

Tab. 2	Importations intrafirmes des États-Unis (1997)	
	Imports d'inputs (% du total importations)	Imports intrafirmes (% du total importations)
Canada	0,40	0,47
Japon	0,42	0,71
Mexique	0,36	0,35
Allemagne	0,43	0,60
Chine	0,29	0,10
R-U	0,43	0,47
Taïwan	0,43	0,08
France	0,46	0,38
Corée du Sud	0,36	0,22
Italie	0,40	0,67
États-Unis total	0,38	0,52

Source : Bardhan & Jaffee, *On Intra-Firm Trade and Multinationals. Foreign Outsourcing and Offshoring in Manufacturing*, 2004.

2004, constituait un cas à suivre. Plus généralement, la tendance est de faire faire par d'autres et de ne plus faire soi-même. C'est l'objectif visé par l'externalisation des fonctions (par opposition à l'internalisation) ou le partenariat, ainsi que par l'*outsourcing* (sous-traitance à l'étranger). Pour cela, il faut que les entreprises locales présentent des compétences techniques et managériales suffisantes pour entrer dans le réseau transnational des firmes. Le contrôle n'est pas moins intense car, désormais, l'accès aux marchés mondiaux passe presque nécessairement par l'appartenance à un réseau.

Simultanément, une autre tendance connaît un très grand succès depuis le milieu des années 1990 : les opérations de fusions-acquisitions constituent plus de la moitié du montant des IDE. Elles ont augmenté de 28 % en 2004, surtout dans la zone Europe/États-Unis. Il s'agit d'un vaste mouvement de concentration des entreprises, qui devrait aboutir à terme à l'augmentation du nombre des firmes transnationales, tandis que celui des firmes purement nationales se réduira. Les grandes manœuvres industrielles s'effectuent de plus en plus au niveau mondial. Leur terrain déborde souvent l'espace européen ou américain. La notion de « patriotisme économique », dans cette perspective, apparaît réellement dépassée. D'autant plus qu'un nombre croissant de grandes entreprises nationales, les « champions » nationaux, sont contrôlées par des intérêts étrangers. Ainsi, en France, les plus grandes firmes (celles du CAC 40) affichent un capital détenu en moyenne à plus de 40 % par des fonds de pension ou d'investissement d'origine anglo-saxonne. Le même phénomène se reproduit dans des pays moins développés, quoique dans des proportions moindres, à l'occasion principalement de privatisations. Il ne s'agit pas d'investissements directs car chaque fonds possède généralement moins de 10 % du capital des firmes, mais de placements financiers, qui ne visent pas au contrôle direct de la gestion, mais à une influence indirecte. En effet, le risque pour les dirigeants de l'entreprise est de voir les fonds vendre leur participation dans le cas où la rentabilité sur la base des résultats trimestriels ne serait pas satisfaisante, *ie*: serait inférieur à 15 % de RoE (*return on equity*, ou taux de rentabilité sur les capitaux investis). Le départ des actionnaires institutionnels apparaît préoccupant, car pouvant entraîner une baisse des cours boursiers, avec deux conséquences fâcheuses : en faire une cible plus facile aux OPA (offres publiques d'achat) et réduire la valeur des *stock options* détenues par une minorité du management.

Parmi les grandes opérations de fusions-acquisitions de 2005-2006, on peut citer, outre les cas spectaculaires qui ont fait apparaître la notion de « patriotisme économique » en France (rumeurs d'OPA de Pepsi sur Danone ; visées de la compagnie d'électricité italienne ENEL sur Suez, acquisition par le sidérurgiste Mittal Steel d'Arcelor), le rachat de Gillette par Procter & Gamble aux États-Unis, et de UFJ Bank par MTFG au Japon.

Entreprises transnationales

Références

A. D. Bardhan, D. Jaffee, *On Intra-firm Trade and Multinationals. Foreign Outsourcing and Offshoring in Manufacturing*, Haas School of Business, University of California, Berkeley, 2004.

CNUCED, *Rapport sur l'investissement dans le monde*, Nations unies, sept. 2005.

C.-A. Michalet, *Qu'est-ce que la mondialisation ?*, La Découverte, Paris, 2004.

Les mutations de la spécialisation internationale

La délocalisation d'une partie des unités de production, l'extraversion d'un nombre croissant de fonctions touchent désormais les départements à haute technologie (centres de R&D, logiciels, analyses médicales), ainsi que des activités immatérielles (tenue des comptes bancaires ou réservations des compagnies aériennes, centrale d'appels...). Il en résulte, d'une part, que les économies nationales sont de moins en moins un espace pertinent pour inclure la spécialisation internationale et, d'autre part, que les politiques économiques nationales ont perdu une grande partie de leur efficacité. Il en découle, enfin, que les échanges internationaux deviennent, de plus en plus, des échanges intrafirmes. La circulation des biens intermédiaires (composants), mais aussi des capitaux et de la technologie se fait entre les unités délocalisées et spécialisées d'un même groupe. L'intégration verticale prédomine dans le cas d'échanges entre une société mère ou ses filiales implantées dans des pays développés et ses filiales présentes dans des pays moins développés. L'intégration horizontale (de biens similaires ou substituables) est, elle, plus pratiquée entre économies développées. Dans le cadre des échanges intrafirmes, les prix des produits correspondent à des tarifs de transfert, dont la fixation est faite, dans des conditions assez obscures, par les transnationales elles-mêmes, hors marché.

Les évaluations statistiques sont encore rares mais les organisations internationales estiment que plus d'un tiers des échanges de biens et services correspondent à des échanges intrafirmes. Des données existent pour certains pays, dont les États-Unis [*voir Tableau 2*]. ■

Recherche & Développement
Conjoncture 2005-2006

Dirk Pilat
Direction de la science, de la technologie et de l'industrie de l'OCDE

L'investissement en Recherche et Développement (R&D) est un indicateur représentatif de l'effort qu'un pays est prêt à fournir pour réaliser des progrès scientifiques et techniques. En 2003, les dépenses de R&D dans la zone OCDE (Organisation de coopération et de développement économiques) représentaient près de 690 milliards de dollars (à parité de pouvoir d'achat – PPA), soit environ 2,26 % du PIB des pays concernés, contre 2,08 % en 1995 [*voir Figure 1*]. Les dépenses de R&D, dans cette zone, ont crû régulièrement au cours des dernières années (1,9 % de moyenne annuelle en valeurs réelles entre 2000 et 2003), quoique moins rapidement que durant la seconde moitié des années 1990 (4,9 % entre 1995 et 2000).

Entre 2000 et 2003, ces dépenses ont augmenté plus lentement aux États-Unis (0,9 % par an) que dans l'Union européenne (UE) (2,3 %) ou qu'au Japon (2,2 %). Les parts des trois principales régions de l'OCDE dans les dépenses totales de la zone en matière de R&D sont restées relativement stables en 2003, soit environ 43 % pour les États-Unis, 31 % pour l'UE à 25 et 16 % pour le Japon. Les dépenses de R&D de l'UE à 25 sont passées de 1,7 % du PIB en 1995 à 1,82 % en 2003, ce qui restait encore très en dessous de l'objectif de 3 % que s'est fixé l'Union. Quant à l'UE à 15, les dépenses de R&D en pourcentage du PIB sont passées d'un peu moins de 1,8 % en 1995 à 1,91 % en 2003.

En 2003, la Suède, la Finlande, le Japon et l'Islande étaient les seuls pays de l'OCDE pour lesquels les dépenses de R&D dépassaient 3 % du PIB, soit bien plus que la moyenne de la zone (2,3 %).

L'une des principales évolutions des dernières années a été l'importance croissante prise par les pays n'appartenant pas à l'OCDE. En 2005, ceux de ces pays qui sont intégrés dans les statistiques de l'OCDE représentaient 16 % des dépenses totales de R&D (en dollars courants PPA) dans le monde, contre 9 % en 1997. La Chine arrivait en première position avec 65 % des dépenses de R&D des pays non OCDE. Elle se situait, en 2004, au quatrième rang mondial dans ce domaine, arrivant derrière les États-Unis et le Japon, mais loin devant n'importe quel pays de l'UE. Dans la plupart des pays non OCDE pour lesquels les statistiques sont disponibles, le taux de croissance réel des dépenses de R&D apparaît bien supérieur à la moyenne des pays de l'OCDE.

Croissance des investissements privés

L'essentiel des dépenses de R&D dans l'OCDE émane des entreprises du secteur privé. En 2003, celles-ci y avaient consacré un peu moins de 465 milliards de dollars (en dollars PPA), soit environ 68 % du total des dépenses totales de R&D. Entre 1998 et 2003, ces dépenses ont augmenté de plus de 61 milliards de dollars PPA (valeur 2000). Les pays de l'UE à 15 pesaient pour 35 % dans cette croissance, les États-Unis environ 28 % et le Japon 18 %.

Le secteur des entreprises reste la principale source de financement des dépenses *internes* de R&D [*voir Figure 2*]. En 2003, sa

Recherche & Développement

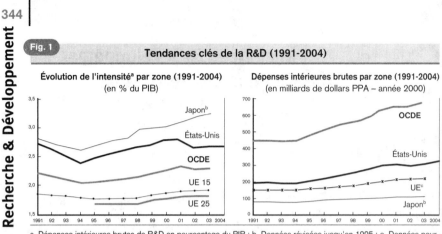

Fig. 1

Tendances clés de la R&D (1991-2004)

Évolution de l'intensité[a] par zone (1991-2004)
(en % du PIB)

Dépenses intérieures brutes par zone (1991-2004)
(en milliards de dollars PPA – année 2000)

a. Dépenses intérieures brutes de R&D en pourcentage du PIB ; b. Données révisées jusqu'en 1995 ; c. Données pour l'UE à 15 jusqu'en 1994 et pour l'UE à 25 à partir de 1995.
Source : OCDE, *Principaux indicateurs de la science et de la technologie*, 2005/2, nov. 2005.

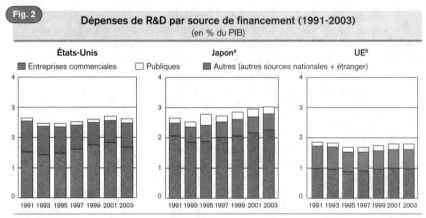

Fig. 2

Dépenses de R&D par source de financement (1991-2003)
(en % du PIB)

États-Unis   Japon[a]   UE[b]

■ Entreprises commerciales   □ Publiques   ■ Autres (autres sources nationales + étranger)

a. Données révisées jusqu'en 1995 ; b. Données pour l'UE à 15 jusqu'en 1994 et pour l'UE à 25 à partir de 1995.
Source : OCDE, *Principaux indicateurs de la science et de la technologie*, 2005/2, nov. 2005.

contribution s'est élevée à environ 62 % des dépenses de R&D pour l'ensemble de l'OCDE. Le rôle des entreprises diffère cependant beaucoup dans chacune des trois régions de la zone. Environ 75 % des dépenses de R&D au Japon et 63 % aux États-Unis sont financées par les entreprises, mais seulement 55 % dans l'UE. Depuis 2000, la part des financements privés a diminué légèrement dans l'UE et significativement aux États-Unis, tandis qu'elle augmentait modérément au Japon. L'État reste la principale source de financement de la R&D dans presque un tiers des pays de l'OCDE. Et les financements d'origine étrangère représen-

tent toujours une importante source d'investissement dans de nombreux pays de l'OCDE. En Belgique, en Hongrie et aux Pays-Bas, plus de 10 % des dépenses en R&D sont ainsi financées par l'étranger.

L'investissement public en R&D évolue lui aussi. Après un déclin au début des années 1990, la part du budget de R&D consacré à la défense aux États-Unis s'est fortement accrue, pour atteindre 0,63 % du PIB en 2005 (soit plus de deux fois et demie le taux du Royaume-Uni ou de la France). En 2003, le budget américain de R&D-Défense représentait plus de 80 % de l'ensemble du budget de R&D-Défense

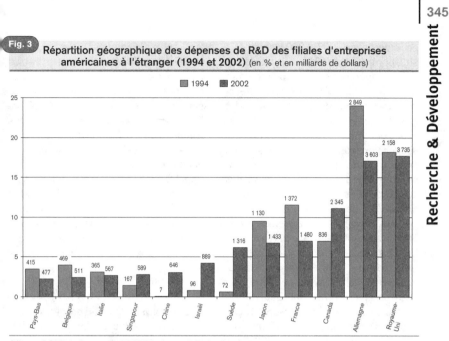

Fig. 3 Répartition géographique des dépenses de R&D des filiales d'entreprises américaines à l'étranger (1994 et 2002) (en % et en milliards de dollars)

Source : OCDE, *Indicateurs de l'OCDE sur la mondialisation économique*, 2005.

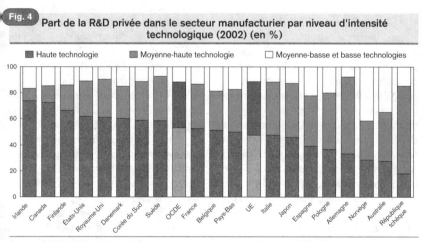

Fig. 4 Part de la R&D privée dans le secteur manufacturier par niveau d'intensité technologique (2002) (en %)

Source : OCDE, *Tableau de bord de la science, de la technologie et de l'industrie de l'OCDE 2005*, 2005.

de la zone OCDE, et cinq fois plus que celui de l'UE à 15. Les trois quarts de la croissance des dépenses publiques de R&D aux États-Unis entre 2001 et 2005 relevaient du secteur de la Défense.

En 2003, c'est en Islande que la part des dépenses publiques de R&D dans le PIB a été la plus élevée par rapport au reste de l'OCDE, soit 1,2 % (un peu plus du double de la moyenne de la zone). Depuis 2000, les budgets publics de R&D ont augmenté en moyenne de 3,5 % (en valeurs réelles) dans l'OCDE. L'Espagne, la Corée du Sud et l'Irlande dépassent les 10 % par an. Dans l'UE à 25, les dépenses publiques de R&D ont augmenté en moyenne de moins de 2 %

seulement entre 2000 et 2004 (contre 6 % au Japon et plus de 10 % aux États-Unis). La coopération entre les différents acteurs dans le domaine de la science et de l'innovation prend des formes diverses, la rendant souvent difficile à quantifier. Les flux financiers directs de R&D entre l'État et le secteur privé sont l'un des moyens de l'estimer. Dans de nombreux pays, une part croissante des dépenses publiques alimente la R&D dans les entreprises. En moyenne, près de 7 % des dépenses privées sont financées directement par des fonds publics dans la zone OCDE ; cette part est toutefois plus importante en Slovaquie (22 %), en Pologne (15 %) et en République tchèque (12 %). À l'inverse, les entreprises financent une part croissante de la R&D du secteur public et de l'enseignement supérieur, soit une moyenne de 4,9 % en 2002 pour l'ensemble de la zone de l'OCDE et de 6,3 % pour l'UE à 25.

Tendance à l'internationalisation

La croissance marquée des dépenses de R&D dans les pays de l'OCDE depuis la première moitié des années 1990 s'est accompagnée d'une internationalisation croissante des activités de R&D des firmes multinationales, elle-même liée à une augmentation du nombre de laboratoires de R&D implantés à l'étranger. Les investissements de R&D à l'étranger dont ceux dans les filiales représentent en moyenne bien plus de 16 % du total des dépenses de la R&D industrielle dans l'OCDE. Dans la plupart des pays de la zone, la part des filiales étrangères va croissant (plus de 35 % au Royaume-Uni, au Canada et en Irlande). De plus en plus de multinationales créent des laboratoires délocalisés, et nombre d'activités de R&D deviennent à la fois plus globales et davantage liées à la production à l'étranger.

Seul un petit nombre de pays de l'OCDE disposent de statistiques sur les activités de leurs multinationales en matière de R&D à l'étranger. Parmi ceux-ci, la Suisse est le seul pays où les dépenses de R&D de ses filiales à l'étranger sont plus importantes que celles de l'ensemble des entreprises installées sur son territoire. Les statistiques les plus précises sur la globalisation des activités de R&D émanent des États-Unis [voir Figure 3]. En 2002, le Royaume-Uni est devenu la première destination des investissements américains de R&D à l'étranger, supplantant l'Allemagne. Entre 1994 et 2002, la part des économies émergentes (en particulier Israël, la Chine et Singapour) dans les dépenses américaines de R&D à l'étranger a considérablement augmenté.

Les industries de haute technologie toujours favorisées

Si les pays de l'OCDE ont structurellement évolué vers des économies de services, la part des services dans les dépenses de R&D est bien moindre que le poids de ceux-ci dans le PIB. En 2002, ils totalisaient plus d'un quart de l'ensemble des dépenses de R&D du secteur privé dans la zone OCDE (+ 8 % depuis 1993). Plus d'un tiers des dépenses de R&D des entreprises concerne le secteur des services en Australie (42 %), au Danemark (40 %), aux États-Unis (39 %), au Canada (36 %), en République tchèque (35 %) et en Norvège (33 %). Si la part des dépenses de R&D dans les services a augmenté au cours des années 1990 en Allemagne et au Japon, c'est dans ces pays qu'elle est le plus réduite (moins de 10 %).

Le secteur manufacturier continue d'être le plus gros contributeur de R&D dans la plupart des pays de l'OCDE. Les industries y sont souvent regroupées dans quatre catégories correspondant à la part de leur budget R&D : haute, moyenne-haute, moyenne-basse et basse technologie. Dans la zone OCDE, les industries de haute technologie (activités aérospatiales, industrie pharmaceutique, matériel informatique et de communication, télévision et radio) représentent 53 % du total des dépenses de R&D

Union européenne

du secteur manufacturier [*voir Figure 4*]. En 2002, la R&D dans les industries de haute technologie représentait plus de 60 % du total de la R&D manufacturière aux États-Unis, contre respectivement 48 % et 46 % dans l'UE et au Japon. Les dépenses en R&D de ce secteur sont principalement orientées vers les industries de haute technologie en Irlande, au Canada et en Finlande. Les industries de moyenne-haute technologie, comme la chimie, représentent 50 % ou plus des dépenses de R&D manufacturière en République tchèque et en Allemagne. En Norvège les industries de basse et de moyenne-basse technologie dépassent les 40 %. ■

Union européenne
Conjoncture 2005-2006

Gilles Lepesant
Géographe, CNRS (TIDE-Bordeaux)

Après le rejet par référendum du TCE (Traité constitutionnel européen) en France et aux Pays-Bas en mai et juin 2005, six pays ont suspendu la procédure de ratification (Danemark, Irlande, Royaume-Uni, Pologne, Portugal, République tchèque), tandis que les autres États membres de l'Union européenne (UE) la poursuivaient. En mai 2006, 15 États parmi les Vingt-Cinq avaient ratifié le Traité et la Finlande s'apprêtait à lancer la procédure. Que pouvait-il advenir du TCE dans ce contexte ? Lors du Conseil européen de juin 2005, une phase de réflexion a été ouverte avec la perspective de procéder en 2006 à « une appréciation d'ensemble des débats nationaux et de convenir de la suite du processus ». [*Sur ce sujet, voir l'article « Après l'échec de la Constitution européenne, quelle relance du processus institutionnel ? »*]

Vers une « pause » dans le processus d'élargissement ?

Les aléas subis par la procédure de ratification du TCE n'ont pas enrayé le processus d'élargissement. En témoigne l'ouverture des négociations avec la Turquie le 3 octobre 2005, pour une adhésion qui interviendrait au plus tôt en 2013 et qui ne garantirait pas à Ankara les bénéfices de toutes les politiques communes. Néanmoins, les appels à une « pause » dans le processus d'élargissement se sont multipliés. Plusieurs États comme la France, l'Autriche, et, dans une moindre mesure, l'Allemagne souhaitaient que soit engagée une réflexion sur les frontières de l'Union. La Roumanie et la Bulgarie n'étaient pas directement concernées, même si, lors de la signature, le 25 avril 2005, de leur traité d'adhésion, une clause a été introduite pour retarder d'un an leur entrée dans l'UE (fixée au 1er janvier 2007) en cas de réformes insuffisantes.

Concernant les Balkans occidentaux, l'« agenda » né du Conseil européen de Thessalonique (juin 2003) a ouvert une perspective européenne aux États de la région, énumérant les étapes à franchir pour parvenir à l'adhésion. En février 2005, la Croatie a mis en œuvre l'accord de stabilisation et d'association (ASA) signé en 2001, et était engagée dans un processus d'adhésion depuis le 3 octobre suivant. La Macédoine s'est vu octroyer le statut de « pays candidat » en décembre 2005 (alors que les autres États de la région n'étaient encore que « candidats potentiels ») sans qu'une échéance de lancement des négociations ait été précisée.

Union européenne

Références

P. Magnette, *What is the European Union? Nature and Prospects*, Palgrave/Macmillan, Houndmills/New York, 2005.

Ministère des Affaires étrangères – Direction de la coopération européenne, *Guide des politiques communes de l'Union européenne*, La Documentation française, Paris, 2006.

J.-L. Quermonne, *Le Système politique de l'Union européenne : des communautés économiques à l'Union politique*, Montchrestien, Paris, 2005 (6e éd.).

J.-L. Sauron, *La Constitution européenne expliquée*, Gualino, Paris, 2004.

Enfin, la Bosnie a entamé, en janvier 2006, des négociations pour la signature d'un ASA. Le paysage institutionnel de l'ex-Yougoslavie n'était toutefois pas encore consolidé.

S'agissant du statut final du Kosovo, province administrée depuis juin 1999 par les Nations unies et que l'UE ne souhaitait plus voir rattachée à la Serbie, des négociations ont été ouvertes à partir d'octobre 2005. Entre la volonté d'indépendance des Albanais (90 % de la population de ce territoire) et les réticences de Belgrade – partagées par la Russie –, un compromis était recherché garantissant les droits de la minorité serbe dans un Kosovo largement autonome. Quant au Monténégro (constituant avec la Serbie, la « Communauté d'États Serbie-et-Monténégro »), un référendum organisé dans cette république le 21 mai 2006 a entériné son indépendance. Concernant la Serbie, l'arrestation du criminel de guerre Ratko Mladic restait une condition à la poursuite des négociations en vue d'un ASA.

Dans ce contexte, les alternatives possibles à la pleine adhésion suscitaient un intérêt croissant. Engagée en 2003, la Politique européenne de voisinage (PEV) a été déclinée en 2005 en « plans d'action » avec tous les pays limitrophes de l'Union élargie (Caucase et Jordanie compris). La Russie a, elle, exigé de l'UE une relation spécifique reposant sur « quatre cercles communs » (économie, sécurité intérieure, diplomatie et culture). Au sud de la Méditerranée, la PEV pourrait réactiver le processus de partenariat euro-méditerranéen (dit « processus de Barcelone ») lancé en 1995.

Développer le marché intérieur

Parallèlement, l'intégration européenne se poursuivait à travers le renforcement du marché intérieur. À cet égard, le secteur des services (70 % du PIB et des emplois de l'Union) demeurait partiellement exempté du processus d'harmonisation des normes qui fonde la crédibilité du projet européen. L'objectif de la directive Services (dite « Bolkestein ») proposée par la Commission européenne était d'étendre à ce secteur la logique du marché intérieur et notamment son principe de base, à savoir le principe de l'origine. En vertu de celui-ci, la directive permettait, dans sa version initiale, à une entreprise d'un État membre d'exercer son activité dans un autre État de l'UE sans devoir se soumettre à toutes les obligations aujourd'hui imposées par le pays d'accueil. Elle la dispensait toutefois pas de respecter les règles sociales en vigueur (telles que celles régissant les salaires minimums). Dans le cadre de la procédure de codécision – qui s'applique dans la plupart des domaines dans lesquels l'Union a une compétence exclusive –, le Parlement européen a largement amendé ce projet. Le principe du pays d'origine a été abandonné, la validité du seul droit social du pays d'accueil a été préservée, les services d'intérêt général et plusieurs autres services ont été exclus.

En effet, plusieurs opinions publiques nationales persistaient à voir dans les nouveaux États membres des concurrents déloyaux. Le débat concernant l'ouverture du marché du travail des pays de l'UE-Quinze a confirmé cette perception, pourtant non corroborée par les faits. Lors des précédentes négociations d'adhésion, les 15 États membres avaient obtenu que l'ouverture de leurs marchés du travail aux ressortissants des 8 pays d'Europe centrale soit reportée au plus tard à 2011, un point de la situation devant toutefois être effectué en 2006 et 2009. En 2006, la Finlande, la Grèce, l'Espagne et l'Italie ont rejoint l'Irlande, le Royaume-Uni et la Suède, qui avaient ouvert leurs marchés du travail dès 2004. L'Allemagne et l'Autriche ont, elles, prolongé sans les amender les dispositions restrictives en vigueur. Les autres États membres ont consenti une ouverture limitée à quelques secteurs.

L'Union affronte les défis de la mondialisation à travers ses politiques internes et par sa diplomatie économique. La politique régionale (36 % du budget européen) a ainsi été réformée pour répondre aux besoins des nouveaux États membres. Ses règles ont été simplifiées (réduction du nombre d'instruments financiers, assouplissement des principes de gestion), afin que les fonds disponibles puissent être consommés. Son budget a été accru (307 milliards d'euros pour 2007-2013 contre 257 milliards pour 2000-2006), mais sa part dans le total s'est réduite. Adopté lors du Conseil européen de décembre 2005, le budget européen a été fixé pour la période 2007-2013 à 862,4 milliards d'euros. L'accord trouvé prévoyait toutefois une révision de son fonctionnement en 2008-2009, qui concernera toutes les dépenses budgétaires y compris la Politique agricole commune (PAC) et le rabais accordé à Londres dans son financement. Au cours du débat organisé au Parlement européen, les députés ont obtenu 4 milliards d'euros supplémentaires, principalement affectés à la recherche, à l'innovation et aux réseaux transeuropéens.

L'Union a par ailleurs mis sur pied un fonds d'ajustement à la mondialisation, dont la dotation annuelle (500 millions d'euros) devra permettre d'assister des territoires en proie à des restructurations.

Négociations avec d'autres régions et avec l'OMC

Sur la scène mondiale, l'Union a convenu avec la Chine, dont elle est le premier partenaire commercial, d'un rétablissement partiel des quotas textiles (dont la fin était, depuis 1995, fixée au 31 décembre 2005) jusqu'au 1er janvier 2008.

Dans le cadre des négociations de l'OMC (Organisation mondiale du commerce), l'UE a formulé, en octobre 2005, de nouvelles propositions de baisse des droits de douane sur les produits agricoles. De manière plus générale, elle a insisté pour que les débats sur le développement incluent, outre le secteur agricole, celui des services et les produits industriels, d'autant plus volontiers que l'UE est une puissance exportatrice en la matière avec des tarifs douaniers parmi les plus bas du monde. Avec les 77 pays ACP (Afrique-Caraïbes-Pacifique), l'Union a par ailleurs engagé des négociations visant à élargir et à rendre compatible l'accord de coopération dit « de Cotonou » (signé en 2000) avec les règles de l'OMC. L'objectif était de finaliser, à horizon du 1er janvier 2008, la négociation d'accords de partenariat économique (APE) régionalisés.

Sur le plan politique, l'action diplomatique de l'Union a connu un succès moindre. Avec l'Iran, la « troïka » européenne (France, Royaume-Uni, Allemagne) a formulé des propositions associant coopération énergétique, transferts de technologie, soutien à une adhésion du pays à l'OMC pour convaincre, sans succès probant, le régime iranien de renoncer à ses projets d'enrichissement d'uranium. Au Moyen-Orient, le quartet constitué de l'UE, des États-Unis, des Nations unies et de la Russie a tenté de faire front commun face aux conséquences du retrait israélien de Gaza et à la victoire du Hamas aux élections législatives palestiniennes (janvier 2006). À la démission de l'envoyé spécial James Wolfensohn en mai 2006 se sont ajoutées des divergences d'appréciation parmi les États européens. ■

ALENA

ALENA – Conjoncture 2005-2006

Alain Noël
Science politique, Université de Montréal

Entré en vigueur en janvier 1994, l'Accord de libre-échange nord-américain (ALENA) a eu un impact commercial considérable. La valeur des échanges entre le Canada, les États-Unis et le Mexique a en effet presque triplé, passant de 297 à 810 milliards de dollars É-U de 1993 à 2005. Sur le plan politique, l'intégration continentale a été moins spectaculaire : l'ALENA crée principalement une zone de libre-échange, axée sur l'établissement de règles communes concernant le commerce et les investissements.

Formellement, la principale instance de l'ALENA est la Commission du libre-échange, composée des ministres du Commerce des trois pays signataires. Cette Commission est cependant une institution très légère qui se réunit en général une fois par an, pour faire le point sur la mise en œuvre de l'Accord, aider à régler les différends et superviser le travail des divers comités et groupes de travail. La gestion courante est assurée par les coordonnateurs de l'ALENA, trois hauts fonctionnaires désignés par chaque pays. Le 24 mars 2006, par exemple, les ministres du Commerce se sont rencontrés à Acapulco (Mexique). À cette occasion, ils ont exprimé leur satisfaction quant aux progrès accomplis par les groupes de travail concernant notamment la libéralisation des règles d'origine, les textiles et le vêtement, et la reconnaissance mutuelle de certaines professions. La Commission du libre-échange a également réitéré son appui aux démarches visant à libéraliser le commerce, qu'il s'agisse d'ententes bilatérales avec d'autres pays des Amériques, des discussions sur une éventuelle Zone de libre-échange des Amériques (ZLEA), ou du Programme de Doha pour le développement sous les auspices de l'Organisation mondiale du commerce (OMC).

Nouvelles instances de discussion

Fait nouveau, la réunion de la Commission en 2006 a aussi servi à préparer le terrain pour ce qui était en passe de devenir le véritable moteur de l'ALENA, la rencontre annuelle des chefs d'État et de gouvernement d'Amérique du Nord. Lors d'une première rencontre à Waco au Texas, le 23 mars 2005, George W. Bush, Vicente Fox et Paul Martin s'étaient entendus pour pousser plus loin l'intégration de l'Amérique du Nord en mettant sur pied un Partenariat pour la sécurité et la prospérité (PSP). Ce partenariat n'élargissait pas simplement la gamme des préoccupations communes, il intégrait explicitement la sécurité aux enjeux commerciaux et faisait de ces deux questions les assises d'une coopération davantage politique et institutionnalisée. Plusieurs groupes de travail ministériels ont dès lors été mis sur pied afin de définir des objectifs opérationnels. Le premier rapport d'étape, présenté en juin 2005, faisait état de multiples projets, concernant notamment la sécurité aux frontières, la lutte contre la contrefaçon, la mise en place de stratégies communes pour l'acier, l'automobile et l'énergie, et des coopérations renforcées en matière d'environnement, de sécurité alimentaire et de santé publique.

Le 30 et le 31 mars 2006, à Cancun (Mexique), les dirigeants des trois pays se rencontraient à nouveau – avec le nouveau Premier ministre canadien Stephen Harper – pour confirmer l'importance de ce partenariat et faire avancer le processus conjoint. Les trois dirigeants ont alors approuvé la création d'un Conseil nord-américain de la compétitivité, réunissant des représentants du secteur privé et visant à faciliter la coopération en matière de réglementation. Ils se sont également entendus concernant le développement d'approches communes, afin de réagir à des situations d'urgences, sanitaires notamment comme une épidémie de « grippe aviaire » ou une pandémie d'influenza, et se sont prononcés en faveur d'une plus grande collaboration pour assurer la sécurité énergétique et la mise en place de frontières intelligentes et sécuritaires. G. Bush, V. Fox, et S. Harper étaient aussi convenus de tenir une prochaine rencontre au Canada en 2007, institutionnalisant ainsi un peu plus l'idée d'une collaboration régulière au sommet.

À la même occasion, les trois dirigeants de l'ALENA ont réitéré leur appui au projet d'une Zone de libre-échange des Amériques, qui à l'origine devait aboutir en 2005. Cette initiative rencontrait cependant des obstacles. Le quatrième Sommet des Amériques, tenu à Mar del Plata (Argentine) les 4 et 5 novembre 2005, s'est en effet terminé sur un désaccord : le communiqué commun, laborieusement négocié, énonçait à la fois l'appui de 29 pays à la ZLEA et les sérieuses réserves des quatre membres du Mercosur (Argentine, Brésil, Paraguay, Uruguay) ainsi que du Vénézuela. Le président de ce dernier pays, Hugo Chavez, reconnaissait d'ailleurs être venu au Sommet pour « enterrer » la ZLEA. Avec les dirigeants cubain, Fidel Castro, et bolivien, Evo Morales (élu en décembre 2005), H. Chavez prônait plutôt la formation d'une « communauté anti-impérialiste des nations », l'Alternative bolivarienne pour les Amériques (ALBA). Cette proposition de rupture n'avait cependant pas la faveur de la gauche modérée, dominante en Amérique latine, et elle ne trouvait pas d'écho non plus au Mexique, où même le candidat de la gauche à la présidentielle de juillet 2006, Andres Manuel Lopez Obrador, soutenait l'ALENA et proposait au plus d'en renégocier certains aspects touchant l'agriculture. La démarche « bolivarienne » n'en constituait pas moins un écueil pour le projet de ZLEA.

L'immigration, la sécurité et la santé au cœur des relations bilatérales

Les enjeux bilatéraux demeuraient par ailleurs importants. Dans la relation entre les États-Unis et le Mexique, l'immigration arrivait en tête de liste. Les législateurs américains envisageaient en effet des mesures dures pour endiguer l'immigration illégale (environ 400 000 Mexicains arrivent ainsi chaque année sur le territoire des États-Unis). En décembre 2005, un projet de loi adopté par la Chambre des représentants faisait de l'immigration illégale un crime et prévoyait une série de mesures pour renforcer les contrôles à la frontière, incluant l'édification d'un mur de plus de 1 100 kilomètres entre les États-Unis et le Mexique. Ce projet de loi a cependant engendré un vaste mouvement de protestation, faisant descendre plus de 500 000 personnes dans les rues de Los Angeles, le 25 mars 2006. D'autres manifestations ont eu lieu dans plus de cent villes des États-Unis en avril, et une « journée sans immigrants » a été organisée le 1er mai. Plus d'un million de personnes ont à nouveau défilé à cette occasion, dont 500 000 à Los Angeles, 400 000 à Chicago et 200 000 à New York. Des voix plus modérées se sont alors fait entendre. Le 25 mai, le Sénat adoptait sa propre loi, qui prônait une approche moins dure en offrant notamment une voie vers la citoyenneté à un certain nombre d'immigrants illégaux, tout en acceptant des contrôles plus fermes à la frontière. Le président Bush avait également proposé, dans un discours prononcé le 15 mai, un programme permettant d'accueillir des travailleurs « invités », combiné à des contrôles sévères à la frontière avec notamment le déploiement de 6 000 membres de la Garde nationale. Soucieux de dégager un bilan positif en fin de

Organisations régionales sud-américaines

mandat sur une question dont il avait fait une priorité, V. Fox a approuvé les propositions de régularisation du Sénat et du président Bush, tout en déplorant les projets de mur à la frontière et le recours à la Garde nationale.

Au nord, le principal développement est venu de l'élection, le 23 janvier 2006, d'un gouvernement canadien conservateur et ouvertement proaméricain. La première rencontre officielle entre le Premier ministre Harper et le président Bush a eu lieu à l'occasion du « sommet » de Cancun à la fin mars 2006 et a été très cordiale. Elle a notamment permis de débloquer un contentieux majeur à propos des exportations canadiennes de bois d'œuvre. Le 27 avril, un accord de sept ans était signé pour mettre fin à ce conflit qui durait depuis plus de cinq ans et avait vu le Canada l'emporter à plusieurs reprises devant les comités de l'ALENA, mais sans faire céder les États-Unis. Cette entente prévoyait notamment la restitution aux producteurs canadiens de quatre des cinq millions de dollars imposés dans le passé en droits compensatoires, ainsi qu'un accès au marché américain sans quotas ni tarifs tant que se maintiendraient les prix actuels. Les États-Unis se réservaient toutefois le droit d'intervenir si l'évolution des prix désavantageait trop leurs producteurs.

Les différends bilatéraux sur la sécurité se sont révélés plus épineux. Une loi américaine, que les Canadiens cherchaient à faire annuler, prévoyait en effet l'exigence d'un passeport à la frontière d'ici quelques années. À cet égard, le démantèlement le 2 juin 2006 d'une présumée cellule terroriste islamiste près de Toronto a surtout renforcé les inquiétudes des législateurs américains, qui considèrent le Canada comme trop « laxiste » en matière d'immigration et de sécurité intérieure.

Sur d'autres plans, la collaboration trilatérale se poursuit. Le 17 mai, par exemple, la Commission de coopération environnementale de l'ALENA publiait un important rapport mettant en relation les rejets industriels de substance toxique et la santé des enfants dans les trois pays. Le 13 juin 2006, le chef de la direction de la plus importante bourse du Canada proposait la création d'un marché unique nord-américain des valeurs mobilières.

Au second semestre 2006, l'événement majeur dans la vie politique du continent était évidemment l'élection présidentielle mexicaine du 2 juillet 2006, remportée par Felipe Calderon (résultat contesté par A. M. Lopez Obrador). ∎

Organisations régionales sud-américaines
Conjoncture 2005-2006

Dorval Brunelle
Observatoire des Amériques, UQAM

Si les dix plus importants États d'Amérique du Sud (hors Amérique centrale et Caraïbes) formaient une entité économique unique, son PNB total s'élèverait à 974 milliards de dollars en 2006, la classant au cinquième rang mondial, pour une population totale de 361 millions d'habitants (soit la quatrième de la planète). Cependant, malgré quelques ambitieuses tentatives récentes, le continent ne risque pas de constituer un ensemble économique intégré, et encore moins une entité politique, dans un proche avenir.

En l'état, l'intégration sud-américaine se caractérise surtout par la superposition de groupements régionaux et sous-régionaux plus ou moins articulés entre eux, d'une part, et par le manque de constance du processus d'intégration, d'autre part. Un premier groupement régional, l'Accord latino-américain de libre-échange (ALALC) a été signé entre ces dix États et le Mexique en 1960, qui n'a pas eu les effets intégrateurs escomptés et qui a été remplacé par un instrument plus souple, l'Accord latino-américain d'intégration (Aladi) en 1980. Lors de la 13e rencontre des ministres des Affaires extérieures de l'Aladi à Montevideo, le 18 octobre 2004, il a été décidé de relancer à nouveau l'organisation en adoptant un accord de complémentation économique qui avait pour objectif d'éliminer tous les tarifs douaniers sur quinze ans, en vue de créer un seul bloc économique à l'échelle du continent. Cette mesure visait à relancer l'intégration, mais elle tendait aussi à parer au défi que représentait le projet de Zone de libre-échange des Amériques (ZLEA), porté et piloté depuis 1994 par les États-Unis, mais aussi par le Mexique et le Canada, projet qui séduisait plusieurs pays d'Amérique du Sud, à commencer par le Chili, la Colombie, le Pérou et l'Équateur.

Profusion d'accords se chevauchant

Entre-temps, devant la lenteur et l'insatisfaction entourant la progression de l'intégration à Dix, plusieurs initiatives d'ordre et de nature différents étaient prises. La première concerne les pays andins (Bolivie, Colombie, Équateur, Pérou, Vénézuela), qui avaient négocié le Pacte andin en 1969, remplacé par la Communauté andine (CAN) en 1997. La seconde, profitant de l'assouplissement des règles concernant la négociation d'accords bilatéraux avec d'autres pays d'Amérique latine dans la foulée de la mise en place de l'Aladi, porte sur l'ouverture de négociations de libre-échange. Ces négociations ont conduit, entre autres choses, à la signature d'un Accord de libre-échange (ALE) à trois et à la formation du groupe des Trois (Colombie, Mexique et Vénézuela) en 1994. Depuis lors, les pays du Cône sud ont signé onze ALE. Le Chili en compte huit (dont cinq avec des pays situés hors des Amériques) ; la Bolivie, le Pérou et l'Uruguay, un chacun. Enfin, en 1994 également, un nouveau groupement sous-régional a été créé : le Marché commun du sud de l'Amérique (Mercosur), qui réunissait au départ l'Argentine, le Brésil, le Paraguay et l'Uruguay, auxquels se sont joints cinq membres associés : la Bolivie, le Chili, la Colombie, l'Équateur et le Pérou. Le 9 décembre 2005, le Mercosur a accueilli le Vénézuela (une intégration qui devait être parachevée en 2006) et, le 30 du même mois, la Bolivie a été, à son tour, invitée à en devenir membre à part entière. Le Mercosur et la CAN sont également liés entre eux par des accords de libre-échange. En effet, à la suite de la signature d'un accord de coopération entre les deux organisations, le 7 juillet 2005, les quatre membres fondateurs du Mercosur ont été reçus à titre de membres associés au sein de la CAN, faisant pendant à la même initiative du Mercosur en direction de la CAN, en vertu d'un Accord de complémentarité économique.

De plus, un autre volet du projet d'intégration régionale a été lancé lors du 3e « sommet » des présidents d'Amérique du Sud à Cuzco (Pérou), les 8-9 décembre 2004 : celui d'une Communauté sud-américaine des nations (CSAN ou CSN) destinée notamment à réduire le chevauchement institutionnel sous-régional. Il s'agit, cette fois, d'une ambitieuse initiative politique visant à favoriser, entre autres choses, l'intégration économique à Douze (incluant le Guyana et le Suriname), ainsi que la convergence progressive entre le Parlement andin et la Commission permanente conjointe du Mercosur, à l'intérieur d'une Union interparle-

Organisations régionales sud-américaines

mentaire sud-américaine. Enfin, à tous ces projets, il convient d'adjoindre l'Alternative bolivarienne pour les Amériques (ALBA), présentée par le président vénézuelien Hugo Chavez au 3e « sommet » des chefs d'État et de gouvernement de l'Association des États de la Caraïbe (AEC) sur l'île de Margarita (Vénézuela), en décembre 2001.

Pourtant, depuis ses tout débuts, le processus d'intégration en Amérique du Sud bute sur deux écueils : d'abord sur les forces centrifuges qui poussent les pays concernés à entretenir des relations privilégiées avec certains partenaires du Nord, ensuite sur les dissensions internes qui, pour des raisons historiques, géographiques et économiques, opposent davantage certains pays qu'elles ne les rapprochent.

Selon les données publiées par l'Aladi en 2004-2005, la croissance économique d'ensemble pour les Dix plus le Mexique s'est élevée à 4,3 % en 2005, contre 6 % en 2004, une baisse imputable au faible taux de croissance des deux plus grandes économies, celle du Brésil (2,3 %) et celle du Mexique (3 %). De plus, les échanges intrarégionaux ont globalement augmenté plus rapidement que les échanges mondiaux, tant les importations (22,9 %) que les exportations (26,4 %). Mais cette progression était très largement imputable au Brésil (à hauteur de 40 %), ainsi qu'à l'Argentine (14,6 %) et au Mexique (13 %). Car c'est bien l'axe d'échanges Brésil-Argentine qui pèse le plus à l'intérieur de l'Aladi (15 %), suivi des exportations du Brésil vers le Chili, le Mexique et le Vénézuela ; de l'Argentine vers le Brésil et le Chili ; et, enfin, du Mexique vers la Colombie.

Cependant, alors que l'intégration semble aller de l'avant au plan continental, d'autres données laisseraient croire que la dislocation prévaut au plan sous-régional.

Danger de dislocation au niveau sous-régional

En effet, si, pour les pays de la CAN, la conjoncture économique a été, dans l'ensemble, passablement bonne en 2005 (22,9 % de croissance pour les importations et 26,4 % pour les exportations), les relations politiques entre les cinq États membres apparaissaient à ce point désarticulées que certains évoquaient désormais sa disparition pure et simple à terme. Deux faits méritent d'être rappelés à ce propos : le premier a été la décision du président Chavez de demander que son pays devienne membre à part entière du Mercosur, et le second, le parachèvement des négociations bilatérales menées séparément par l'Équateur, le Pérou et la Colombie avec les États-Unis. Les données concernant la croissance de la part respective des Cinq dans les échanges intrarégionaux confirmaient cette désarticulation : Bolivie : – 8,7 %, Vénézuela : – 9,4 %, Équateur : + 56 %, Colombie : + 31,9 %, Pérou : + 35,8 %.

Quant au Mercosur, autant la conjoncture récente confirme que l'intégration régionale progresse, autant une mise en perspective montre que le niveau actuel est encore en deçà de celui de 2000. Selon l'édition 2005 du *Manuel de la statistique* de la CNUCED, parmi les 24 groupements économiques régionaux de la planète, deux manifestent encore des effets intégrateurs significatifs : l'Union européenne (UE) et l'Accord de libre-échange nord-américain (ALENA). Entre 1995 et 2004, le commerce interne en pourcentage du total des exportations est passé de 66,1 % à 67 % pour l'UE et de 46,2 % à 55,2 % pour l'ALENA. Le Mercosur arrivait en sixième position (12 % en 2004, contre 20 % entre 1995 et 2000), derrière la Caricom (Communauté des Caraïbes, 12,5 %), l'Union économique et monétaire ouest-africaine (UEMOA, 14,2 %) et l'Association des nations du Sud-Est asiatique (ANSEA, 22 %). Le Mercosur est l'un des rares groupements à avoir enregistré un aussi net recul. Or, si l'entrée du Vénézuela contribuera sans doute à renforcer l'intégration au sein de ce groupement sous-régional, le chemin risque d'être encore long et tortueux vers une véritable communauté économique d'Amérique du Sud.

Quant à l'ALBA de H. Chavez, autant ce projet d'intégration alternatif fondé sur la solidarité entre les peuples et la redistribution de la richesse avait pu paraître utopique et abstrait au départ, autant il semblait désormais prendre une autre direction, surtout depuis l'accord commercial bilatéral signé entre le Vénézuela et Cuba, le 28 avril 2005, et l'entrée programmée du Vénézuela dans le Mercosur. Il convient de noter que l'ALBA est de plus en plus liée à d'autres projets, dont celui de mettre sur pied un consortium pétrolier régional appelé Petroleos de America ou Petroamerica. Si les grandes entreprises productrices de pétrole au Brésil, en Argentine, au Vénézuela, en Équateur et en Bolivie s'unissaient, elles contrôleraient pas moins de 11,5 % des réserves mondiales de pétrole brut.

En définitive, malgré le fait que plusieurs initiatives économiques et politiques visent essentiellement à favoriser le rapprochement, la convergence et la complémentarité entre les pays d'Amérique du Sud, elles ne parviennent pas à surmonter les écueils qui entravent l'intégration économique et politique du continent. [*Voir aussi l'article « Amérique centrale et du Sud. Les tendances de la période ».*] ■

Organisations régionales asiatiques – Conjoncture 2005-2006

Régine Serra
Relations internationales, Inalco

L'« Asie » est devenue un concept politique. Après la fin de la tension bipolaire Est-Ouest, les mouvements de démocratisation ou d'ouverture au monde extérieur ont gagné plusieurs pays de la région, favorisant le renouveau du dialogue intrarégional. L'institutionnalisation de l'Association des nations du Sud-Est asiatique (ANSEA ou ASEAN, née en 1967) a progressé, avec notamment, au printemps 2006, la tenue d'un premier « sommet » des ministres de la Défense. Par ailleurs, le dialogue économique au sein de l'APEC (Coopération économique en Asie-Pacifique) entre les pays des continents asiatique et américain riverains du Pacifique s'est doublé d'une vision plus politique. En outre, le mouvement inédit de la Chine en 1996 dans la constitution d'une Organisation de coopération de Shanghaï (OCS) tournée vers son Occident s'est consolidé et les échanges sécuritaires au sein du Forum régional de l'ANSEA (FRA ou ARF), entre l'Asie et ses trois partenaires sur les questions de sécurité (Amérique du Nord, Union européenne [UE] et Russie), ont également pris de l'ampleur. La tenue du premier Sommet de l'Asie orientale, le 14 décembre 2005, à Kuala Lumpur (Malaisie) a marqué une nouvelle étape pour une région où la paix d'après-1945 restait inaboutie. Ce mouvement semblait d'autant plus urgent que le nationalisme demeure en Asie un principe actif d'unification nationale.

Vers une « communauté asiatique » ?

Réunissant un vaste ensemble de partenaires – Chine, Japon, Inde, Corée du Sud

Organisations régionales asiatiques

et les dix pays de l'ANSEA, le Sommet de l'Asie orientale constitua un événement par sa portée symbolique plus que dans son contenu et ses conclusions. Il venait couronner plus d'une décennie de dialogues interétatiques et intrarégionaux sans engager cependant les participants dans un cadre contraignant.

Projet ancien, la constitution d'une « communauté asiatique » a bénéficié d'un souffle décisif après la crise financière qui frappa l'Asie en 1997 : l'ensemble des acteurs de la région s'est alors accordé pour favoriser une gestion en commun des mécanismes de régulation économique et financière, prenant conscience d'une certaine « communauté de destin ». Le processus semblait cependant ambitieux dans une région qui demeurait disparate à tous les niveaux : démographiquement, culturellement, économiquement et politiquement. L'ancien président sud-coréen Kim Dae-jung contribua largement à la mise en place d'une rencontre avec les « 3 » (Chine, Japon, Corée du Sud) en marge des « sommets » annuels de l'AN-SEA (dite « rencontres ANSEA + 3 »). Le rassemblement, fin 2005, de la « communauté asiatique », dans laquelle l'Inde trouvait enfin une place à part entière, marqua le passage à un niveau de dialogue plus avancé, et non le début d'une construction régionale sur le modèle européen.

Porté par un slogan éloquent – « une vision, une identité, une communauté » – et par un logo tout aussi symbolique – celui des deux tours jumelles de Kuala Lumpur reliées par un pont – le premier Sommet de l'Asie orientale manifestait le début d'un processus politique qui espérait transcender les dissonances diplomatiques. Empruntant une ligne commune aux autres dialogues régionaux, celle de la diversité et la pluralité et non une ligne homogénéisante à l'occidentale, la réalité d'une « communauté asiatique » représentait cependant un défi de taille pour les acteurs régionaux. La division historique ranimée par les hommages du Premier ministre japonais Juni-chiro Koizumi au sanctuaire shinto Yasukuni et la tension diplomatique et populaire qui en a résulté avec les anciens pays colonisés – Chine et Corée du Sud notamment – excluaient ainsi toute avancée plus significative dans l'institutionnalisation du dialogue intra-asiatique.

Écarter les États-Unis

L'autre élément significatif des mouvements ou rencontres de coopération régionale était la volonté manifeste d'écarter progressivement les États-Unis du champ asiatique. Acteur majeur de la région, par la présence de leur 7e flotte dans le Pacifique, de bases militaires ou de points relais dans plusieurs pays (Japon, Corée du Sud, Singapour, Philippines, Asie centrale), ou par des accords de sécurité (Japon, Corée du Sud) ou dialogues stratégiques bilatéraux (Chine et Inde notamment), les États-Unis n'ont finalement pas été conviés au Sommet de l'Asie orientale, alors qu'ils participent à tous les autres dialogues régionaux de l'Asie orientale, lorsque la Russie, du fait de ses territoires extrême-orientaux, y obtenait un statut d'observateur.

Tout aussi révélatrice fut la déclaration de l'OCS, à l'issue de son « sommet » annuel, réunie le 5 juillet 2005 à Astana (Kazakhstan) : ses six membres (Chine, Russie, Kazakhstan, Kirghizstan, Ouzbékistan et Tadjikistan) y réaffirmaient le principe de non-ingérence dans les affaires intérieures d'un État – un sujet qui oppose la Chine et la Russie aux États-Unis quant à la gestion de conflits dans des territoires sécessionnistes ou présentés comme tels (Tchétchénie ou Xinjiang ouïghour). Plus distinctement encore, l'OCS exigeait de Washington une date de retrait de ses contingents militaires en Asie centrale, et au Kirghizstan en particulier, base relais pour les opérations menées en Afghanistan. En outre, elle accueillait la Mongolie, l'Inde, l'Iran et le Pakistan comme membres observateurs, consolidant un bloc régional en Asie centrale autour de la Chine, mais surtout un contre-pouvoir à la présence américaine et, par extension, à la communauté internationale dans cette sous-région asiatique.

La coopération sécuritaire intra-asiatique était aussi réaffirmée, notamment dans la lutte contre le terrorisme et les crimes transnationaux. Bien que la région ne bénéficie pas d'une organisation de sécurité collective au sein de laquelle les questions majeures puissent être discutées, les dialogues et regroupements régionaux visaient à créer des réseaux de confiance. L'élargissement à l'Asie centrale et Mineure de plusieurs organisations régionales s'inscrivait dans ce processus (accueil de principe de l'Afghanistan au sein de l'Association de l'Asie du Sud pour la coopération régionale – SAARC –, accueil de l'Iran et du Pakistan au sein de l'OCS).

Les rencontres régionales de 2005-2006 ancraient par ailleurs solidement le débat et les directives politiques autour de mesures environnementales ou sanitaires. Ainsi, la SAARC, qui a célébré son vingtième anniversaire en novembre 2005 à Dacca (Bangladesh), a décidé de la création d'un Centre de préparation aux catastrophes naturelles à New Delhi. Elle a aussi appelé à une lutte commune contre la pauvreté. Le FRA, réuni à Vientiane (Laos) en juillet 2005, allait dans le même sens, mettant en place un pacte de mécanismes de réponse rapide aux catastrophes naturelles. En revanche, le « sommet » de l'APEC des 18-19 novembre 2005 à Pusan (Corée du Sud) s'est focalisé sur des mesures de confinement et de lutte contre la grippe aviaire, alors que l'épidémie s'étendait à l'Europe et à l'Afrique en 2006.

En marge de ces orientations institutionnelles, six acteurs clés de la région Asie-Pacifique (États-Unis, Australie, Chine, Corée du Sud, Inde et Japon) sont convenus d'un partenariat pour un développement propre et contre le réchauffement climatique en Asie. Réunis à nouveau à Sydney les 11 et 12 janvier 2006, les « partenaires » ont signé un protocole de Kyoto allégé : le « par-

tenariat Asie-Pacifique sur le développement » ne limite pas l'émission des gaz à effet de serre (dont les signataires sont de grands émetteurs) mais encourage le développement de technologies moins polluantes – engageant la responsabilité commune des secteurs privé et public en la matière.

L'ensemble de ces directives et pactes s'inséraient dans une préoccupation environnementale et sanitaire raffermie par le violent tsunami qui a ravagé l'Asie méridionale en décembre 2004, et par l'épidémie de SRAS (syndrome respiratoire aigu sévère), qui a fortement affecté l'Asie du Sud-Est et la Chine en 2002-2003. La multiplication de risques pandémiques obligeait à prendre des mesures de prévention et de précaution nouvelles dans une région où les flux humains et économiques se sont considérablement développés depuis une décennie.

Poursuite des accords de libre-échange

En effet, en 2005-2006, l'intégration économique s'est poursuivie, consolidée par l'entrée en vigueur d'accords de libre-échange interétatiques ou entre sous-régions. Ces mouvements attestaient d'une dynamique solide en ce sens depuis la crise asiatique de 1997. Ainsi la SAARC a-t-elle mis en application au 1er janvier 2006 un Accord de libre-échange pour l'Asie du Sud (SAFTA, signé en 2004). En Asie orientale, après la signature d'un accord Chine-ANSEA pour la mise en place d'une zone similaire d'ici 2015, la Corée du Sud contractait, elle-aussi, un accord de principe avec l'ANSEA.

Le Japon, longtemps réticent à la libéralisation complète des échanges, notamment en raison d'un lobbying agricole important, favorisait une approche progressive et bilatérale ; des ententes ont ainsi été signées avec Singapour et la Malaisie en 2004 et des accords de principe conclus avec les Philippines et la Thaïlande ; les négociations

Environnement

piétinaient, en revanche, avec la Corée du Sud, l'Indonésie et l'ANSEA. En avril 2006, Tokyo a annoncé son intention de proposer une « Asie économique à Seize » (avec la Chine et l'Inde), calquée sur le modèle de l'Accord de libre-échange nord-américain (ALENA). Le projet suscitait le scepticisme général mais prenait acte d'une interdépendance économique croissante en dépit de vives tensions politiques régionales. [*Voir aussi les articles « Asie méridionale et orientale. Les tendances de la période »* et *« L'Asie du Sud-Est, entre déstabilisation et intégration régionales ».*] ■

Environnement – Conjoncture 2005-2006

Laurent Lepage
Études sur les écosystèmes urbains, UQAM

L'année 2005-2006 a été jalonnée de grands rapports scientifiques faisant état des transformations de l'environnement et du climat. Ce flot d'informations chocs sur le présent et de nouvelles projections inquiétantes pour l'avenir de la planète rappellent le début des années 1970. À cette époque, l'opinion publique mondiale avait été interpellée par les travaux de la Conférence des Nations unies sur l'environnement humain (Stockholm, 1972) et le rapport du Club de Rome *Les Limites de la croissance* (1972). La protection de l'environnement s'imposait dès lors comme un enjeu mondial.

Cette prise de conscience, alimentée par le jeune mouvement écologiste, amena une centaine d'États à créer un ministère ou un secrétariat de l'Environnement dont la mission passait d'abord par le contrôle des pollutions *via* l'adoption de législations nationales et d'ententes internationales. Le Programme des Nations unies pour l'environnement (PNUE) a été mis en place en 1972, en complément du Programme des Nations unies pour le développement (PNUD), tandis qu'apparaissaient les premières bases du droit international de l'environnement. À la conférence de Stockholm, l'aphorisme « Une seule terre » annonçait la nécessité d'une coopération internationale et marquait l'importance du principe selon lequel chaque État devait veiller à ce que les activités sous sa juridiction ne dégradent pas l'environnement des pays voisins. Les premières conventions internationales, notamment sur la protection des espèces menacées d'extinction (CITES), datent de la même décennie. Vingt ans plus tard, dans la foulée du Sommet de la Terre (Rio, 1992), sont apparus les signes d'une relance de la coopération en matière d'environnement, telles la Convention sur la diversité biologique et la Convention cadre sur les changements climatiques. Mais ces ententes, quoique nécessaires, se révèlent bien insuffisantes par rapport à la magnitude des enjeux environnementaux.

En 2005, les images des glaciers fondant sous l'œil des caméras et les reportages suivant minute par minute les ravages des ouragans sur les côtes américaines et ailleurs ont accompagné les mises en garde de la communauté scientifique. Malgré la mise en place de cadres institutionnels nationaux et internationaux, les derniers constats sur l'état de la planète sont plus préoccupants qu'au début des années 1970.

Environnement

L'Évaluation des écosystèmes pour le Millénaire, un sévère avertissement

Lancée en 2000 par le secrétaire général des Nations unies, Kofi Annan, l'Évaluation des écosystèmes pour le Millénaire appelait 1 400 chercheurs de 95 pays à porter un jugement sur l'état de la planète. Rendu public en mars 2005, ce vaste programme visait à évaluer « les conséquences des transformations des écosystèmes sur le bien-être humain et à établir la base scientifique des actions requises pour accroître la conservation et l'utilisation durable des écosystèmes et leur contribution au bien-être humain ». Ces études ont servi de base à une déclaration formelle, à caractère de sévère avertissement.

Ces importants travaux rappellent que la spoliation des ressources naturelles a produit des changements irréversibles diminuant la capacité de notre planète à maintenir la vie. Depuis le milieu du XXᵉ siècle, pour satisfaire la demande croissante en nourriture, en eau, en fibres et en carburant, nous avons transformé notre environnement. La croissance démographique qui a suivi la Seconde Guerre mondiale a accéléré la ruée vers les ressources naturelles. Même si l'humanité en a tiré profit sur le plan économique et dans la production de denrées vitales pour le Sud, ce progrès est intervenu au détriment des générations futures. La diversité biologique a considérablement diminué. Chez les mammifères, les oiseaux et les amphibiens, entre 10 % et 30 % des espèces sont menacées d'extinction. Deux des services écosystémiques, l'eau douce et la pêche, ne peuvent plus satisfaire à la demande. Cet amenuisement de la biodiversité compromet les efforts pour réduire la faim et la pauvreté et pour améliorer le bien-être des populations. Seules des transformations majeures de nos habitudes de consommation et de gestion de l'environnement permettront de sauver la mise.

[*Voir aussi les articles* « La Lutte contre la désertification, une cause mondiale » et « L'eau, ressource vitale, précaire et sans prix ».]

Les « futurs plausibles » que laisse entrevoir l'Évaluation pour le Millénaire d'ici le milieu du XXIᵉ siècle reflètent les tendances actuelles, mais rien ne serait totalement joué. La santé de la planète reposerait sur la volonté et la capacité, toutes relatives, des États à faire évoluer l'arrière-plan économique de leurs décisions. Ce rapport insiste sur le formidable défi que constitue la prise en compte des « services » que fournissent les écosystèmes (le « capital naturel ») dans l'exploitation des territoires et des ressources. Il y est aussi question du recours au « marché » pour réduire la pression sur les services des écosystèmes. On y suggère aussi d'inclure dans les politiques nationales la protection des écosystèmes, d'influencer les comportements et de mettre au point des technologies respectueuses de l'environnement. En revanche, sont à peine mentionnées les difficultés rencontrées par les organismes internationaux pour créer un nouveau système de coopération et de prise de décision commune.

Faibles avancées concernant la lutte contre les changements climatiques

Les « événements extrêmes » tels les ouragans, les sécheresses, les grandes inondations ne sont décidément plus attribuables aux seuls caprices de la nature mais aussi à l'activité humaine avec la production de gaz à effet de serre (GES). Après de longues et nécessaires supputations sur les causes du réchauffement de la planète, (+ 0,65 °C depuis 1900), de plus en plus d'experts attribuent les bouleversements du climat à la présence des GES dans l'atmosphère, dont le dioxyde de carbone (CO_2) émanant de la consommation de combustibles carbonés (charbon, pétrole et gaz).

Environnement

Références

Observatoire national sur les effets du réchauffement climatique, *Un climat à la dérive : comment s'adapter ?*, La Documentation française, Paris, 2005 (http ://www.ecologie.gouv.fr/IMG/pdf/onercdocfrancaise.pdf).

H. J. Schellnhuber (sous la dir. de), *Avoiding Dangerous Climate Change*, Cambridge University Press, Cambridge (R-U), 2005.

@ Sites Internet

Climate Change Science Program (États-Unis) (premières données disponibles du 4e rapport du GIEC)
http://www.climatescience.gov/Library/ipcc/wg14ar-review.htm

Évaluation des écosystèmes pour le Millénaire
http://www.millenniumassessment.org

GIEC (Groupe d'experts intergouvernemental sur l'évolution du climat)
http://www.ipcc.ch

L'état de la planète (magazine électronique en collaboration avec le Worldwatch Institute)
http://www.delaplanete.org

Organisation météorologique mondiale (OMM)
http://www.wmo.ch

Selon l'Organisation météorologique mondiale, 2005 a été la deuxième année la plus chaude pour l'hémisphère Nord depuis 1861. L'Australie a connu des sécheresses records ; des pluies dévastatrices ont frappé la Chine, l'Inde et le Pakistan. Le sud de l'Europe a connu des chaleurs torrides et une séries d'incendies. Enfin, la saison des ouragans sur les côtes américaines a causé, comme à La Nouvelle-Orléans dans le sillage de *Katrina*, une dévastation d'une rare ampleur. S'ajoute à ce catalogue de « catastrophes naturelles » le fait documenté de la diminution de la calotte de glace sur l'Arctique (– 20 % depuis le milieu des années 1970).

La gravité de la situation est destinée à alimenter encore d'importants débats – quels seront les impacts du réchauffement de la planète sur les écosystèmes, sur nos sociétés, sur l'économie mondiale ? En effet, les premiers éléments disponibles du quatrième rapport du Groupe d'experts intergouvernemental sur l'évolution du climat (GIEC), à paraître en 2007, évoquent pour 2030 – lorsque le dioxyde de carbone aura

doublé dans l'atmosphère par rapport à la situation d'avant la révolution industrielle – une élévation de la température moyenne de la planète de 3 °C !

Le protocole de Kyoto prévoyait l'engagement des pays industrialisés à réduire d'ici à 2012 leurs émissions de GES de 5,2 % par rapport aux niveaux de 1990. Entré en vigueur le 16 février 2005 pour les 128 parties signataires, le protocole de Kyoto marque quatre évolutions : **1.** 30 pays industrialisés sont légalement tenus d'atteindre les objectifs quantitatifs de réduction ou de limitation de leurs émissions de gaz à effet de serre ; **2.** le marché international du commerce de carbone devient une réalité légale et pratique : le régime du « commerce d'émissions » du protocole permet, en effet, aux pays industrialisés de s'acheter et de se vendre des crédits d'émissions ; **3.** le Mécanisme de développement propre (MDP) sera totalement mis en œuvre, encourageant, dans les pays en développement (PED), les projets limitant les émissions, tout en favorisant le développement durable ; **4.** le Fonds d'adaptation du protocole, établi en 2001, aidera les PED

Biotechnologies

à faire face aux effets négatifs des changements climatiques. Mais tant les cibles que le statut d'exception des économies émergentes ou les mécanismes de mise en œuvre du traité étaient loin de faire consensus, soulevant déjà un certain pessimisme quant à la portée du protocole de Kyoto.

Deux pays récalcitrants, les États-Unis et l'Australie, qui comptent pour plus du tiers des GES du monde industrialisé, réduisent la portée du protocole, et, quoique l'Inde, la Chine, le Brésil et l'Indonésie l'aient adopté, ils n'ont pas d'objectifs de réduction d'émissions. À Montréal, en novembre-décembre 2005, la Conférence des Nations unies sur les changements climatiques a pu susciter quelques espoirs en annonçant un accord sur l'ouverture de nouvelles discussions, sans objectifs contraignants, concernant l'avenir de la lutte contre le réchauffement planétaire. En revanche, le projet d'une action décisive de réduction des émissions de GES menée par les grands producteurs de gaz n'avait pas encore pris forme.

Autant les menaces qui pèsent sur les écosystèmes et sur le climat sont désormais tangibles, autant les perspectives d'une action concertée à l'échelle internationale demeurent vagues. La hausse vertigineuse des prix du pétrole en 2005-2006 annoncent la recherche d'alternatives pas toujours « douces », comme le charbon aux États-Unis. Aussi prévoyait-on au Forum urbain mondial (ONU-Habitat, Vancouver, juin 2006), à horizon 2030, le doublement du nombre des urbains dans les PED. Cette éventualité rendra encore plus difficile la réduction des GES. En 2006, les villes produisaient 80 % du CO_2. Réduire ces émissions impliquera des coûts d'infrastructure prohibitifs pour les pays du Sud. S'ajouteront à la pauvreté les problèmes de la gestion des déchets, de l'approvisionnement en eau et de la qualité de l'air. ■

Biotechnologies – Conjoncture 2005-2006

Gilles Bibeau
Anthropologue, Université de Montréal

Les débats en cours autour des OGM (organismes génétiquement modifiés), cellules souches, brevets et géno-banques alimentent, dans de nombreux pays, les « guerres des biosciences », qui se sont substituées, depuis les années 2000, aux « guerres culturelles ». Les biotechnologies confortent, à travers leurs extraordinaires avancées, l'imaginaire de puissance des sociétés contemporaines.

Des outils empruntés à l'ingénierie automatisée, à la robotique et à l'informatique équipent désormais les plates-formes biotechnologiques des laboratoires à travers le monde. Synthétiseurs de gènes, séquenceurs de protéines, bio-puces, robots automatisés, bio-banques, et puissants logiciels explorent les structures moléculaires des micro-organismes, des végétaux, des animaux et des humains. Ces outils imposent une cadence endiablée à la bio-industrie, amplifiant la compétition entre les compagnies, privilégiant les produits commercialisables, exigeant des sociétés biotechnologiques une capitalisation sans cesse plus forte et suscitant des questionnements éthiques inédits.

Les scientifiques du secteur continuent à être divisés sur les conséquences de leurs recherches. On prend de plus en plus

Biotechnologies

@ Sites Internet

Africa Harvest Biotech Foundation International
http://www.ahbfi.org/

AgroBio (Mexique)
http://www.agrobiomexico.org/

Biotechnologies France
http://biotech.education.fr/

Council For Biotechnology Information (Canada, États-Unis, Mexique)
http://whybiotech.com/index.asp

Hong Kong Institute of Biotechnology
http://www.hkib.org.hk/

National Centre For Biological Sciences (Inde)
http://www.ncbs.res.in/

Wellcome Trust Sanger Institute (Royaume-Uni)
http://www.sanger.ac.uk/

conscience du fait qu'il revient aux gouvernements et à l'ensemble de la société de décider, en dernière instance, du bien-fondé de ces évolutions.

Une bio-industrie mondialisée de plus en plus compétitive

La Chine, l'Inde, le Brésil et d'autres pays du Sud comptent aujourd'hui parmi les acteurs majeurs de la bio-industrie. Les conditions sont désormais présentes dans ces pays pour des recherches biotechnologiques de pointe : équipement adéquat des laboratoires ; aide gouvernementale accrue ; collaboration accentuée entre universités, industrie et instituts technologiques ; consolidation de pôles d'excellence ; allégement des normes administratives et éthiques ; création de bureaux de transfert biotechnologique ; retour au pays, surtout en Inde, des biologistes, informaticiens et ingénieurs travaillant à l'étranger. 134 000 brevets relevant en majorité des biotechnologies ont été déposés en 2005 à l'Organisation mondiale de la propriété intellectuelle (soit 9,4 % de plus qu'en 2004), émanant des États-Unis à hauteur de 33,6 %, du Japon (18,8 %), de l'Allemagne (11,8 %) et de France (4,1 %). La Chine (1,8 %) a enregistré la plus forte croissance (plus de 40 %).

À la suite de récentes fusions, quelque dix groupes pharmaceutiques (Glaxo SmithKline, Pfizer, Eli Lilly, Merck...) se partageaient en 2006 environ 50 % du marché mondial des médicaments, générant des bénéfices colossaux pour leurs actionnaires et finançant la R&D en proportion des profits des ventes. La « Big Pharma » se maintenait en excellente position sur les marchés boursiers. En conséquence, le complexe médico-industriel se désintéresse des patients non rentables : seuls 10 % de la R&D concernent les maladies affectant 90 % de la population du globe (paludisme, tuberculose, sida).

Une vigoureuse industrie pharmaceutique se met en place au Brésil, en Thaïlande, en Afrique du Sud, au Kénya, en Chine et particulièrement en Inde, laquelle fournit 22 % des médicaments génériques du monde et une part importante des vaccins destinés aux pays en développement (PED). Dans les pays du Sud, l'industrie pharmaceutique est en effet largement basée sur la production de génériques et s'oppose à la « Big Pharma » sur la question des brevets depuis que la loi du 23 mars 2005, adoptée par l'OMC, interdit la copie des médicaments. À la conférence de l'OMC de Hong Kong, en décembre 2005, les pays africains ont réclamé d'adopter un système de règles stables pour l'importation des génériques ; démarche infructeuse puisque le principe des clauses dérogatoires s'est maintenu. En 2005-2006, le spectre d'une épidémie mondiale de grippe aviaire a fait renaître les débats sur la nécessité de contourner les brevets, les laboratoires produisant les antiviraux n'ayant pas la capacité de contrer le virus H5N1 à grande échelle. Cette épidémie virtuelle tend cependant à masquer les maladies bien réelles qui, à elles seules, démontrent l'inadéquation du régime actuel des brevets.

Clones et OGM : des marchés d'avenir

Le clonage commercial des animaux de compagnie (chat, chien) a commencé, à des coûts avoisinant les 30 000 dollars É-U l'unité. Par ailleurs, on élève déjà des centaines de cochons, de vaches et d'autres animaux clonés aux États-Unis et la Food and Drug Administration pourrait prochainement autoriser la vente du lait et de la viande d'animaux clonés. En Europe, le principe de précaution a continué à prévaloir concernant l'utilisation de produits issus de clones, et l'étiquetage est exigé pour les produits transgéniques. L'industrie agroalimentaire devra se situer face à des consommateurs de plus en plus résistants, du moins en Europe, à l'introduction des produits génétiquement modifiés dans les supermarchés.

Sur le front des plantes et des semences, le transgénique a poursuivi sa progression sous la pression de Monsanto, DuPont, Syngenta, Bayer, regroupés dans la multinationale AgroBio, dont l'objectif est de créer partout « un climat propice à l'utilisation des biotechnologies dans l'agriculture ». Les principaux pays africains producteurs de coton ont demandé que soit dissocié le dossier coton de celui de l'agriculture à l'OMC, réclamant notamment de pouvoir discuter de l'introduction des OGM que les États-Unis tentent d'imposer dans leurs rapports bilatéraux avec les pays d'Afrique.

Au Mexique, de grosses entreprises privées comme Maseca achètent le maïs à grande échelle et exigent une uniformisation de la marchandise, disqualifiant le maïs criollo, issu de semences traditionnelles non brevetées. Sous la pression des multinationales de l'agroalimentaire, le Parlement mexicain a voté le 16 février 2005 une loi sur la biosécurité autorisant la culture des OGM (interdite depuis 1999) et l'importation du maïs transgénique.

En novembre 2005, le Brésil a été le deuxième pays après l'Inde à interdire les semences Terminator. Ces procédés de génie génétique permettent aux entreprises de commercialiser des plantes dont les semences issues des récoltes sont stériles. Différents mouvements d'opposition ont conduit les multinationales à commencer à retirer les Terminator du marché. Dans la plupart des pays du Sud, les paysans réclament, au nom de la préservation de la biodiversité, le droit à la variété des plantes (adaptées à chaque environnement).

Des cadres législatifs très variables

Les experts ont confirmé, fin 2005, que le chercheur coréen Hwang Woo-suk avait bel et bien falsifié les résultats de ses recherches sur la production de cellules souches à partir de clones d'embryons humains. L'espoir a ainsi reculé de fabriquer des cellules souches « sur mesure », compatibles avec les gènes d'un individu donné, mais la recherche se poursuivait : en Chine et au Royaume-Uni notamment, la compétition fait rage entre chercheurs récusant toute impossibilité biologique. Des banques de sang provenant du cordon ombilical et du placenta existent depuis plus de dix ans, mais les perspectives de transformer sous peu les cellules totipotentes du sang en cellules permettant de guérir des maladies incurables restaient controversées.

La législation sur les cellules souches et le clonage varient d'un pays à l'autre. Mais le clonage reproductif reste unanimement

Biotechnologies

rejeté, sans qu'il existe cependant de traité international l'interdisant. Au niveau du clonage thérapeutique, une différence est faite entre la création de lignées de cellules et l'utilisation de cellules déjà créées. Des chercheurs anglais de Newcastle ont été autorisés à remplacer le noyau d'un ovule surnuméraire (prélevé sur une femme ayant subi une fécondation *in vitro*) par celui d'une cellule souche embryonnaire humaine provenant d'un échantillon déposé à la banque britannique des cellules souches. De telles pratiques étaient en cours un peu partout sans qu'elles soient encadrées par des règles éthiques précises.

En Asie, tout ou presque semblait permis. En Chine, la recherche sur l'embryon n'est pas entravée : aucune loi n'y encadre la recherche sur les cellules souches, pas plus que sur les OGM. En Inde, une quinzaine de laboratoires travaillent sur les cellules souches. En Corée du Sud, la création de lignées de cellules souches embryonnaires humaines est légale sur autorisation gouvernementale.

En Europe, le Royaume-Uni, la Belgique et la Suède disposent d'une législation plutôt permissive pour le clonage thérapeutique (obtention de cellules souches par la création d'un embryon), alors que l'Allemagne et l'Italie sont beaucoup plus restrictives. Aux États-Unis, la législation n'autorise les chercheurs à travailler que sur les 22 lignées créées avant août 2001 ; les chercheurs du Massachusetts Institue of Technology (MIT) et de l'Advanced Cell Technology travaillent à produire des cellules souches sans détruire l'embryon, ce qui réduirait une partie des problèmes éthiques.

De nombreux pays occidentaux comptent recourir à des marqueurs génétiques et biométriques stockés sur des cartes à puce électronique comme méthode d'identification de leurs citoyens. Les États-Unis ont déjà recours à des contrôles aux frontières utilisant la biométrie des personnes, procédures qui ont commencé à se répandre en Europe. Au Canada, la question de l'adoption d'une carte d'identité nationale à haute sécurité pouvant contenir des marqueurs biométriques était en discussion.

La porte était ainsi ouverte à un contrôle de plus en plus grand des individus, sur fond d'eugénisme. C'est dans une lecture, désormais possible, du génome de chaque individu que l'on risque de vouloir débusquer l'identité, au détriment des marqueurs sociaux. ■

Nouvelles technologies de l'information et de la communication (NTIC) Conjoncture 2005-2006

Serge Proulx et Stéphane Couture
Laboratoire de communication médiatisée par ordinateur (LabCMO), UQAM

Dans le domaine des nouvelles technologies de l'information et de la communication (NTIC), quatre thématiques ont dominé l'année 2005-2006 : une mise en débat de la société de l'information à l'échelle mondiale ; le durcissement des « fractures numériques » et l'émergence d'initiatives pour les contrer ; l'extension de pratiques associées au logiciel libre vers de nouveau domaines d'échange ; la popularité croissante des réseaux de diffusion sans fil.

Sommet mondial sur la société de l'information

Organisée par l'Union internationale des télécommunications (UIT, agence de l'ONU), la deuxième phase du Sommet mondial sur la société de l'information (SMSI) – après le « sommet » de Genève en 2003 – s'est tenue à Tunis (16-18 novembre 2005), réunissant près de 20 000 participants. À côté des représentants officiels des gouvernements et des entreprises, de milliers d'experts et journalistes, les débats ont mobilisé, pour la première fois, des représentants de la « société civile » qui pouvaient officiellement prendre part aux débats. Le Global Knowledge Partnership (GKP), réseau de bailleurs de fonds et porte-parole d'organisations non gouvernementales (ONG), a ainsi préparé 41 ateliers. La présence des réseaux internationaux de militants altermondialistes s'en est consolidée lors de ce « sommet ».

L'économiste américain Eli Noam (université de Columbia) a soutenu que le SMSI avait été l'occasion de voir apparaître un troisième visage d'Internet, davantage politisé (après le premier, apolitique, des informaticiens créateurs d'Internet, et le deuxième, marchand, suscité par l'émergence du marché néolibéral des *dotcom* – entreprises dont l'activité se fait sur Internet – à partir de 1995). Bien que plusieurs observateurs aient douté du poids politique des porte-parole de la « société civile » dans les décisions issues de ce « sommet », force est de constater que ces nouveaux réseaux de militants avaient permis de débattre publiquement des orientations du développement technologique dans les sociétés du Nord et du Sud. Si l'objectif avoué du SMSI était la mise en place d'une institution internationale ayant pour finalité d'organiser la « gouvernance d'Internet », pour contrebalancer l'influence écrasante des États-Unis *via* l'ICANN (Internet Corporation for Assigned Names and Numbers, organisme américain contrôlant tous les noms de domaines), de nombreux débats furent consacrés aux stratégies possibles pour contrer les « fractures numériques ». [*Voir aussi l'article « Sommets de Genève et de Tunis : vers quel "ordre mondial de l'information" ? »*]

Fracture numérique : projet d'ordinateur portable à 100 dollars

L'expression de « fracture numérique » (*digital divide*) a intégré les discours des dé-

Références

P. Aigrain, *Cause Commune. L'information entre bien commun et propriété*, Fayard, Paris, 2005 (http ://www.causecommune.org).

Y. Benkler, *The Wealth of Networks. How Social Production Transforms Markets and Freedom*, Yale University Press, Londres, 2006.

A. Gurumurthy, P. J. Singh, *Political Economy of the Information Society. A Southern View*, IT for Change, déc. 2005.
(http ://wsispapers.choike.org/papers/eng/itfc_political_economy_is.pdf).

S. Meinrath, « Community Wireless Networking and Open Spectrum Usage : A Research Agenda to Support Progressive Policy Reform of the Public Airwaves », *The Journal of Community Informatics* (http ://ci-journal.net/viewarticle.php ?id=76&layout=html).

A. Powell, L. Regan Shade, *Going Wi-Fi in Canada : Municipal and Community Initiatives*, Canadian Research Alliance for Community Innovation and Networking (CRACIN), papier de travail nᵒ 2005-6, Toronto, 2005.

S. Proulx, F. Massit-Folléa, B. Conein (sous la dir. de), *Internet, une utopie limitée. Nouvelles régulations, nouvelles solidarités*, Presses de l'Université Laval, Québec, 2005.

@ Sites Internet

Collectif électronique MISTICA
http://funredes.org/mistica

Framasoft (portail de ressources sur les logiciels libres et les contenus libres)
http://www.framasoft.net/

Laboratoire de communication médiatisée par ordinateur (LabCMO)
http://cmo.uqam.ca

cideurs politiques. Ce terme désigne les inégalités constatées à l'échelle du monde dans l'accès aux équipements et aux réseaux, de même que dans la capacité de contribuer à la diffusion d'informations et à la production de connaissances nouvelles *via* ces moyens techniques. Ces disparités sont liées aux inégalités socioéconomiques, souvent exacerbées par la mise en place d'infrastructures technologiques et par l'offre de nouveaux dispositifs pour communiquer. Ces déséquilibres suivent les lignes de clivage entre pays du Nord et du Sud, entre zones urbaines et rurales, entre segments scolarisés ou non, économiquement favorisés ou non, à l'échelle du globe. Ce phénomène de développement inégal est perçu comme « technocentré » et ne tenant pas suffisamment compte de la diversité culturelle et linguistique des populations concernées.

Le projet de création d'un ordinateur portable au coût de 100 dollars É-U a été développé par le Media Lab du Massachusetts Institute of Technology (MIT), aux fins de contribuer à combler ce « fossé numérique », et présenté au SMSI de Tunis ; le projet n'aurait apparemment aucune visée commerciale (pas de vente aux particuliers). Des négociations ont été engagées avec les autorités de différents pays, notamment le Brésil, le Cambodge et l'Argentine, pour l'achat et la diffusion de masse. Ce projet visant, selon ses promoteurs, à favoriser le développement intellectuel et la créativité des enfants des pays pauvres par l'activité informatique a suscité des critiques de la part d'organisations militantes latino-américaines (notamment au sein du collectif électronique Mistica). Selon ces groupes, au-delà de la question du coût de l'équipement se pose celle de l'appropriation de l'outil selon les contextes sociaux et culturels. Certains questionnaient les implications de la possession de ce portable pour la sécurité des enfants des bidonvilles. D'autres s'interrogeaient sur l'élimination écologique des ordinateurs une fois qu'ils seraient périmés. Par ailleurs, de nombreux pays en développement présentent des cultures d'usage collectif. Ainsi en est-il des « télécentres » servant de points de rencontre et de service pour les communautés concernées, en Amérique latine et en Afrique notamment. Certaines organisations craignaient que les dépenses considérables engendrées par ce projet – perçu comme une « solution » provenant de l'avant-garde technologique des pays du Nord – ne privent les États destinataires de sommes nécessaires au développement d'infrastructures.

Alternatives sociotechniques : extension du domaine du logiciel libre

Les tenants du logiciel libre – *free software* ou *open source* – proposent un modèle de développement du logiciel où le code source est librement accessible, modifiable et réutilisable par tous. Ces perspectives – nées au milieu des années 1980 aux États-Unis – ont suscité un vaste mouvement de coopération à l'échelle internationale, qui a permis la production de logiciels dont quelques-uns, tels *Firefox* et *OpenOffice*, sont maintenant largement diffusés. Le logiciel libre a suscité depuis 1999 l'intérêt de différents gouvernements, en particulier en Amérique latine. Le Brésil a ainsi adopté des mesures de passage au logiciel libre au sein de son administration, notamment par la mise en place de télécentres les utilisant. Au Vénézuela, un décret du gouvernement Chavez amènera l'ensemble de l'administration publique à migrer vers le logiciel libre à échéance de la fin 2006. Même si cette évolution risquait de prendre plus de temps que prévu, l'implantation se poursuivait par la mise en place

de formations universitaires en « informatique libre » et par la création d'entreprises sociales de « services en libre ».

Le modèle du « libre » s'est progressivement étendu à d'autres types de contenus numériques. Des initiatives sont apparues visant à maintenir les œuvres numériques dans le domaine public. L'ensemble de licences Creative Commons, qui laisse à l'auteur le choix des protections qu'il souhaite accorder à son œuvre, est le cas le plus connu inspiré directement du modèle légal du logiciel libre. Wikipedia, encyclopédie en ligne créée de façon coopérative le 15 janvier 2001 et dont le contenu est libre d'utilisation, apparaît aussi comme un cas d'extension du domaine du « libre ».

Cette situation semblait loin d'être stabilisée, les grandes industries des médias et du logiciel « propriétaire » cherchant à exclure le logiciel libre de secteurs éventuellement rentables, en particulier les outils multimédias et l'informatique mobile (lecteurs multimédias, *streaming* vidéo – consultation de contenus sans téléchargement – systèmes informatiques intégrés dans les téléphones portables).

Infrastructures : les réseaux sans fil

Les technologies sans fil se sont banalisées dans plusieurs parties du monde : téléphones mobiles, ordinateurs portables, télécommandes pour appareils domestiques. L'étape nouvelle consiste à implanter des réseaux sans fil (WiFi) dans lesquels au moins deux terminaux peuvent communiquer sans liaison filaire. Un utilisateur a ainsi la possibilité de rester connecté tout en se déplaçant dans un périmètre géographique déterminé. Tant dans les milieux urbains des sociétés informatisées que dans les régions où les infrastructures de télécommunications sont déficientes (zones rurales, pays en développement), les réseaux sans fil permettent d'assurer la connexion au sein d'importants segments de population en évitant le coût de la mise

Droits de l'homme

en place d'infrastructures lourdes. Dans bien des cas, de telles initiatives proviennent de très petits entrepreneurs privés (TPE), voire de groupes associatifs, plutôt que des grands opérateurs de télécommunications, même si ceux-ci sont de plus en plus présents dans ce secteur. Organisés autour du travail de bénévoles, certains groupes associatifs impliqués dans ces projets définissent leur action comme une participation citoyenne à la vie de leur communauté. À Montréal, l'organisme Île sans fil (regroupant une quarantaine de volontaires) a mis en place un réseau de points d'accès gratuits dans une cinquantaine de cafés de la ville. D'autres groupes similaires ont émergé comme NYC Wireless (New York), Paris sans fil ou Seattle Wireless. La liaison entre ces initiatives en matière de « sans fil » a pris la forme d'une alternative sociotechnique comme l'ont montré le Sommet mondial pour les infrastructures libres, tenu à Londres en septembre 2005, ou le National Summit for Community Wireless Networks, organisé à Saint Louis (Missouri) en mars 2006. ∎

Droits de l'homme
Conjoncture 2005-2006

Alain Bissonnette, avec la collaboration d'Anne-Marie Lavoie et Lloyd Lipsett

Les droits de l'homme (également appelés « droits de la personne » ou « droits humains ») ont été proclamés, en 1948, dans la Déclaration universelle des droits de l'homme comme l'idéal commun à atteindre par tous les peuples et toutes les nations. Dans la foulée, plusieurs instruments juridiques ont été créés, dont, en 1966, le Pacte international relatif aux droits civils et politiques et le Pacte international relatif aux droits économiques, sociaux et culturels et, en 1979, la Convention sur l'élimination de toutes les formes de discrimination à l'égard des femmes La première responsabilité quant à assurer le respect de ces droits revient toujours aux États. Les rapports ou communications présentés aux différents comités chargés d'assurer le suivi de ces instruments rendent compte spécifiquement de l'action des États ayant ratifié ces instruments.

Cela dit, la coopération internationale, les échanges commerciaux et les alliances entre États influent grandement sur ce domaine qui, pas plus que les autres, n'échappe à l'influence des intérêts de chacun d'entre eux. Également, la société civile et au premier chef les organisations vouées à la promotion des droits de la personne jouent un rôle essentiel en défendant des points de vue souvent occultés par les autorités nationales.

Des avancées marquantes

Partout dans le monde, l'impunité est remise en question. Du fait du nombre important de pays ayant ratifié le Statut de la Cour pénale internationale (CPI), 100 au 14 novembre 2005, les personnes accusées de génocide, de crimes contre l'humanité ou de crimes de guerre auront de plus en plus de difficultés à échapper à la justice, même si, au plan interne, l'État concerné n'a pas la volonté ou la capacité de mener à bien l'enquête ou les poursuites s'imposant. La compétence de la Cour ne peut être exercée que si l'État sur le territoire duquel le crime est commis ou dont l'accusé est ressortissant est partie au Statut. Les États-Unis et la Chine, notamment, n'y avaient toujours pas adhéré à la mi-2006. Trois enquêtes sous l'égide de cette première CPI permanente étaient en cours : en RDC (République démocratique du Congo), en Ouganda et au Darfour (Soudan). D'autres tribunaux spéciaux ayant une juridiction sur un pays ou une région spécifique (Rwanda, Sierra Léone, ex-Yougoslavie) et sur une période de temps limitée poursuivaient leur tâche, confrontés à des choix stratégiques concernant les cas à entendre mais aussi les attentes populaires et celles de la communauté internationale. Un exemple encourageant a été celui de l'ancien président du Libéria, Charles Taylor, accusé de crimes contre l'humanité et qui était détenu, depuis mars 2006, en Sierra Léone.

Sur le plan national, le Tribunal pénal irakien a entamé en 2005 le procès de l'ancien président Saddam Hussein et de sept anciens responsables de son régime accusés de crimes contre l'humanité. Au Libéria, au Maroc et en Sierra Léone notamment, des commissions spéciales chargées d'enquêter et de faire la lumière sur des violations graves en matière de droits humains ont facilité la mise en accusation des principaux responsables et orienté l'administration de la justice, voire favorisé la compensation des victimes. Ces commissions, dont le mandat consiste à faire la vérité tout en favorisant la réconciliation nationale, suscitent parfois la controverse, notamment lorsqu'il est question d'amnistier certains responsables La tendance est toutefois clairement à ne plus accepter l'impunité.

De leur côté, les droits des femmes trouvent de plus en plus d'appuis. Entré en vigueur le 25 novembre 2005, le Protocole à la Charte africaine relatif aux droits de la femme compte parmi les nouveaux instruments juridiques permettant de déposer des plaintes dans ce domaine. En Asie, même si on était toujours en attente de la création d'un mécanisme régional, l'éducation et la mobilisation se poursuivent et la situation des femmes et des enfants est de mieux en

mieux comprise. En 2000, les femmes représentaient 16,3 % des législateurs dans les parlements du monde (contre 11,3 % en 1995). Les programmes de coopération internationale ont adopté une approche sexo-spécifique, qui s'appuie sur les droits des femmes et favorise leur participation aux actions de développement. Sociologues, anthropologues et militants des droits humains remettent en question la notion de culture comme barrière à la dignité des femmes, préférant l'intégrer, à titre contextuel, comme un champ de possibilités d'actions dynamiques. Cela étant, les conflits armés, les fondamentalismes religieux et certaines pratiques comme l'excision font toujours obstacle à l'affirmation de ces droits.

Enfin, au sein des Nations unies, le nouveau Conseil des droits de l'homme, créé en mars 2006, a remplacé la Commission des droits de l'homme discréditée par la présence en son sein de pays aux régimes répressifs. Composé de 47 États membres, qui devront observer des normes plus strictes, il devrait s'attaquer de façon plus objective aux violations des droits de la personne partout où elles se produisent. L'élection, en mai 2006, de certains pays dont la Chine, a été vivement critiquée. Il reste que, à titre de membres du nouveau Conseil des droits de l'homme, ceux-ci devront ratifier les traités relatifs aux droits humains, inviter experts et groupes de travail sur leur territoire et renforcer leurs institutions nationales.

Au cœur d'enjeux transversaux

Malgré ces avancées, la souveraineté des États, leurs intérêts économiques, la pauvreté et la lutte contre le terrorisme sont souvent invoqués pour limiter la portée des droits de l'homme.

La souveraineté des États demeure l'un des piliers de la vie internationale mais n'est plus étanche. En septembre 2005, l'Assemblée générale des Nations unies a clairement affirmé qu'il existe également une responsabilité de protéger les victimes des violations des droits de la personne. Asso-

Droits de l'homme

ciant souveraineté et coopération, ce principe favorise la construction d'une sécurité plus globale et plus humaine.

Les défenseurs des droits humains répètent constamment que cette logique doit aussi prévaloir en matière de libre-échange et d'accords commerciaux. Les États ont tendance à compartimenter leurs engagements juridiques, selon qu'ils sont membres, par exemple, de l'Organisation mondiale du commerce (OMC), ou des Nations unies, signataires de traités protégeant les droits de la personne. Pourtant, les accords commerciaux ne peuvent échapper à la question de savoir s'ils entraînent des violations des droits de la personne. Très concrètement, les règles relatives à la propriété intellectuelle affectent-elles le droit à la santé ? Les accords sur l'agriculture interfèrent-ils avec le droit à l'alimentation ? Les accords sur les services entravent-ils l'accès aux services essentiels ? Dans la même veine, les sociétés commerciales doivent faire preuve d'un même respect des droits humains partout où elles se trouvent, plusieurs défenseurs des droits de la personne réclamant des législations nationales allant dans ce sens.

Le « sommet » des chefs d'État de septembre 2005 n'a pas su maintenir l'urgence nécessaire pour atteindre les Objectifs du Millénaire pour le développement, en matière de pauvreté, d'éducation, d'environnement et pour une meilleure coopération internationale. Tout en concédant que ces objectifs correspondent à des droits fondamentaux qu'il faut associer à la résolution des conflits et à la construction de la paix, les chefs d'État ont décidé de reporter à plus tard les échéances initialement prévues.

Les attentats de Londres de l'été 2005, ceux d'Amman à l'automne et du Caire au printemps 2006, ainsi que les violences quasi quotidiennes en Irak, visant tous des civils, constituent autant d'affronts aux droits humains, tout comme l'avaient été les attentats du 11 septembre 2001. Mais la lutte contre le terrorisme se fait trop souvent au détriment de ces droits, avec une tendance de la part de certains États à banaliser des violations des droits humains (torture, expulsion de personnes vers des pays la pratiquant, détention sans accusation ou sans possibilité de recours devant des tribunaux, violation de la liberté d'association et d'expression, etc.). Dans ce contexte, le Comité contre la torture des Nations unies a demandé aux États-Unis, en mai 2006, de prendre les mesures nécessaires pour éradiquer toutes les formes de torture, fermer le centre de détention de Guantanamo et permettre aux prisonniers de bénéficier de procès équitables. D'autres pays comme la Russie, la Chine, le Soudan et le Burundi ont adopté une définition du terrorisme leur permettant d'agir contre toute forme de contestation et d'ainsi déroger au principe de légalité. Mais, compte tenu de son influence internationale, la situation aux États-Unis préoccupait tout particulièrement. Dans son dernier rapport annuel, Human Rights Watch a affirmé que l'utilisation et la défense de la torture et de traitements inhumains par le gouvernement américain diminuent sa capacité de promouvoir par ailleurs les droits de la personne.

Là où les défenseurs des droits de l'homme sont persécutés prévaut la volonté d'empêcher toute analyse ou tout débat entourant la protection de ces droits. Le rapport 2006 de la Fédération internationale des ligues des droits de l'homme (FIDH) et de l'Organisation mondiale contre la torture recensait 117 cas d'assassinats ou de tentatives d'assassinats, 92 cas de mauvais traitements ou de torture, 56 agressions physiques, 142 menaces de mort, 315 détentions arbitraires, ainsi que des entraves à la liberté d'association dans près de 90 pays. De plus, dans certains pays, comme la Corée du Nord ou la Guinée équatoriale, la répression rend totalement impossible toute activité de défense des droits de la personne. Paradoxe du caractère universel des droits de la personne en proie à l'arbitraire et la répression d'États qui ne se sentent guère liés par leurs obligations de membres des Nations unies. ∎

Statistiques mondiales

Les données pour 2o3 pays

INDICATEUR	UNITÉ	AFRIQUE DU SUD	ALGÉRIE	ANGOLA
Démographie[a]				
Population (2005)	(millier)	47 432	32 854	15 941
Densité (2005)	(hab./km²)	38,9	13,8	12,8
Croissance annuelle (2000-2005)	(%)	0,8	1,5	2,8
Indice de fécondité (ISF) (2000-2005)		2,80	2,53	6,75
Mortalité infantile (2000-2005)	(‰)	42,7	37,4	138,8
Espérance de vie (2000-2005)	(année)	49,0	71,0	40,7
Population urbaine[b]	(%)	57,4	59,4	36,5
Indicateurs socioculturels				
Développement humain (IDH)[c]		0,658	0,722	0,445
Nombre de médecins	(‰ hab.)	0,77[b]	1,13[d]	0,08[h]
Analphabétisme (hommes)	(%)	15,9	20,4	17,1
Analphabétisme (femmes)	(%)	19,1	39,9	45,8
Espérance de scolarisation	(année)	13,0[c]	12,5[b]	3,7[k]
Scolarisation 3e degré	(%)	15,3[c]	19,6[b]	0,8[c]
Accès à Internet[b]	(‰ hab.)	78,9	26,1	12,2
Livres publiés	(titre)	5 592[h]	133[kq]	22[r]
Armées (effectifs)				
Armée de terre	(millier)	36,0	120	100
Marine	(millier)	4,5	7,5	2,4
Aviation	(millier)	9,25	10	6
Économie				
PIB total (PPA)	(million $)	570 190	237 684	43 362
Croissance annuelle (1994-2004)	(%)	3,1	3,9	7,7
Croissance annuelle (2005)	(%)	4,9	5,3	15,7
PIB par habitant (PPA)	($)	12 160	7 189	2 813
Investissement (FBCF)[f]	(% PIB)	16,3	24,6[g]	12,7[g]
Taux d'inflation	(%)	3,4	1,6	23,0
Énergie (taux de couverture)[c]	(%)	130,3	494,8	556,6
Dépense publique Éducation	(% PIB)	5,4[b]	4,8[u]	3,0[e]
Dépense publique Défense	(% PIB)	1,5	2,8	4,1
Dette extérieure totale[b]	(million $)	28 500	21 987	9 521
Service de la dette/Export[g]	(%)	9,1	25,4[K]	15,2
Échanges extérieurs				
Importations (douanes)	(million $)	62 304	20 044	8 652
Principaux fournisseurs	(%)	UE 41,7	UE 60,2	UE 31,5
	(%)	Asie[Q] 38,1	Fra 27,8	Asie[Q] 38,4
	(%)	E-U 7,1	PED[R] 29,5	E-U 11,8
Exportations (douanes)	(million $)	51 876	46 538	20 656
Principaux clients	(%)	UE 34,4	UE 54,7	E-U 38,9
	(%)	Asie[Q] 25,7	Asie[Q] 6,7	UE 14,1
	(%)	E-U 9,3	E-U 22,9	Chin 29,0
Solde des transactions courantes	(% PIB)	− 4,2	21,3	8,2

Définition des indicateurs, sigles et abréviations p. 16 et suivantes. Chiffres 2005 sauf notes. a. Derniers recensements utilisables, p. 395 ; b. 2004 ; c. 2003 ; d. 2002 ; e. 2001 ; f. 2003-2005 ; g. 2002-2004 ; h. 1997 ; i. 2000-2004 ; k. 1999 ; m. 1998 ; o. 2002-2003 ; p. 2000 ; q. 670 en 1996 d'après l'UNESCO ; r. 1995 ; s. 1991 ; t. 1989 ; u. 1996 ; v. 1993 ; w. 1983 ; x. 1994 ; y. 1992 ; z. 1987 ; A. 1984 ; B. 1980 ; C. 1990 ; D. Selon la CIA ; E. Eurostat ; F. Selon la Banque mondiale ; G. 1990-2000 ; H. 2000-2002 ;

BÉNIN	BOTSWANA	BURKINA FASO	BURUNDI	CAMEROUN	CAP-VERT
8 439	1 765	13 228	7 548	16 322	507
74,9	3,0	48,3	271,2	34,3	125,8
3,2	0,1	3,2	3,0	1,9	2,4
5,87	3,20	6,67	6,80	4,65	3,77
105,1	51,0	121,4	105,9	94,3	29,8
53,8	36,6	47,4	43,5	45,8	70,2
45,3	52,1	18,2	10,3	52,2	56,7
0,431	0,565	0,317	0,378	0,497	0,721
0,04[b]	0,40[b]	0,06[b]	0,03[b]	0,19[b]	0,49[b]
52,1	19,6	70,6	32,7	23,0	14,6[i]
76,7	18,2	84,8	47,8	40,2	32,0[i]
7,2[e]	11,7[c]	3,9[c]	5,9[b]	10,5[b]	11,0[b]
3,0[e]	6,2[b]	1,5[c]	2,3[b]	5,3[b]	5,5[b]
13,8	35,0	4,0	3,5	10,2	53,0
9[m]	158[s]	5[h]	••	52[k]	10[t]
4,3	8,5	6,4	45	12,5	1
0,1	••	••	••	1,3	0,1
0,15	0,5	0,2	••	0,3	0,1
8 747	18 068	16 845	5 538	43 196	3 055
4,8	5,8	6,4	– 0,4	4,3	7,0
3,5	3,8	7,5	0,9	2,6	6,3
1 176	11 410	1 284	739	2 421	6 418
19,4	22,7	21,0	10,5[g]	17,3[g]	20,9[g]
5,5	8,6	6,3	13,6	2,0	0,4
68,6	••	2,8	16,3	179,7	••
3,3[d]	2,2[e]	1,5[u]	5,2[b]	3,8[b]	7,3[b]
1,6	3,6	1,3	5,8	1,8	0,7
1 916	524	1 967	1 385	9 496	517
8,0[L]	1,6[L]	13,5[M]	58,9[L]	••	6,1[L]
894	2 650[b]	1 126	262	2 485	495
UE 21,5	AfS 77,6[e]	UE 36,5	UE 37,7	UE 48,6	UE 75,9
Afr 15,7	Eur 12,3[e]	Fra 23,1	Asie[Q] 18,8	Afr 18,9	Por 40,6
Asie[Q] 57,1	Zbw 3,2[e]	Afr 40,8	Afr 37,0	Asie[Q] 21,3	E-U 2,2
288	3 450[b]	419	89	3 758	26
Asie[Q] 62,1	R-U 85,9[e]	UE 9,3	UE 61,4	UE 63,8	Esp 38,3
UE 9,0	AfS 6,5[e]	Afr 15,8	Asie[Q] 6,9	Asie[Q] 16,3	Por 35,3
Afr 26,9	Zbw 2,6[e]	Asie[Q] 70,1	Afr 6,4	Afr 10,7	E-U 9,2
– 6,4	8,9	– 9,2	– 4,4	– 1,5	– 4,3

I. 1998-2000 ; J. 1995-1997 ; K. 1999-2001 ; L. 2001-2003 ; M. 2000-2001 ; N. 1994-1996 ; O. 1996-1998 ; P. 32,2 milliards selon DOTS, FMI mai 2006 ; Q. Y compris Japon, Moyen-Orient et Turquie. Non compris les républiques asiatiques de l'ex-Union soviétique ; R. Y compris pays de la CEI (Communauté d'Etats indépendants) ; S. 15 milliards selon DOTS, FMI mai 2006 ; T. Non compris Japon et Moyen-Orient ; U. Estimation du FMI pour 2003.

INDICATEUR	UNITÉ	CENTR-AFRIQUE	COMORES	CONGO (-BRAZZA)
Démographie[a]				
Population (2005)	(millier)	4 038	798	3 999
Densité (2005)	(hab./km²)	6,5	357,8	11,7
Croissance annuelle (2000-2005)	(%)	1,3	2,7	3,0
Indice de fécondité (ISF) (2000-2005)		4,96	4,89	6,29
Mortalité infantile (2000-2005)	(‰)	98,2	57,7	72,3
Espérance de vie (2000-2005)	(année)	39,4	63,0	51,9
Population urbaine[b]	(%)	43,3	35,7	54,0
Indicateurs socioculturels				
Développement humain (IDH)[c]		0,355	0,547	0,512
Nombre de médecins	(‰ hab.)	0,08[b]	0,15[b]	0,20[b]
Analphabétisme (hommes)	(%)	35,2	36,5[i]	11,1[i]
Analphabétisme (femmes)	(%)	66,5	50,9[i]	22,9[i]
Espérance de scolarisation	(année)	4,5[m]	8,0[b]	7,7[d]
Scolarisation 3e degré	(%)	1,8[p]	2,3[b]	3,6[c]
Accès à Internet[b]	(‰ hab.)	2,3	10,1	9,4
Livres publiés	(titre)	••	••	••
Armées (effectifs)				
Armée de terre	(millier)	1,4	••	8
Marine	(millier)	0,2	••	0,8
Aviation	(millier)	••	••	1,2
Économie				
PIB total (PPA)	(million $)	4 629	1 133	4 585
Croissance annuelle (1994-2004)	(%)	0,6	2,1	2,9
Croissance annuelle (2005)	(%)	2,2	2,0	9,2
PIB par habitant (PPA)	($)	1 128	1 877	1 369
Investissement (FBCF)[f]	(% PIB)	13,2[H]	9,7[g]	26,7
Taux d'inflation	(%)	3,0	4,9	2,0
Énergie (taux de couverture)[c]	(%)	7,6	••	1 178,2
Dépense publique Éducation	(% PIB)	1,9[m]	3,9[d]	3,2[d]
Dépense publique Défense	(% PIB)	1,1	3,0[eD]	1,0
Dette extérieure totale[b]	(million $)	1 078	306	5 829
Service de la dette/Export[g]	(%)	••	••	3,0[L]
Échanges extérieurs				
Importations (douanes)	(million $)	227	125	1 205
Principaux fournisseurs	(%)	UE 36,0	Fra 20,3	UE 59,6
	(%)	Afr 16,6	Afr 29,3	Asie[Q] 25,0
	(%)	Asie[Q] 9,3	Asie[Q] 28,8	E-U 9,5
Exportations (douanes)	(million $)	123	24	4 535
Principaux clients	(%)	UE 63,8	UE 50,4	Asie[Q] 54,6
	(%)	Belg 34,3	Asie[Q] 38,4	E-U 34,0
	(%)	Asie[Q] 21,5	E-U 5,8	UE 7,3
Solde des transactions courantes	(% PIB)	– 4,1	– 4,3	13,9

Définition des indicateurs, sigles et abréviations p. 16 et suivantes. Chiffres 2005 sauf notes. a. Derniers recensements utilisables, p. 395 ; b. 2004 ; c. 2003 ; d. 2002 ; e. 2001 ; f. 2003-2005 ; g. 2002-2004 ; h. 1997 ; i. 2000-2004 ; k. 1999 ; m. 1998 ; o. 2002-2003 ; p. 2000 ; q. 670 en 1996 d'après l'UNESCO ; r. 1995 ; s. 1991 ; t. 1989 ; u. 1996 ; v. 1993 ; w. 1983 ; x. 1994 ; y. 1992 ; z. 1987 ; A. 1984 ; B. 1980 ; C. 1990 ; D. Selon la CIA ; E. Eurostat ; F. Selon la Banque mondiale ; G. 1990-2000 ; H. 2000-2002 ;

CONGO (-KINSHASA)	CÔTE-D'IVOIRE	DJIBOUTI	ÉGYPTE	ÉRYTHRÉE	ÉTHIOPIE
57 549	18 154	793	74 033	4 401	77 431
24,5	56,3	34,2	73,9	37,4	70,1
2,8	1,6	2,1	1,9	4,3	2,4
6,70	5,06	5,09	3,29	5,53	5,87
118,5	118,3	93,2	36,7	64,6	99,5
43,1	46,0	52,7	69,6	53,5	47,6
32,3	45,4	84,1	42,2	20,4	15,9
0,385	0,420	0,495	0,659	0,444	0,367
0,11[b]	0,12[b]	0,18[b]	0,54[c]	0,05[b]	0,03[c]
19,1	39,2	22,0[c]	32,8[i]	30,1[c]	50,8[i]
45,9	61,4	41,6[c]	56,4[i]	52,4[c]	66,2[i]
4,3[k]	6,2[k]	4,0[b]	11,8[c]	5,3[b]	5,6[b]
1,3[k]	6,5[k]	1,6[b]	28,5[c]	1,1[b]	2,5[b]
0,9	14,4	13,2	55,7	11,8	1,6
112[u]	••	••	9 700[e]	106[v]	444[k]
60	6,5	8	340	200	180
1,8	0,9	0,2	18,5	1,4	••
3	0,7	0,25	30	0,35	2,5
46 491	27 478	1 641	305 255	3 977	60 099
– 0,5	2,2	0,7	4,8	2,2	4,6
6,5	0,5	3,2	5,0	4,8	8,7
774	1 441	2 070	4 317	858	823
13,2[g]	10,5[g]	12,3[l]	16,7	23,6[g]	20,9[g]
21,4	3,9	3,1	11,4	12,4	6,8
104,2	101,7	••	116,5	••	92,2
••	4,6[e]	6,1[b]	4,7[r]	3,8[b]	6,1[b]
1,0[p]	1,2	3,7	2,6	7,3	4,4[b]
11 841	11 739	429	30 292	681	6 574
2,1[K]	9,8	••	9,9	3,5[l]	6,6
1 588	5 873	1 168	19 851[P]	670[b]	3 880
Afr 42,8	UE 41,3	Asie[Q] 65,1	UE 35,1	Ita 18,7[e]	Asie[Q] 56,7
UE 40,9	Afr 29,3	UE 12,6	Asie[Q] 29,4	EAU 15,3[e]	UE 19,7
Asie[Q] 8,5	Asie[Q] 20,8	Afr 13,6	E-U 10,8	ArS 16,6[e]	E-U 14,6
1 377	7 251	297	10 672[S]	20[b]	2 966
UE 60,3	UE 42,0	Som 64,2	UE 38,9	Sou 48,9[e]	UE 10,5
E-U 17,8	Afr 29,8	Yém 22,7	Asie[Q] 28,0	Ita 8,2[e]	Jap 66,9
Asie[Q] 13,1	E-U 14,1	Eth 5,0	E-U 13,4	RFA 3,5[e]	Afr 5,6
– 4,8	0,7	– 4,2	2,8	0,0	– 9,1

I. 1998-2000 ; J. 1995-1997 ; K. 1999-2001 ; L. 2001-2003 ; M. 2000-2001 ; N. 1994-1996 ;
O. 1996-1998 ; P. 32,2 milliards selon DOTS, FMI mai 2006 ; Q. Y compris Japon, Moyen-Orient et Turquie.
Non compris les républiques asiatiques de l'ex-Union soviétique ; R. Y compris pays de la CEI (Communauté
d'Etats indépendants) ; S. 15 milliards selon DOTS, FMI mai 2006 ; T. Non compris Japon et Moyen-Orient ;
U. Estimation du FMI pour 2003.

INDICATEUR	UNITÉ	GABON	GAMBIE	GHANA
Démographie[a]				
Population (2005)	(millier)	1 384	1 517	22 113
Densité (2005)	(hab./km²)	5,2	134,2	92,7
Croissance annuelle (2000-2005)	(%)	1,7	2,9	2,1
Indice de fécondité (ISF) (2000-2005)		4,02	4,75	4,39
Mortalité infantile (2000-2005)	(‰)	57,9	77,0	62,3
Espérance de vie (2000-2005)	(année)	54,6	55,5	56,7
Population urbaine[b]	(%)	84,4	26,2	45,8
Indicateurs socioculturels				
Développement humain (IDH)[c]		0,635	0,470	0,520
Nombre de médecins	(‰ hab.)	0,29[b]	0,11[c]	0,15[b]
Analphabétisme (hommes)	(%)	52,2[c]	52,2[c]	33,7
Analphabétisme (femmes)	(%)	67,2[c]	67,2[c]	50,2
Espérance de scolarisation	(année)	11,9[k]	6,9[k]	7,7[b]
Scolarisation 3e degré	(%)	6,6[k]	1,2[b]	3,1[b]
Accès à Internet[b]	(‰ hab.)	29,6	33,5	17,2
Livres publiés	(titre)	• •	10[m]	7[m]
Armées (effectifs)				
Armée de terre	(millier)	3,2	0,8	5
Marine	(millier)	0,5	• •	1
Aviation	(millier)	1	• •	1
Économie				
PIB total (PPA)	(million $)	9 621	3 022	55 203
Croissance annuelle (1994-2004)	(%)	1,2	4,1	4,5
Croissance annuelle (2005)	(%)	2,9	5,0	5,8
PIB par habitant (PPA)	($)	7 055	2 002	2 643
Investissement (FBCF)[f]	(% PIB)	25,9[g]	21,4[g]	23,5[g]
Taux d'inflation	(%)	0,1	4,3	15,1
Énergie (taux de couverture)[c]	(%)	737,0	• •	70,5
Dépense publique Éducation	(% PIB)	3,9[p]	2,0[b]	4,1[k]
Dépense publique Défense	(% PIB)	0,2	0,5	0,5
Dette extérieure totale[b]	(million $)	4 150	674	7 035
Service de la dette/Export[g]	(%)	14,0[L]	13,1[J]	9,1
Échanges extérieurs				
Importations (douanes)	(million $)	1 689	677	5 943
Principaux fournisseurs	(%)	UE 65,0	UE 21,1	UE 28,7
	(%)	Fra 40,6	Asie[Q] 39,7	Afr 25,4
	(%)	Asie[Q] 12,4	Afr 23,8	Asie[Q] 27,5
Exportations (douanes)	(million $)	5 044	28	2 409
Principaux clients	(%)	E-U 53,3	UE 33,2	UE 46,4
	(%)	UE 12,5	Asie[Q] 52,3	Afr 10,0
	(%)	Asie[Q] 14,6	Afr 11,1	Asie[Q] 15,8
Solde des transactions courantes	(% PIB)	15,7	− 13,1	− 6,6

Définition des indicateurs, sigles et abréviations p. 16 et suivantes. Chiffres 2005 sauf notes. a. Derniers recensements utilisables, p. 395 ; b. 2004 ; c. 2003 ; d. 2002 ; e. 2001 ; f. 2003-2005 ; g. 2002-2004 ; h. 1997 ; i. 2000-2004 ; k. 1999 ; m. 1998 ; o. 2002-2003 ; p. 2000 ; q. 670 en 1996 d'après l'UNESCO ; r. 1995 ; s. 1991 ; t. 1989 ; u. 1996 ; v. 1993 ; w. 1983 ; x. 1994 ; y. 1992 ; z. 1987 ; A. 1984 ; B. 1980 ; C. 1990 ; D. Selon la CIA ; E. Eurostat ; F. Selon la Banque mondiale ; G. 1990-2000 ; H. 2000-2002 ;

	GUINÉE	GUINÉE-BISSAU	GUINÉE ÉQUATORIALE	KÉNYA	LÉSOTHO	LIBÉRIA
	9 402	1 586	504	34 256	1 795	3 283
	38,2	43,9	18,0	59,0	59,1	29,5
	2,2	3,0	2,3	2,2	0,1	1,4
	5,92	7,10	5,89	5,00	3,65	6,80
	105,5	119,7	102,0	67,8	66,5	141,9
	53,6	44,6	43,5	47,0	36,7	42,5
	35,7	34,8	49,0	40,5	18,1	47,3
	0,466	0,348	0,655	0,474	0,497	• •
	0,11[b]	0,12[b]	0,30[b]	0,14[b]	0,05[c]	0,03[b]
	57,4	41,9[c]	6,6	22,4	26,3	27,7[i]
	81,9	72,6[c]	19,5	29,8	9,7	60,7[i]
	6,9[b]	5,5[e]	• •	8,5[o]	10,9[c]	9,7[p]
	2,2[b]	0,4[e]	2,6[p]	1,5[h]	2,8[c]	15,5[p]
	5,9	19,9	9,9	46,3	23,9	• •
	• •	• •	17[w]	120[u]	• •	• •
	8,5	6,8	1,1	20,0	2	15,0
	0,4	0,35	0,12	1,62	• •	• •
	0,8	0,1	0,1	2,5	• •	• •
	18 879	1 167	18 785	48 334	4 996	2 755[D]
	3,8	− 0,8	38,8	2,7	2,8	12,8[F]
	3,0	2,0	6,0	4,7	− 0,7	8,0[D]
	2 035	736	16 507	1 445	2 113	1 000[D]
	11,1[g]	11,6[g]	90,3[J]	16,4[g]	42,9[g]	8,6[g]
	31,4	3,4	6,8	10,3	3,7	16,1[b]
	9,0	• •	18 410,7	83,4	• •	10,8
	1,9[p]	2,1[k]	0,6[c]	7,1[b]	9,0[d]	• •
	2,1	3,0	0,1	1,5	2,4	7,5[d]
	3 538	765	291	6 826	764	2 706
	16,8	20,0[L]	2,6[N]	13,4	7,9[g]	0,4[L]
	1 800	263	1 112	6 149	1 235[b]	5 837
	UE 27,6	UE 42,9	E-U 24,6	Asie[Q] 52,6	AfS 85,3[p]	Asie[Q] 77,5
	Asie[Q] 17,5	Asie[Q] 5,7	UE 55,9	UE 19,4	Asie[Q] 10,4[p]	UE 9,8
	AmL 58,4	Afr 40,1	Afr 12,4	Afr 13,4	UE 0,8[p]	Afr 2,4
	1 080	104	6 189	3 293	585[b]	1 201
	UE 42,3	Inde 68,9	UE 30,2	Afr 36,2	AfS 40,7[p]	UE 77,7
	CEI 21,1	UE 4,0	Chin 21,8	UE 28,8	E-U 57,5[p]	E-U 7,4
	Rus 18,5	Niga 17,5	E-U 24,6	Asie[Q] 21,0	UE 0,1[p]	Asie[Q] 9,4
	− 3,4	− 1,5	− 13,3	− 7,6	− 14,7	− 7,6[U]

I. 1998-2000 ; J. 1995-1997 ; K. 1999-2001 ; L. 2001-2003 ; M. 2000-2001 ; N. 1994-1996 ;
O. 1996-1998 ; P. 32,2 milliards selon DOTS, FMI mai 2006 ; Q. Y compris Japon, Moyen-Orient et Turquie.
Non compris les républiques asiatiques de l'ex-Union soviétique ; R. Y compris pays de la CEI (Communauté
d'Etats indépendants) ; S. 15 milliards selon DOTS, FMI mai 2006 ; T. Non compris Japon et Moyen-Orient ;
U. Estimation du FMI pour 2003.

INDICATEUR	UNITÉ	LIBYE	MADA-GASCAR	MALAWI
Démographie[a]				
Population (2005)	(millier)	5 853	18 606	12 884
Densité (2005)	(hab./km²)	3,3	31,7	108,7
Croissance annuelle (2000-2005)	(%)	2,0	2,8	2,3
Indice de fécondité (ISF) (2000-2005)		3,03	5,40	6,10
Mortalité infantile (2000-2005)	(‰)	19,2	78,8	110,8
Espérance de vie (2000-2005)	(année)	73,4	55,3	39,6
Population urbaine[b]	(%)	86,6	26,8	16,7
Indicateurs socioculturels				
Développement humain (IDH)[c]		0,799	0,499	0,404
Nombre de médecins	(‰ hab.)	1,29[h]	0,29[b]	0,02[b]
Analphabétisme (hommes)	(%)	8,2[i]	23,5	25,1
Analphabétisme (femmes)	(%)	29,3[i]	34,7	46,0
Espérance de scolarisation	(année)	16,2[c]	6,1[k]	9,6[b]
Scolarisation 3e degré	(%)	56,2[c]	2,5[b]	0,4[b]
Accès à Internet[b]	(‰ hab.)	36,2	5,0	3,7
Livres publiés	(titre)	26[x]	108[h]	120[u]
Armées (effectifs)				
Armée de terre	(millier)	45	12,5	5,3
Marine	(millier)	8	0,5	• •
Aviation	(millier)	23	0,5	• •
Économie				
PIB total (PPA)	(million $)	67 244	16 228	7 667
Croissance annuelle (1994-2004)	(%)	3,0	2,8	4,2
Croissance annuelle (2005)	(%)	3,5	4,6	1,9
PIB par habitant (PPA)	($)	11 630	905	596
Investissement (FBCF)[f]	(% PIB)	12,8[H]	18,2[g]	9,7[g]
Taux d'inflation	(%)	2,5	18,4	12,3
Énergie (taux de couverture)[c]	(%)	431,4	7,0	22,3
Dépense publique Éducation	(% PIB)	2,7[k]	3,3[b]	6,0[c]
Dépense publique Défense	(% PIB)	2,0[b]	5,3	0,6
Dette extérieure totale[b]	(million $)	4 069[D]	3 462	3 418
Service de la dette/Export[g]	(%)	• •	6,5[L]	10,1[H]
Échanges extérieurs				
Importations (douanes)	(million $)	8 809	1 910	844
Principaux fournisseurs	(%)	UE 55,0	UE 25,9	AfS 37,6
	(%)	Ita 20,8	Afr 16,4	UE 13,2
	(%)	Asie[Q] 28,6	Asie[Q] 42,3	Asie[Q] 15,0
Exportations (douanes)	(million $)	28 292	1 035	633
Principaux clients	(%)	UE 77,5	UE 52,1	UE 30,6
	(%)	Ita 38,0	E-U 30,1	E-U 17,7
	(%)	Turq 6,0	Asie[Q] 8,8	Asie[Q] 19,5
Solde des transactions courantes	(% PIB)	40,2	– 12,8	– 7,7

Définition des indicateurs, sigles et abréviations p. 16 et suivantes. Chiffres 2005 sauf notes. a. Derniers recensements utilisables, p. 395 ; b. 2004 ; c. 2003 ; d. 2002 ; e. 2001 ; f. 2003-2005 ; g. 2002-2004 ; h. 1997 ; i. 2000-2004 ; k. 1999 ; m. 1998 ; o. 2002-2003 ; p. 2000 ; q. 670 en 1996 d'après l'UNESCO ; r. 1995 ; s. 1991 ; t. 1989 ; u. 1996 ; v. 1993 ; w. 1983 ; x. 1994 ; y. 1992 ; z. 1987 ; A. 1984 ; B. 1980 ; C. 1990 ; D. Selon la CIA ; E. Eurostat ; F. Selon la Banque mondiale ; G. 1990-2000 ; H. 2000-2002 ;

MALI	MAROC	MAURICE	MAURITANIE	MOZAM-BIQUE	NAMIBIE
13 518	31 478	1 245	3 069	19 792	2 031
10,9	70,5	610,3	3,0	24,7	2,5
3,0	1,5	1,0	3,0	2,0	1,4
6,92	2,76	1,97	5,79	5,51	3,95
133,5	38,1	15,0	96,7	100,9	43,8
47,8	69,5	72,1	52,5	41,9	48,6
33,0	58,1	43,6	63,0	36,8	33,0
0,333	0,631	0,791	0,477	0,379	0,627
0,08[b]	0,51[b]	1,06[b]	0,11[b]	0,03[b]	0,30[b]
73,3	34,3	11,6	40,5	37,7[i]	13,2
88,1	60,4	19,5	56,6	68,6[i]	16,5
5,4[b]	9,8[b]	13,1[b]	7,5[b]	7,6[b]	10,9[c]
2,1[b]	10,6[b]	17,2[b]	3,5[b]	1,2[b]	6,1[c]
4,5	117,1	146,0	4,7	7,3	37,3
33[m]	386[k]	55[m]	• •	• •	193[s]
7,35	180	• •	15	10,0	9
• •	7,8	• •	0,6	0,2	0,2
• •	13	• •	0,25	1	• •
14 400	135 742	15 978	7 159	27 013	15 144
4,8	3,0	4,6	5,0	8,0	4,0
5,4	1,8	3,5	5,5	7,7	3,5
1 154	4 503	12 966	2 402	1 389	7 101
20,7[g]	24,7	21,9	18,6[g]	25,3[g]	25,2[g]
5,0	1,0	5,6	12,1	7,2	2,4
9,7	5,8	1,0	0,4	97,5	24,4
3,0[k]	6,3[b]	4,7[b]	3,4[b]	2,4[k]	7,2[c]
1,9	3,9	0,3	1,0	1,7	2,8
3 316	17 672	2 294	2 297	4 651	1 136[D]
7,0[L]	20,5	7,6	24,9[O]	5,6	2,9[K]
2 042	19 417	3 160	1 357	2 490	2 450[b]
UE 21,1	UE 63,3	Asie[Q] 43,5	UE 48,8	AfS 40,4	AfS 86,0[e]
Fra 10,7	Fra 30,0	UE 33,9	Afr 8,1	UE 13,0	RFA 1,9[e]
Afr 41,4	Asie[Q] 20,8	Afr 14,1	Asie[Q] 17,8	Asie[Q] 16,0	R-U 1,2[e]
298	9 926	2 144	924	1 902	1 830[b]
Asie[Q] 67,1	UE 73,5	UE 69,0	UE 58,4	Afr 18,1	R-U 35,3[e]
UE 18,0	Fra 37,5	E-U 11,4	Asie[Q] 15,0	UE 66,4	AfS 30,9[e]
Afr 6,7	Asie[Q] 12,9	Afr 11,2	Afr 19,0	Asie[Q] 8,6	Esp 13,1[e]
– 9,2	0,9	– 3,5	– 35,5	– 11,6	5,7

I. 1998-2000 ; J. 1995-1997 ; K. 1999-2001 ; L. 2001-2003 ; M. 2000-2001 ; N. 1994-1996 ;
O. 1996-1998 ; P. 32,2 milliards selon DOTS, FMI mai 2006 ; Q. Y compris Japon, Moyen-Orient et Turquie.
Non compris les républiques asiatiques de l'ex-Union soviétique ; R. Y compris pays de la CEI (Communauté
d'Etats indépendants) ; S. 15 milliards selon DOTS, FMI mai 2006 ; T. Non compris Japon et Moyen-Orient ;
U. Estimation du FMI pour 2003.

INDICATEUR	UNITÉ	NIGER	NIGÉRIA	OUGANDA
Démographie[a]				
Population (2005)	(millier)	13 957	131 530	28 816
Densité (2005)	(hab./km²)	11,0	142,4	119,5
Croissance annuelle (2000-2005)	(%)	3,4	2,2	3,4
Indice de fécondité (ISF) (2000-2005)		7,91	5,85	7,10
Mortalité infantile (2000-2005)	(‰)	152,7	114,4	81,2
Espérance de vie (2000-2005)	(année)	44,3	43,3	46,8
Population urbaine[b]	(%)	22,7	47,5	12,4
Indicateurs socioculturels				
Développement humain (IDH)[c]		0,281	0,453	0,508
Nombre de médecins	(‰ hab.)	0,03[b]	0,28[c]	0,08[b]
Analphabétisme (hommes)	(%)	57,1	25,6[i]	23,2
Analphabétisme (femmes)	(%)	84,9	40,6[i]	42,3
Espérance de scolarisation	(année)	3,2[b]	8,6[b]	10,4[b]
Scolarisation 3e degré	(%)	0,8[b]	10,2[b]	3,4[b]
Accès à Internet[b]	(‰ hab.)	1,9	13,9	7,5
Livres publiés	(titre)	5[s]	1 314[r]	288[u]
Armées (effectifs)				
Armée de terre	(millier)	5,2	62	45
Marine	(millier)	• •	7	• •
Aviation	(millier)	0,1	9,5	• •
Économie				
PIB total (PPA)	(million $)	10 951	173 765	43 260
Croissance annuelle (1994-2004)	(%)	3,2	4,0	6,4
Croissance annuelle (2005)	(%)	7,0	6,9	5,6
PIB par habitant (PPA)	($)	872	1 188	1 617
Investissement (FBCF)[f]	(% PIB)	14,6[g]	12,4[g]	20,5[g]
Taux d'inflation	(%)	7,8	17,9	8,0
Énergie (taux de couverture)[c]	(%)	32,8	219,4	23,3
Dépense publique Éducation	(% PIB)	2,3[b]	0,6[r]	5,2[b]
Dépense publique Défense	(% PIB)	0,9	0,9	2,3
Dette extérieure totale[b]	(million $)	1 950	35 890	4 822
Service de la dette/Export[g]	(%)	7,6[L]	7,3	6,7
Échanges extérieurs				
Importations (douanes)	(million $)	796	24 086	1 895
Principaux fournisseurs	(%)	UE 38,6	UE 33,3	Kén 33,2
	(%)	Afr 25,5	Asie[Q] 29,3	UE 20,7
	(%)	Asie[Q] 19,8	E-U 7,4	Asie[Q] 29,4
Exportations (douanes)	(million $)	307	42 277	821
Principaux clients	(%)	Fra 46,3	E-U 49,2	UE 44,0
	(%)	Niga 19,5	Asie[Q] 8,3	Afr 30,0
	(%)	E-U 19,6	UE 20,4	Asie[Q] 12,2
Solde des transactions courantes	(% PIB)	− 6,1	12,6	− 1,2

Définition des indicateurs, sigles et abréviations p. 16 et suivantes. Chiffres 2005 sauf notes. a. Derniers recensements utilisés, p. 395 ; b. 2004 ; c. 2003 ; d. 2002 ; e. 2001 ; f. 2003-2005 ; g. 2002-2004 ; h. 1997 ; i. 2000-2004 ; k. 1999 ; m. 1998 ; o. 2002-2003 ; p. 2000 ; q. 670 en 1996 d'après l'UNESCO ; r. 1995 ; s. 1991 ; t. 1989 ; u. 1996 ; v. 1993 ; w. 1983 ; x. 1994 ; y. 1992 ; z. 1987 ; A. 1984 ; B. 1980 ; C. 1990 ; D. Selon la CIA ; E. Eurostat ; F. Selon la Banque mondiale ; G. 1990-2000 ; H. 2000-2002 ;

	LA RÉUNION	RWANDA	SÃO TOMÉ ET PRINCIPE	SÉNÉGAL	SEY-CHELLES	SIERRA LÉONE
	785	9 038	157	11 658	81	5 525
	312,7	343,1	163,5	59,3	180,0	77,0
	1,6	2,4	2,3	2,4	0,9	4,1
	2,49	5,70	4,06	5,05	1,81	6,50
	7,7	115,5	82,4	83,5	16,9	165,1
	75,5	43,6	62,9	55,6	71,0	40,6
	91,5[c]	20,1	37,9	50,3	50,1	39,5
	••	0,450	0,604	0,458	0,821	0,298
	2,29[c]	0,05[b]	0,49[b]	0,06[b]	1,51[b]	0,03[b]
	13,7[i]	28,6	41,9[c]	49,0	8,6	53,1
	9,8[i]	40,2	72,6[c]	70,8	7,7	75,6
	••	8,2[b]	9,8[d]	6,2[b]	13,7[d]	6,8[e]
	••	2,7[b]	1,0[d]	4,9[b]	••	2,1[d]
	260,8	4,5	122,0	46,6	246,9	1,9
	69[y]	207[z]	••	42[A]	••	16[A]
	••	40,0	••	11,9	0,2	13
	••	••	••	0,95	••	••
	••	1	••	0,77	••	••
	10 786[dE]	12 171	253	20 504	979	4 921
	3,6[G]	10,2	2,8	4,6	2,1	– 0,7
	••	5,0	3,8	6,2	– 2,3	7,2
	14 434[dE]	1 380	1 547	1 759	11 818	903
	17,5[u]	17,7[g]	29,9[g]	20,0[g]	16,4[g]	13,4[g]
	2,7[b]	9,2	16,2	1,8	1,0	12,5
	6,1	7,2	3,1	54,6	••	••
	14,8[v]	2,8[p]	3,6[e]	4,0[b]	5,4[b]	3,7[p]
	••	2,6	1,0[k]	1,2	1,8	2,2
	••	1 656	362	3 938	615	1 723
	••	12,2	25,3[H]	11,5[L]	12,1	13,6
	4 488[b]	432	850	3 800	687	345
	UE 74,4	Afr 39,3	R-U 92,5	UE 50,5	UE 42,7	UE 42,6
	Fra 58,7	UE 18,5	Por 3,8	Fra 28,1	Asie[Q] 31,6	Afr 20,4
	Asie[Q] 19,0	Asie[Q] 13,8	E-U 1,3	Afr 19,7	Afr 10,0	Asie[Q] 22,0
	310[b]	125	17	1 659	419	159
	Fra 66,6	Indo 63,9	P-B 64,3	UE 35,7	UE 75,6	Belg 64,2
	Afr 10,9	UE 8,4	Belg 10,1	Afr 34,9	Asie[Q] 12,7	RFA 14,2
	Asie[Q] 10,3	PNS 18,9	AmL 5,1	Asie[Q] 16,8	Afr 7,1	E-U 4,6
	••	– 3,9	– 33,1	– 7,9	– 14,6	– 8,5

I. 1998-2000 ; J. 1995-1997 ; K. 1999-2001 ; L. 2001-2003 ; M. 2000-2001 ; N. 1994-1996 ;
O. 1996-1998 ; P. 32,2 milliards selon DOTS, FMI mai 2006 ; Q. Y compris Japon, Moyen-Orient et Turquie.
Non compris les républiques asiatiques de l'ex-Union soviétique ; R. Y compris pays de la CEI (Communauté d'Etats indépendants) ; S. 15 milliards selon DOTS, FMI mai 2006 ; T. Non compris Japon et Moyen-Orient ;
U. Estimation du FMI pour 2003.

INDICATEUR	UNITÉ	SOMALIE	SOUDAN	SWAZILAND
Démographie[a]				
Population (2005)	(millier)	8 228	36 233	1 032
Densité (2005)	(hab./km²)	12,9	14,5	59,4
Croissance annuelle (2000-2005)	(%)	3,2	1,9	0,2
Indice de fécondité (ISF) (2000-2005)		6,43	4,45	3,95
Mortalité infantile (2000-2005)	(‰)	126,1	72,2	73,1
Espérance de vie (2000-2005)	(année)	46,2	56,3	32,9
Population urbaine[b]	(%)	35,4	39,9	23,7
Indicateurs socioculturels				
Développement humain (IDH)[c]		• •	0,512	0,498
Nombre de médecins	(‰ hab.)	0,04[h]	0,22[b]	0,16[b]
Analphabétisme (hommes)	(%)	50,3[e]	28,9	19,1
Analphabétisme (femmes)	(%)	74,4[e]	48,2	21,7
Espérance de scolarisation	(année)	• •	4,7[p]	9,4[c]
Scolarisation 3e degré	(%)	2,5[h]	6,1[p]	4,4[c]
Accès à Internet[b]	(‰ hab.)	1,3	33,0	33,2
Livres publiés	(titre)	• •	138[B]	• •
Armées (effectifs)				
Armée de terre	(millier)	• •	100,0	• •
Marine	(millier)	• •	1,8	• •
Aviation	(millier)	• •	3	• •
Économie				
PIB total (PPA)	(million $)	4 809[D]	84 755	5 716
Croissance annuelle (1994-2004)	(%)	• •	4,9	2,8
Croissance annuelle (2005)	(%)	2,4[D]	8,0	2,2
PIB par habitant (PPA)	($)	600[D]	2 396	5 245
Investissement (FBCF)[f]	(% PIB)	• •	18,8[g]	18,7[g]
Taux d'inflation	(%)	• •	8,5	4,8
Énergie (taux de couverture)[c]	(%)	• •	162,3	• •
Dépense publique Éducation	(% PIB)	• •	7,6[u]	6,2[b]
Dépense publique Défense	(% PIB)	4,0[d]	1,8	1,7[e]
Dette extérieure totale[b]	(million $)	2 849	19 332	470
Service de la dette/Export[g]	(%)	• •	5,9	1,5
Échanges extérieurs				
Importations (douanes)	(million $)	665	6 902	2 000[b]
Principaux fournisseurs	(%)	Afr 45,6	UE 25,3	AfS 94,5[e]
	(%)	Asie[Q] 28,3	Chin 20,6	HK 1,0[e]
	(%)	UE 2,4	M-O 19,7	Jap 0,9[e]
Exportations (douanes)	(million $)	220	5 090	1 820[b]
Principaux clients	(%)	Oman 61,7	Jap 32,7	AfS 78,0[e]
	(%)	Inde 3,6	Chin 46,7	E-U 4,0[e]
	(%)	Afr 4,1	M-O 9,9	Moz 1,5[e]
Solde des transactions courantes	(% PIB)	− 3,4[e]	− 10,7	− 1,4

Définition des indicateurs, sigles et abréviations p. 16 et suivantes. Chiffres 2005 sauf notes. a. Derniers recensements utilisables, p. 395 ; b. 2004 ; c. 2003 ; d. 2002 ; e. 2001 ; f. 2003-2005 ; g. 2002-2004 ; h. 1997 ; i. 2000-2004 ; k. 1999 ; m. 1998 ; o. 2002-2003 ; p. 2000 ; q. 670 en 1996 d'après l'UNESCO ; r. 1995 ; s. 1991 ; t. 1989 ; u. 1996 ; v. 1993 ; w. 1983 ; x. 1994 ; y. 1992 ; z. 1987 ; A. 1984 ; B. 1980 ; C. 1990 ; D. Selon la CIA ; E. Eurostat ; F. Selon la Banque mondiale ; G. 1990-2000 ; H. 2000-2002 ;

TANZANIE	TCHAD	TOGO	TUNISIE	ZAMBIE	ZIMBABWÉ
38 329	9 749	6 145	10 102	11 668	13 010
40,6	7,6	108,2	61,7	15,5	33,3
2,0	3,4	2,7	1,1	1,7	0,7
5,04	6,65	5,37	2,00	5,65	3,56
104,4	116,0	92,5	22,2	95,1	62,3
46,0	43,6	54,2	73,1	37,4	37,2
36,5	25,4	35,8	64,1	36,2	35,4
0,418	0,341	0,512	0,753	0,394	0,505
0,02[d]	0,04[b]	0,04[b]	1,34[b]	0,12[b]	0,16[b]
22,5	59,2	31,3	16,6	23,8	6,2[i]
37,8	87,2	61,5	34,7	40,2	13,7[i]
5,1[k]	5,2[e]	8,8[p]	13,3[c]	6,6[p]	9,1[c]
1,2[b]	0,8[e]	3,6[e]	26,2[c]	2,3[p]	3,7[c]
8,8	4,0	44,1	84,0	21,1	69,0
172[C]	• •	5[m]	1 260[k]	• •	123[v]
23	25	8,1	27	14	25
1	0,4	0,2	4,8	• •	• •
3	• •	0,25	3,5	1,6	4
27 123	13 723	9 369	83 673	10 792	30 581
5,1	7,2	2,5	4,8	3,0	– 2,2
6,9	5,6	0,8	4,2	5,1	– 6,5
723	1 519	1 675	8 255	931	2 607
18,8[g]	47,4[g]	20,3[g]	23,9[g]	23,7[g]	12,4[g]
4,6	7,9	6,8	2,0	18,3	237,8
93,4	• •	72,1	78,3	95,0	88,2
2,2[k]	2,0[k]	2,6[d]	6,4[d]	2,8[b]	4,7[p]
3,0[b]	1,1	1,8	1,5	0,7	3,1
7 800	1 701	1 812	18 700	7 279	4 798
5,5	• •	3,5[L]	13,5	19,1[l]	• •
2 659	479	593	13 177	2 092	3 102
Asie[Q] 43,3	UE 48,6	UE 32,9	UE 73,0	AfS 53,1	AfS 43,6
UE 19,6	E-U 12,3	Asie[Q] 52,6	Fra 24,7	Asie[Q] 17,8	UE 5,5
Afr 25,3	Afr 23,1	Afr 9,1	Asie[Q] 14,4	UE 11,4	AmL 35,2
1 481	1 751	359	10 494	1 845	2 159
Asie[Q] 35,4	UE 4,7	UE 19,4	UE 78,8	Asie[Q] 24,5	UE 20,2
UE 23,8	E-U 82,0	Asie[Q] 18,3	Fra 31,1	UE 12,2	Afr 43,6
Afr 19,0	Asie[Q] 12,7	Afr 54,9	Asie[Q] 9,7	Afr 47,8	Asie[Q] 22,9
– 2,6	2,2	– 11,6	– 1,3	– 10,2	– 11,1

I. 1998-2000 ; J. 1995-1997 ; K. 1999-2001 ; L. 2001-2003 ; M. 2000-2001 ; N. 1994-1996 ;
O. 1996-1998 ; P. 32,2 milliards selon DOTS, FMI mai 2006 ; Q. Y compris Japon, Moyen-Orient et Turquie.
Non compris les républiques asiatiques de l'ex-Union soviétique ; R. Y compris pays de la CEI (Communauté
d'Etats indépendants) ; S. 15 milliards selon DOTS, FMI mai 2006 ; T. Non compris Japon et Moyen-Orient ;
U. Estimation du FMI pour 2003.

INDICATEUR	UNITÉ	AFGHA-NISTAN	ARABIE SAOUDITE	BAHREÏN
Démographie[a]				
Population (2005)	(millier)	29 863	24 573	727
Densité (2005)	(hab./km²)	45,8	11,4	1 023,9
Croissance annuelle (2000-2005)	(%)	4,6	2,7	1,6
Indice de fécondité (ISF) (2000-2005)		7,48	4,09	2,47
Mortalité infantile (2000-2005)	(‰)	149,0	22,5	13,8
Espérance de vie (2000-2005)	(année)	46,0	71,6	74,2
Population urbaine[b]	(%)	23,8	88,0	90,1
Indicateurs socioculturels				
Développement humain (IDH)[c]		••	0,772	0,846
Nombre de médecins	(‰ hab.)	0,19[e]	1,37[b]	1,09[b]
Analphabétisme (hommes)	(%)	56,9	12,9	11,5
Analphabétisme (femmes)	(%)	87,4	30,7	16,4
Espérance de scolarisation	(année)	6,2[b]	9,9[b]	14,2[b]
Scolarisation 3e degré	(%)	1,1[b]	27,7[b]	34,4[b]
Accès à Internet[b]	(‰ hab.)	1,0	63,6	213,0
Livres publiés	(titre)	2 795[q]	3 780[p]	92[r]
Armées (effectifs)				
Armée de terre	(millier)	27,0	75	8,5
Marine	(millier)	••	15,5	1,2
Aviation	(millier)	••	18	1,5
Économie				
PIB total (PPA)	(million $)	31 868	351 996	15 838
Croissance annuelle (1994-2004)	(%)	11,8[g]	2,6	4,8
Croissance annuelle (2005)	(%)	13,8	6,5	6,9
PIB par habitant (PPA)	($)	1 310	15 229	19 799
Investissement (FBCF)[f]	(% PIB)	43,5	17,2	19,4[g]
Taux d'inflation	(%)	12,9	0,4	2,6
Énergie (taux de couverture)[c]	(%)	55,2	408,1	216,0
Dépense publique Éducation	(% PIB)	••	8,3[r]	3,2[e]
Dépense publique Défense	(% PIB)	14,5[r]	6,9	4,1
Dette extérieure totale[b]	(million $)	8 500[w]	34 550[Bw]	6 831[Bw]
Service de la dette/Export[g]	(%)	••	••	••
Échanges extérieurs				
Importations (douanes)	(million $)	2 579	55 810	6 870
Principaux fournisseurs	(%)	Asie[D] 50,3	UE 35,7	UE 22,5
	(%)	UE 17,7	Asie[D] 37,5	Asie[D] 63,6
	(%)	E-U 11,2	E-U 13,2	E-U 5,6
Exportations (douanes)	(million $)	242	154 497	16 227
Principaux clients	(%)	Inde 19,5	Asie[D] 59,6	Asie[D] 19,2
	(%)	Pak 22,0	UE 15,9	UE 3,7
	(%)	E-U 25,4	E-U 17,0	PNS 70,2
Solde des transactions courantes	(% PIB)	0,6	28,3	5,8

Définition des indicateurs, sigles et abréviations p. 16 et suivantes. Chiffres 2005 sauf notes. a. Derniers recensements utilisables, p. 395 ; b. 2004 ; c. 2003 ; d. 2002 ; e. 2001 ; f. 2003-2005 ; g. 2002-2004 ; h. 2006 ; i. Chiffre excluant la population des colonies juives ; k. Chiffre incluant la population des colonies juives des Territoires occupés et excluant les populations de Jérusalem-Est classées comme non juives ;

CISJOR-DANIE	CISJORDANIE ET GAZA	ÉMIRATS ARABES U.	GAZA	IRAK	IRAN
2 460[hi]	3 889[hi]	4 496	1 429[h]	28 807	69 515
419,9	625,2	53,8	3 968,8	65,7	42,2
3,1[h]	3,2	6,5	3,7[h]	2,8	0,9
4,28[h]	5,57	2,53	5,78[h]	4,83	2,12
19,2[h]	20,9	8,9	22,4[h]	94,3	33,7
73,3[h]	72,4	77,9	72,0	58,8	70,2
••	71,1[c]	85,3	••	67,1	67,3
••	0,729	0,849	••	••	0,736
••	0,84[e]	2,02[e]	••	0,66[b]	0,45[b]
3,7[c]	3,3	24,4[m]	3,7[c]	15,9	16,5
12,6[c]	12,0	19,3[m]	12,6[c]	35,8	29,6
••	13,4[b]	10,3[c]	••	9,6[b]	12,5[b]
••	37,9[b]	22,5[c]	••	15,4[b]	22,5[b]
••	43,4	318,5	••	1,4	78,8
••	2[r]	293[s]	••	••	14 783[t]
••	••	44	••	79,0	350
••	••	2,5	••	0,7	18
••	••	4	••	0,2	52
1 800[cw]	2 568	130 844	768[cw]	94 100[w]	554 775
••	− 2,8[x]	5,8	••	− 6,7[y]	4,6
6,2[bw]	••	8,0	4,5[cw]	− 3,0[w]	5,9
1 100[cw]	726[c]	27 957	600[cw]	3 400[w]	7 980
••	3,9[z]	22,2[g]	••	••	28,6[g]
4,4[b]	4,6[b]	6,0	2,5[b]	40,0	13,0
••	••	405,8	••	265,8	194,5
••	••	1,6[d]	••	••	4,8[b]
••	••	2,0	••	••	3,4[b]
••	108[pw]	30 210[Bw]	••	82 100[Bw]	13 622
••	••	••	••	••	18,1[C]
••	1 952[c]	97 432	••	12 575	43 920
Isr ••	Isr 75,0[c]	Asie[D] 48,1	Isr ••	UE 18,0	UE 41,6
Jord ••	Jord ••	UE 33,9	Egy ••	E-U 12,0	Asie[D] 39,4
•• ••	RFA ••	E-U 9,6	•• ••	Asie[D] 62,3	CEI 10,9
••	270[c]	89 336	••	17 766	53 976
Isr ••	Isr 90,0[c]	Asie[D] 67,6	Isr ••	E-U 49,4	Asie[D] 52,7
Jord ••	Jord ••	UE 11,6	Jord ••	UE 21,8	UE 24,4
•• ••	Egy ••	PNS 14,1	•• ••	Asie[D] 18,3	Afr 6,5
••	− 16,7[r]	22,0	••	••	7,5

m. 2000-2004 ; o. 1994 ; p. 1997 ; q. 1990 ; r. 1998 ; s. 1993 ; t. 1999 ; u. 1996 ; v. 1992 ;
w. Selon la CIA ; x. 1994-2003 ; y. 1999-2004, selon la Banque mondiale ; z. 2001-2003 ; A. 1995-1997 ;
B. 2005 ; C. 1998-2000 ; D. Y compris Japon, Moyen-Orient et Turquie. Non compris les républiques
asiatiques de l'ex-Union soviétique ; E. Non compris Japon et Moyen-Orient.

INDICATEUR	UNITÉ	ISRAËL	JORDANIE	KOWEÏT
Démographie[a]				
Population (2005)	(millier)	6 725[k]	5 703	2 687
Densité (2005)	(hab./km²)	303,7	63,9	150,8
Croissance annuelle (2000-2005)	(%)	2,0	2,7	3,7
Indice de fécondité (ISF) (2000-2005)		2,85	3,53	2,38
Mortalité infantile (2000-2005)	(‰)	5,1	23,3	10,3
Espérance de vie (2000-2005)	(année)	79,6	71,2	76,8
Population urbaine[b]	(%)	91,7	79,2	96,3
Indicateurs socioculturels				
Développement humain (IDH)[c]		0,915	0,753	0,844
Nombre de médecins	(‰ hab.)	3,82[c]	2,03[b]	1,53[e]
Analphabétisme (hommes)	(%)	1,5	4,9	5,6
Analphabétisme (femmes)	(%)	4,1	15,3	9,0
Espérance de scolarisation	(année)	15,6[c]	13,0[c]	12,5[b]
Scolarisation 3e degré	(%)	57,0[c]	35,0[c]	22,3[b]
Accès à Internet[b]	(‰ hab.)	466,3	106,9	235,0
Livres publiés	(titre)	1 969[r]	25[r]	219[t]
Armées (effectifs)				
Armée de terre	(millier)	125	85	11
Marine	(millier)	8,3	0,5	2
Aviation	(millier)	35	15	2,5
Économie				
PIB total (PPA)	(million $)	158 350	27 960	46 733
Croissance annuelle (1994-2004)	(%)	3,4	4,5	3,6
Croissance annuelle (2005)	(%)	5,2	7,2	8,5
PIB par habitant (PPA)	($)	23 416	4 825	16 301
Investissement (FBCF)[f]	(% PIB)	17,7	21,2[g]	15,3[g]
Taux d'inflation	(%)	1,3	3,5	3,9
Énergie (taux de couverture)[c]	(%)	3,6	5,2	526,6
Dépense publique Éducation	(% PIB)	7,5[d]	5,0[t]	8,2[b]
Dépense publique Défense	(% PIB)	9,3[b]	7,4	6,1
Dette extérieure totale[b]	(million $)	73 870[Bw]	8 175	14 930[Bw]
Service de la dette/Export[g]	(%)	••	10,8	••
Échanges extérieurs				
Importations (douanes)	(million $)	48 834	10 891	15 295
Principaux fournisseurs	(%)	UE 36,9	Asie[D] 56,0	Asie[D] 42,2
	(%)	E-U 17,9	UE 26,6	UE 35,6
	(%)	Asie[D] 20,2	E-U 6,3	E-U 14,2
Exportations (douanes)	(million $)	42 588	3 891	32 757
Principaux clients	(%)	E-U 36,7	Asie[D] 57,7	Asie[D] 74,5
	(%)	UE 27,7	E-U 29,5	UE 11,0
	(%)	Asie[D] 19,9	UE 5,3	E-U 12,8
Solde des transactions courantes	(% PIB)	1,9	− 17,8	43,3

Définition des indicateurs, sigles et abréviations p. 16 et suivantes. Chiffres 2005 sauf notes. a. Derniers recensements utilisables, p. 395 ; b. 2004 ; c. 2003 ; d. 2002 ; e. 2001 ; f. 2003-2005 ; g. 2002-2004 ; h. 2006 ; i. Chiffre excluant la population des colonies juives ; k. Chiffre incluant la population des colonies juives des Territoires occupés et excluant les populations de Jérusalem-Est classées comme non juives ;

LIBAN	OMAN	PAKISTAN	QATAR	SYRIE	YÉMEN
3 577	2 567	157 935	813	19 043	20 975
343,9	8,3	198,4	73,9	102,8	39,7
1,0	1,0	2,0	5,9	2,5	3,1
2,32	3,78	4,27	3,03	3,47	6,20
22,5	15,6	78,6	11,6	18,2	69,0
71,9	74,0	62,9	72,7	73,2	60,3
87,7	78,1	34,5	92,2	50,2	26,0
0,759	0,781	0,527	0,849	0,721	0,489
3,25[e]	1,32[b]	0,74[b]	2,22[e]	1,40[e]	0,33[b]
6,9[c]	13,2	37,0	10,9	14,0	30,5[m]
17,8[c]	26,5	64,0	11,4	26,4	71,5[m]
14,1[b]	11,5[b]	6,2[b]	12,7[b]	9,5[o]	8,8[b]
47,6[b]	12,9[b]	3,0[b]	18,3[b]	14,8[p]	9,4[b]
169,0	101,4	13,1	221,8	43,9	8,7
289[r]	12[t]	124[o]	209[u]	598[v]	• •
70,0	25	550	8,5	200	60
1,1	4,2	24	1,8	7,6	1,7
1	4,1	45	2,1	100	5
24 420	40 923	404 592	25 010	71 736	19 480
3,5	3,8	3,9	9,4	2,0	5,3
1,0	3,8	7,0	5,5	3,5	3,8
6 681	16 862	2 628	31 397	3 847	751
19,9[g]	15,6[g]	15,4	31,9[A]	21,6[g]	16,2[g]
0,3	1,9	9,1	3,0	7,2	11,8
4,2	478,9	80,1	435,5	190,1	384,3
2,6[b]	4,6[d]	2,0[b]	3,6[r]	4,1[e]	9,6[e]
2,4	9,8	4,1[b]	5,8	6,5	6,2
22 177	3 872	35 687	20 630[B]	21 521	5 488[w]
55,2[z]	10,6	18,4	• •	3,7	3,3
9 708	9 004	25 640	9 110	24 907	6 679
UE 43,0	Asie[D] 58,8	Asie[D] 65,9	UE 44,2	UE 16,5	Asie[D] 64,7
Asie[D] 37,0	UE 26,6	UE 19,1	Asie[D] 37,7	Asie[D] 55,2	UE 15,8
E-U 5,3	E-U 7,2	E-U 5,3	E-U 11,9	CEI 15,4	CEI 5,4
2 180	16 063	14 149	24 386	14 956	6 631
M-O 57,6	Asie[D] 91,4	Asie[D] 39,2	Asie[D] 82,4	UE 60,0	Chin 37,3
UE 11,3	Chin 23,4	UE 25,8	Jap 39,6	Asie[D] 21,9	Thaï 12,8
E-U 3,8	Cor 17,6	E-U 22,4	UE 5,9	E-U 9,5	M-O 8,8
– 12,7	7,0	– 2,4	45,6	– 5,5	2,6

m. 2000-2004 ; o. 1994 ; p. 1997 ; q. 1990 ; r. 1998 ; s. 1993 ; t. 1999 ; u. 1996 ; v. 1992 ;
w. Selon la CIA ; x. 1994-2003 ; y. 1999-2004, selon la Banque mondiale ; z. 2001-2003 ; A. 1995-1997 ;
B. 2005 ; C. 1998-2000 ; D. Y compris Japon, Moyen-Orient et Turquie. Non compris les républiques
asiatiques de l'ex-Union soviétique ; E. Non compris Japon et Moyen-Orient.

INDICATEUR	UNITÉ	BANGLA-DESH	BHOUTAN	BRUNÉI
Démographie[a]				
Population (2005)	(millier)	141 822	2 163	374
Densité (2005)	(hab./km²)	984,9	46,0	64,8
Croissance annuelle (2000-2005)	(%)	1,9	2,2	2,3
Indice de fécondité (ISF) (2000-2005)		3,25	4,40	2,50
Mortalité infantile (2000-2005)	(‰)	58,8	55,7	6,1
Espérance de vie (2000-2005)	(année)	62,6	62,7	76,3
Population urbaine[b]	(%)	24,6	8,8	76,9
Indicateurs socioculturels				
Développement humain (IDH)[c]		0,520	0,536	0,866
Nombre de médecins	(‰ hab.)	0,26[b]	0,05[b]	1,01[i]
Analphabétisme (hommes)	(%)	49,7[o]	38,9[i]	4,8
Analphabétisme (femmes)	(%)	68,6[o]	66,4[i]	9,8
Espérance de scolarisation	(année)	9,2[c]	• •	13,8[b]
Scolarisation 3e degré	(%)	6,5[c]	• •	14,7
Accès à Internet[b]	(‰ hab.)	2,2	25,6	153,0
Livres publiés	(titre)	• •	• •	38[s]
Armées (effectifs)				
Armée de terre	(millier)	110	• •	4,9
Marine	(millier)	9	• •	1
Aviation	(millier)	6,5	• •	1,1
Économie				
PIB total (PPA)	(million $)	305 640	3 007	9 009
Croissance annuelle (1994-2004)	(%)	5,3	7,2	1,9
Croissance annuelle (2005)	(%)	5,8	6,5	3,0
PIB par habitant (PPA)	($)	2 011	3 921	24 826
Investissement (FBCF)[f]	(% PIB)	23,6	59,2	• •
Taux d'inflation	(%)	7,0	5,2	1,0
Énergie (taux de couverture)[c]	(%)	80,9	147,8	791,6
Dépense publique Éducation	(% PIB)	2,3[b]	5,2[e]	4,4[s]
Dépense publique Défense	(% PIB)	1,3	5,6[i]	5,7
Dette extérieure totale[b]	(million $)	20 344	593	• •
Service de la dette/Export[g]	(%)	6,2	4,6[F]	• •
Échanges extérieurs				
Importations (douanes)	(million $)	14 291	325[b]	1 672
Principaux fournisseurs	(%)	Asie[l] 70,7	Inde • •	Sing 32,6
	(%)	Inde 14,7	Autres • •	Mal 24,8
	(%)	UE 8,9	• • • •	UE 11,4
Exportations (douanes)	(million $)	8 988	155[b]	4 967
Principaux clients	(%)	UE 47,3	Inde 94,5[s]	Asie[l] 74,1
	(%)	E-U 24,2	Autres 5,5[s]	Jap 41,8
	(%)	Asie[l] 9,2	• • • •	E-U 10,8
Solde des transactions courantes	(% PIB)	− 0,9	− 23,1	72,8

Définition des indicateurs, sigles et abréviations p. 16 et suivantes. Chiffres 2005 sauf notes. a. Derniers recensements utilisables, p. 395 ; b. 2004 ; c. 2003 ; d. 2002 ; e. 2001 ; f. 2003-2005 ; g. 2002-2004 ; h. 1995 ; i. 2000 ; k. 1996 ; m. Non compris médecins de médecine chinoise ; o. 2000-2004 ; p. 1990 ; q. 1970 ; r. Moyenne hommes-femmes 2001 ; s. 1998 ; t. 1997 ; u. 1999 ; v. 1992 ; w. 1993 ; x. Extrapolation faite par la CIA à partir des chiffres d'Angus Maddison estimés pour l'OCDE pour 1999 ; y. Selon la CIA ; z. 1973-1998,

	CAMBODGE	CHINE	CORÉE DU NORD	CORÉE DU SUD	HONG KONG (CHINE)	INDE
	14 071	1 315 844	22 488	47 817	7 041	1 103 371
	77,7	137,1	186,6	481,7	7 112,1	335,7
	2,0	0,7	0,6	0,4	1,2	1,6
	4,14	1,70	2,00	1,23	0,94	3,07
	94,8	34,7	45,7	3,8	3,8	67,6
	56,0	71,5	63,0	76,8	81,5	63,1
	19,2	39,6	61,4	80,5	100,0	28,5
	0,571	0,755	••	0,901	0,916	0,602
	0,16[i]	1,64[d]	3,29[c]	1,60[c]	1,32[h]	0,60[b]
	15,3	4,9	1,0[p]	0,7[c]	2,9[c]	26,6
	36,0	13,5	1,0[p]	3,0[c]	9,5[c]	52,2
	9,7[c]	10,8[c]	••	16,1[b]	14,3[b]	9,6[c]
	2,9[b]	15,4[c]	••	88,5[b]	32,1[b]	11,5[c]
	2,8	72,3	••	656,8	503,2	32,4
	••	110 283[k]	••	36 186[e]	••	57 386[t]
	75	1 600	950	560	••	1 100
	2,8	255	46	63	••	55
	1,5	400	110	64,7	••	170
	34 670	9 412 361	40 000[x]	994 399	233 374	3 633 441
	6,9	9,1	– 2,1[z]	4,9	3,5	6,2
	7,0	9,9	1,0[y]	4,0	7,3	8,3
	2 399	7 204	1 700[x]	20 590	33 411	3 344
	23,8	42,7	••	29,3	21,1	26,3
	5,8	1,8	••	2,7	1,1	4,2
	1,7	98,0	94,1	18,0	0,3	81,9
	2,0[b]	2,1[u]	••	4,2[d]	4,7[b]	4,1[i]
	2,2[b]	•• •[C]	25,0[D]	2,6	••	2,8
	3 377	248 934	12 000[ky]	188 400[Ey]	432 199	122 723
	0,9	6,4	••	10,5[F]	••	15,1[F]
	4 095	660 159	3 233	261 238	299 533	125 431
	Thaï 24,6	Asie[l] 58,2	Chin 36,9	Asie[l] 66,9	Asie[l] 83,7	Asie[l] 34,0
	C+HK 27,8	UE 11,1	AmL 11,1	E-U 11,3	Chin 45,0	UE 20,3
	Viet 11,3	E-U 7,4	CEI 8,8	UE 10,4	UE 7,6	E-U 6,3
	2 857	762 068	1 249	284 419	289 337	85 925
	Asie[l] 14,5	Asie[l] 47,6	Chin 36,1	Asie[l] 58,5	Chin 45,0	Asie[l] 47,4
	E-U 59,7	E-U 21,4	Jap 9,6	E-U 14,6	E-U 16,1	UE 21,8
	UE 20,6	UE 18,9	AmL 12,3	UE 13,6	UE 14,5	E-U 18,1
	– 3,9	7,1	••	2,1	10,7	– 2,5

selon Angus Maddison (OCDE) ; A. 1999-2004 ; B. 1995-1997 ; C. 1,9 % selon la Banque mondiale et 1,3 % selon The Military Balance ; D. Selon The Military Balance en 2004 ; E. 2005 ; F. 2001-2003 ; G. 1999-2001 ; H. 2000-2002 ; I. Y compris Japon, Moyen-Orient et Turquie. Non compris les républiques asiatiques de l'ex-Union soviétique ; J. Y compris Moyen-Orient, Turquie et républiques asiatiques de l'ex-Union soviétique.

INDICATEUR	UNITÉ	INDO-NÉSIE	JAPON	LAOS
Démographie[a]				
Population (2005)	(millier)	222 781	128 085	5 924
Densité (2005)	(hab./km²)	117,0	338,9	25,0
Croissance annuelle (2000-2005)	(%)	1,3	0,2	2,3
Indice de fécondité (ISF) (2000-2005)		2,37	1,33	4,83
Mortalité infantile (2000-2005)	(‰)	42,7	3,2	88,0
Espérance de vie (2000-2005)	(année)	66,5	81,9	54,5
Population urbaine[b]	(%)	46,7	65,6	21,2
Indicateurs socioculturels				
Développement humain (IDH)[c]		0,697	0,943	0,545
Nombre de médecins	(‰ hab.)	0,13[c]	2,00[d]	0,59[k]
Analphabétisme (hommes)	(%)	6,0	1,0[q]	23,0
Analphabétisme (femmes)	(%)	13,2	1,0[q]	39,1
Espérance de scolarisation	(année)	11,5[c]	14,8[c]	9,3[b]
Scolarisation 3e degré	(%)	16,2[c]	52,1[c]	5,9[b]
Accès à Internet[b]	(‰ hab.)	65,2	502,0	3,6
Livres publiés	(titre)	5 000[t]	67 522[i]	88[h]
Armées (effectifs)				
Armée de terre	(millier)	233	148,2	25,6
Marine	(millier)	45	44,4	••
Aviation	(millier)	24	45,6	3,5
Économie				
PIB total (PPA)	(million $)	977 419	3 910 728	12 547
Croissance annuelle (1994-2004)	(%)	3,0	1,1	6,2
Croissance annuelle (2005)	(%)	5,6	2,7	7,0
PIB par habitant (PPA)	($)	4 458	30 615	2 124
Investissement (FBCF)[f]	(% PIB)	21,0	23,7	21,5[g]
Taux d'inflation	(%)	10,5	− 0,3	7,2
Énergie (taux de couverture)[c]	(%)	154,7	16,4	79,3
Dépense publique Éducation	(% PIB)	1,1[d]	3,6[d]	2,4[b]
Dépense publique Défense	(% PIB)	0,9	1,0	2,1[e]
Dette extérieure totale[b]	(million $)	140 649	••	2 056
Service de la dette/Export[g]	(%)	24,1	••	8,2[G]
Échanges extérieurs				
Importations (douanes)	(million $)	38 936	514 922	1 283
Principaux fournisseurs	(%)	Asie[l] 70,2	Asie[l] 61,6	Thaï 66,0
	(%)	UE 10,0	E-U 12,7	Viet 7,0
	(%)	E-U 5,2	UE 11,4	Chin 9,0
Exportations (douanes)	(million $)	47 903	594 905	693
Principaux clients	(%)	Asie[l] 66,1	Asie[J] 51,9	UE 20,3
	(%)	E-U 12,7	E-U 22,9	Thaï 29,5
	(%)	UE 13,4	UE 14,6	Viet 12,5
Solde des transactions courantes	(% PIB)	1,1	3,6	− 16,4

Définition des indicateurs, sigles et abréviations p. 16 et suivantes. Chiffres 2005 sauf notes. a. Derniers recensements utilisables, p. 395; b. 2004; c. 2003; d. 2002; e. 2001; f. 2003-2005; g. 2002-2004; h. 1995; i. 2000; k. 1996; m. Non compris médecins de médecine chinoise; o. 2000-2004; p. 1990; q. 1970; r. Moyenne hommes-femmes 2001; s. 1998; t. 1997; u. 1999; v. 1992; w. 1993; x. Extrapolation faite par la CIA à partir des chiffres d'Angus Maddison estimés pour l'OCDE pour 1999; y. Selon la CIA; z. 1973-1998,

MALAISIE (FÉD. DE)	MALDIVES	MONGOLIE	MYANMAR (BIRMANIE)	NÉPAL	PHILIPPINES
25 347	329	2 646	50 519	27 133	83 054
76,9	1 096,7	1,7	74,7	184,4	276,8
2,0	2,5	1,2	1,1	2,1	1,8
2,93	4,33	2,45	2,46	3,71	3,22
10,1	42,6	58,2	74,7	64,4	28,1
73,0	66,3	63,9	60,1	61,4	70,2
64,4	29,3	56,9	30,0	15,4	61,8
0,796	0,745	0,679	0,578	0,526	0,758
0,70[i]	0,92[b]	2,63[d]	0,36[b]	0,21[b]	1,16[d]
8,0	3,8	2,0	6,1	37,3	7,5
14,7	3,6	2,5	13,6	65,1	7,3
12,3[d]	11,5[c]	11,6[b]	7,3[d]	8,9[c]	12,0[c]
28,8[d]	0,2[c]	38,9[b]	11,3[d]	5,6[b]	29,4[c]
386,2	57,9	76,0	1,2	4,8	53,2
5 084[u]	••	285[v]	227[u]	••	1 380[u]
80	••	7,5	350	69	66
15	••	••	13	••	24
15	••	0,8	12	••	16
290 683	2 569	5 561	93 766	39 136	414 705
5,1	7,6	4,1	8,9	4,0	4,1
5,3	– 3,6	6,2	5,0	2,7	5,1
11 201	7 675	2 175	1 691	1 675	4 923
20,8	29,6[g]	34,0	13,1[B]	21,5	16,2
3,0	5,7	12,5	17,7	9,1	7,6
148,0	••	80,5	134,2	89,1	53,4
8,1[d]	8,1[b]	7,5[b]	1,3[e]	3,4[c]	3,2[d]
1,9	9,5[i]	2,1[d]	1,9[e]	2,0	0,9
52 145	345	1 517	7 239	3 354	60 550
7,0[F]	4,2	13,0	3,9	5,9	21,2
114 411	744	1 149	3 616	1 937	46 964
Asie[I] 75,1	UE 11,7	Chin 26,6	Thaï 21,5	Asie[I] 87,0	Asie[I] 72,0
UE 10,4	Asie[I] 81,2	Rus 33,4	Chin 28,4	Inde 48,4	E-U 14,1
E-U 9,1	Sing 26,5	UE 11,3	Sing 18,1	UE 5,9	UE 8,5
140 870	103	1 054	3 648	652	39 879
Asie[I] 61,2	UE 25,4	Chin 54,4	Thaï 44,4	E-U 16,8	Asie[I] 66,9
E-U 19,5	Asie[I] 62,3	E-U 14,3	Inde 11,9	Inde 54,4	E-U 16,1
UE 11,9	Afr 7,9	UE 9,1	UE 8,9	UE 16,6	UE 13,9
15,6	– 36,5	4,5	4,8	5,5	3,0

selon Angus Maddison (OCDE) ; A. 1999-2004 ; B. 1995-1997 ; C. 1,9 % selon la Banque mondiale et 1,3 % selon The Military Balance ; D. Selon The Military Balance en 2004 ; E. 2005 ; F. 2001-2003 ; G. 1999-2001 ; H. 2000-2002 ; I. Y compris Japon, Moyen-Orient et Turquie. Non compris les républiques asiatiques de l'ex-Union soviétique ; J. Y compris Moyen-Orient, Turquie et républiques asiatiques de l'ex-Union soviétique.

INDICATEUR	UNITÉ	SINGAPOUR	SRI LANKA
Démographie[a]			
Population (2005)	(millier)	4 326	20 743
Densité (2005)	(hab./km²)	6 361,8	316,2
Croissance annuelle (2000-2005)	(%)	1,5	0,9
Indice de fécondité (ISF) (2000-2005)		1,35	1,97
Mortalité infantile (2000-2005)	(‰)	3,0	17,2
Espérance de vie (2000-2005)	(année)	78,6	73,9
Population urbaine[b]	(%)	100,0	21,1
Indicateurs socioculturels			
Développement humain (IDH) [c]		0,907	0,751
Nombre de médecins	(‰ hab.)	1,40[e]	0,55[b]
Analphabétisme (hommes)	(%)	3,4	7,7
Analphabétisme (femmes)	(%)	11,4	10,9
Espérance de scolarisation	(année)	• •	11,0[s]
Scolarisation 3e degré	(%)	43,8[t]	5,3[t]
Accès à Internet[b]	(‰ hab.)	561,2	14,4
Livres publiés	(titre)	3 000[h]	4 655[u]
Armées (effectifs)			
Armée de terre	(millier)	50	78
Marine	(millier)	9	15
Aviation	(millier)	13,5	18
Économie			
PIB total (PPA)	(million $)	123 441	86 004
Croissance annuelle (1994-2004)	(%)	5,3	4,4
Croissance annuelle (2005)	(%)	6,4	5,9
PIB par habitant (PPA)	($)	28 100	4 384
Investissement (FBCF)[f]	(% PIB)	23,2	24,6[f]
Taux d'inflation	(%)	0,5	10,6
Énergie (taux de couverture)[c]	(%)	0,6	52,9
Dépense publique Éducation	(% PIB)	3,7[e]	3,1[s]
Dépense publique Défense	(% PIB)	4,8	2,4
Dette extérieure totale[b]	(million $)	24 670[Ey]	10 887
Service de la dette/Export[g]	(%)	• •	8,6
Échanges extérieurs			
Importations (douanes)	(million $)	191 289	8 834
Principaux fournisseurs	(%)	Asie[l] 68,8	Asie[l] 72,8
	(%)	E-U 12,4	E-U 2,2
	(%)	UE 12,2	UE 17,4
Exportations (douanes)	(million $)	211 309	6 347
Principaux clients	(%)	Asie[l] 65,9	E-U 30,9
	(%)	E-U 11,5	UE 33,1
	(%)	UE 13,1	Asie[l] 25,5
Solde des transactions courantes	(% PIB)	28,5	– 2,4

Définition des indicateurs, sigles et abréviations p. 16 et suivantes. Chiffres 2005 sauf notes. a. Derniers recensements utilisables, p. 395 ; b. 2004 ; c. 2003 ; d. 2002 ; e. 2001 ; f. 2003-2005 ; g. 2002-2004 ; h. 1995 ; i. 2000 ; k. 1996 ; m. Non compris médecins de médecine chinoise ; o. 2000-2004 ; p. 1990 ; q. 1970 ; r. Moyenne hommes-femmes 2001 ; s. 1998 ; t. 1997 ; u. 1999 ; v. 1992 ; w. 1993 ; x. Extrapolation faite par la CIA à partir des chiffres d'Angus Maddison estimés pour l'OCDE pour 1999 ;

TAÏWAN	THAÏLANDE	TIMOR ORIENTAL	VIETNAM
22 715	64 233	947	84 238
627,7	125,2	63,7	254,0
0,4	0,9	5,4	1,4
1,29	1,93	7,79	2,32
4,9	19,6	93,7	29,9
76,7	69,7	55,1	70,4
74,7[h]	32,2	7,7	26,2
••	0,778	0,513	0,704
1,47[bm]	0,37[i]	0,10[b]	0,53[e]
1,5[i]	5,1	52,0[r]	6,1
6,7[i]	9,5	52,0[r]	13,1
••	12,6[b]	11,2[d]	10,5[c]
82,0	41,0[b]	10,2[d]	10,2[c]
538,1	112,5	••	71,2
38 953[d]	12 000[s]	••	5 581[w]
200	190	1,25	412
45	70,6	0,4	42
45	46	••	30
631 220	544 834	370[y]	251 609
4,6	3,2	3,7[A]	7,3
4,1	4,4	3,2	7,5
27 572	8 319	400[y]	3 025
19,4	26,3	31,8[g]	33,3
2,3	4,5	0,9	8,0
2,1	54,4	13 801,9	123,2
4,0	4,2[b]	••	4,4[d]
2,3	1,1	••	6,8
75 464	51 307	••	17 825
••	16,5	••	6,7[H]
182 571	118 191	••	36 476
Jap 25,2	Asie[l] 72,6	••••	Asie[l] 82,1
E-U 11,6	E-U 7,4	••••	C+HK 19,1
Chin 11,0	UE 9,1	••••	UE 6,6
197 779	110 110	••	31 625
Chin 22,0	Asie[l] 61,1	Indo 100,0	Asie[l] 44,3
HK 17,2	E-U 15,5	••••	UE 20,7
E-U 14,7	UE 13,5	••••	E-U 21,3
4,7	- 2,3	••	- 4,4

y. Selon la CIA ; z. 1973-1998, selon Angus Maddison (OCDE) ; A. 1999-2004 ; B. 1995-1997 ; C. 1,9 % selon la Banque mondiale et 1,3 % selon The Military Balance ; D. Selon The Military Balance en 2004 ; E. 2005 ; F. 2001-2003 ; G. 1999-2001 ; H. 2000-2002 ; I. Y compris Japon, Moyen-Orient et Turquie. Non compris les républiques asiatiques de l'ex-Union soviétique ; J. Y compris Moyen-Orient, Turquie et républiques asiatiques de l'ex-Union soviétique.

INDICATEUR	AUSTRALIE	FIDJI	NLLE-CALÉDONIE	NLLE-ZÉLANDE
Démographie[a]				
Population (2005) (*millier*)	20 155	848	237	4 028
Densité (2005) (*hab./km²*)	2,6	46,4	12,8	14,9
Croissance annuelle (2000-2005) (%)	1,1	0,9	1,9	1,1
Indice de fécondité (ISF) (2000-2005)	1,75	2,92	2,43	1,96
Mortalité infantile (2000-2005) (‰)	4,9	21,8	6,6	5,4
Espérance de vie (2000-2005) (*année*)	80,2	67,8	75,0	79,0
Population urbaine[b] (%)	92,3	52,5	61,5	85,9
Indicateurs socioculturels				
Développement humain (IDH)[c]	0,955	0,752	• •	0,933
Nombre de médecins (‰ *hab.*)	2,50[d]	0,34[h]	1,98[h]	2,20[c]
Espérance de scolarisation (*année*)	20,7[c]	13,4[b]	11,4[k]	19,1[c]
Scolarisation 3e degré (%)	74,0[c]	15,3[b]	4,9[o]	71,6[c]
Accès à Internet[b] (‰ *hab.*)	652,8	72,0	301,7	526,3
Livres publiés (*titre*)	9 755[i]	401[p]	• •	1 106[d]
Armées (effectifs)				
Armée de terre (*millier*)	26,0	3,2	• •	4,43
Marine (*millier*)	13,167	0,3	• •	1,98
Aviation (*millier*)	13,67	• •	• •	2,25
Économie				
PIB total (PPA) (*million $*)	630 139	5 447	3 158[cr]	101 685
Croissance annuelle (1994-2004) (%)	3,8	2,9	• •	3,3
Croissance annuelle (2005) (%)	2,5	2,1	• •	2,2
PIB par habitant (PPA) (*$*)	30 897	6 375	15 000[cr]	24 769
Investissement (FBCF)[f] (% *PIB*)	25,4	13,0[s]	• •	23,3
Recherche et Développement (% *PIB*)	1,7[d]	• •	• •	1,2[c]
Taux d'inflation (%)	2,7	3,7	• •	3,0
Taux de chômage (fin d'année) (%)	5,2	• •	• •	3,6
Énergie (consom./hab.)[c] (*TEP*)	5,668	0,466	2,667	4,333
Énergie (taux de couverture)[c] (%)	225,1	9,5	5,3	75,8
Dépense publique Éducation (% *PIB*)	4,9[d]	6,4[b]	0,6[t]	6,7[c]
Dépense publique Défense (% *PIB*)	1,9	1,4	• •	1,3
Solde administrat. publiques (% *PIB*)	1,5	• •	• •	5,3
Dette administrat. publiques (% *PIB*)	20,5	• •	• •	17,8
Dette extérieure totale[b] (*million $*)	• •	202	• •	• •
Échanges extérieurs				
Importations (douanes) (*million $*)	125 279	1 607	1 759	26 239
Principaux fournisseurs (%)	Asie[u] 54,3	A&NZ 42,7	Fra 40,1	Asie[u] 40,9
(%)	UE 22,9	Asie[u] 48,3	Sing 17,8	Aus 26,3
(%)	E-U 13,9	UE 4,1	Asie[u] 27,7	UE 17,0
Exportations (douanes) (*million $*)	105 835	924	1 140	21 729
Principaux clients (%)	Asie[u] 69,4	A&NZ 21,1	Asie[u] 53,6	Asie[u] 39,4
(%)	UE 10,2	E-U 18,7	UE 29,6	Aus 19,7
(%)	E-U 6,6	Asie[u] 32,1	Fra 13,8	UE 16,3
Solde transactions courantes (% *PIB*)	– 6,0	– 4,5	• •	– 8,8

Définition des indicateurs, sigles et abréviations p. 16 et suivantes. Chiffres 2005 sauf notes. a. Derniers recensements utilisables, p. 395 ; b. 2004 ; c. 2003 ; d. 2002 ; e. 2001 ; f. 2003-2005 ; g. 2002-2004 ; h. 1999 ; i. 2000 ; k. 1985 ; m. 1998 ; o. 1997 ; p. 1994 ; q. 1991 ; r. Selon la CIA ; s. 1999-2001 ; t. 1993 ; u. Y compris Japon, Moyen-Orient et Turquie. Non compris les républiques asiatiques de l'ex-Union soviétique.

	PAPOUASIE-NLLE-GUINÉE	SALOMON
	5 887	478
	12,7	16,5
	2,1	2,6
	4,10	4,33
	70,6	34,3
	55,1	62,2
	13,2	16,8
	0,523	0,594
	0,05^i	0,13^h
	5,7^m	8,0^c
	2,1^m	• •
	29,1	6,1
	122^q	• •
	2,5	• •
	0,2	• •
	0,4	• •
	14 363	911
	0,6	- 0,7
	3,0	5,2
	2 418	1 894
	17,9^g	28,7^g
	• •	• •
	6,0	7,3
	• •	• •
	0,160	0,125
	465,6	• •
	2,3^i	3,4^i
	0,5	• •
	• •	• •
	• •	• •
	2 149	176
	1 957	215
	A&NZ 58,2	Asie^u 65,3
	Asie^u 33,3	UE 3,7
	E-U 3,1	A&NZ 32,4
	5 126	223
	Asie^u 27,2	Chin 39,1
	Aus 27,0	Cor 15,6
	UE 8,4	UE 8,6
	4,2	- 7,9

Derniers recensements utilisables

Afrique. Afrique du Sud, 2001; Algérie, 1998; Angola, 1970; Bénin, 2002; Botswana, 2001; Burkina Faso, 1996; Burundi, 1990; Cameroun, 1987; Cap-Vert, 2000; Centrafrique, 1988; Comores, 2003; Congo (-Brazza), 1996; Congo (-Kinshasa), 1984; Côte-d'Ivoire, 1998; Djibouti, 1960; Égypte, 1996; Érythrée, 1984; Éthiopie, 1994; Gabon, 1993; Gambie, 2003; Ghana, 2000; Guinée, 1996; Guinée équatoriale, 1994; Guinée-Bissau, 1991; Kénya, 1999; Lésotho, 2001; Libéria, 1984; Libye, 1995; Madagascar, 1993; Malawi, 1998; Mali, 1998; Maroc, 1994; Maurice, 2000; Mauritanie, 2000; Mozambique, 1997; Namibie, 2001; Niger, 2001; Nigéria, 1991; Ouganda, 2002; Réunion, 1999; Rwanda, 2002; São Tomé et Principe, 1991; Sénégal, 2002; Seychelles, 2002; Sierra Léone, 2004; Somalie, 1987; Soudan, 1993; Swaziland, 1997; Tanzanie, 2002; Tchad, 1993; Togo, 1981; Tunisie, 1994; Zambie, 2000; Zimbabwé, 2002.

Proche et Moyen-Orient. Afghanistan, 1979; Arabie saoudite, 2004; Bahreïn, 2001; Cisjordanie et Gaza, 1997; Émirats arabes unis, 1995; Irak, 1997; Iran, 1996; Israël, 1995; Jordanie, 2004; Koweït, 1995; Liban, 1970; Oman, 2003; Pakistan, 1998; Qatar, 2004; Syrie, 2004; Yémen, 2004.

Asie. Bangladesh, 2001; Bhoutan, 1969; Brunéi, 2001; Cambodge, 1998; Chine, 2000; Corée du N., 1993; Corée du S., 2000; Hong Kong, 2001; Inde, 2001; Indonésie, 2000; Japon, 2000; Laos, 1995; Malaisie, 2000; Maldives, 2000; Mongolie, 2000; Myanmar (Birm.), 1983; Népal, 2001; Philippines, 2000; Singapour, 2000; Sri Lanka, 2001; Taïwan, 2000; Thaïlande, 2000; Timor oriental, 2004; Vietnam, 1999.

Pacifique sud. Australie, 2001; Fidji, 1996; Kiribati, 2000; Marshall, 1999; Micronésie (États féd.), 2000; Nauru, 2002; Nouvelle-Calédonie, 1996; Nouvelle-Zélande, 2001; Palau, 2000; Papouasie-Nlle-Guinée, 2000; Samoa, 2001; Salomon, 1999; Tonga, 1996; Tuvalu, 2002; Vanuatu, 1999.

Amérique du Nord. Canada, 2001; États-Unis, 2000; Mexique, 2000.

Amérique du Sud. Antigua et Barbuda, 2001; Argentine, 2001; Bahamas, 2000; Barbade, 2000; Bélize, 2000; Bolivie, 2001; Brésil, 2000; Cayman (îles), 1999; Chili, 2002; Colombie, 1993; Costa Rica, 2000; Cuba, 2002; Dominique, 2001; El Salvador, 1992; Équateur, 2001; Grenade, 2001; Guadeloupe, 1999; Guatémala, 2002; Guyana, 2002; Guyane française, 1999; Haïti, 2003; Honduras, 2001; Jamaïque, 2001; Martinique, 1999; Nicaragua, 1995; Panama, 2000; Paraguay, 2002; Pérou, 1993; Porto Rico, 2000; République dominicaine, 2002; Sainte-Lucie, 2001; St-Vincent et les Grenadines, 2001; Suriname, 2003; Trinidad et Tobago, 2000; Uruguay, 1996; Vénézuela, 2001.

Europe. Albanie, 2001; Allemagne, registre continu (RC); Andorre, RC; Autriche, 2001; Belgique, 2001; Bosnie-Herzégovine, 1991; Bulgarie, 2001; Chypre, 2001; Croatie, 2001; Danemark, 2001; Espagne, 2001; Estonie, 2000; Finlande, 2000; France, 1999; Grèce, 2001; Groenland, RC; Hongrie, 2001; Irlande, 2002; Islande, RC; Italie, 2001; Lettonie, 2000; Liechtenstein, 2000; Lituanie, 2001; Luxembourg, 2001; Macédoine, 2002; Malte, 1995; Monaco, 2000; Norvège, 2001; Pays-Bas, 2002; Pologne, 2002; Portugal, 2001; République tchèque, 2001; Roumanie, 2002; Royaume-Uni, 2001; Saint-Marin, RC; Serbie-Monténégro, 2002; Slovaquie, 2001; Slovénie, 2002; Suède, 1990; Suisse, 2000; Turquie, 2000.

Espace post-soviétique. Arménie, 2001; Azerbaïdjan, 1999; Biélorussie, 1999; Géorgie, 2002; Kazakhstan, 1999; Kirghizstan, 1999; Moldavie, 1989; Ouzbékistan, 1989; Russie, 2002; Tadjikistan, 2000; Turkménistan, 1995; Ukraine, 2001.

Pacifique sud

INDICATEUR	UNITÉ	KIRIBATI	MARSHALL	MICRONÉSIE (ÉTATS FÉD.)
Démographie[a]				
Population (2005)	(millier)	99	62	110
Densité (2005)	(hab./km²)	135,6	344,4	157,1
Croissance annuelle (2000-2005)	(%)	2,1	3,5	0,6
Indice de fécondité (ISF) (2000-2005)		4,32	6,49	4,35
Mortalité infantile (2000-2005)	(‰)	52,6	38,7	38,0
Espérance de vie (2000-2005)	(année)	60,5	66,2	67,5
Population urbaine[b]	(%)	48,7	66,6	29,7
Indicateurs socioculturels				
Développement humain (IDH)[c]		••	••	••
Nombre de médecins	(‰ hab.)	0,30[h]	0,47[i]	0,60[i]
Analphabétisme (hommes)	(%)	••	6,4[k]	9,0[o]
Analphabétisme (femmes)	(%)	••	6,3[k]	12,0[o]
Espérance de scolarisation	(année)	••	11,9[d]	••
Scolarisation 3e degré	(%)	••	17,0[d]	14,1[k]
Accès à Internet[b]	(‰ hab.)	23,5	35,1	108,1
Livres publiés	(titre)	••	••	••
Armées (effectifs)				
Armée de terre	(millier)	••	••	••
Marine	(millier)	••	••	••
Aviation	(millier)	••	••	••
Économie				
PIB total (PPA)	(million $)	221	115[et]	277[dt]
Croissance annuelle (1994-2004)	(%)	4,1	− 1,4	− 0,1
Croissance annuelle (2005)	(%)	0,3	••	1,0[dt]
PIB par habitant (PPA)	($)	2 358	2 300[et]	3 900[dt]
Investissement (FBCF)[f]	(% PIB)	••	••	••
Taux d'inflation	(%)	0,0	••	1,8[b]
Énergie (taux de couverture)[c]	(%)	••	••	••
Dépense publique Éducation	(% PIB)	16,0[d]	14,8[b]	7,0[e]
Dépense publique Défense	(% PIB)	••	••	••
Dette extérieure totale[b]	(million $)	30	90	60
Service de la dette/Export[g]	(%)	••	••	••
Échanges extérieurs				
Importations (douanes)	(million $)	78	80[b]	115[b]
Principaux fournisseurs	(%)	Asie[z] 55,6	E-U 68,0[c]	E-U 60,1[d]
	(%)	E-U 3,1	Jap 5,1[c]	Aus 7,3[d]
	(%)	A&NZ 38,1	A&NZ 17,4[c]	Jap 11,7[d]
Exportations (douanes)	(million $)	5	10[b]	20[b]
Principaux clients	(%)	UE 41,0	E-U 57,1[c]	Jap 18,7[d]
	(%)	Jap 11,8	•• ••	E-U 33,4[d]
	(%)	E-U 25,0	•• ••	•• ••
Solde des transactions courantes	(% PIB)	− 21,1	13,3[b]	− 11,6[b]

Définition des indicateurs, sigles et abréviations p. 16 et suivantes. Chiffres 2005 sauf notes. a. Derniers recensements utilisables, p. 395 ; b. 2004 ; c. 2003 ; d. 2002 ; e. 2001 ; f. 2003-2005 ; g. 2002-2004 ; h. 1998 ; i. 2000 ; k. 1999 ; m. 1997 ; o. 1980 ; p. 2000-2004 ; q. 1996 ; r. 1979 ; s. 2002-2003 ;

NAURU	PALAU	SAMOA	TONGA	TUVALU	VANUATU
14	20	185	102	10	211
700,0	43,5	65,1	136,0	333,3	17,3
2,2	0,7	0,8	0,4	0,5	2,0
3,50	2,47	4,42	3,54	3,07	4,15
10,5	16,2	25,7	21,0	22,0	34,3
61,6	69,2	70,0	72,1	66,8	68,4
100,0	68,5	22,4	33,8	55,2	23,3
••	••	0,776	0,810	••	0,659
••	1,11[h]	0,70[k]	0,34[e]	••	0,11[m]
••	7,0[o]	1,1[p]	1,2	45,0[q]	43,0[r]
••	10,0[o]	1,6[p]	1,0	45,0[q]	52,0[r]
••	14,9[e]	12,0[e]	13,5[e]	10,8[s]	10,3[b]
••	40,9[d]	7,5[e]	3,4[e]	••	5,0[b]
••	••	33,3	30,1	••	35,2
••	••	••	••	••	••
••	••	••	••	••	••
••	••	••	••	••	••
••	••	••	••	••	••
60[t]	174[et]	1 164	810	12[it]	726
••	2,9	3,7	2,1	••	2,1
••	1,0[et]	5,6	2,5	3,0[it]	3,0
5 000[t]	5 000[et]	6 344	7 935	1 100[it]	3 346
••	••	••	19,5[u]	50,7[v]	19,0[w]
••	••	7,8	11,2	••	1,0
••	2,4	5,6	••	••	••
••	10,1[d]	4,3[d]	4,8[b]	••	9,6[c]
••	••	••	••	••	••
33[dt]	19[c]	562	81	16	118
••	••	5,1[w]	2,5[x]	••	1,3[y]
19	94[c]	187	137	39	330
Aus 57,2	E-U[A] 60,3[b]	Asie[z] 60,6	A&NZ 45,5	Fidji 47,4[b]	Asie[z] 64,4
UE 10,5	Jap 8,8[b]	A&NZ 30,6	Asie[z] 39,0	A&NZ 14,2[b]	UE 10,1
Asie[z] 17,0	Taïw 5,2[b]	E-U 4,6	E-U 7,9	UE 13,6[b]	A&NZ 20,3
15	12[c]	12	25	1	236
Inde 15,5	••••	Aus 62,5	Jap 33,3	Asie[z] 21,4	Thaï 46,0
AfS 57,0	••••	Indo 5,3	E-U 26,2	UE 73,5	Mal 19,1
UE 8,8	••••	E-U 7,3	N-Z 11,0	Ita 54,1	UE 15,0
••	− 17,8[b]	14,1	− 2,2	••	− 7,1

t. Selon la CIA; u. 1999-2001; v. 1996-1998; w. 1997-1999; x. 2001-2002; y. 2001-2003; z. Y compris Japon, Moyen-Orient et Turquie. Non compris les républiques asiatiques de l'ex-Union soviétique; A. Y compris Guam.

INDICATEUR	CANADA	ÉTATS-UNIS	MEXIQUE
Démographie[a]			
Population (2005) (*millier*)	32 268	298 213	107 029
Densité (2005) (*hab./km²*)	3,2	31,0	54,7
Croissance annuelle (2000-2005)(*%*)	1,0	1,0	1,3
Indice de fécondité (ISF) (2000-2005)	1,51	2,04	2,40
Mortalité infantile (2000-2005)(‰)	5,1	6,9	20,5
Espérance de vie (2000-2005)(*année*)	79,9	77,3	74,9
Population urbaine[b] (*%*)	80,8	80,4	75,8
Indicateurs socioculturels			
Développement humain (IDH)[c]	0,949	0,944	0,814
Nombre de médecins (‰ *hab.*)	2,10[c]	2,30[d]	1,50[c]
Espérance de scolarisation (*année*)	15,9[d]	15,8[c]	12,5[c]
Scolarisation 3e degré (*%*)	57,2[d]	82,6[c]	22,5[c]
Accès à Internet[b] (‰ *hab.*)	623,6	630,0	133,8
Livres publiés (*titre*)	22 941[h]	64 711[i]	6 952[k]
Armées (effectifs)			
Armée de terre (*millier*)	33,0	502,0	144
Marine (*millier*)	12	376,75	37
Aviation (*millier*)	17	379,5	11,77
Économie			
PIB total (PPA) (*million $*)	1 104 701	12 277 583	1 072 563
Croissance annuelle (1994-2004) (*%*)	3,3	3,2	2,7
Croissance annuelle (2005)(*%*)	2,9	3,5	3,0
PIB par habitant (PPA) (*$*)	34 273	41 399	10 186
Investissement (FBCF)[f] (*% PIB*)	20,0	19,1	19,3
Recherche et Développement (*% PIB*)	1,9[b]	2,7[b]	0,4[d]
Taux d'inflation (*%*)	2,2	3,4	4,0
Taux de chômage (fin d'année) (*%*)	6,5	4,9	• •
Énergie (consom./hab.)[c] (*TEP*)	8,240	7,843	1,564
Énergie (taux de couverture)[c] (*%*)	147,8	71,5	151,6
Dépense publique Éducation (*% PIB*)	5,2[e]	5,7[d]	5,3[d]
Dépense publique Défense (*% PIB*)	1,0	3,4	0,4
Solde administrat. publiques (*% PIB*)	1,7	− 3,7	• •
Dette administrat. publiques (*% PIB*)	70,7[b]	65,0	• •
Dette extérieure totale[b] (*million $*)	• •	• •	138 689
Échanges extérieurs			
Importations (douanes) (*million $*)	394 643	1 732 350	222 137
Principaux fournisseurs (%)	E-U 57,5	Asie[m] 40,5	E-U 59,4
(%)	Asie[m] 18,0	Alena 26,8	Asie[m] 21,8
(%)	UE 11,8	UE 18,3	UE 10,6
Exportations (douanes) (*million $*)	359 399	907 158	196 171
Principaux clients (%)	E-U 84,1	Alena 36,7	E-U 79,9
(%)	UE 5,5	Asie[m] 29,1	AmL 6,7
(%)	Asie[m] 6,8	UE 20,6	UE 4,7
Solde des transactions courantes (% PIB)	2,2	− 6,4	− 0,7

Définition des indicateurs, sigles et abréviations p. 16 et suivantes. Chiffres 2005 sauf notes. a. Derniers recensements utilisables, p. 395 ; b. 2004 ; c. 2003 ; d. 2002 ; e. 2001 ; f. 2003-2005 ; g. 2002-2004 ; h. 1999 ; i. 1997 ; k. 1998 ; m. Y compris Japon, Moyen-Orient et Turquie. Non compris les républiques asiatiques de l'ex-Union soviétique.

INDICATEUR	ANTIGUA ET BARBUDA	ARGENTINE	BAHAMAS	BARBADE
Démographie[a]				
Population (2005) (millier)	81	38 747	323	270
Densité (2005) (hab./km²)	184,1	13,9	23,3	627,9
Croissance annuelle (2000-2005) (%)	1,3	1,0	1,4	0,3
Indice de fécondité (ISF) (2000-2005)	2,29	2,35	2,30	1,50
Mortalité infantile (2000-2005) (‰)	15,9	15,0	13,8	14,6
Espérance de vie (2000-2005) (année)	71,0	74,3	69,5	74,9
Population urbaine[b] (%)	38,1	90,3	89,7	52,3
Indicateurs socioculturels				
Développement humain (IDH)[c]	0,797	0,863	0,832	0,878
Nombre de médecins (‰ hab.)	0,17[h]	2,68[d]	1,05[i]	1,21[h]
Analphabétisme (hommes) (%)	10,0[p]	2,8	5,3[c]	0,3[q]
Analphabétisme (femmes) (%)	12,0[p]	2,8	3,5[c]	0,3[q]
Espérance de scolarisation (année)	• •	16,4[d]	11,9[u]	14,3[e]
Scolarisation 3e degré (%)	• •	61,1[d]	24,8[m]	37,7[e]
Accès à Internet[b] (‰ hab.)	259,7	161,0	293,4	553,5
Livres publiés (titre)	• •	13 148[e]	15[w]	77[x]
Armées (effectifs)				
Armée de terre (millier)	0,125	41,4	• •	0,5
Marine (millier)	0,045	17,5	0,86	0,11
Aviation (millier)	• •	12,5	• •	• •
Économie				
PIB total (PPA) (million $)	938	533 722	6 524	4 857
Croissance annuelle (1994-2004) (%)	3,2	1,1	3,3	2,3
Croissance annuelle (2005) (%)	3,0	9,2	3,4	4,2
PIB par habitant (PPA) ($)	11 523	14 109	20 076	17 610
Investissement (FBCF)[f] (% PIB)	28,6[H]	18,3	• •	17,2[H]
Taux d'inflation (%)	1,2	9,6	2,0	5,9
Énergie (taux de couverture)[c] (%)	• •	140,9	• •	28,1
Dépense publique Éducation (% PIB)	3,8[d]	4,0[d]	3,7[k]	7,3[b]
Dépense publique Défense (% PIB)	0,6	1,0	0,5	0,4
Dette extérieure totale[b] (million $)	231[hC]	169 247	336	703
Service de la dette/Export[g] (%)	• •	27,6	4,8	5,4
Échanges extérieurs				
Importations (douanes) (million $)	1 029	28 692	8 436	1 604
Principaux fournisseurs (%)	E-U 20,3	AmL 44,2	E-U 23,1	E-U 30,4
(%)	UE 30,2	UE 20,5	UE 25,7	AmL 36,7
(%)	Asie[M] 31,5	E-U 16,6	Asie[M] 25,5	UE 13,9
Exportations (douanes) (million $)	206	40 044	2 068	359
Principaux clients (%)	UE 80,9	AmL 39,5	UE 53,0	AmL 49,0
(%)	AmL 9,8	UE 18,2	E-U 31,9	UE 34,3
(%)	Asie[M] 5,4	Asie[M] 22,9	AmL 8,2	E-U 10,5
Solde transactions courantes (% PIB)	− 11,6	1,8	− 12,3	− 12,2

Définition des indicateurs, sigles et abréviations p. 16 et suivantes. Chiffres 2005 sauf notes. a. Derniers recensements utilisables, p. 395 ; b. 2004 ; c. 2003 ; d. 2002 ; e. 2001 ; f. 2003-2005 ; g. 2002-2004 ; h. 1999 ; i. 1998 ; k. 2000 ; m. 1997 ; o. 1995 ; p. 1960 ; q. 2000-2004 ; r. 1970 ; s. 1982 ; t. 1980 ; u. 1985 ; v. 2002-2003 ; w. 1991 ; x. 1990 ; y. 1996 ; z. 1988 ; A. 1993 ; B. 1994 ; C. Selon la CIA ; D. Eurostat ; E. Cepal ; F. 1990-2000 ; G. 1993-2003 ; H. 2000-2002 ; I. 1998-2000 ; J. 2001-2003 ; K. Selon The Military Balance en 2004 ; L. Non compris 15 à 20 milliards de dollars dus à la Russie ; M. Y compris Japon, Moyen-Orient et Turquie. Non compris les républiques asiatiques de l'ex-Union soviétique ; N. Non compris Guadeloupe, Réunion et Guyane française.

INDICATEUR	UNITÉ	BÉLIZE	BOLIVIE	BRÉSIL
Démographie[a]				
Population (2005)	(millier)	270	9 182	186 405
Densité (2005)	(hab./km²)	11,8	8,4	21,9
Croissance annuelle (2000-2005)	(%)	2,2	2,0	1,4
Indice de fécondité (ISF) (2000-2005)		3,20	3,96	2,35
Mortalité infantile (2000-2005)	(‰)	30,5	55,6	27,4
Espérance de vie (2000-2005)	(année)	71,9	63,9	70,3
Population urbaine[b]	(%)	48,5	63,9	83,6
Indicateurs socioculturels				
Développement humain (IDH)[c]		0,753	0,687	0,792
Nombre de médecins	(‰ hab.)	1,05[k]	1,22[e]	2,06[e]
Analphabétisme (hommes)	(%)	23,3[q]	6,9	11,6
Analphabétisme (femmes)	(%)	22,9[q]	19,4	11,2
Espérance de scolarisation	(année)	13,3[b]	14,3[b]	14,6[d]
Scolarisation 3e degré	(%)	2,6[b]	40,6[b]	20,1[d]
Accès à Internet[b]	(‰ hab.)	134,1	39,0	121,8
Livres publiés	(titre)	107[y]	447[z]	45 111[k]
Armées (effectifs)				
Armée de terre	(millier)	1,05	25	189
Marine	(millier)	• •	3,5	48,6
Aviation	(millier)	• •	3	65,31
Économie				
PIB total (PPA)	(million $)	2 098	25 684	1 576 728
Croissance annuelle (1994-2004)	(%)	5,4	3,2	2,4
Croissance annuelle (2005)	(%)	2,2	3,9	2,3
PIB par habitant (PPA)	($)	7 832	2 817	8 584
Investissement (FBCF)[f]	(% PIB)	20,0[g]	12,4	19,1
Taux d'inflation	(%)	3,5	5,4	6,9
Énergie (taux de couverture)[c]	(%)	3,3	173,6	88,6
Dépense publique Éducation	(% PIB)	5,1[b]	6,4[b]	4,2[e]
Dépense publique Défense	(% PIB)	1,5	1,5	1,7
Dette extérieure totale[b]	(million $)	959	6 096	222 026
Service de la dette/Export[g]	(%)	44,0	22,1	61,1
Échanges extérieurs				
Importations (douanes)	(million $)	798	2 343	77 576
Principaux fournisseurs	(%)	E-U 29,9	AmL 60,3	UE 25,4
	(%)	AmL 26,1	E-U 13,8	E-U 19,6
	(%)	UE 17,0	Asie^M 14,5	Asie^M 23,2
Exportations (douanes)	(million $)	309	2 671	118 308
Principaux clients	(%)	E-U 30,6	AmL 69,4	UE 23,3
	(%)	R-U 25,1	Asie^M 8,6	AmL 25,8
	(%)	AmL 14,5	E-U 11,6	Asie^M 21,8
Solde des transactions courantes	(% PIB)	− 13,1	2,6	1,8

Définition des indicateurs, sigles et abréviations p. 16 et suivantes. Chiffres 2005 sauf notes. a. Derniers recensements utilisables, p. 395 ; b. 2004 ; c. 2003 ; d. 2002 ; e. 2001 ; f. 2003-2005 ; g. 2002-2004 ; h. 1999 ; i. 1998 ; k. 2000 ; m. 1997 ; o. 1995 ; p. 1960 ; q. 2000-2004 ; r. 1970 ; s. 1982 ; t. 1980 ; u. 1985 ; v. 2002-2003 ; w. 1991 ; x. 1990 ; y. 1996 ; z. 1988 ; A. 1993 ; B. 1994 ; C. Selon la CIA ;

	CAYMAN	CHILI	COLOMBIE	COSTA RICA	CUBA	DOMINIQUE
	45	16 295	45 600	4 327	11 269	79
	173,1	21,5	40,0	84,7	101,7	105,3
	2,5	1,1	1,6	1,9	0,3	0,3
	2,03	2,00	2,62	2,28	1,61	2,01
	9,9	8,0	25,6	10,5	6,1	15,9
	79,2	77,9	72,2	78,1	77,2	73,9
	100,0	87,3	76,9	61,2	75,8	72,4
	••	0,854	0,785	0,838	0,817	0,783
	1,94[m]	1,09[c]	1,35[d]	1,32[k]	5,91[d]	0,50[m]
	2,0[r]	4,2	7,1	5,3	0,2	6,0[r]
	2,0[r]	4,4	7,3	4,9	0,2	6,0[r]
	12,8[e]	13,4[c]	11,5[b]	11,5[b]	14,4[b]	14,0[c]
	18,8[e]	43,2[c]	26,9[b]	19,0[c]	53,6[b]	••
	••	279,0	89,4	235,4	13,2	287,5
	••	2 836[d]	6 351[i]	1 464[i]	952[h]	20[x]
	••	47,7	178	••	38	••
	••	19,398	22	••	3	••
	••	11,0	7	••	8	••
	1 391[bC]	193 213	337 286	45 137	33 920[C]	468
	••	4,7	2,2	4,3	3,5[E]	0,8
	1,7[dC]	6,3	5,1	4,1	••	2,4
	32 300[bC]	11 937	7 565	10 434	3 000[C]	6 520
	••	21,3	17,3[g]	18,9	10,4[l]	15,4[J]
	••	3,1	5,0	13,6	4,2	1,6
	••	31,7	262,1	44,2	59,4	6,1
	••	4,1[c]	4,9[b]	5,0[b]	9,0[e]	5,0[h]
	••	3,9[b]	4,3[b]	0,5	4,0[K]	••
	70[yC]	44 058	37 732	5 700	12 000[L]	226
	••	28,6	39,0	8,6	••	10,0[H]
	457[h]	32 542	21 204	9 798	5 201	165
	E-U 76,7[c]	AmL 35,2	E-U 29,0	E-U 43,2	UE 32,7	E-U 22,4
	••••	Asie[M] 23,8	AmL 28,6	AmL 28,2	AmL 27,1	AmL 29,8
	••••	UE 15,6	Asie[M] 17,1	Asie[M] 14,0	Chin 13,4	Asie[M] 31,8
	1[h]	40 574	21 146	7 039	2 330	41
	E-U 34,6[y]	Asie[M] 35,4	E-U 39,4	E-U 30,3	UE 36,6	AmL 55,5
	T&T ••	UE 23,0	AmL 31,3	UE 32,5	AmL 17,2	R-U 25,9
	R-U ••	E-U 15,8	UE 17,9	Asie[M] 16,5	Can 20,0	Asie[M] 10,5
	••	− 0,4	− 1,7	− 4,8	− 3,2[k]	− 26,3

D. Eurostat ; E. Cepal ; F. 1990-2000 ; G. 1993-2003 ; H. 2000-2002 ; I. 1998-2000 ; J. 2001-2003 ;
K. Selon The Military Balance en 2004 ; L. Non compris 15 à 20 milliards de dollars dus à la Russie ;
M. Y compris Japon, Moyen-Orient et Turquie. Non compris les républiques asiatiques de l'ex-Union soviétique ;
N. Non compris Guadeloupe, Réunion et Guyane française.

INDICATEUR	UNITÉ	ÉQUATEUR	GRENADE	GUADE-LOUPE
Démographie[a]				
Population (2005)	(millier)	13 228	103	448
Densité (2005)	(hab./km²)	46,6	302,9	262,0
Croissance annuelle (2000-2005)	(%)	1,5	0,3	0,9
Indice de fécondité (ISF) (2000-2005)		2,82	2,50	2,06
Mortalité infantile (2000-2005)	(‰)	24,9	14,6	7,3
Espérance de vie (2000-2005)	(année)	74,2	64,5	78,3
Population urbaine[b]	(%)	62,3	41,5	99,7
Indicateurs socioculturels				
Développement humain (IDH)[c]		0,759	0,787	• •
Nombre de médecins	(‰ hab.)	1,48[k]	0,50[m]	1,94[e]
Analphabétisme (hommes)	(%)	7,7	2,0[r]	10,0[s]
Analphabétisme (femmes)	(%)	10,3	2,0[r]	10,0[s]
Espérance de scolarisation	(année)	11,5[i]	16,4[v]	• •
Scolarisation 3e degré	(%)	17,6[m]	• •	• •
Accès à Internet[b]	(‰ hab.)	47,3	169,0	178,3
Livres publiés	(titre)	1 050[h]	• •	• •
Armées (effectifs)				
Armée de terre	(millier)	37	• •	• •
Marine	(millier)	5,5	• •	• •
Aviation	(millier)	4	• •	• •
Économie				
PIB total (PPA)	(million $)	57 039	861	7 035[dD]
Croissance annuelle (1994-2004)	(%)	2,4	3,1	3,4[F]
Croissance annuelle (2005)	(%)	3,3	1,5	• •
PIB par habitant (PPA)	($)	4 316	8 198	16 107[dD]
Investissement (FBCF)[f]	(% PIB)	22,4[g]	34,7[J]	25,4[m]
Taux d'inflation	(%)	2,4	6,0	2,9[b]
Énergie (taux de couverture)[c]	(%)	259,4	• •	• •
Dépense publique Éducation	(% PIB)	1,0[e]	5,3[c]	14,6[A]
Dépense publique Défense	(% PIB)	1,8	• •	• •
Dette extérieure totale[b]	(million $)	16 868	433	• •
Service de la dette/Export[g]	(%)	31,0	10,1[H]	• •
Échanges extérieurs				
Importations (douanes)	(million $)	10 309	340	2 838
Principaux fournisseurs	(%)	AmL 43,9	E-U 26,6	Fra 60,0
	(%)	E-U 22,2	AmL 58,3	AmL 11,2
	(%)	Asie[M] 17,9	UE 14,9	Asie[M] 7,6
Exportations (douanes)	(million $)	9 866	49	238
Principaux clients	(%)	E-U 47,7	E-U 11,0	E-U 1,7
	(%)	AmL 28,0	AmL 55,7	Fra 58,1
	(%)	UE 15,8	UE 31,1	Mart 35,1
Solde des transactions courantes	(% PIB)	– 0,9	– 33,7	• •

Définition des indicateurs, sigles et abréviations p. 16 et suivantes. Chiffres 2005 sauf notes. a. Derniers recensements utilisables, p. 395 ; b. 2004 ; c. 2003 ; d. 2002 ; e. 2001 ; f. 2003-2005 ; g. 2002-2004 ; h. 1999 ; i. 1998 ; k. 2000 ; m. 1997 ; o. 1995 ; p. 1960 ; q. 2000-2004 ; r. 1970 ; s. 1982 ; t. 1980 ; u. 1985 ; v. 2002-2003 ; w. 1991 ; x. 1990 ; y. 1996 ; z. 1988 ; A. 1993 ; B. 1994 ; C. Selon la CIA ;

	GUATÉMALA	GUYANA	GUYANE FRANÇAISE	HAÏTI	HONDURAS	JAMAÏQUE
	12 599	751	187	8 528	7 205	2 651
	115,7	3,5	2,1	307,3	64,3	241,2
	2,4	0,2	2,6	1,4	2,3	0,5
	4,60	2,29	3,41	3,98	3,72	2,44
	38,9	49,1	14,1	61,6	31,9	14,9
	67,1	62,8	75,2	51,5	67,6	70,7
	46,8	38,0	75,4	38,1	46,0	52,2
	0,663	0,720	••	0,475	0,667	0,738
	0,90[h]	0,48[k]	1,49[e]	0,25[i]	0,57[k]	0,85[c]
	24,6	0,9[c]	1,1[k]	46,2[q]	20,2	25,9
	36,7	1,5[c]	1,9[k]	50,0[q]	19,8	14,1
	9,3[c]	12,5[c]	••	12,0[i]	8,7[w]	11,5[c]
	9,5[d]	9,1[b]	••	1,2[m]	16,4[b]	19,0[c]
	59,7	189,0	207,7	60,9	31,8	398,7
	••	25[m]	••	340[o]	26[h]	••
	27,0	0,9	••	••	8,3	2,5
	1,5	0,1	••	••	1,4	0,19
	0,7	0,1	••	••	2,3	0,14
	57 000	3 489	2 415[dD]	14 917	21 740	11 657
	3,4	2,3	2,5[F]	1,7	3,3	0,7
	3,2	− 2,8	••	1,5	4,2	0,7
	4 155	4 612	13 764[dD]	1 783	3 009	4 293
	15,1[g]	21,5[g]	21,8[m]	28,5	24,2	30,5[g]
	9,1	7,1	••	16,8	8,8	16,5
	75,0	0,2	••	74,8	46,1	11,5
	1,7[e]	5,5[b]	10,7[A]	0,1[e]	4,0[i]	5,3[c]
	0,3	0,8[b]	••	1,0[d]	0,6	0,5
	5 532	1 331	••	1 225	6 332	6 399
	7,3	7,4	••	3,0[J]	10,5	16,6
	8 810	736	933	1 454	6 552	4 460
	E-U 31,6	AmL 39,8	UE 52,7	E-U 49,4	E-U 54,5	E-U 39,6
	AmL 34,1	E-U 26,1	Fra 42,3	AmL 28,5	AmL 28,0	AmL 31,0
	UE 7,9	Asie[M] 11,6	AmL 16,9	Asie[M] 10,9	UE 7,9	UE 12,1
	3 477	647	118	470	4 733	1 500
	E-U 48,3	E-U&Can 37,3	Fra 64,1	E-U 81,4	E-U 75,3	E-U&Can 33,3
	AmL 34,2	UE 31,2	Sui 11,1	UE 3,5	AmL 10,9	UE 39,1
	Asie[M] 8,4	AmL 21,9	AmL 10,5	AmL 8,9	UE 9,6	AmL 8,2
	− 4,5	− 24,2	••	0,4	− 0,5	− 8,2

D. Eurostat ; E. Cepal ; F. 1990-2000 ; G. 1993-2003 ; H. 2000-2002 ; I. 1998-2000 ; J. 2001-2003 ;
K. Selon The Military Balance en 2004 ; L. Non compris 15 à 20 milliards de dollars dus à la Russie ;
M. Y compris Japon, Moyen-Orient et Turquie. Non compris les républiques asiatiques de l'ex-Union soviétique ;
N. Non compris Guadeloupe, Réunion et Guyane française.

INDICATEUR	MARTINIQUE	NICA-RAGUA	PANAMA	PARAGUAY
Démographie[a]				
Population (2005) (*millier*)	396	5 487	3 232	6 158
Densité (2005) (*hab./km²*)	360,0	42,2	42,8	15,1
Croissance annuelle (2000-2005) (%)	0,5	2,0	1,8	2,4
Indice de fécondité (ISF) (2000-2005)	1,98	3,30	2,70	3,87
Mortalité infantile (2000-2005) (‰)	7,1	30,1	20,6	37,0
Espérance de vie (2000-2005) (*année*)	78,7	69,5	74,7	70,9
Population urbaine[b] (%)	95,7	57,7	57,5	57,9
Indicateurs socioculturels				
Développement humain (IDH)[c]	• •	0,690	0,804	0,755
Nombre de médecins (‰ hab.)	2,05[e]	0,37[c]	1,50[k]	1,11[d]
Analphabétisme (hommes) (%)	2,8[q]	23,2	7,5	6,9[q]
Analphabétisme (femmes) (%)	2,0[q]	23,4	8,8	9,8[q]
Espérance de scolarisation (*année*)	• •	10,9[c]	13,4[b]	12,1[d]
Scolarisation 3e degré (%)	• •	17,9[c]	45,8[b]	25,9[d]
Accès à Internet[b] (‰ hab.)	270,9	22,0	94,6	24,9
Livres publiés (*titre*)	• •	• •	• •	152[A]
Armées (effectifs)				
Armée de terre (*millier*)	• •	12	• •	7,6
Marine (*millier*)	• •	0,8	• •	1,6
Aviation (*millier*)	• •	1,2	• •	1,1
Économie				
PIB total (PPA) (*million $*)	7 013[dD]	20 996	23 495	28 342
Croissance annuelle (1994-2004) (%)	2,3[G]	4,2	4,4	1,4
Croissance annuelle (2005) (%)	• •	4,0	5,5	3,0
PIB par habitant (PPA) (*$*)	18 006[dD]	3 636	7 283	4 555
Investissement (FBCF)[f] (% *PIB*)	21,1[m]	25,1[g]	15,9[g]	19,2[g]
Taux d'inflation (%)	• •	9,6	2,9	6,8
Énergie (taux de couverture)[c] (%)	• •	58,2	26,4	166,0
Dépense publique Éducation (% *PIB*)	12,4[A]	3,1[c]	3,9[b]	4,4[d]
Dépense publique Défense (% *PIB*)	• •	0,7	1,0	0,8
Dette extérieure totale[b] (*million $*)	• •	5 145	9 469	3 433
Service de la dette/Export[g] (%)	• •	8,8	15,0	12,2
Échanges extérieurs				
Importations (douanes) (*million $*)	2 886	2 595	20 964	3 767
Principaux fournisseurs (%)	UE 85,3	AmL 47,0	E-U 11,4	AmL 53,5
(%)	Fra 59,1	E-U 20,4	AmL 8,6	E-U 20,2
(%)	AmL 6,2	Asie[M] 32,3	Asie[M] 67,1	Asie[M] 17,2
Exportations (douanes) (*million $*)	518	858	1 737	1 688
Principaux clients (%)	UE 38,2	E-U 64,3	UE 50,1	AmL 83,0
(%)	Fra[N] 35,5	UE 6,0	AmL 12,6	Urug 27,3
(%)	Guad 46,0	AmL 22,7	E-U 18,3	UE 12,5
Solde transactions courantes (% *PIB*)	• •	– 16,9	– 5,4	– 2,7

Définition des indicateurs, sigles et abréviations p. 16 et suivantes. Chiffres 2005 sauf notes. a. Derniers recensements utilisables, p. 395 ; b. 2004 ; c. 2003 ; d. 2002 ; e. 2001 ; f. 2003-2005 ; g. 2002-2004 ; h. 1999 ; i. 1998 ; k. 2000 ; m. 1997 ; o. 1995 ; p. 1960 ; q. 2000-2004 ; r. 1970 ; s. 1982 ; t. 1980 ; u. 1985 ; v. 2002-2003 ; w. 1991 ; x. 1990 ; y. 1996 ; z. 1988 ; A. 1993 ; B. 1994 ; C. Selon la CIA ;

PÉROU	PORTO RICO	RÉPUBLIQUE DOMINICAINE	SAINTE-LUCIE	ST-VINCENT ET GREN.	EL SALVADOR
27 968	3 955	8 895	161	119	6 881
21,8	441,9	182,5	259,7	305,1	327,0
1,5	0,6	1,5	0,8	0,5	1,8
2,86	1,92	2,73	2,24	2,27	2,88
33,4	9,9	34,6	14,9	25,6	26,4
69,8	76,0	67,1	72,3	71,0	70,7
74,2	96,9	59,7	30,9	59,3	59,8
0,762	• •	0,749	0,772	0,755	0,722
1,17[h]	1,75[o]	1,88[k]	5,17[h]	0,87[m]	1,24[d]
6,5	6,1[q]	13,2	35,0[t]	4,0[r]	17,6[q]
17,9	5,6[q]	12,8	31,0[t]	4,0[r]	22,9[q]
13,8[d]	• •	12,5[b]	12,5[b]	11,6[c]	11,4[b]
31,5[e]	41,4[m]	33,0[b]	14,4[b]	• •	17,7[b]
116,1	221,2	91,0	366,7	66,1	88,8
1 942[i]	• •	1 013[m]	63[B]	• •	663[i]
40	• •	15	• •	• •	13,85
25	• •	4	• •	• •	0,7
15	• •	5,5	• •	• •	0,95
167 212	68 950[b]	65 042	1 062	799	31 078
3,5	3,7[G]	5,1	1,6	3,4	2,9
6,7	• •	9,0	5,1	4,9	2,8
5 983	17 700[b]	7 203	5 950	7 493	4 511
18,0	• •	23,2[g]	26,0[J]	34,0[g]	16,2[g]
1,6	6,5[c]	4,2	3,0	2,6	4,0
78,7	0,2[e]	19,4	• •	4,4	53,3
3,0[d]	8,3[c]	1,1[b]	5,0[b]	11,1[b]	2,8[b]
1,4	• •	0,6	• •	• •	0,6
31 296	• •	6 965	413	257	7 250
23,7	• •	7,0	7,8[H]	7,5[H]	8,4
13 222	35 945[c]	11 539	621	464	5 380
E-U 18,2	E-U 47,2[c]	E-U 44,9	E-U 23,8	UE 57,1	E-U 32,6
AmL 41,8	Irl • •	UE 9,7	AmL 33,1	Asie[M] 20,2	AmL 45,1
Asie[M] 20,4	Jap • •	AmL 33,3	UE 35,3	AmL 13,6	Asie[M] 11,0
17 206	55 814[c]	5 444	167	340	1 658
E-U 31,1	E-U 84,0[c]	E-U 78,8	UE 40,2	UE 87,7	E-U 54,3
UE 17,2	RD • •	UE 10,1	E-U 18,3	AmL 7,7	AmL 33,2
Asie[M] 19,1	Jap • •	Asie[M] 4,6	AmL 23,5	E-U 4,2	UE 7,8
1,3	• •	– 1,0	– 16,7	– 27,6	– 4,0

D. Eurostat; E. Cepal; F. 1990-2000; G. 1993-2003; H. 2000-2002; I. 1998-2000; J. 2001-2003;
K. Selon The Military Balance en 2004; L. Non compris 15 à 20 milliards de dollars dus à la Russie;
M. Y compris Japon, Moyen-Orient et Turquie. Non compris les républiques asiatiques de l'ex-Union soviétique;
N. Non compris Guadeloupe, Réunion et Guyane française.

INDICATEUR	SURI-NAME	TRINIDAD ET TOBAGO	URUGUAY	VÉNÉ-ZUELA
Démographie[a]				
Population (2005) (*millier*)	449	1 305	3 463	26 749
Densité (2005) (*hab./km²*)	2,8	254,4	19,7	29,3
Croissance annuelle (2000-2005) (%)	0,7	0,3	0,7	1,8
Indice de fécondité (ISF) (2000-2005)	2,60	1,61	2,30	2,72
Mortalité infantile (2000-2005) (‰)	25,6	13,7	13,1	17,5
Espérance de vie (2000-2005) (*année*)	69,0	69,9	75,3	72,8
Population urbaine[b] (%)	76,6	75,8	92,8	87,9
Indicateurs socioculturels				
Développement humain (IDH)[c]	0,755	0,801	0,840	0,772
Nombre de médecins (‰ hab.)	0,45[k]	0,79[m]	3,65[d]	1,94[e]
Analphabétisme (hommes) (%)	8,0	1,0[q]	2,7[q]	6,7
Analphabétisme (femmes) (%)	12,8	2,1[q]	1,9[q]	7,3
Espérance de scolarisation (*année*)	12,2[d]	12,3[b]	14,9[d]	11,7[c]
Scolarisation 3e degré (%)	12,4[d]	11,9[b]	37,8[d]	39,3[c]
Accès à Internet[b] (‰ hab.)	68,3	122,4	209,8	88,4
Livres publiés (*titre*)	47[y]	26[A]	674[h]	3 851[m]
Armées (effectifs)				
Armée de terre (*millier*)	1,4	2	15,2	34
Marine (*millier*)	0,24	0,7	5,7	18,3
Aviation (*millier*)	0,2	• •	3,1	7
Économie				
PIB total (PPA) (*million $*)	2 898	18 352	34 305	163 503
Croissance annuelle (1994-2004) (%)	2,9	7,3	0,8	1,0
Croissance annuelle (2005) (%)	5,1	7,0	6,0	9,3
PIB par habitant (PPA) (*$*)	5 683	14 258	10 028	6 186
Investissement (FBCF)[f] (% PIB)	22,7[H]	18,7[g]	11,2	18,4[g]
Taux d'inflation (%)	9,9	6,9	5,9	15,9
Énergie (taux de couverture)[c] (%)	99,9	259,9	46,1	331,2
Dépense publique Éducation (% PIB)	3,6[A]	4,3[d]	2,6[d]	5,0[B]
Dépense publique Défense (% PIB)	0,6	0,2	1,0	1,2[b]
Dette extérieure totale[b] (*million $*)	321[dC]	2 926	12 376	35 570
Service de la dette/Export[g] (%)	• •	4,6[J]	33,7	23,7
Échanges extérieurs				
Importations (douanes) (*million $*)	928	5 604	4 662	24 353
Principaux fournisseurs (%)	E-U 28,9	E-U 28,3	AmL 55,6	E-U 28,9
(%)	UE 28,9	AmL 33,9	UE 14,0	AmL 28,1
(%)	AmL 22,4	UE 14,5	Asie[M] 12,5	UE 15,6
Exportations (douanes) (*million $*)	959	10 875	3 663	58 132
Principaux clients (%)	UE 22,0	E-U 69,7	AmL 36,2	E-U 55,2
(%)	E-U&Can 32,6	AmL 21,9	UE 19,5	AmL 18,5
(%)	Nor 24,8	UE 4,8	E-U 19,5	UE 7,0
Solde transactions courantes (% PIB)	– 15,8	16,6	– 2,4	19,1

Définition des indicateurs, sigles et abréviations p. 16 et suivantes. Chiffres 2005 sauf notes. a. Derniers recensements utilisables, p. 395 ; b. 2004 ; c. 2003 ; d. 2002 ; e. 2001 ; f. 2003-2005 ; g. 2002-2004 ; h. 1999 ; i. 1998 ; k. 2000 ; m. 1997 ; o. 1995 ; p. 1960 ; q. 2000-2004 ; r. 1970 ; s. 1982 ; t. 1980 ; u. 1985 ; v. 2002-2003 ; w. 1991 ; x. 1990 ; y. 1996 ; z. 1988 ; A. 1993 ; B. 1994 ; C. Selon la CIA ; D. Eurostat ; E. Cepal ; F. 1990-2000 ; G. 1993-2003 ; H. 2000-2002 ; I. 1998-2000 ; J. 2001-2003 ; K. Selon The Military Balance en 2004 ; L. Non compris 15 à 20 milliards de dollars dus à la Russie ; M. Y compris Japon, Moyen-Orient et Turquie. Non compris les républiques asiatiques de l'ex-Union soviétique ; N. Non compris Guadeloupe, Réunion et Guyane française.

INDICATEUR	ALLE-MAGNE	ANDORRE	AUTRICHE	BELGIQUE
Démographie[a]				
Population (2005) (*millier*)	82 689	67	8 189	10 419
Densité (2005) (*hab./km²*)	231,6	139,6	97,7	314,6
Croissance annuelle (2000-2005) (*%*)	0,1	0,4	0,2	0,2
Indice de fécondité (ISF) (2000-2005)	1,32	1,26	1,39	1,66
Mortalité infantile (2000-2005) (‰)	4,5	4,1	4,6	4,2
Espérance de vie (2000-2005) (*année*)	78,6	83,5	78,9	78,8
Population urbaine[b] (*%*)	88,3	91,5	65,8	97,2
Indicateurs socioculturels				
Développement humain (IDH)[c]	0,930	• •	0,936	0,945
Nombre de médecins (‰ *hab.*)	3,40[c]	3,70[c]	3,40[c]	3,90[d]
Espérance de scolarisation (*année*)	15,8[c]	11,3[b]	15,0[c]	19,1[c]
Scolarisation 3e degré (*%*)	50,1[c]	9,4[b]	48,7[c]	60,7[c]
Accès à Internet[b] (‰ *hab.*)	426,7	164,2	475,2	406,2
Livres publiés (*titre*)	89 986[e]	173[m]	8 056[o]	11 087[e]
Armées (effectifs)				
Armée de terre (*millier*)	191,4	• •	33,2	24,8
Marine (*millier*)	25,65	• •	• •	2,45
Aviation (*millier*)	67,5	• •	6,7	6,35
Économie				
PIB total (PPA) (*million $*)	2 521 699	1 840[bq]	275 020	325 187
Croissance annuelle (1994-2004) (*%*)	1,4	2,6[r]	2,2	2,3
Croissance annuelle (2005) (*%*)	0,9	4,0[bq]	1,9	1,5
PIB par habitant (PPA) (*$*)	30 579	24 000[bq]	33 615	31 244
Investissement (FBCF)[f] (*% PIB*)	17,4	• •	21,0	19,2
Recherche et Développement (*% PIB*)	2,5[b]	• •	2,3	1,9[c]
Taux d'inflation (*%*)	1,9	• •	2,1	2,5
Taux de chômage (fin d'année) (*%*)	9,5	• •	5,2	8,4
Énergie (consom./hab.)[c] (*TEP*)	4,205	• •	4,086	5,701
Énergie (taux de couverture)[c] (*%*)	38,8	• •	30,2	22,6
Dépense publique Éducation (*% PIB*)	4,8[d]	• •	5,7[d]	6,3[d]
Dépense publique Défense (*% PIB*)	1,4[b]	• •	0,7	1,4[b]
Solde administrat. publiques (*% PIB*)	– 2,9	• •	– 1,3	0,4
Dette administrat. publiques (*% PIB*)	67,7	• •	62,9	93,3
Dette extérieure totale[b] (*million $*)	• •	• •	• •	• •
Échanges extérieurs				
Importations (douanes) (*million $*)	777 461	1 226[p]	116 276	320 129
Principaux fournisseurs (%)	UE 59,2	Fra 26,6[p]	UE 79,1	UE 72,0
(%)	Asie[u] 18,5	Esp 48,6[p]	RFA 46,2	Asie[u] 12,7
(%)	E-U 6,5	RFA 4,4[p]	Asie[u] 6,9	E-U 5,4
Exportations (douanes) (*million $*)	977 779	55[p]	116 445	334 125
Principaux clients (%)	UE 63,2	Fra 26,1[p]	UE 69,7	UE 76,9
(%)	Asie[u] 13,3	Esp 60,9[p]	RFA 31,3	Asie[u] 9,7
(%)	E-U 8,8	HK 2,4[p]	PED[v] 16,0	E-U 6,0
Solde transactions courantes (*% PIB*)	4,1	• •	0,7	4,5

Définition des indicateurs, sigles et abréviations p. 16 et suivantes. Chiffres 2005 sauf notes. a. Derniers recensements utilisables, p. 395 ; b. 2004 ; c. 2003 ; d. 2002 ; e. 2001 ; f. 2003-2005 ; g. 2002-2004 ; h. 2006 ; i. 1995 ; k. 1998 ; m. 1999 ; o. 1996 ; q. 2000 ; q. Selon la CIA ; r. 1990-2000 ; s. 1997-1999 ; t. 1994 ; u. Y compris Japon, Moyen-Orient et Turquie. Non compris les républiques asiatiques de l'ex-Union soviétique ; v. Y compris pays de la CEI (Communauté d'Etats indépendants).

INDICATEUR	UNITÉ	DANE-MARK	ESPAGNE	FINLANDE
Démographie[a]				
Population (2005)	(millier)	5 431	43 064	5 249
Densité (2005)	(hab./km²)	126,0	85,1	15,5
Croissance annuelle (2000-2005)	(%)	0,3	1,1	0,3
Indice de fécondité (ISF) (2000-2005)		1,75	1,27	1,72
Mortalité infantile (2000-2005)	(‰)	4,8	4,6	3,9
Espérance de vie (2000-2005)	(année)	77,1	79,4	78,4
Population urbaine[b]	(%)	85,5	76,6	60,9
Indicateurs socioculturels				
Développement humain (IDH)[c]		0,941	0,928	0,941
Nombre de médecins	(‰ hab.)	2,90[d]	3,20[c]	2,60[c]
Espérance de scolarisation	(année)	16,6[c]	16,1[c]	18,3[c]
Scolarisation 3e degré	(%)	66,8[c]	63,5[c]	86,9[c]
Accès à Internet[b]	(‰ hab.)	604,1	331,8	630,0
Livres publiés	(titre)	14 154[d]	60 267[e]	7 561[p]
Armées (effectifs)				
Armée de terre	(millier)	12,50	95,6	20,50
Marine	(millier)	3,8	19,455	5
Aviation	(millier)	4,2	22,75	2,8
Économie				
PIB total (PPA)	(million $)	187 977	1 089 103	163 139
Croissance annuelle (1994-2004)	(%)	2,1	3,7	3,7
Croissance annuelle (2005)	(%)	3,4	3,4	2,1
PIB par habitant (PPA)	($)	34 737	26 320	31 208
Investissement (FBCF)[f]	(% PIB)	19,4	28,0	18,8
Recherche et Développement	(% PIB)	2,6[c]	1,1[c]	3,5[c]
Taux d'inflation	(%)	1,8	3,4	0,9
Taux de chômage (fin d'année)	(%)	4,0	8,7	8,3
Énergie (consom./hab.)[c]	(TEP)	3,853	3,240	7,204
Énergie (taux de couverture)[c]	(%)	137,3	24,2	42,5
Dépense publique Éducation	(% PIB)	8,5[d]	4,5[d]	6,4[d]
Dépense publique Défense	(% PIB)	1,5	1,0[b]	1,4
Solde administrat. publiques	(% PIB)	5,5	1,0	2,8
Dette administrat. publiques	(% PIB)	35,8	43,2	41,1
Dette extérieure totale[b]	(million $)	• •	• •	• •
Échanges extérieurs				
Importations (douanes)	(million $)	76 183	287 584	58 365
Principaux fournisseurs	(%)	UE 71,3	UE 63,0	UE 64,9
	(%)	Asie[u] 13,0	PED[v] 28,8	Rus 13,8
	(%)	E-U 2,7	E-U 2,9	Asie[u] 10,9
Exportations (douanes)	(million $)	85 311	191 004	65 223
Principaux clients	(%)	UE 70,2	UE 71,0	UE 55,7
	(%)	Asie[u] 9,4	Asie[u] 7,7	Asie[u] 15,3
	(%)	E-U 6,3	AmL 5,1	CEI 12,1
Solde des transactions courantes	(% PIB)	2,4	– 7,6	2,4

Définition des indicateurs, sigles et abréviations p. 16 et suivantes. Chiffres 2005 sauf notes. a. Derniers recensements utilisables, p. 395 ; b. 2004 ; c. 2003 ; d. 2002 ; e. 2001 ; f. 2003-2005 ; g. 2002-2004 ; h. 2006 ; i. 1995 ; k. 1998 ; m. 1999 ; o. 1996 ; p. 2000 ; q. Selon la CIA ; r. 1990-2000 ; s. 1997-1999 ;

FRANCE	GROEN-LAND	IRLANDE	ISLANDE	ITALIE	LIECHTEN-STEIN
60 496	57	4 148	295	58 093	35
109,7	0,1	59,0	2,9	192,8	218,8
0,4	0,3	1,8	0,9	0,1	1,0
1,87	2,52[d]	1,94	1,97	1,28	1,50
4,5	17,3	5,5	3,2	5,2	4,9
79,4	69,0	77,7	80,6	80,0	79,1
76,5	82,7	60,1	92,9	67,5	21,7
0,938	••	0,946	0,956	0,934	••
3,37[b]	1,58[e]	2,79[b]	3,62[b]	4,20[b]	••
15,7[c]	••	17,3[c]	18,3[c]	15,7[c]	••
55,3[c]	••	55,3[c]	61,7[c]	59,0[c]	••
413,7	663,2	296,3	770,0	497,8	••
54 415[e]	••	995[p]	1 796[k]	55 566[p]	••
133,5	••	8,5	••	112	••
43,995	••	1,1	••	34	••
63,6	••	0,86	••	45,875	••
1 830 110	1 100[eq]	167 747	10 531	1 668 151	1 786[mq]
2,2	2,6[r]	7,9	3,8	1,6	0,9[r]
1,4	••	4,7	5,5	0,1	••
29 316	20 000[eq]	40 610	35 586	28 760	25 000[mq]
19,2	••	24,8	24,1	19,4	••
2,2[b]	••	1,2[b]	3,0[c]	1,2[d]	••
1,9	••	2,2	4,0	2,3	••
9,2	••	4,3	2,7	7,7	••
4,519	3,306	3,777	11,694	3,140	••
50,1	••	12,6	72,6	15,3	••
5,6[d]	13,4[e]	4,3[d]	7,6[d]	4,8[d]	••
2,5[b]	••	0,6[b]	0,3	1,9[b]	••
− 2,7	••	− 3,7	2,1	− 3,6	••
66,8	••	27,6	36,8[b]	106,4	••
••	••	••	••	••	••
478 423	663	69 145	4 558	385 485	855[k]
UE 66,5	Dnk 75,2	UE 63,5	UE 61,9	UE 57,3	UE ••
PED[v] 21,1	Suè 12,0	Asie[u] 14,7	E-U 9,1	PED[v] 32,7	••••
E-U 5,1	Can 2,7	E-U 13,9	Asie[u] 14,6	CEI 5,6	••••
435 445	514	109 580	2 944	373 452	2 507[k]
UE 62,3	Dnk 62,4	UE 62,4	UE 76,4	UE 58,6	E-U 49,5[c]
Asie[u] 13,2	Asie[u] 21,1	Asie[u] 9,2	E-U 8,1	PED[v] 25,1	Sui 12,7[c]
E-U 7,2	E-U 3,2	E-U 19,3	Asie[u] 5,3	E-U 8,0	••••
− 1,3	••	− 1,9	− 16,6	− 1,5	••

t. 1994 ; u. Y compris Japon, Moyen-Orient et Turquie. Non compris les républiques asiatiques de l'ex-Union soviétique ; v. Y compris pays de la CEI (Communauté d'Etats indépendants).

INDICATEUR	UNITÉ	LUXEM-BOURG	MONACO	NORVÈGE
Démographie[a]				
Population (2005)	(millier)	465	35	4 620
Densité (2005)	(hab./km²)	179,8	17 948,7	14,3
Croissance annuelle (2000-2005)	(%)	1,3	1,1	0,5
Indice de fécondité (ISF) (2000-2005)		1,73	1,76	1,79
Mortalité infantile (2000-2005)	(‰)	5,4	5,7	3,8
Espérance de vie (2000-2005)	(année)	78,4	79,1	79,3
Population urbaine[b]	(%)	92,1	100,0	79,5
Indicateurs socioculturels				
Développement humain (IDH)[c]		0,949	• •	0,963
Nombre de médecins	(‰ hab.)	2,70[c]	5,81[i]	3,10[c]
Espérance de scolarisation	(année)	13,5[c]	16,9[k]	17,5[c]
Scolarisation 3e degré	(%)	12,4[c]	• •	80,3[c]
Accès à Internet[b]	(‰ hab.)	590,0	• •	393,7
Livres publiés	(titre)	878[m]	70[p]	4 985[m]
Armées (effectifs)				
Armée de terre	(millier)	0,900	• •	14,7
Marine	(millier)	• •	• •	6,1
Aviation	(millier)	• •	• •	5
Économie				
PIB total (PPA)	(million $)	31 759	870[pq]	195 130
Croissance annuelle (1994-2004)	(%)	4,8	2,7[r]	3,0
Croissance annuelle (2005)	(%)	4,3	• •	2,3
PIB par habitant (PPA)	($)	69 800	27 000[pq]	42 364
Investissement (FBCF)[f]	(% PIB)	19,4	• •	18,1
Recherche et Développement	(% PIB)	1,8[c]	1,3[i]	1,8[c]
Taux d'inflation	(%)	2,5	• •	1,6
Taux de chômage (fin d'année)	(%)	5,6	• •	4,2
Énergie (consom./hab.)[c]	(TEP)	9,472	• •	5,100
Énergie (taux de couverture)[c]	(%)	1,4	• •	998,9
Dépense publique Éducation	(% PIB)	3,6[m]	• •	7,6[d]
Dépense publique Défense	(% PIB)	0,8	• •	1,6
Solde administrat. publiques	(% PIB)	– 1,7	• •	– 4,3
Dette administrat. publiques	(% PIB)	6,2	• •	46,5
Dette extérieure totale[b]	(million $)	• •	• •	• •
Échanges extérieurs				
Importations (douanes)	(million $)	17 452	• •	54 790
Principaux fournisseurs	(%)	Belg 28,2	UE • •	UE 71,9
	(%)	RFA 21,8	• • • •	Asie[u] 12,7
	(%)	Asie[u] 19,5	• • • •	E-U 4,7
Exportations (douanes)	(million $)	12 582	• •	101 956
Principaux clients	(%)	UE 85,4	UE • •	UE 80,2
	(%)	RFA 21,0	• • • •	E-U 6,9
	(%)	Fra 16,3	• • • •	Asie[u] 4,8
Solde des transactions courantes	(% PIB)	7,9	• •	16,8

Définition des indicateurs, sigles et abréviations p. 16 et suivantes. Chiffres 2005 sauf notes. a. Derniers recensements utilisables, p. 395 ; b. 2004 ; c. 2003 ; d. 2002 ; e. 2001 ; f. 2003-2005 ; g. 2002-2004 ; h. 2006 ; i. 1995 ; k. 1998 ; m. 1999 ; o. 1996 ; p. 2000 ; q. Selon la CIA ; r. 1990-2000 ; s. 1997-1999 ;

PAYS-BAS	PORTUGAL	ROYAUME-UNI	SAINT-MARIN	SUÈDE	SUISSE
16 299	10 495	59 668	28	9 041	7 252
392,5	114,1	245,6	466,7	20,1	175,6
0,5	0,5	0,3	0,9	0,4	0,2
1,72	1,47	1,66	1,30	1,64	1,41
4,5	5,6	5,3	6,1	3,3	4,4
78,3	77,2	78,3	81,7[h]	80,1	80,4
66,3	55,1	89,2	88,7	83,4	67,5
0,943	0,904	0,939	• •	0,949	0,947
3,10[c]	3,30[c]	2,20[c]	• •	3,30[d]	3,60[d]
16,6[c]	16,0[c]	21,3[c]	• •	18,7[c]	15,1[c]
58,0[c]	55,5[c]	62,8[c]	• •	81,8[c]	45,0[c]
616,3	280,3	628,8	• •	754,6	472,0
17 000[e]	10 708[m]	120 479[e]	• •	5 328[e]	18 273[m]
23,2	26,7	116,76	• •	13,8	153
12,13	10,95	40,63	• •	7,9	• •
11,05	7,25	48,5	• •	5,9	32,9
503 394	203 381	1 832 792	940[eq]	270 516	236 921
2,5	2,5	2,9	0,8[r]	2,9	1,4
1,1	0,3	1,8	• •	2,7	1,8
30 862	19 335	30 470	34 600[eq]	29 898	32 571
19,3	22,7	16,3	43,4[s]	16,3	21,0
1,8[c]	0,8[c]	1,9[c]	• •	4,0[c]	2,6[p]
1,5	2,1	2,1	• •	0,8	1,2
4,6	7,8	4,9	• •	5,7	4,5
4,982	2,469	3,893	• •	5,754	3,689
72,3	16,8	106,1	• •	61,4	44,3
5,1[d]	5,8[d]	5,3[d]	• •	7,7[d]	5,8[d]
1,5	2,1[b]	2,6[b]	• •	1,5	1,0
− 1,8	− 5,8	− 5,7	• •	3,0	− 1,1
52,9	63,9	42,8	• •	50,3	• •
• •	• •	• •	• •	• •	• •
309 246	53 380	483 017	1 652[t]	107 945	115 014
UE 49,7	UE 72,4	UE 50,5	UE • •	UE 75,0	UE 74,7
Asie[u] 27,4	PED[v] 18,4	Asie[u] 21,8	• • • •	Asie[u] 9,1	PED[v] 15,0
E-U 7,8	E-U 2,3	E-U 8,7	• • • •	E-U 3,4	E-U 7,8
345 859	32 156	371 370	1 416[t]	129 192	121 647
UE 79,0	UE 75,6	UE 53,7	UE • •	UE 58,0	UE 60,0
Asie[u] 7,5	Asie[u] 5,1	Asie[u] 16,5	• • • •	Asie[u] 12,7	Asie[u] 21,9
E-U 4,3	E-U 5,4	E-U 14,9	• • • •	E-U 10,4	E-U 9,5
6,4	− 9,2	− 2,6	• •	6,1	13,8

t. 1994; u. Y compris Japon, Moyen-Orient et Turquie. Non compris les républiques asiatiques de l'ex-Union soviétique; v. Y compris pays de la CEI (Communauté d'Etats indépendants).

INDICATEUR	UNITÉ	ALBANIE	BOSNIE-HERZÉGOVINE	BULGARIE
Démographie[a]				
Population (2005)	(millier)	3 130	3 907	7 726
Densité (2005)	(hab./km²)	108,9	76,3	69,6
Croissance annuelle (2000-2005)	(%)	0,4	0,3	− 0,7
Indice de fécondité (ISF) (2000-2005)		2,29	1,32	1,24
Mortalité infantile (2000-2005)	(‰)	25,0	13,5	13,2
Espérance de vie (2000-2005)	(année)	73,7	74,1	72,1
Population urbaine[b]	(%)	44,4	44,9	70,2
Indicateurs socioculturels				
Développement humain (IDH)[c]		0,780	0,786	0,808
Nombre de médecins	(‰ hab.)	1,31[d]	1,34[c]	3,56[c]
Espérance de scolarisation	(année)	11,3[c]	• •	13,1[c]
Scolarisation 3e degré	(%)	16,4[c]	15,8[h]	40,8[c]
Accès à Internet[b]	(‰ hab.)	23,5	58,1	159,0
Livres publiés	(titre)	381[i]	1 008[k]	5 000[d]
Armées (effectifs)				
Armée de terre	(millier)	16	16,4	25,00
Marine	(millier)	2	• •	4,37
Aviation	(millier)	3,5	• •	13,1
Économie				
PIB total (PPA)	(million $)	16 944	23 654	71 235
Croissance annuelle (1994-2004)	(%)	5,8	10,0[q]	1,4
Croissance annuelle (2005)	(%)	5,5	5,0	5,5
PIB par habitant (PPA)	($)	4 764	6 035	9 223
Investissement (FBCF)[f]	(% PIB)	25,0[g]	20,5[g]	21,3
Taux d'inflation	(%)	2,5	2,8	5,0
Taux de chômage (fin d'année)	(%)	14,7	41,0[b]	9,1
Énergie (taux de couverture)[c]	(%)	43,1	69,8	51,6
Dépense publique Éducation	(% PIB)	2,8[d]	• •	3,6[d]
Dépense publique Défense	(% PIB)	1,4	2,4[b]	2,3
Dette extérieure totale[b]	(million $)	1 549	3 202	15 661
Service de la dette/Export[g]	(%)	2,8[s]	4,2	14,8
Échanges extérieurs				
Importations (douanes)	(million $)	2 614	5 623	18 181
Principaux fournisseurs	(%)	Ita 32,7	UE 65,3	UE 56,8
	(%)	Grèce 18,3	Croa 25,6	CEI 16,0
	(%)	Turq 8,6	Asie[u] 4,1	Asie[u] 14,6
Exportations (douanes)	(million $)	658	2 118	11 725
Principaux clients	(%)	UE 84,1	UE 67,9	UE 55,3
	(%)	Ita 63,5	Croa 19,4	Asie[u] 16,8
	(%)	Asie[u] 4,8	Asie[u] 6,6	CEI 11,5
Solde des transactions courantes	(% PIB)	− 5,6	− 26,4	− 11,8

Définition des indicateurs, sigles et abréviations p. 16 et suivantes. Chiffres 2005 sauf notes.
a. Derniers recensements utilisables, p. 395 ; b. 2004 ; c. 2003 ; d. 2002 ; e. 2001 ; f. 2003-2005 ;
g. 2002-2004 ; h. 1997 ; i. 1991 ; k. 1989 ; m. 1999 ; o. 2000 ; p. 1996 ; q. 1996-2004 ; r. 1998-2004 ;

CROATIE	HONGRIE	MACÉDOINE	POLOGNE	RÉPUBLIQUE TCHÈQUE	ROUMANIE
4 551	10 098	2 034	38 530	10 220	21 711
80,5	108,5	79,1	123,2	129,6	91,1
0,2	− 0,3	0,2	− 0,1	− 0,1	− 0,4
1,35	1,30	1,53	1,26	1,17	1,26
6,9	8,3	16,0	8,8	5,6	18,1
74,9	72,6	73,7	74,3	75,5	71,3
59,4	65,5	59,6	62,0	74,4	54,7
0,841	0,862	0,797	0,858	0,874	0,792
2,44[c]	3,20[c]	2,19[e]	2,50[c]	3,50[c]	1,90[c]
12,9[c]	15,3[c]	12,1[c]	15,6[c]	14,9[c]	12,9[c]
38,7[c]	51,9[c]	27,4[c]	59,5[c]	36,9[c]	36,3[c]
295,1	267,4	77,0	233,5	499,7	207,6
6 500[e]	10 352[m]	733[m]	19 192[m]	11 965[o]	7 874[m]
14,05	24,0	9,76	89,00	16,7	66,0
2,5	• •	• •	14,3	• •	7,2
2,3	7,5	1,1	30	5,609	14
54 710	169 875	15 780	495 885	187 611	190 760
4,1	3,8	1,7	4,5	2,6	2,5
4,1	4,1	3,8	3,2	6,0	4,1
12 158	17 405	7 645	12 994	18 375	8 785
28,6	22,7	17,2[g]	17,9	26,7	22,1
3,3	3,5	0,5	2,1	1,8	9,0
13,8[b]	7,5	36,5	17,2	7,7	7,8
42,7	39,5	68,1	85,4	74,8	74,2
4,5[d]	5,5[d]	3,5[d]	5,6[d]	4,4[d]	3,5[d]
1,6	1,8[b]	2,3	1,8	1,8	2,1
31 548	63 159	2 044	99 190	45 561	30 034
29,6	29,2	13,0	27,3	9,7	17,8
18 547	65 296	3 228	100 903	76 554	40 463
UE 65,8	UE 67,8	UE 57,9	UE 74,7	UE 70,9	UE 68,4
Asie[u] 11,2	RFA 27,5	S&M 10,5	RFA 29,6	RFA 30,0	CEI 12,2
CEI 9,7	CEI 8,9	Asie[u] 8,6	CEI 11,3	CEI 7,8	Asie[u] 12,2
8 809	61 762	2 041	89 347	78 276	27 730
UE 62,0	UE 76,8	UE 52,7	UE 77,4	UE 84,4	UE 68,4
Ita 21,8	Asie[u] 6,2	S&M 27,8	RFA 28,2	RFA 33,5	Asie[u] 15,7
Bosn 14,7	CEI 3,7	Asie[u] 3,9	CEI 8,6	CEI 3,1	E-U 4,5
− 6,0	− 7,9	− 0,8	− 1,6	− 2,1	− 8,7

s. 2001-2003 ; t. 2000-2002 ; u. Y compris Japon, Moyen-Orient et Turquie. Non compris les républiques asiatiques de l'ex-Union soviétique.

INDICATEUR	SERBIE-MONTÉNÉGRO	SLOVAQUIE	SLOVÉNIE
Démographie[a]			
Population (2005) (*millier*)	10 503	5 401	1 967
Densité (2005) (*hab./km²*)	102,8	110,2	97,0
Croissance annuelle (2000-2005) (*%*)	– 0,1	0,0	0,0
Indice de fécondité (ISF) (2000-2005)	1,65	1,20	1,22
Mortalité infantile (2000-2005) (‰)	13,0	7,8	5,5
Espérance de vie (2000-2005) (*année*)	73,2	74,0	76,3
Population urbaine[b] (*%*)	52,2	57,7	50,8
Indicateurs socioculturels			
Développement humain (IDH)[c]	• •	0,849	0,904
Nombre de médecins (‰ *hab.*)	2,06[d]	3,10[c]	2,25[d]
Espérance de scolarisation (*année*)	13,0[e]	14,0[c]	16,9[c]
Scolarisation 3e degré (*%*)	36,3[e]	34,0[c]	70,1[c]
Accès à Internet[b] (‰ *hab.*)	186,1	422,7	479,6
Livres publiés (*titre*)	5 367[p]	3 153[m]	3 600[e]
Armées (effectifs)			
Armée de terre (*millier*)	55,0	12,9	6,55
Marine (*millier*)	3,8	5,2	• •
Aviation (*millier*)	6,5	2,175	• •
Économie			
PIB total (PPA) (*million $*)	44 665	86 753	43 690
Croissance annuelle (1994-2004) (*%*)	0,9[r]	4,3	3,9
Croissance annuelle (2005) (*%*)	4,7	6,0	3,9
PIB par habitant (PPA) (*$*)	5 348	16 041	21 911
Investissement (FBCF)[f] (*% PIB*)	15,4[g]	25,5	24,1
Taux d'inflation (*%*)	16,3	2,8	2,5
Taux de chômage (fin d'année) (*%*)	31,7[b]	16,1	6,3
Énergie (taux de couverture)[c] (*%*)	70,7	34,6	46,8
Dépense publique Éducation (*% PIB*)	3,3[o]	4,4[d]	6,0[d]
Dépense publique Défense (*% PIB*)	3,5[b]	1,8	1,7
Dette extérieure totale[b] (*million $*)	15 882	22 068	20 565
Service de la dette/Export[g] (*%*)	6,9[s]	11,1[s]	12,3[t]
Échanges extérieurs			
Importations (douanes) (*million $*)	7 706	36 123	19 532
Principaux fournisseurs (%)	UE 73,0	UE 79,8	UE 79,5
(%)	Asie[u] 10,5	RFA 23,3	Asie[u] 6,1
(%)	Bulg 5,5	CEI 12,1	CEI 2,1
Exportations (douanes) (*million $*)	2 368	31 964	17 793
Principaux clients (%)	UE 81,0	UE 84,8	UE 67,0
(%)	Asie[u] 7,7	RFA 30,2	Croa 9,3
(%)	E-U 2,3	CEI 2,9	Bosn 3,8
Solde transactions courantes (*% PIB*)	– 8,8	– 7,2	– 0,9

Définition des indicateurs, sigles et abréviations p. 16 et suivantes. Chiffres 2005 sauf notes.
a. Derniers recensements utilisables, p. 395 ; b. 2004 ; c. 2003 ; d. 2002 ; e. 2001 ; f. 2003-2005 ;
g. 2002-2004 ; h. 1997 ; i. 1991 ; k. 1989 ; m. 1999 ; o. 2000 ; p. 1996 ; q. 1996-2004 ; r. 1998-2004 ;
s. 2001-2003 ; t. 2000-2002 ; u. Y compris Japon, Moyen-Orient et Turquie. Non compris les républiques
asiatiques de l'ex-Union soviétique.

INDICATEUR	CHYPRE	GRÈCE	MALTE	TURQUIE
Démographie[a]				
Population (2005) (*millier*)	835	11 120	402	73 193
Densité (2005) (*hab./km²*)	90,3	84,3	1 256,3	94,5
Croissance annuelle (2000-2005) (%)	1,2	0,3	0,5	1,4
Indice de fécondité (ISF) (2000-2005)	1,63	1,25	1,50	2,46
Mortalité infantile (2000-2005) (‰)	6,2	6,5	7,1	41,6
Espérance de vie (2000-2005) (*année*)	78,5	78,2	78,3	68,6
Population urbaine[b] (%)	69,4	61,1	91,9	66,8
Indicateurs socioculturels				
Développement humain (IDH)[c]	0,891	0,912	0,867	0,750
Nombre de médecins (‰ *hab.*)	2,34[d]	4,40[e]	3,18[c]	1,40[c]
Analphabétisme (hommes) (%)	1,4	1,4[c]	13,6	5,6[h]
Analphabétisme (femmes) (%)	4,9	3,5[c]	10,8	21,5[h]
Espérance de scolarisation (*année*)	13,4[c]	15,4[c]	14,3[c]	11,4[c]
Scolarisation 3e degré (%)	32,0[c]	72,2[c]	29,9[c]	28,0[c]
Accès à Internet[b] (‰ *hab.*)	369,3	178,1	752,5	141,3
Livres publiés (*titre*)	931[i]	5 914[k]	237[k]	2 920[i]
Armées (effectifs)				
Armée de terre (*millier*)	10	110	2,24	402
Marine (*millier*)	• •	19,25	• •	52,75
Aviation (*millier*)	• •	23	• •	60,1
Économie				
PIB total (PPA) (*million $*)	17 490	248 509	7 799	569 248
Croissance annuelle (1994-2004) (%)	4,0	3,7	3,2	4,2
Croissance annuelle (2005) (%)	3,7	3,7	1,0	7,4
PIB par habitant (PPA) ($)	21 232	22 392	19 739	7 950
Investissement (FBCF)[f] (% *PIB*)	18,0[g]	24,7	20,9	17,6
Taux d'inflation (%)	2,6	3,5	3,1	8,2
Énergie (taux de couverture)[c] (%)	1,6	33,2	• •	29,9
Dépense publique Éducation (% *PIB*)	6,1[d]	4,0[d]	4,6[d]	3,6[d]
Dépense publique Défense (% *PIB*)	1,5[b]	4,1[b]	0,8[b]	3,9[b]
Dette extérieure totale[b] (*million $*)	7 327[m]	63 400[d]	1 531[d]	161 595
Service de la dette/Export[g] (%)	• •	• •	• •	40,3
Échanges extérieurs				
Importations (douanes) (*million $*)	6 282	49 817	3 588	98 998
Principaux fournisseurs (%)	UE 66,0	UE 55,7	UE 75,0	UE 46,4
(%)	Asie° 22,8	Asie° 23,7	Asie° 15,9	Asie° 22,3
(%)	CEI 2,4	CEI 9,3	E-U 5,5	CEI 14,1
Exportations (douanes) (*million $*)	1 303	15 511	2 273	71 928
Principaux clients (%)	UE 58,8	UE 53,1	UE 50,8	UE 53,3
(%)	M-O 10,4	Asie° 15,8	Asie° 27,1	Asie° 16,7
(%)	CEI 2,2	Bulg 5,9	E-U 14,4	CEI 8,1
Solde transactions courantes (% *PIB*)	– 5,1	– 7,9	– 6,7	– 6,3

Définition des indicateurs, sigles et abréviations p. 16 et suivantes. Chiffres 2005 sauf notes. a. Derniers recensements utilisables, p. 395 ; b. 2004 ; c. 2003 ; d. 2002 ; e. 2001 ; f. 2003-2005 ; g. 2002-2004 ; h. 2000-2004 ; i. 1999 ; k. 1998 ; m. Selon la CIA ; o. Y compris Japon, Moyen-Orient et Turquie. Non compris les républiques asiatiques de l'ex-Union soviétique.

INDICATEUR	ESTONIE	LETTONIE	LITUANIE
Démographie[a]			
Population (2005) (*millier*)	1 330	2 307	3 431
Densité (2005) (*hab./km²*)	29,4	35,7	52,5
Croissance annuelle (2000-2005) (*%*)	– 0,6	– 0,6	– 0,4
Indice de fécondité (ISF) (2000-2005)	1,37	1,26	1,28
Mortalité infantile (2000-2005) (*‰*)	9,8	10,2	9,1
Espérance de vie (2000-2005) (*année*)	71,2	71,4	72,2
Population urbaine[b] (*%*)	69,6	66,1	66,7
Indicateurs socioculturels			
Développement humain (IDH)[c]	0,853	0,836	0,852
Nombre de médecins (*‰ hab.*)	3,16[e]	3,01[c]	3,97[c]
Espérance de scolarisation (*année*)	15,7[c]	15,2[c]	15,8[c]
Scolarisation 3e degré (*%*)	64,5[c]	71,0[c]	69,0[c]
Accès à Internet[b] (*‰ hab.*)	512,2	354,3	280,9
Livres publiés (*titre*)	3 265[h]	2 326[d]	4 097[h]
Armées (effectifs)			
Armée de terre (*millier*)	3,43	1,8	11,60
Marine (*millier*)	0,331	0,685	0,71
Aviation (*millier*)	0,193	0,255	1,2
Économie			
PIB total (PPA) (*million $*)	22 118	29 214	48 493
Croissance annuelle (1994-2004) (*%*)	6,0	5,7	5,5
Croissance annuelle (2005) (*%*)	9,8	10,2	7,3
Croissance agriculture (2005) (*%*)	– 8,0[b]	4,0[b]	– 0,8[b]
Croissance industrie (2005) (*%*)	11,0	5,6	10,4
PIB par habitant (PPA) (*$*)	16 414	12 622	14 158
Investissement (FBCF)[f] (*% PIB*)	28,5	27,3	21,7
Taux d'inflation (*%*)	4,1	6,7	2,6
Taux de chômage (fin d'année) (*%*)	6,6	8,0	6,8
Énergie (taux de couverture)[c] (*%*)	74,5	45,2	58,4
Dépense publique Éducation (*% PIB*)	5,7[d]	5,8[d]	5,9[d]
Dépense publique Défense (*% PIB*)	1,6	1,7	1,7[b]
Dette extérieure totale[b] (*million $*)	10 008	12 661	9 475
Service de la dette/Export[g] (*%*)	15,8	18,5	17,9
Échanges extérieurs			
Importations (douanes) (*million $*)	10 109	8 537	15 449
Principaux fournisseurs (%)	UE 75,9	UE 74,4	UE 59,0
(%)	Asie[i] 8,8	Rus 8,6	Rus 27,8
(%)	Rus 9,4	Belar 5,7	Asie[i] 5,3
Exportations (douanes) (*million $*)	7 687	5 080	11 797
Principaux clients (%)	UE 77,6	UE 75,5	UE 65,6
(%)	Asie[i] 3,2	E-U 3,6	Asie[i] 5,3
(%)	CEI 8,6	CEI 11,6	CEI 17,5
Solde transactions courantes (*% PIB*)	– 10,5	– 12,5	– 7,5

Définition des indicateurs, sigles et abréviations p. 16 et suivantes. Chiffres 2005 sauf notes. a. Derniers recensements utilisables, p. 395 ; b. 2004 ; c. 2003 ; d. 2002 ; e. 2001 ; f. 2003-2005 ; g. 2002-2004 ; h. 1999 ; i. Y compris Japon, Moyen-Orient et Turquie. Non compris les républiques asiatiques de l'ex-URSS.

INDICATEUR	ARMÉNIE	AZERBAÏDJAN	BIÉLORUSSIE
Démographie[a]			
Population (2005) (*millier*)	3 016	8 411	9 755
Densité (2005) (*hab./km²*)	101,2	97,1	47,0
Croissance annuelle (2000-2005) (%)	−0,4	0,7	−0,6
Indice de fécondité (ISF) (2000-2005)	1,33	1,85	1,24
Mortalité infantile (2000-2005) (‰)	30,2	75,5	14,9
Espérance de vie (2000-2005) (*année*)	71,4	66,9	68,1
Population urbaine[b] (%)	64,3	50,0	71,3
Indicateurs socioculturels			
Développement humain (IDH)[c]	0,759	0,729	0,786
Nombre de médecins (‰ *hab.*)	3,59[c]	3,55[c]	4,55[c]
Espérance de scolarisation (*année*)	11,3[b]	10,8[b]	14,4[b]
Scolarisation 3e degré (%)	26,2[b]	14,8[b]	60,5[b]
Accès à Internet[b] (‰ *hab.*)	39,5	48,9	249,8
Livres publiés (*titre*)	516[i]	444[k]	6 073[k]
Armées (effectifs)			
Armée de terre (*millier*)	45,0	56,8	30
Marine (*millier*)	• •	1,75	• •
Aviation (*millier*)	3,16	7,9	18,17
Économie			
PIB total (PPA) (*million $*)	14 167	38 708	75 217
Croissance annuelle (1994-2004) (%)	7,9	5,5	4,8
Croissance annuelle (2005) (%)	13,9	24,3	9,2
Croissance agriculture (2005) (%)	11,2	7,1	2,1
Croissance industrie (2005) (%)	7,5	33,5	10,4
PIB par habitant (PPA) ($)	4 270	4 601	7 711
Investissement (FBCF)[f] (% *PIB*)	24,1	50,7	26,1
Taux d'inflation (%)	0,6	9,7	10,3
Taux de chômage (fin d'année) (%)	8,1	1,5	1,9[b]
Énergie (taux de couverture)[c] (%)	34,5	161,3	13,6
Dépense publique Éducation (% *PIB*)	3,2[d]	3,4[b]	5,8[b]
Dépense publique Défense (% *PIB*)	2,7	1,8[b]	1,2[b]
Dette extérieure totale[b] (*million $*)	1 224	1 986	3 717
Service de la dette/Export[g] (%)	8,4	5,9	2,3
Échanges extérieurs			
Importations (douanes) (*million $*)	1 768	4 979	16 699
Principaux fournisseurs (%)	UE 35,7	CEI 29,8	Rus 60,5
(%)	CEI 25,3	UE 41,5	UE 27,4
(%)	Asie[s] 25,7	Asie[s] 22,2	RFA 9,2
Exportations (douanes) (*million $*)	950	3 765	15 977
Principaux clients (%)	UE 56,2	UE 69,0	CEI 50,5
(%)	CEI 16,5	CEI 14,0	UE 33,7
(%)	M-O 20,3	Asie[s] 10,5	Asie[s] 7,6
Solde transactions courantes (% *PIB*)	−3,3	−5,2	1,2

Définition des indicateurs, sigles et abréviations p. 16 et suivantes. Chiffres 2005 sauf notes. a. Derniers recensements utilisables, p. 395 ; b. 2004 ; c. 2003 ; d. 2002 ; e. 2001 ; f. 2003-2005 ; g. 2002-2004 ; h. 1997 ; i. 1999 ; k. 1998 ; m. 1996 ; o. 1994 ; p. Chômeurs inscrits ; q. 1991 ; r. 2001-2003 ; s. Y compris Japon, Moyen-Orient et Turquie. Non compris les républiques asiatiques de l'ex-Union soviétique.

INDICATEUR	UNITÉ	GÉORGIE	KAZAKH-STAN	KIRGHIZ-STAN
Démographie[a]				
Population (2005)	(millier)	4 474	14 825	5 264
Densité (2005)	(hab./km²)	64,2	5,4	26,3
Croissance annuelle (2000-2005)	(%)	– 1,1	– 0,3	1,2
Indice de fécondité (ISF) (2000-2005)		1,48	1,95	2,71
Mortalité infantile (2000-2005)	(‰)	40,5	61,2	55,1
Espérance de vie (2000-2005)	(année)	70,5	63,2	66,8
Population urbaine[b]	(%)	51,7	55,9	33,9
Indicateurs socioculturels				
Développement humain (IDH)[c]		0,732	0,761	0,702
Nombre de médecins	(‰ hab.)	4,09[c]	3,54[c]	2,50[b]
Espérance de scolarisation	(année)	12,3[b]	14,7[b]	12,4[b]
Scolarisation 3e degré	(%)	41,5[b]	48,0[b]	39,7[b]
Accès à Internet[b]	(‰ hab.)	34,6	26,0	51,6
Livres publiés	(titre)	697[i]	1 223[i]	420[k]
Armées (effectifs)				
Armée de terre	(millier)	7,04	46,8	8,5
Marine	(millier)	1,35	••	••
Aviation	(millier)	1,35	19	4
Économie				
PIB total (PPA)	(million $)	15 498	125 522	10 764
Croissance annuelle (1994-2004)	(%)	5,8	4,5	4,1
Croissance annuelle (2005)	(%)	7,7	9,4	– 0,6
Croissance agriculture (2005)	(%)	11,9	6,7	– 4,2
Croissance industrie (2005)	(%)	13,0	4,6	– 12,1
PIB par habitant (PPA)	($)	3 616	8 318	2 088
Investissement (FBCF)[f]	(% PIB)	26,0[g]	24,8	14,0
Taux d'inflation	(%)	8,3	7,6	4,3
Taux de chômage (fin d'année)	(%)	12,5[b]	7,8	9,0
Énergie (taux de couverture)[c]	(%)	50,5	211,8	51,3
Dépense publique Éducation	(% PIB)	2,9[b]	2,4[b]	4,6[b]
Dépense publique Défense	(% PIB)	1,4[b]	1,0[b]	3,0
Dette extérieure totale[b]	(million $)	2 082	32 310	2 100
Service de la dette/Export[g]	(%)	11,2	35,8	17,5
Échanges extérieurs				
Importations (douanes)	(million $)	2 491	19 862	2 156
Principaux fournisseurs	(%)	CEI 34,6	CEI 41,3	CEI 35,6
	(%)	UE 29,7	UE 24,9	UE 7,1
	(%)	Asie[s] 18,2	Asie[s] 28,7	Chin 44,2
Exportations (douanes)	(million $)	867	26 908	805
Principaux clients	(%)	CEI 33,0	CEI 18,1	CEI 41,7
	(%)	UE 25,7	UE 38,4	UE 2,5
	(%)	Asie[s] 18,6	Asie[s] 19,5	Asie[s] 46,2
Solde des transactions courantes	(% PIB)	– 7,4	1,8	– 8,1

Définition des indicateurs, sigles et abréviations p. 16 et suivantes. Chiffres 2005 sauf notes. a. Derniers recensements utilisables, p. 395 ; b. 2004 ; c. 2003 ; d. 2002 ; e. 2001 ; f. 2003-2005 ; g. 2002-2004 ;

MOLDAVIE	OUZBÉKI-STAN	RUSSIE	TADJIKI-STAN	TURKMÉNI-STAN	UKRAINE
4 206	26 593	143 202	6 507	4 833	46 481
124,3	59,4	8,4	45,6	9,9	77,0
- 0,3	1,5	- 0,5	1,1	1,4	- 1,1
1,23	2,74	1,33	3,81	2,76	1,12
25,8	58,0	16,9	89,2	78,3	15,6
67,5	66,5	65,4	63,5	62,4	66,1
46,2	36,5	73,3	24,5	45,6	67,3
0,671	0,694	0,795	0,652	0,738	0,766
2,64[c]	2,74[c]	4,25[c]	2,03[c]	4,18[d]	2,95[c]
10,3[b]	11,4[c]	13,2[c]	10,7[b]	• •	13,7[b]
31,7[b]	15,3[c]	65,2[c]	16,4[b]	19,5[h]	65,5[b]
95,2	33,2	111,0	0,8	7,3	77,9
1 166[i]	1 003[m]	46 156[k]	9[k]	450[o]	6 282[i]
5,7	40	395	7,6	21,0	125,0
• •	• •	142	• •	1	13,5
1,04	15	170	• •	4,3	49,1
8 563	50 395	1 575 561	8 802	40 685	338 486
1,3	2,9	2,8	3,9	8,0	1,1
7,0	7,0	6,4	6,7	9,6	2,6
20,4[b]	7,0	2,9[b]	1,8	4,0	0,0
6,3	5,5	4,2	8,6	7,9	3,1
2 374	1 920	11 041	1 388	8 098	7 156
20,8	21,2[g]	17,9	10,2[g]	26,7[g]	21,5
11,9	21,0	12,6	7,1	10,8	13,5
6,4	0,3[bp]	8,5[b]	2,3	30,2[b]	2,9
1,9	106,7	173,0	45,5	340,4	57,0
4,9[c]	7,7[m]	3,8[d]	2,8[b]	3,9[q]	4,6[b]
0,3	0,5[b]	3,9[b]	1,9	1,0	2,6[b]
1 868	5 007	197 335	896	1 500	21 652
14,2	24,4[r]	10,9	8,6	21,3	12,3
2 620	3 540	137 833	1 396	2 821	36 141
CEI 39,8	CEI 45,4	UE 52,3	CEI 62,6	CEI 36,8	CEI 42,4
UE 40,5	Asie[s] 28,7	CEI 13,0	UE 8,4	UE 16,1	Asie[s] 12,2
Asie[s] 7,6	UE 21,7	Asie[s] 23,1	Asie[s] 19,7	Asie[s] 33,5	UE 40,2
1 264	3 236	243 569	976	4 742	34 287
CEI 50,1	CEI 40,5	UE 55,2	CEI 19,0	CEI 48,3	CEI 26,3
UE 30,9	Asie[s] 35,4	CEI 11,7	UE 26,0	Asie[s] 26,9	UE 25,7
Asie[s] 4,1	UE 19,6	Asie[s] 19,4	E-U 23,2	UE 14,9	Asie[s] 27,3
- 5,5	10,8	11,3	- 3,4	2,8	2,7

h. 1997 ; i. 1999 ; k. 1998 ; m. 1996 ; o. 1994 ; p. Chômeurs inscrits ; q. 1991 ; r. 2001-2003 ; s. Y compris Japon, Moyen-Orient et Turquie. Non compris les républiques asiatiques de l'ex-Union soviétique.

Index général

*1 3oo entrées
permettant une recherche ciblée*

Cet ouvrage composé et mis en page par I.G.S.-Charente Photogravure à Angoulême a été achevé d'imprimer en août 2006 sur les presses de l'imprimerie Hérissey à Évreux.